U0516778

尚秉和　撰　張善文　校理

尚秉和易學全書　第二卷　上　焦氏易林注（上）

中華書局

第二卷　目録

焦氏易林注　上

焦氏易林注　下

焦氏易林注

上

尚秉和　撰

張善文　校理

焦氏易林注校理弁言

《焦氏易林注》十六卷，尚秉和先生撰。論者云，自《易林》問世以來，歷代未有詳注此書者；至以卦象貫穿剖析林辭旨趣者，更無一人。惟尚氏毅然卓立，謂西漢說《易》之書，莫如《易林》之完善，凡《易林》文辭無一字不從卦象生，且無一象不本之《易》。於是傾十有餘載之功，鉤索易象根源，稽攷林辭依歸，勘校版本得失，推尋音韻是非，句注字釋，撰爲是書。分爲十六卷者，以六十四卦林辭每四卦爲一卷，即舊刊十六卷本之原次也。

統觀全書大例，乃沿循《易林》文本，追源《易》象，詳析林辭，注明象義之所從出，並於每林後多附校語，以勘訂文字。卷首載《例言》《校勘記說例》。又載《易林逸象原本攷》一篇，則備舉《易林》與《易》有關之八卦逸象一百七十餘例，以便讀者省閱。並云："《易林》逸象，其與《易》有關，可以解經，並可以正《易》注之誤者，其詳皆在《焦氏易詁》中，凡百七十餘象。其與《易》無關，推廣之象，尚不知幾千百，皆省而不錄。錄其有關者，下注明其所本，以見此逸象仍原本於《易》，俾閱者不至再有疑惑。"故此書與尚著《焦氏易詁》實爲姊妹篇,宜參互研讀。仵埔《敍》稱:《易林》逸象,二千年來無有識者,故《易》注多誤,解《易林》之辭亦遂難通,今尚氏既著此書,"不但爲焦氏之功臣,實於易學所關至鉅,其有功於後學甚大。至於爬梳字句,闡發幽滯,攷稽故事,爲先儒所不能釋,或釋之而誤,爲一一訂正其失者,猶其餘事也"。

茲書校理,以民國二十九年(1940)刊本_{簡稱"刻本"}爲底本,以作者數度修訂之原稿_{簡稱"稿本"}作校本。凡刻本間或舛訛衍脫者,皆據稿本校改之,並出校記。刻本已就稿本增删修訂,然稿本有仍足資攷索尚氏學術思路者,則别爲録存頁下校記中,庶供讀者參省。

稿本文字有刊本印行後又續爲補訂之痕跡,今書稿猶夾留作者批記之小紙條,多標示此類情實。如卷一屯之大壯夾紙條云"大壯注改三字",噬嗑之泰云"泰注增"等即是,今皆依改訂,並出校記。惟稿本年久,多經翻閱,所夾字條恐不無散佚,是甚可惜,亦無如何。

作者校勘林辭文字,獨取三種主校本:一是清嘉慶十三年(1808)黄丕烈《士禮居黄氏叢書》校宋刊本十六卷(簡稱"宋本")。二是烏程蔣氏密韻樓藏影元本十六卷,今《四部叢刊》影印本即是(簡稱"元本")。三是明崇禎間虞山毛氏汲古閣刊《津逮祕書》本四卷(簡稱"汲古本")。尚氏以此三本迴環互證,謂"雖不能盡通,然已得八九矣"。同時引據參校之常用本,又有五種:曰明萬曆二十年(1592)何允中刊四卷本,《廣漢魏叢書》所收是也(簡稱"何本");曰清嘉慶十年（1805）虞山張氏照曠閣刊四卷本，《學津討源》所收是也（簡稱"學津本"）；曰清道光間東萊翟云升《焦氏易林校略》十六卷本，翟氏刻《五經歲徧齋校書》所收是也（簡稱"翟本"）；曰清光緒元年（1875）湖北崇文書局刊四卷本，《子書百家》（即《百子全書》）所收是也（簡稱"局本"）；曰清光緒十六年（1890）廣雅書局校刻丁晏《易林釋文》二卷，《廣雅書局叢書》所收是也（簡稱"丁本"）。此外間或參引各本仍多，兹不詳列。

本書校理，即依尚氏所據三種主校本（宋本、元本、汲古本），參照五種常用本（何本、學津本、翟本、局本、丁本），亦間涉其他所見本及有關文獻資料，逐林逐句逐字爲之釐校。凡尚氏校勘語詳明者仍之，缺略者補之，偶誤者訂之，有疑者攷之，疑而未能決者則紀存其事以備審思。因酌成勘訂之語凡二千一百三十四條，僭附相應各林之後，並標明"補校"二字以別之。非敢妄議太先生之是非，實欲略劾翻書檢卷之力，彌補當時協理校刊諸先輩之餘務也。

林辭"無"字、"无"字，各本所用不一。尚注兼用之，似未甚措意。以宋、元、汲古三本判之，宋本多用"无"，元本、汲古多用"無"。今思《易》用"无"字，抑《易林》古本或承之亦用"无"而不作"無"？然未獲確證，姑從三本之多者，以"無"爲是。唯遇"无妄"、"无咎"諸語，各本蓋皆作"无"，兹亦依之。

詳審尚氏注文體例，凡注釋林辭象義之文在前，校勘之文列後，二者間標"○"號區以別之。又有特著某逸象之重要性者，另增一"○"號以示之。然全書篇幅繁鉅，撰述先後有間，作者於稿中增删改易者又往往再三再四，故"○"號之標偶亦未臻一例，刻本仍之，未及調理。今一一審別，凡確需增標或移置者則酌爲慎訂。旨在體式一貫，不害文辭，故不出校。

林辭瑰奇繁富，洋洋四千九十六首，蔚爲鉅篇，刻本偶遺六首。其中頤之困、頤之井、解之井、未濟之訟四林，刻本雖闕而稿本俱存，今皆依校補。然賁之觀、升之革二林，則稿本、刻本均脱漏，因據宋、元、汲古諸本校訂增録，足成完帙。惟稿本所缺二林，尚注之語無從補之，是一憾焉。讀者倘欲詳究，於二者之複林、重辭中尋研探討，蓋亦可獲尚氏之端倪，或未爲無補矣。

馬生新欽，從我研修博士學業，偕李生紹萍、湯生太祥協助兹書前期標點之務，用力頗多。惟馬生尤有志於探索《易林》版本源流，故嘗囑彼用心尋覽攷辨。喜其篤誠勤勉，時有所獲，間能補我之遺略，匡我所未逮，兹特著之，以志師友之益，亦冀彼德業之日進。又風雅頌電腦工作室章夏、陳華、連玲玲，承擔植字、排版、覆校諸務，不辭勞乏，所事匪尠，未可不彰表之矣。

北京已故易家史廉揆先生，字慎初，於《易》攻研至深。生前嘗以所藏易學舊籍四百餘種惠贈福建師範大學易學研究所，其中即有尚著《焦氏易林注》刻本十六卷。書中間存史先生校讀批記若干條，於刻本所遺漏六首林辭皆一一記明，足見研讀之細密。史先生又曾著《易林尚注初探》遺稿

一卷^{〔一〕}，頗有可取之説。如謂尚氏稱覆象多爲正象之反義
詞"亦不盡然"，又謂"用半象解釋似應在不得已情況下才使
用"，不宜"漫無標準"。又謂"本卦最親，用本卦的旁通卦尚
可理解，今舍本卦不用而多數用之卦的旁通卦，雖屬筮無定
法，若較之本卦，實有親疏之分，舍親用疏令人不解"。凡此
皆勇於質疑，於本書校理及今後研討尚注不無裨益。今特
舉其端倪，以備讀者參研。

　　尚氏門人仵道益跋此書云："《焦氏易林》，自來學者多
愛其詞，而莫有通其義者。今經吾師尚節之先生，按照《易》
象句解字釋，凡昔人不知其所謂者，經先生以《易》象釋之，
則機趣環生，神妙盡出。"讀者苟能詳研精思之，允有同感
焉。仵氏《跋》末又述刊印此書，經夏歷春，凡八閱月，雖"校
訂之役"有分任其勞者，"然以《易》象之故，有非先生自任不
可者，此亦無如之何也"。蓋亦慨歎校事之難，未能無憾。
今我以淺學如斯之質，於六十餘年後，復爲董理校訂先生全
書，自知難免"折足覆餗"之譏矣。顧責有不能避，事有所當
爲者，遂乃勉焉。學者同道有以糾謬是正，吾將從而改之，
則亦將可告慰於太先生矣。

門下晚生張善文
謹識於福建師範大學易學研究所
公元二〇〇四年十二月

〔一〕《易林尚注初探》遺稿一卷，史廉揆先生未刊遺稿，撰於一九八二年六月。
　　筆者藏此稿複印本一册。本書校理間有采録史先生之説者（如卷十三震
　　之履、卷十四漸之革），即依此複印本。

焦氏易林注敍

　　昔者同年友尚君節之著焦氏易詁，河北大儒王晉卿先生見之，曰：此書將二千年易家之盲詞囈說，一一駁倒，使西漢易學復明於世，孟子所謂其功不在禹下。陳散原與王晉卿書曰：讀尚氏焦氏易詁，歎為千古絕作，以今世竟有此人著此絕無僅有之書，本朝諸儒，見之當有愧色。夫王、陳二先生，皆老師宿儒，於周易皆有著述，胡以傾佩此書若是之極哉！墉於周易夙未致力，徒震乎二先生之言，而莫明其所以然，乃即焦氏易詁而讀之。久之，悉節之先注易林，復抽繹焦易著為易詁，其大本大原皆在焦氏易林注中，然後知二先生傾佩之由，而絕非妄歎也。蓋易林一書，二千年來無有通其義者，今所傳元刊舊注，及陸敕先、顧千里、黃蕘圃所攷訂，丁宴易林釋文，翟云升、牟庭等之易林校略，統所釋祇二三百條，且祇人物故事及字句之訛誤，至於攷及易象者，千餘年來無一人也。獨節之謂西漢釋易之書，無如易林之完善，凡易林之辭，無一字不從象生，且無一象不本之易。於是搜求易象之根源，攷稽林辭之依據，校勘板本之沿革，糾正音韻之訛謬，逐字注釋，使讀者燎若觀火，無一不解之辭，

亦無一無根之象。蓋古聖人之作易，本由觀象；後聖人之繫
易，亦由觀象。焦氏易林之辭，仍不外觀象而已。但其所用
之正象、覆象，多半失傳，故學者不解其所謂。豈知以艮爲
龜、爲金，以兌爲月、爲老婦，以坎爲矢，以乾爲日，坤爲水，
皆本之易，而二千年來無有識者，故易多誤解，易林之辭亦
遂難通。今節之獨得之，蓋不知幾經研攷，幾經印證，反覆
尋繹，不得不休，積之既久，始逐次領悟。又久之，始融會貫
通。大義既通，不但爲焦氏之功臣，實於易學所關至鉅，其
有功於後學甚大。至於爬梳字句，闡發幽滯，攷稽故事，爲
先儒所不能釋，或釋之而誤，爲一一訂正其失者，猶其餘事
也。乃焦氏易詁既付梓傳世，易林之注以篇帙浩繁，印行匪
易。小兒道益從先生遊，籌之至再，力亦未贍。會豐潤董宗
之、董作人昆仲聞之，曰：是我後學之責也。慨然相助，是書
始得公之於世。夫以二千年人人愛讀之書，而人人不能解
其義，今忽冰消霧釋，剗然得解，則是書之出，如劍光射斗，
不能終湮者，理也。然非宗之昆仲之熱心文學，亦不能成功
若是之速。語云附驥而名益彰，其是之謂乎！故並及之。
己卯冬月，年愚弟蒲城仵塘謹識。

焦氏易林注例言^{〔一〕}

一、西漢釋易之書,其完全無缺者,祇有焦氏易林與楊子太玄。乃太玄,至漢末宋衷首爲之注,吳陸績因之作釋失,范望更因宋、陸而集其成。至唐王涯、宋許翰、司馬光等,更起迭爲,而注益詳。獨易林无注者。烏程蔣氏影元本略注其故實,然甚尠,十卦九注未詳,偶有注者,皆左傳、國語所習見,無大益也。後牟庭作校略,丁晏作釋文,陳喬樅據易林以解齊詩,顧千里、黃丕烈等於字句皆略有攷訂。而丁晏解彙爲蝟,以李耳爲虎名,最爲精當。然皆病其太略,且所釋祇名物故實。至於以卦象釋易林文者,訖無一人。蓋自東漢以來,易象即失傳,後儒所知卦象,皆以漢魏人所用者爲範圍。而易林之辭,无一字不從象生,其所用之象,與易有關者,約百七十餘,皆爲東漢人所不知,故東漢人解易多誤。後儒不知其誤,而反疑易林,以其用象與漢魏人不合也。於是林辭之難解過於易矣。其詳盡在焦氏易詁中。

二、易林雖不明解易,然能注易者,莫過於易林。如以

〔一〕 此例言凡十五條,稿本、刻本各條前均標"一"爲識。今改一、二、三之序,庶便檢閱。後《校勘記説例》《讀注須知》二篇倣此。

坤爲水，爲魚，爲心志，爲疾；以艮爲牛，爲龜，爲國，爲邑，爲牀；以兌爲華，爲老婦；以巽爲少姬等逸象，易之不能解者，皆賴以得解。及其既解，然後知易林所取之象，仍本之易，至爲明白。无如二千年學者，竟熟視无覩也。而尤要者，則在其正覆象並用。聖人敍卦，除乾、坤、坎、離、頤、大過、中孚、小過正覆不變外，餘一正卦必次以覆卦；而雜卦震起、艮止、兌見、巽伏、咸速、恒久諸辭，尤示人以象正如此覆則如彼之義。乃自正覆象失傳，凡易之言正覆象者，多不得解。獨易林知之。凡遇正覆震相背者，不曰譣，即曰訟。於是震卦之婚媾有言，左傳之以謙爲讒得解。凡正反兌相背者，不曰讒佞，即曰爭訟。於是困之有言不信，訟之小有言得解。其正覆震相對者，不曰此鳴彼應，即曰此唱彼和，於是中孚之鶴鳴子和得解。其餘象覆即於覆象取義，象伏即於伏象取義者，亦皆本之易，而先儒皆不知，致易義多晦。故唯易林，能補二千年易注之窮。

　　三、繫辭云，聖人觀象繫辭，是所有卦爻辭皆從象生也。而說卦之象，皆舉其綱領，使人類推，非謂象止於此也。又示人以複象，如乾爲馬，震、坎亦爲馬；坤爲輿，震、坎亦爲輿；坤爲腹，離亦爲腹。非謂某卦有某象，即不許某卦再有某象也，視其義何如耳。而其例甚繁，爲筆所難罄，蓋其詳盡在口傳。至東漢，口傳一失，所有易象大都不知，而浪用卦變，不變不能得象。如頤、損、益之龜象，虞翻不知艮即爲龜，必使某爻變成離，以取龜象。由漢訖清，幾視爲天經地義。至焦循遂以一卦變爲六十四卦，而易學之亡，遂與王弼以來之掃象等矣。愚初亦惑其説，故讀易林皆莫知其所指。及印證既久，始知易林之象，盡本於易，或本於左傳、國語，近在眉睫，日覩之而不識。然後悟無情無理之卦變爻變，直同兒戲，又何怪王弼等之掃象不談！

四、易林於説卦象，九家逸象，左氏、國語象，无不用之。惟虞氏逸象，其誤者不見於易林，其不誤者易林皆用之。故易林實爲易象之淵藪。其爲各家所無，易林所獨有之象，遇之多年，皆莫知其所指。後與易迴環互證，知其仍本之易。如以兌爲華、爲老婦，則本之大過；以艮爲臣、爲祖，則本之小過。如是者共百七十餘象，其詳説皆在焦氏易詁中，兹不復贅。

五、本注釋以易象爲重，易象得，林辭與易辭始能解。次則林中所用故實，凡以前舊注所釋者是也。總各家所注，寥寥无幾事。兹重加搜討，增舊注所无者約數千則，正舊注之誤者約數十則。然易林所據之書，如左、國、詩、書，尚易研討。最難者談妖異，説鬼怪，其詳蓋在虞初志諸小説部中，而其書久佚，故明知其有故實，而不得其詳。如恒之晉：雨師娶婦，黃巖季子。元刊注引博物志，太公爲灌壇令事當之，於事實不合，是不能注也。又如兌之比云：嵩融持戟，杜伯持弩。降觀下國，誅逐无道。夏商（應作周）之季，失勢逃走。杜伯之鬼白日射死宣王，見國語，人皆知之。嵩融事必與杜伯相類，而注家皆不知。後讀墨子非攻篇云，有神謂商湯曰，余得請於帝，帝命融隆火于夏之城。融隆即嵩融，楚辭及淮南又作豐隆，皆音同字異。由楚辭及淮南注知融隆爲雷師。國語云：夏之亡也以回禄，帝命融隆火於夏之城。即帝命雷師以雷火燒夏桀之城也。於國語及林辭，夏周之季皆合，而持戟事則不能詳。又如渙之大壯云：鬼哭於社，悲商無後。自來注家亦不知。後讀墨子非攻篇云：至商王紂，婦妖宵出，有鬼宵吟。又論衡云：紂之時，鬼郊夜哭。又云：紂郊鬼哭。其事得矣，而太簡略。如此者，无可如何也。

　　六、易林用韻甚古。凡亥皆音喜，殆皆音以，罷皆音婆，下皆音虎，家皆音姑，而尤與豪韻[一]，真與東韻，如此者尤多。有注出者，有不及注者，讀者知其例則无扞格矣。且可以正易韻俗讀之失，如乾象辭下與普韻，中孚三爻罷與歌韻是也。

　　七、易林說詩之處最多。昔儒攷其淵源，以焦氏學於孟喜。喜父孟卿，家傳齊詩，故焦氏所說，皆齊詩。不惟於毛詩十九不同，於魯、韓亦多異。如凱風，毛謂有母不安於室，焦謂母亡思母[二]。蜉蝣，毛傳謂刺淫，焦謂傷讒。如此者有數百則之多。又其字與毛異而義[三]勝者尤多，皆隨文注出。然以其過多，恐有遺漏，故特舉出，以見易林不惟能傳周易絕學，且能傳齊詩。齊詩至東漢末即亡，亦絕學也。

　　八、林辭重出者甚多，本宜全注。後詳加觀察，凡卦不同而辭同者，其象必同。如坤之離云：齊魯爭言。離中爻互兌巽，巽齊兌魯，又爲正反兌，故曰爭言。而比之蠱、謙之

〔一〕“韻”，刻本作“音”，據稿本改。
〔二〕“母”，刻本作“毋”，據稿本改。
〔三〕“義”字，刻本闕，據稿本補。

咸,亦用此辭。則以蠱初至四、咸二至上,亦兌巽也。注其一,餘即可隅反,以期簡約。

九、易經所有人名、地名,无不從象生。如泰五之帝乙,以震爲帝,坤爲乙;明夷之文王、箕子,以坤爲文,以震爲王,故曰文王,震爲子,爲箕,故曰箕子。既濟之鬼方,以坎爲鬼也。易林之注,凡人名、國名、鳥獸名、地名,隨手舉來,无不與象妙合。如遇剥曰高奴,高奴,地名,見漢書地理志,則以艮爲奴,艮一陽在上,故曰高奴。遇謙曰重耳,互坎爲耳,坤爲重,故曰重耳。學者苟由是以求其機趣,必更有進於是者。

十、易林於既、未濟等卦,偶用半象,又常用遇卦象。左氏云,震之離,亦離之震。易於既、未濟,蓋兼用半象,故悉本之。凡遇此等,必先注曰:此用遇卦象,此用半象,以期易明。

十一、易數至爲繁瑣,皆用漢儒常用之數注之。惟邵子所傳一二三四五六七八之先天八卦數,漢儒无知者,而易林每用之,如遇兌每言二是也。注中遇此必指明,曰卦數幾,以爲區別,俾閱者知其所自來。八卦數之名,實愚所創,具詳於焦氏易詁。後閱宋王湜易學,有專論八卦數一篇。謂一二三四以在陽位,故左旋而東;五六七八以在陰位,故右轉而西。各起於南,而終於北。是則取八卦以制數,故起於一而終於八云云。按王湜專紹述邵學者,故能補邵子所未言。而其書只一卷,祇通志堂有之,他無刊本。前未見之,故矜爲創論,而不知宋時已言之。補詳於此,以見余之陋,且喜余説之有本也〔一〕。

十二、本注意在指明易象，俾學易者有所裨益，以正舊解之誤，而濟易注之窮。至林辭義意有極淺顯者，則不必注。有極奧深者，則詳稱博引，使昆侖之語明晰而後已，故又不免於繁冗，閲者諒之。

十三、初讀易林，即疑其本象以係辭。无如初學易，於易象既不嫻熟，於失傳之象尤茫然不知其所謂，故求之十年之久，訖不能通其辭。後閲蒙之節云：三夫共妻，莫適爲雌。子无名氏，翁不可知。恍然悟節上坎，上互艮，下互震，三男俱備，下兑爲女，故曰三夫共妻。震爲子，艮爲名，坎隱伏，故子无名氏。艮爲壽、爲祖，故曰翁。坎伏，故不可知。悟林辭果從象生，由是言正象者皆解。又久之，閲剥之巽云：三人同行，一人言北。伯仲欲南，少叔不得。中路分道，爭鬪相賊。巽通震，震爲人、爲行，二至四覆震，上下震，故曰三人同行。震爲南，上震下震皆南行，二至四艮，艮爲少男，故曰少叔。震長爲伯，坎中男爲仲，故曰伯仲欲南，獨少叔一人不南而北也。坎爲中，震爲道路，伯仲南，少叔北，故曰分道。艮爲手，二至上正反艮相背，故曰爭鬪。坎爲盜賊，故相賊。自通此辭，知林用覆象，神妙已極。於是凡言正覆象者皆解，易經亦然。而以此二林爲入門之始，故特誌之，以示不忘。

〔一〕“八卦數之名”至“且喜余説之有本也”一節，刻本無，據稿本天頭所增補入。

　　十四、説卦係自古相傳之象。至周易愈演愈精，故經用象每與説卦異〔一〕。如説卦以震爲長男，兑爲少女，經則間以震爲小子，兑爲老婦。蓋以二人言，初生者長，後者少；以一人言，初少上老，此其義唯易林知之。以易林書太古，尚存古義，能得周易真解，爲後儒所不知。如旅之大壯云：獨夫老婦。以大壯上震爲獨夫，互兑爲老婦也。又觀之睽云：老女無夫。亦以睽下兑爲老女。又夬之中孚云：道路不通，孩子心懼。以中爻震爲孩子。又家人之巽云：孩子貪餅。巽伏震，亦以震爲孩子。皆以易隨卦二三兩爻，係小子、失小子爲本。又易林遇巽，每曰少齊，亦以大過下巽爲女妻爲本也。又説卦以坎爲月，而經則多以兑爲月。至東漢馬、鄭、荀、虞諸儒，皆不知此義，故經多誤解，於是後人並易林用象亦不知矣。

　　十五、逸周書所載周公時訓之七十二候，與卦氣圖相附而行。後細按七十二候之辭，皆由卦象而生。如蚯蚓結，識中孚之候，則以中孚上巽爲蟲，爲蚯蚓，而下兑爲覆巽，正反巽集於中，故曰蚯蚓結。於復曰麋角解，復下震爲鹿，艮爲角，震爲覆艮，角覆在地，則角解矣。於屯曰水泉動。屯上坎爲水泉，下震故曰動。於屯上又曰雁北鄉，則以屯上互艮爲雁，坎北，故曰北鄉。以艮爲雁，於是易漸鴻象得解。統七十二候語，無不與卦密合，且用正象、用覆象無不精妙，而皆爲易林之所本。故易林實集象學之大成。

────────────

〔一〕“經”字，刻本闕，據稿本補。

校勘記説例

一、易林以象學失傳之故，訛字獨多。有形訛者，有音訛者，各本與各本不同，從違至爲困難。本注所依據者有三本：一黃本，黃本乃瞿曇谷從錢牧齋宋本臨得，後陸敕先復爲詳校。嘉慶間陸本歸黃蕘圃，遂以付梓。注內稱宋本者，此也。一元本，此本係烏程蔣氏密韻樓藏影元本。今四部叢刊印出者，是也。內容大致與黃本同，而恒桓等字皆缺末筆，則所據亦宋本也。然與黃本異字甚多，往往有勝處。一爲汲古本，汲古所據，蓋又一宋本，與黃本、元本異同尤多。故黃本、元本之訛誤，爲他本所不能正者，唯汲古能正之。且以汲古校宋本、元本，凡形訛音訛之沿革，皆能屈曲攷出。由此證汲古所據之宋本，又在黃本、元本之前，故黃本、元本字同訛者，汲古往往能存其真。以此三本，迴環互證，雖不能盡通，然已得八九矣。其餘各本亦間採之，然所益甚少，而明本尤雜亂无理，无一善者。

二、司馬溫公注太玄，各本字有異同者，下注曰依某本；其不從者，亦注曰某本作某字，以待後人之採擇。今仍其例，除確知爲訛字者，方注曰：某本作某字，非。

　　三、林辭有三字六句者,共十八字。後人以其多二字,仍刪成四字句,作四字四句。或加二字,足成五句。如此者三本皆有。又有三字四句,末句仍爲四字,共五句,仍十六字。後人不察,概作四字句讀。於是王謨之漢魏叢書本,遇此等斷句皆誤[一]。今以汲古證宋、元本,以宋、元本證汲古,皆還其舊,且下皆注明,俾讀者不至再誤。

　　四、林辭複者有數百之多,故字訛於此者,未必訛於彼。如同人之豐:長孟病足,倩季負糧。柳下之寶,不失我邦。此林凡七見,宋、元本糧皆作囊,寶作貞,或作賣,我邦作驪黃,或我糧。獨汲古革之恒,囊作糧,乃知用季路負米故事。渙之豫,驪黃作我邦,乃知用柳下對魯君語云:君以賂往,欲免國也;臣亦有國,破臣之國,以免君之國,所不願也。林正用其語。淺人不察,謂柳下胡有邦而妄改。豈知柳下所謂邦者,信也。至於寶字,獨宋、元本同人之豐作寶,不作貞、作賣。貞、賣皆寶之形訛字。一林既得解,其餘六林皆據以改正。全書如此者,不可勝數。恐閱者不知,故特詳其故。

　　五、林皆有韻,凡疑似之字,不能定者,定之以韻,否則定之以象。象有者是,无者非也。林无象外字,與易同也。

　　六、明知爲訛字,且明知當爲某字,然各本皆如此,无所依據,從不敢擅改,但注曰:某字疑爲某字,以昭慎重。

　　七、易林凡下注:一作某某辭者,皆非焦氏林辭。疑爲崔篆、費直或虞翻、管輅等易林之辭所竄入。又有前數句與後數句吉凶不同,義不相屬者,亦皆爲他林所羼入,而非焦

[一]“等”字,刻本闕,據稿本補。

林。蓋唐時各林皆存,學者恒擇他人林辭,附焦林下,以備筮時參攷。久之,遂皆爲焦林,故上下文義,往往相反。故凡下附之林辭,概從宋本,一概不録。其上下文義不屬者,注必指明。

八、一句之中,甲字依某林,乙字又必依某林,而義始足。如歸妹之大有云:依宵夜遊。旅之小過同。而小過之否,則作:衣繡夜遊。由是知前兩卦之依宵,依字誤,宵字不誤。宵綃同。禮玉藻玄宵衣以裼之,詩素衣朱宵,注皆訓宵爲綃繒。故依字,從小過之否校作衣。其小過之否之繡字,係宵之聲訛字,且前兩卦既作宵,此不應忽作繡,則依前兩卦校作宵。皆文從字順,古訓復明。全書如此者甚多,非好爲煩瑣,必如此而後得其真字也。(按,説文:衣,依也。依宵,依字未必訛。今姑從俗,校作衣。)

九、易林多古字,如衣綃作衣宵,如籧篨作虡除,匍匐作扶服,土蕻作土服,蜻蛉作青蛉之類。林内如此者,不可勝數,乍覩之,幾以爲訛字。而各本因不知其義,妄改者甚多。篇内所釋,恐仍有遺漏〔一〕,倘大雅君子,加以糾正,則幸甚矣。

〔一〕"仍"字,刻本闕,據稿本補。

易林逸象原本攷

易林逸象,其與易有關,可以解經,並可以正易注之誤者,其詳皆在焦氏易詁中,凡百七十餘象。其與易无關,推廣之象,尚不知其幾千百,皆省而不錄。錄其有關者,下注明其所本,以見此逸象仍原本於易,俾閱者不至再有疑惑。

乾逸象

爲日乾九三:君子終日乾乾。象:大明終始。大明即日。晉彖傳,順而麗乎大明,是。 **河海**同人:利涉大川。 **山陵**同人:升其高陵。 **石**說卦:乾爲玉。 **南**同人荀注:乾舍于離,相與同居。 **虎**文言:風從虎。履:虎尾。 **大川**見同人。

坤逸象

爲水益:利涉大川。 **江淮河海** **魚**剝:貫魚。 **蛇**上繫:龍蛇之蟄。 **淵**訟彖傳:入於淵。 **雲**小過:密雲不雨。 **墟**升:虛邑。 **茅茹**否:拔茅連茹。 **逆**坤逆行。乾鑿度:坤右行陰時六。 **北**先天。 **心**益九五:有孚惠心。 **志**益九五:大得志。 **憂**泰九三:勿恤。升象:勿恤。 **疾病**復:出入无疾。損六四:損其疾。 **毒**師:以此毒天下。 **勞**

坤役天下[一]，故勞。　**風**文言：風從虎。內經謂：風，土氣所生[二]。　**野**龍戰于野。　**郊**小畜：自我西郊。郊用伏坤。　**原**比：原筮，元永貞。

震逸象

為武國語：震，車也。車有震武。　**旗**左氏：火焚其旗。以震為旗。　**鴻**漸伏象。　**隼**解上六：公用射隼。　**射**見上。左傳：射其元。皆以震為射。　**南**升：南征吉。左傳：南國蹙。　**爵**中孚：我有好爵。　**樽**坎六四：樽酒。　**食**頤：自求口食。　**鶴**中孚：鳴鶴在陰[三]。　**君**歸妹六五：其君之袂。　**征伐**謙六五：利用侵伐。征不服。　**周**文言：反復道也。周而復始。　**姬**周姓。　**甕**井九二：甕敝漏。伏象。　**胎**[四]屯六二：十年不字。字，妊娠也。震象。　**舟船**中孚：乘木舟虛。　**飛　翼**[五]明夷初九：明夷于飛，垂其翼。飛、翼，皆指應爻震。　**老夫**大過九二伏象。　**商旅**復傳：商旅不行。　**公**解：公用射隼。　**父**蠱六四：幹父之蠱。初爻用伏。　**口**頤：自求口食。　**羊**大壯、歸妹，上六皆曰羊。　**神**帝出乎震。帝即神。　**襦**既濟，襦有衣。襦、繻通。　**缶**比初六：有孚盈缶。言陽來初成震[六]。　**瓶**井：羸其瓶。用伏。　**辰**邵子以震為辰，本此。辰，時也。損、益皆曰與時偕行，皆以震故。　**登**明夷：初登于天。　**狩**明夷：于南狩。　**乘**解：負且乘。　**華**說卦：震為旉。干寶云：華也。　**羽翰**賁：白馬翰如。　**髮**巽寡髮。巽反為震，故多毛。　**袂**歸妹：其君之袂。　**東北**

〔一〕"天下"，稿本作"萬物"。

〔二〕"土"，刻本作"士"，據稿本改。

〔三〕"鳴鶴"，刻本作"鶴鳴"，據阮刻《周易正義》改。下文"山陰"象同。

〔四〕"胎"，稿本作"孕"。

〔五〕"翼"字，刻本與前象"飛"合，作"飛翼"。稿本兩字間空一格，作兩象觀。謹據校正。

〔六〕"初"，刻本作"出"，據稿本改。

先天位。**萌芽**解：百果草木皆甲坼。又爲反生。　**箕子**明夷：箕子以之。　**孩子**隨二：係小子。明夷六五之箕子，即孩子。　**田**師：田有禽。　**山陰**中孚：鳴鶴在陰。震，艮之反，故爲山陰。　**嘉**隨五：孚于嘉。　**鄰**泰六四、謙六五：以其鄰。　**藩**大壯九三：羝羊觸藩。　**斗**豐九四：日中見斗。　**福**震：恐致福也。　**虛**歸妹：承虛筐也。　**歲年**爲辰，故爲歲年。同人：三歲不興。用伏。

巽逸象

爲母小過：遇其母。蠱二：幹母之蠱。　**齊**説卦：齊乎巽。　**姜**齊姓。猶震爲周，故爲姬。左傳：若異國，必姜姓也。以巽爲姜。　**少姜**　**少齊**大過：老夫得其女妻。以巽爲少。　**隕落**姤五：有隕自天。左傳云：夫從風，風隕。又，我落其實。　**羸**、**豕**〔一〕姤：羸豕孚蹢躅。井：羸其瓶。中孚：豚魚吉。　**豚**見上。　**蟲**左傳：三蟲爲蠱。故巽爲蟲。　**蠱**大過：棟橈。蟲在下也。　**腐**剝，爛也。　**敝漏**〔二〕井：甕敝漏。　**隙**下斷，故有隙，漏之所由來也。以上數象，於易所關至鉅。自此象失傳，於是大過之有它吝，中孚有它不燕，恒之田无禽，井二之甕敝漏，遂不知其故。　**袽**既濟：繻有衣袽〔三〕。

盜賊雜卦：巽，伏也。故與坎同。　**爛**雜卦：剝，爛也。爛始於巽。　**寇戎**同人：伏戎于莽。　**病**爲羸。説文：羸，病。　**枯**大過：枯楊。　**餗**馬云：糜也。未濟之无妄：求糜耕田。以无妄互巽爲糜。　**疑**豐六二：往得疑疾。巽初：進退，志疑也。

坎逸象

爲首説卦：爲下首。明夷：得其大首。　**大首**見上。　**肉**　**肺**噬

〔一〕"羸"，刻本脱，據稿本補。
〔二〕"敝漏"，稿本兩字間空一格，作兩象觀。
〔三〕"繻"，刻本作"紬"，據阮刻《周易正義》改。

嗑:噬乾肉。噬乾肺。噬腊肉。　**夫**左傳:夫從風。　**矢**噬嗑九四:得金矢。　**鬼**既濟:高宗伐鬼方。說卦:坎隱伏。　**孤**睽九四:睽孤。　**西**先天位。既濟九五:不如西鄰之禴祭。　**泥**〔一〕需九三〔二〕:需于泥。震九四:震隊泥。　**食**需九五:需于酒食。訟六三:食舊德。　**筮**蒙:初筮告。比:原筮,元永貞。

離逸象〔三〕

爲星豐九二:日中見斗。見沬。　**東**既濟:東鄰殺牛。　**金**鼎六五:金鉉。外堅之義。　**巷**睽九二:遇主于巷。巷指六五離。　**膚**睽六五:厥宗噬膚。

艮逸象

爲火旅九二:焚其次。　**鳥**小過:飛鳥以凶。左傳:離之艮當鳥。　**鴻**漸:鴻漸于干。　**隼**說卦:艮爲黔喙。　**面**革上六:小人革面。以伏艮爲面。　**簪**豫:朋盍簪。　**須**歸妹:以須。　**祖**小過:過其祖。　**臣**蹇:王臣蹇蹇。　**臣妾**遯:畜臣妾吉。　**角**凡易言角,指上陽。　**啄**說卦:艮爲黔啄。　**負**大畜:何天之衢。解:負且乘。　**壽**說卦:堅多節。　**貴**隨:官有渝。官貴。　**邑邦國**无妄:邑人之災。坎:王公設險,以守其國。中孚:乃化邦也。皆以艮爲邑,爲國,爲邦。　**牀**剝:剝牀以足。　**斯析**旅:斯其所。　**貝**震:億喪貝。　**金**蒙:見金夫。　**觀**頤:觀頤。　**視**頤:虎視眈眈。　**光明**謙:天道下濟而光明。　**龜**損、益:十朋之龜。　**西北**先天位。　**天**大畜上九:何天之衢。　**刀劍**萃:君子以除戎器。　**枕**坎:險且

〔一〕"泥",稿本作"土"。
〔二〕"需",刻本作"震",據阮刻《周易正義》改。
〔三〕"離逸象",此處稿本有作者眉批云:"易林履之賁,上山求魚,入水捕狸。以下離爲魚。"

枕。　**牛**无妄:或係之牛。以艮爲牛。　**豕**大畜:豶豕之牙。　**夫**蒙:見金夫。比:後夫凶。　**巢**旅:鳥焚其巢。　**僮僕**旅:得僮僕。　**終日**豫六二:不終日。　**谷**井九二:井谷射鮒。伏象。

兑逸象

爲月小畜:月旣望。　**華**大過:枯楊生華。　**老婦**大過:老婦得其士夫。　**魯**説卦:兑剛鹵。魯、鹵通。　**資斧**旅:得其資斧。　**井**本井卦兑象。　**牙齒**大畜:豶豕之牙。　**雞**居酉。　**燕**中孚:有它不燕。　**耳**鼎六五:黃耳。彖傳:巽而耳目聰明。　**酒**兑水,故與坎同象。　**穴**需:出自穴。　**兵戎**萃:君子以治戎器,戒不虞。旅:得其資斧。　**雨**睽:往遇雨。

　　右共一百七十餘象,皆失傳,爲東漢易家所不知,故易解多誤。兹所注,但明其所本,俾閲者不至再有疑惑。若其詳義,皆在焦氏易詁中。凡注内遇此等逸象而不知其義者,可於以上各象求之。如乾林注:以乾爲山爲石,乍閲之,必生疑,可於乾逸象中尋之。因易林逸象過多,注中不及詳説其原本,故於篇首總揭其義,以補注中所未備。

讀注須知

一、一卦有四象，上卦、下卦、上互、下互，是也。注中於互卦，往往省去互字，不可不知。

二、注中往往言通某卦、伏某卦、對某卦，實皆伏象。先生云，本宜一律用一名詞，乃注時忘卻，隨便書寫。以其過多，難以改爲畫一，閱者諒之。

三、注中某卦爲某象，其人人皆知者，往往省去爲字。如坎爲水，曰坎水；兌爲西，曰兌西；震爲行，曰震行。如此者甚多，須先知其例。

四、焦氏逸象，其於易有關者，皆於篇首注明來歷。其未經詳釋者，可類推之。如艮爲虎，熊羆之屬亦必艮象。震爲足，凡善走如鹿、如兔等皆屬之。震爲鳴，凡善鳴如鶴、如蛙等皆屬之是也。

五、每册後附卦象表一頁，凡正覆象、旁通皆備，以便查檢[一]。

受業董維城謹識

〔一〕此所言"卦象表"，稿本、刻本皆無。惟尚著《焦氏易詁》有載。蓋董氏原擬附此表，然因《易詁》已列，遂不復贅。讀者或欲閱覽，於《焦氏易詁》卷首檢之可矣。

焦氏易林注卷一

乾之第一

乾

道陟石阪，胡言連謇。譯瘖且聾，莫使道通。請謁不行，求
事無功。

　　乾爲道，爲陟。爲山，故曰石阪。爲言，在西北，故曰胡言。連
謇，口吃也。震爲鳴，坎爲耳，艮爲道，爲請求。今爲純乾，乾三子
俱不見，故曰瘖，曰聾，曰道不通，曰請求無功。蓋三子各分乾一爻
也。又林辭所以不吉者，以卦爲純陽，陽遇陽則窒故也。此易之根
本大義。自此義不明，而易多誤解。○石，汲古作多。謇作蹇。瘖
訛瘠。依宋、元本。

　　【補校】謇，宋本、汲古作蹇。依元本。

坤

招殃來螫，害我邦國。病傷手足，不得安息。

　　乾變陰，故曰招，曰來。坤陰，爲災殃，爲毒螫，爲害，爲邦國。
艮手，震足，今純坤，艮、震毁，故曰病傷手足。坤逆行，故曰來。繫

辭,來者,伸也。即謂坤逆行。○殃,元本作禍。依宋本、汲古。
傷,宋、元本作在。依汲古。

屯

陽孤亢極,多所恨惑。車傾蓋亡,身常憂惶。乃得其願,雌
雄相從。

坎爲孤,一陽居五,民皆歸初,故曰孤亢。坎爲憂疑,故曰恨
惑,曰憂惶。艮爲蓋,震爲車,坎破,故傾亡。坤爲身。初陽四陰,
二陰五陽,皆有應與,故曰雌雄相從。○凡六子,易林皆有孤、獨、
鰥、寡象。人皆知巽寡,餘失傳。下不贅。

蒙

鵠鶅鳲鳩,專一無尤。君子是則,長受嘉福。

艮爲鳥,故曰鵠鶅鳲鳩。艮止,故專一。説鳲鳩義,與毛同[一]。
艮爲君子,坎爲法則,震爲嘉福。○艮鳥象失傳。○鵠音夏,鵠鶅、
鳲鳩,皆布穀也。鵠,各本多訛鵠。依宋、元本。

【補校】鵠,汲古訛鵠。

需

目瞤足動[二],喜如其願,舉家蒙寵。

互離爲目瞤,亦動也。乾爲喜,爲寵。坎爲宮室,爲家。西京
雜記,目瞤得酒食,故曰喜。足,疑爲指訛。左傳,食指動是也。伏
艮象。○目,汲古訛日。從宋、元本。

訟

龍馬上山,絕無水泉。喉焦脣乾,舌不能言。

〔一〕"鳲鳩",稿本作"關雎"。
〔二〕"瞤",刻本作"瞤",據稿本校改。注文同。

乾爲龍馬，爲山，在上。坎在下，而中爲火，爲日，故水泉絶。兑爲喉舌，爲唇，乃兑覆而與火鄰，故焦渴不能言。

【補校】龍，宋本作罷。依元本、汲古。焦，元本作噍。依宋本、汲古。

師

倉盈庾億，宜種黍稷。年豐歲熟，民人安息。

坤爲腹，爲囊，倉庾象也。坤衆，故曰盈，曰億，曰豐熟。震爲黍稷，坤爲歲年，爲民人，爲安息。後比之升、坤之恒詞同，亦皆以坤爲倉庾。詩小雅楚茨云：我黍與與，我稷翼翼。我倉既盈，我庾維億。又甫田云：曾孫之稼，如茨如梁。曾孫之庾，如坻如京。乃求千斯倉，乃求萬斯箱。黍稷稻粱，農夫之慶。○年豐歲熟，元刊作國家富有。安作蕃。依宋本、汲古。

【補校】種，宋、元本作稼。年豐歲熟，作國家富有。安作蕃。均依汲古。又，民人，宋本作人民。依元本、汲古。

比

中夜犬吠，盜在牆外。神明祐助，消散皆去。

坤、坎皆爲夜，坎爲中，故曰中夜。艮爲犬，伏兑口，故曰犬吠。坎爲盜，艮爲墻，坎在外，故曰在牆外。伏乾爲神，艮爲明。坤消，故曰消散。○犬，元刊作狗。依汲古。

【補校】犬，宋、元本作狗。消，元本作銷。依宋本、汲古。

小畜

据斗運樞，順天無憂，與樂並居。

通豫。艮爲星，數七，故曰据斗。坎爲樞，故曰運樞。乾順行，故曰順天。坎伏，故無憂。震爲樂，艮爲居。○汲古多所行造德四字。依宋、元本。

【補校】据，汲古訛椐。依宋、元本。汲古多所行造德四字，爲第三句。

履

空拳握手，倒地更起。富饒豐衍，快樂无已。

通謙。艮爲拳，爲手。坤爲地，爲下，震起，故曰倒地更起。坤爲富饒，震爲快樂，全用伏象。易卦爻詞每如此也，易林无創例。○倒，汲古作委。依宋、元本。

泰

不風不雨，白日皎皎。宜出驅馳，通利大道。

巽伏，故不風。半坎，故不雨。震爲白，乾爲日，震爲出，爲馳驅，爲大塗，爲通利。○利，汲古作理。從宋本。

【補校】利，宋本、汲古作理。從元本。

否

載日晶光，驂駕六龍。禄命徹天，封爲燕王。

坤爲載，乾爲日在上，故曰載日。伏震爲龍，爲駕，乾數六，故曰驂駕六龍。乾爲禄，巽爲命。乾在上，故曰徹天。伏震爲王，兌爲燕，故曰燕王。○載，元本作戴，依宋本、汲古。

【補校】晶，依宋本、汲古。元本作精。義通。

同人

子號索哺，母行求食。反見空巢，訾我長息。

通師。震爲子，爲號，爲哺，爲請。請，求也，故曰索哺，曰求食。震爲行，坤爲母。艮爲巢，坤虛，故曰空巢。震爲長息。坎上下兩兌口相背，兌爲口舌，故曰訾。○巢，依宋、元本。汲古作窠。

大有

上帝之生，福祐日成。脩德行惠，樂且安寧。

乾爲上帝，爲福，爲德惠。通比，比樂、坤安，本象、伏象兼取。○第四句，元刊作樂安且寧。依汲古。

【補校】第四句，宋、元本作樂安且寧。

謙

山險難登，澗中多石。車馳轊擊，載重傷軸。擔負差躓，跌蹉右足。

艮爲山，爲石，坎爲澗。坎險，故難登。震爲車，坎多眚，故轊擊傷軸。坎爲轊，爲軸。艮爲何，故曰擔負。坎塞，故差躓，故跌蹉。差同蹉也。震爲足，艮伏兑，故曰右足。○擔，依汲古。元刊作儋。義同。跌蹉，汲古作跛跌。依宋、元本。

【補校】擔，宋、元本作儋。差訛善。均依汲古。

豫

禹鑿龍門，通利水源。東注滄海，民得安存。

震爲帝，故曰禹。艮手，故曰鑿。坤爲門，震爲龍，故曰龍門。坎水，坤水，故曰水源。震爲通利，爲東，坤爲滄海，爲民，爲安。禹貢，導河積石，至於龍門〔一〕。

【補校】存，汲古作從。依宋、元本。

隨

乘龍上天，兩蛇爲輔。踴躍雲中，遊觀滄海，民樂安處。

震爲龍，艮爲天，故曰乘龍上天。巽蛇，兑卦數二，故曰兩蛇。輔，附也。互大坎爲雲，坎在上，震起，故曰踴躍雲中。兑爲澤，故曰海。艮爲觀，爲安。○民樂安處，元刊作安樂長處。依汲古。

【補校】民樂安處，宋、元本作安樂長處。又，踴，依汲古。宋

〔一〕“禹貢”至“至於龍門”，刻本無。據稿本補。

本作湧。元本作踊。同踴。

蠱

彭祖九子,據德不殆。南山松柏,長受嘉福。

　　艮爲壽,故曰彭祖。彭祖,名籛,壽八百歲,即論語所謂老彭
也。震爲子,數九,故曰九子。艮爲據,震爲德。艮山,震南,故曰
南山。巽爲松柏,震爲嘉福。○德,元刊作得。

　　【補校】德,依宋本、汲古。德、得古通。

臨

南山昊天,刺政閔身。疾悲無辜,背憎爲仇。

　　通遯。艮爲南山。乾盈巳,正當夏日,故曰昊天。本象坤爲
政,爲身,爲悲,爲憎,故刺政憫身。艮爲背也。南山、昊天,皆小雅
篇名[一],皆刺幽王而悲憫身世也。刺政承南山而言,謂赫赫師
尹,不平謂何也。閔身承昊天言,謂若此無罪,薰胥以鋪也。○閔,
宋、元刊、汲古皆作關。依局本。

觀

江河淮海,天之奧府。衆利所聚,可以饒有。樂我君子,百
福是受。

　　坤爲江河淮海。艮爲府,坤伏乾,故曰天府。坤爲衆,爲利,爲
聚,爲富饒。艮爲君子,巽伏震爲樂,坤爲我也。○元本下多百福
是受四字,兹從之。宋本、汲古无。

　　【補校】百福是受,依宋、元本。汲古無。

[一] 按《詩經·小雅·節南山》云:"節彼南山,維石巖巖。"又《雨無正》云:"浩
　　浩昊天,不駿其德。"是南山、昊天語出《小雅》,謂"篇名"者似約言之。

噬嗑

堅冰黃鳥，終日悲號。不見白粒，但見藜蒿。數驚鷺鳥，爲
我心憂。

　　坎爲堅冰。震爲黃，艮爲鳥，爲終，離爲日，故曰終日。坎爲
悲，震爲號，爲粒，坎隱，故不見。震爲藜蒿，爲驚。艮爲黔啄，爲鷺
鳥，坎爲心憂。詩小雅，黃鳥黃鳥，無集于穀。此邦之人，不我肯
穀。言旋言歸，復我邦族。林似說此詩[一]。○第二句，各本多作
常哀悲愁。白作廿。依解之夬校。丁晏云，楚策，俯啄白粒是也。

　　【補校】第二句，宋、元本作啼哀悲愁。汲古作常哀悲愁。又，
但見，宋、元本作但觀。依汲古。

賁

室如懸磬，既危且殆。早見之士，依山谷處。

　　艮爲室，震爲磬，上卦震覆，故曰懸磬。坎險，故危殆。震爲
士，爲旦，故曰早見之士，離爲見也。艮爲山谷，艮止，故曰依。○
谷處，元本作處谷。依宋本、汲古。

剝

大禹戒路，蚩尤除道。周匝萬里，不危不殆。見其所使，無
所不在。

　　伏乾爲王，故曰大禹。艮爲路，伏兌爲口，故曰大禹戒路。言
警備也。坤爲惡，故曰蚩尤。艮爲道，爲手，故曰除道。除，治也。
反震爲周，坤爲萬里。坤安，艮止，故不危殆。艮爲僮僕，故曰所
使。卦爲大艮，故无不在。○戒，宋、元本作式。依汲古。

〔一〕“詩”下，稿本有“意”字。

復

三人爲旅，俱歸北海。入門上堂，拜謁王母，飲勞我酒。

　　震爲人，數三，故曰三人。坤爲海，爲北，震爲反，故曰俱歸北
海。坤爲門户，震往，故曰入，曰上。坤爲母，震爲王，故曰王母。
坤爲我，爲漿，故亦爲酒。震爲言，故曰勞。○王母，汲古作主母。
依宋、元本。上，元刊作昇。依宋本、汲古。

　　【補校】飲勞，宋、元本作勞賜。依汲古。

无妄

傳言相誤，非干徑路。鳴鼓逐狐，不知跡處。

　　震爲言，艮敗言，故曰誤。艮爲徑路，爲求。非干徑路，言非所
求之徑路也。震爲鼓，爲鳴。艮爲狐，震爲逐，爲跡，巽爲伏，故无
跡。○干，俗本皆誤于。

　　【補校】干，從宋、元本。

大畜

三羊爭雌，相逐奔馳。終日不食，精氣勞疲。

　　兑爲羊，震數三，故曰三羊。兑爲雌，艮爲手，正反兩艮相對，故
曰爭雌。震爲馳逐。乾爲日，兑爲食，艮爲終，艮止，故終日不食。
乾爲精氣，爭故勞疲。○羊，汲古作年。雌，作妻。依宋、元本。

頤

純服素裳，載主以興。德義茂生，天下歸仁。

　　坤爲黑，爲裳，震爲白，故曰純服素裳。震爲主，爲載，爲興，故
曰載主以興。坤爲義，震爲德，爲生，故曰德義茂生。坤爲天下，震
爲歸，爲仁，故曰天下歸仁。史記，武王載木主，觀兵孟津，八百諸
侯來歸。故必素裳。○素，各本皆作黄。載主，作戴上。茂作既。

均非。茲依比之益校。

【補校】茂,宋本、汲古作既。元本作以。又,以興,宋本作與興。元本作與與。依汲古。

大過

桀跖並處,人民勞苦。擁兵荷糧,戰於齊魯。

伏坤爲惡,故曰桀。巽爲盜,故曰跖。坤爲人民,爲憂,爲勞,故曰勞苦。伏艮爲兵,爲荷,震爲糧,故曰擁兵荷糧。巽齊,兌魯。正覆艮相背[一],艮手,故曰戰。○勞,依元刊。汲古作愁。

【補校】勞,宋本、汲古作愁。又,擁,依宋本。汲古作攉。元本作雍。通擁。

坎

黄鳥采菉,既嫁不答。念我父兄,思復邦國。

黄鳥、采菉,皆小雅篇名,皆傷怨曠,故曰既嫁不答。震爲黄,爲菉,艮爲鳥,爲采,故曰黄鳥采菉。震爲嫁,爲言,艮止,故曰不答。坎爲思念,震爲父兄,爲復,艮爲邦國。○采、菉,自明以後本皆誤爲來、集。茲依宋、元本。

離

胎生孚乳,長息成就。充滿帝室,家國昌富。

通坎。互震爲胎,爲生,坎爲孚,艮爲乳,故曰胎生孚乳。震爲長息,艮爲成,故曰成就。震爲帝,爲昌,艮爲室,爲家國。全取旁通象。

咸

三人求橘,反得丹穴。女清以富,黄金百鎰。

[一]　"覆"下,稿本有"兩"字。

互乾爲人，艮數三，故曰三人。艮爲求，乾爲橘，故曰三人求橘。兑爲穴，乾爲赤，故曰丹穴。巽爲女，承乾，故富。乾爲金〔一〕，伏坤爲黄，故曰黄金。乾爲百。顧千里曰，清者人名，貨殖傳所謂巴寡婦清也。清家得丹穴。○丹穴，依宋、元本。汲古作大栗。清，依顧校。諸本皆作貴，惟汲古作青，可證顧説是也。

恒

東山西岳，會合俱食。百家送從，以成恩福。

通益。互艮爲山岳，震東，本卦兑爲西，故曰東山西岳。坤爲會合，震爲食，正覆震，故曰俱食。艮爲家，震爲百，爲從，爲恩福，艮爲成也。

遯

眵雞無距，與鵲交鬬。翅折目盲，爲鳩所傷。

巽爲雞。説文，目眥傷曰眵。眥，眼角也。艮離目不全，故曰眵雞。震伏，故無距。艮爲鵲，爲鬬。震爲羽翰，震覆，故翅折。離爲目，目眥下裂，故爲目盲。艮爲鳥，爲鳩，巽羸，故傷。○眵，依汲古。宋、元本作弱，非。

大壯

卻大牆壞，蠱衆木折。狼虎爲政，天降罪罰。高弑望夷，胡亥以斃。

通觀。巽爲隙，爲壞，爲牆，故曰隙大牆壞。巽爲蠱，爲木，坤衆，故曰蠱衆。風隕，故木折。艮爲狼虎，坤爲政，故曰狼虎爲政。乾爲天，坤爲罪罰，故曰天降罪罰。艮爲宦寺，坤爲弑，艮爲觀，坤爲夷，故曰高弑望夷。言趙高弑胡亥於望夷宫也。坤爲胡，居亥，

〔一〕"乾"，刻本作"故"，據稿本改。

又爲斃也。雖人名、地名，无不從象生，本之易也。

【補校】郤，宋、元本作隙。依汲古。郤、隙義同。

晉

三癡俱走，迷路失道。惑不知歸，反入患口。

坤爲癡，爻數三，故曰三癡。互艮爲道路，坤迷，故曰迷路失道。坎爲惑，震爲歸，陽居四，不反初，故曰不知歸。坎爲患，四五形兌，故曰患口。○惑，元刊作或。依汲古。

【補校】惑，依宋本、汲古。

明夷

弓矢俱張，把彈折弦。丸發不至，道遇害患。

互坎爲弓，爲矢，震爲張，故曰弓矢俱張。坎爲彈，伏巽爲弦，坎折，故曰把彈折弦。坎爲丸，震爲發，坤閉，故不至。震爲道塗，坤爲患害，故曰道遇患害。

【補校】把，元本作弝。依宋本、汲古。弦，宋本、汲古作絃。依元本。絃、弦通。

家人

三人求夫，伺候山隅。不見復關，長思憂歎。

卦二離一巽，皆女象，坎爲夫，故曰三女求夫。艮爲關，卦有兩半艮形，故曰復關。坎伏，故不見。不見復關，詩衛風語也。艮止，故曰伺候。艮山，故曰山隅。坎爲憂思，故曰長思憂歎。○汲古二三句倒置，依元本。元本憂歎作歎憂。失韻。依汲古。

【補校】二三句，依宋、元本。憂歎，宋、元本作歎憂。

睽

陽旱炎炎，傷害禾穀。稺人無食，耕夫歎息。

重離,故曰旱。震爲禾稼,二三四五半震,兌毀,故曰傷害禾穀。兌爲食,坎失,故無食。震爲耕,爲夫,兌口,故耕夫歎息。○易家人、睽爻詞往往用半象,故此與家人,亦多用半象。下蹇、解、漸、歸妹、既、未濟並同,而既、未濟用半象尤多,全本之易。

蹇

騎狃逐羊,不見所望。徑涉虎廬,亡羝失羔。

坎爲狃,伏兌爲羊,半震爲騎,爲逐,故曰騎狃逐羊。坎隱,故不見,離爲望也。艮爲徑,爲虎,爲廬。兌伏,故亡羝失羔。○廬,宋、元本作穴。依汲古。

【補校】徑,依宋本、汲古。元本作經。亡羝,宋、元本作亡羊。依汲古。

解

暗昧冥語,轉相詿誤。鬼魅所舍,誰知臥處。

坎爲暗昧,爲冥,震爲言,故曰冥語。坎上下兩兌口相背,故曰詿誤。坎爲鬼魅,爲舍,爲伏,故曰臥。坎伏,故不知。○轉相,依宋、元本。諸家皆作相傳,非。

【補校】轉相,依元本。宋本、汲古作相傳。又,暗,元本作闇。依宋本、汲古。闇即暗。

損

姬姜祥淑,二人偶食。論仁議福〔一〕,以安王室。

互震爲周,故曰姬。伏巽,故曰姜,巽爲齊也。震爲仁,故曰祥淑。震爲人,兌卦數二,故曰二人。兌爲食也。震爲言,故論仁議福。震爲王,艮爲室,爲安,故曰以安王室。

〔一〕"議",刻本作"義",據稿本改。

益

公孫駕驪，載聘東齊。延陵説産，遺季紵衣。

　　艮爲孫，震爲公，爲驪，爲駕，故曰公孫駕驪。震爲東，巽爲齊，震爲載，故曰載聘東齊[一]。艮山，故曰延陵。震樂，震生，故曰悦，曰産。艮爲季，坤爲衣裳，震爲紵，故曰遺季紵衣。左傳，吳公子札聘于鄭，見子産如舊相識，與之縞帶，子産獻紵衣焉。〇聘，宋、元本作昒。依汲古。

夬

孤竹之墟，老婦亡夫。傷於蒺藜，不見少齊。東郭棠姜，武子以亡。

　　武子，崔杼也。棠姜，杼妻也。困三爻，據于蒺藜，入于其宮，不見其妻。杼占辭也，事見左傳襄二十五年。少齊者，左傳晉人。謂之少齊，言美也。伏剥。坤爲寡，中虛，故曰孤竹之墟，坤爲墟也。兌爲老婦，本大過也。艮爲夫，艮伏，故无夫。餘象多未詳。〇子，各本多誤氏。兹依翟本[二]。齊，汲古作妻。依宋、元本。老，各本皆訛失，依需之剥宋、元本校。

　　【補校】齊，宋、元、汲古及所見其他各本皆作妻。馬生新欽云，疑依宋、元本否之涣少齊在門校。

姤

仁政不暴，鳳凰來舍。四時順節，民安其處。

　　通復。震爲仁，故曰不暴。坤爲文，故曰鳳凰。震爲辰，卦數

<hr/>

〔一〕“震爲東”至“東齊”，稿本作“震爲言，故曰聘問；爲東，上巽，故曰東齊”。

〔二〕“翟”，稿本、刻本作“丁”。按，丁晏《易林釋文》未及“子”字，檢翟云升《焦氏易林校略》作“武子以亡”，謹依校改。

四,坤順,故曰四時順節。坤爲民,爲安,故民安其處。

萃

任劣力薄,屢驚恐怯。如蝟見鵲,不敢拒格。

坤柔,故曰任劣力薄,曰屢驚。互大坎,故曰恐怯。巽爲蝟,艮爲鵲,坤弱,故不敢拒格。史記龜策傳注,蝟能制虎,見鵲則仰地。○屢驚,依宋本。元刊作驚屢。

【補校】屢驚,依宋本、汲古。蝟,元本作猬。兹從宋本、汲古。猬、蝟同。

升

衞侯東遊,惑於少姬。亡我考妣,久迷不來。

震爲警衞,爲諸侯,爲東遊。大坎爲惑,兑爲少姬。震爲父,坤爲母,故曰考妣。坤死,故亡。坤爲我,爲迷。震往,故不來。衞文侯避國難遊齊。少姬,衞女,齊桓夫人。○震父象失傳。○迷,依宋、元本。汲古作逝。

【補校】久,汲古作又。依宋、元本。

困

噂噂所言,莫如我垣。歡喜堅固,可以長安。

詩,噂沓背憎,箋云,噂噂對語,背則相憎。困三至上,正反兩兑口相背,故易曰有言不信。其伏象則正反兩震言相對,故曰噂噂所言。巽爲垣墉,坎陷,故莫如我垣。兑悦而伏艮,故曰歡喜堅固,曰長安。○如,俗本誤加。如者,往也。宋本、汲古本均不誤。元本作知。

井

黿鳴岐山,鼇應幽淵。男女媾精,萬物化生。文王以成,爲開周庭。

通噬嗑。互艮爲黿龜，爲山，下震兩歧，故曰岐山。而初至四正反艮震，震爲鳴，故上鳴下應，與中孚九二，鳴鶴在陰，其子和之，用象同也。坎爲幽，坎男，離女，而坎爲精，故曰男女媾精。震爲萬物，爲生，爲王，上離爲文，故曰文王以成。艮爲成也。艮又爲庭，震爲周，爲開，故曰爲開周庭。○黿，依汲古。宋、元本作鷟。幽淵，依宋、元本。汲古作山淵。

【補校】龜，宋、元本作龜。開周作周開。均依汲古。媾，元本作搆。依宋本、汲古。媾、搆義通。

革

玄黃虺隤，行者勞罷。役夫憔悴，踰時不歸。

通蒙。互震爲玄黃。詩毛傳，玄黃、虺隤，病也。蒙，坎爲病，爲罷勞，震爲行，故曰行者勞罷。坎爲夫，爲勞卦，故曰役夫憔悴。艮爲時，在外，故踰時不歸。

鼎

弱足刖跟，不利出門。市賈无利，折亡爲患。

下巽，震伏不見，故曰弱足刖跟，故不利出門。鼎初六，鼎顛趾，即如是取象。三五伏艮，艮爲門。巽爲市賈，爲利，兌折，故不利，故折亡。大坎爲患。○利，汲古訛私。无，從元本。宋本作不。

【補校】利，依宋、元本。无，宋本、汲古作不。

震

懸狟素餐，居非其官。失輿剝廬，休坐徙居。

懸狟素餐，伐檀詩語也。互艮爲狟，伏巽繩，故懸狟。震爲食，爲白，故曰素餐。艮爲居，爲官，艮覆，故居非其官。震爲輿，坎失，故曰失輿。艮爲廬，艮覆，故剝廬。君子得輿，小人剝廬，剝上九爻辭也。艮爲坐，爲居，艮覆，故休坐徙居。○官，依元本。宋本作安。徙，依元本。宋本作徒。餐，從宋本。元本訛饕。

【補校】官，宋本、汲古作安。徙作徒。又，狟，元本作狟。依宋本、汲古。狟、狟同。

艮

民怯城惡，姦人所伏。寇賊大至，入我郛郭，妻子俘獲。

左傳成九年，楚伐莒，莒城惡，衆潰。艮爲城，坎爲民，爲怯，爲陷，故曰民怯城惡。坎爲伏，爲姦，互震爲人，故曰姦人所伏。坎爲寇賊，艮爲郛郭，伏巽爲人，故曰入我郛郭。震爲子，伏兌爲妻，艮止，故曰妻子俘獲。○城，依宋、元本。汲古訛伐。郛、俘，依宋、元本。汲古作邦、係。

【補校】宋本、汲古舊注謂此林一本爲歸妹辭。

漸

陽低頭，陰仰首。水爲災，傷我寶。進不利，難生子。

坎爲首，坎伏，故低。坎陽卦而在下，離陰卦在坎上，故曰陰仰首。坎爲水災。震爲玉，爲寶，震覆故傷。震爲行，爲子，爲生，震覆故不利，故難。○寶，從汲古。宋、元作足。難生子，依宋、元本。汲古作生其子，與易婦孕不育旨背。

【補校】災，汲古作凶。依宋、元本。

歸妹

背北相憎，心意不同，如火與金。

兌伏艮，艮爲背，坎爲北，爲憎，爲心意。離爲火，伏艮爲金。詩十月篇，噂沓背憎。○宋、元本作艮辭。金，讀略如京，與憎同協。

【補校】宋本、汲古舊注謂此林一本爲艮辭。

豐

太微帝室，黃帝所值。藩屏周衛，不可得入，常安无患。

　　離爲星，故曰太微，曰帝室。帝室者，帝座，即紫微垣也。震
爲帝，伏坎爲宮室，故曰帝室。震爲黃，故曰黃帝。黃帝，軒轅星
也。震爲叢木，爲屏藩，爲周，爲衛。巽入，巽伏故不可入。○
周，從宋、元本。汲古作固，於卦象无着。值，從汲古。宋、元皆
作宜，不協。

　　【補校】微，元本訛徽。依宋本、汲古。

旅

繭栗犧牲，敬享鬼神。神嗜飲食，受福多孫。

　　互巽，故曰繭。艮爲果，故曰栗。離爲牛，故曰犧牲。禮，祭天
地之牛角繭栗。言其色似之也，故曰繭栗犧牲。伏坎爲鬼，震爲
神，爲飲食，故曰神嗜飲食。艮爲孫，坎衆，故多孫。

　　【補校】繭，元本作璽。依宋本、汲古。璽、繭同。

巽

出門逢惡，爲患爲怨。更相擊刺，傷我手端。

　　通震。互艮，故曰出門。坎爲惡，爲患，爲怨。初至四反正艮，
艮手，故更相擊刺。坎折，故傷手。○患，宋本作禍。此全用震象，
故互坎患[一]。

　　【補校】爲患，宋、元本作與禍。依汲古。

兌

鶪飛中退，舉事不遂，宋人亂潰。

〔一〕按稿本此處夾一字條，云："舊説以坤爲惡，此以坎爲惡，是亦新發明之象
　　也。似宜注明。"據此，似宜在"患"下增"坎爲惡證"四字。

左傳,六鷁退飛,風也。爲宋襄公敗徵,故曰宋人亂潰。兌伏
艮,艮爲鷁,巽爲退。互震爲舉,爲人,艮爲宋。説文,架木爲屋曰
宋。艮形似之,故林以艮爲宋。○遂,宋本、汲古作進。依元本。
韻叶,象亦合[一]。

渙

跛踦相隨,日暮牛罷。陵遲後旅,失利亡雌。

坎蹇,故曰跛踦。巽順,故曰相隨。艮爲日,坎爲暮,故曰日
暮。艮爲牛,坎勞,故曰牛疲。巽爲陵遲,震爲後[二],故曰陵遲後
旅。巽爲利,爲雌,坎失,故曰失利亡雌。

節

龍角博顙,位至公卿。世禄久長,起動安寧。

震爲龍,艮爲角,震爲顙。龍角,猶曰角;博顙,大顙也,皆貴
相。艮爲位,震爲公,坎爲禄,艮爲久長,故曰世禄久長。震爲起,
爲動,艮爲安,故曰起動安寧。○顙,宋、元本作預,非。依汲古。

中孚

舜升大禹,石夷之野。徵詣王庭,拜治水土。

震爲帝,故曰舜、禹。艮爲石,爲野。按洛書靈准聽曰,禹出石
夷,掘地代,懷玉斗。石夷不見於他書,而蜀志秦宓傳云,禹生石
紐。又譙周蜀本紀,禹本汶山廣柔縣人,生於石紐。又吳越春秋,
鯀娶女嬉,吞薏苡有感,剖脅而産高密,家於西羌,地曰石紐。又地
理通釋引皇甫謐曰,孟子稱禹生於石紐,西夷人也。兹曰石夷,不

[一] 按稿本此處亦夾一字條,云:“艮爲宋,係新發明之象。例宜標明。”據此,
似亦宜在“合”下增“艮爲宋證”四字。

[二] “爲”下,刻本衍一“爲”字,據稿本刪。

知於石紐是否爲一地，不能明也。震爲王，艮爲庭，震往，故曰徵詣王庭。艮手爲拜，伏大坎，坎爲水，爲土，故曰拜治水土。此以坎爲土[一]，與邵子同。○拜，從元本。宋本作并[二]。

【補校】拜，從元本、汲古。詣，宋本作請。依元本、汲古。

小過

從風放火，荻芝俱死。三害集房，叔子中傷。

巽爲風，艮爲火，巽艮連，故曰從風放火。巽爲草莽，爲荻芝，中爻互大過，大過死，故曰荻芝俱死。艮爲房，數三，坎爲害，在中爻，故曰三害集房。艮爲叔子，兌毁，故中傷。以艮爲火，邵子所本。三害，暴、虐、頗也。見左傳昭十四年注。

【補校】房，汲古作亡。依宋、元本。

既濟

梗生荆山，命制輪班。袍衣剥脱，夏熱冬寒。飢餓枯槁，衆人莫憐。

卦有三震形，故曰梗，曰荆。又有半艮，故曰山。又有半巽，巽爲命，爲工，爲輪班，坎爲制，故命制輪班。震爲襦，故曰袍衣。三震上下往復如剥脱然，言上六之初，即成未濟也。坎冬寒，離夏熱，離虛，爲飢餓，爲枯槁。坎爲衆，震爲笑樂，故曰莫憐。○衆人莫憐，宋本作莫人莫憐，元本作莫人震憐。皆不適，故從汲古。梗，宋、元、汲古皆作梗。依局本。

【補校】梗，宋本、汲古作梗。依元本。

未濟

長面大鼻，來解己憂。遺吾福子，惠我嘉喜。

〔一〕“土”，刻本作“士”，據稿本改。
〔二〕“并”，刻本作“刊”，據稿本改。

　　艮爲鼻,爲面,三艮形,故曰長面大鼻。坎爲憂,震爲解,爲福,爲子,爲嘉喜。此與上卦皆用半象,本之易也。○宋、元本福子下,多與我惠妻四字。

坤之第二

坤

不風不雨，白日皎皎。宜出驅馳，通利大道。

　　純坤，无巽、兌象，故不風不雨。伏乾爲日，大明，故曰白日皎
皎。震爲出，爲驅馳，爲通，爲大塗。言陰極宜陽復成震也。

乾

谷風布氣，萬物出生。萌庶長養，花葉茂盛。

　　詩毛傳，谷風，東風也。陰陽和則谷風至。按乾納甲，故曰東
風。又陰變陽，故萬物出生而茂盛。坤爲萬物，爲萌庶也。〇盛，
從汲古。宋、元本皆作成。

屯

蒼龍單獨，與石相觸。摧折兩角，室家不足。

　　震爲蒼龍，坤寡，故曰單獨。艮爲石，在上，故龍觸石。艮爲
角，坤數二，坎折，故曰折其兩角。艮爲室家，坤窮，故不足。〇室
家，從宋本。元本作家室。

　　【補校】室家，從宋本、汲古。

蒙

城上有烏，自名破家。招呼酖毒，爲國患災。

　　艮爲城，爲烏，爲家。坎破，故曰破家。坤爲自，艮爲名也。震
爲言，艮手，故曰招呼。坤爲毒，爲災患，爲國。〇烏，汲古誤馬。
依宋本。左傳，城上有烏破家，疑烏呼聲似之，或當時俗語。患災，
從宋、元本。汲古作災患。家音姑，與烏韻。

【補校】烏，依宋、元本。

需

霜降閉戶，蟄蟲隱處。不見日月，與死爲伍。

通晉。坤爲霜。艮爲戶，坤閉，故曰閉戶。坎伏，故曰蟄蟲，曰隱處。坎月，離日，坎伏，故不見。坤爲死。

訟

天之德室，温仁受福。衣裳所在，凶惡不起。

乾爲天，爲德，坎爲室。乾爲仁福，爲衣，伏坤，爲裳，爲凶惡。坤伏，坎陷，故不起。

師

皇陛九重，絶不可登。謂天蓋高，未見王公。

震爲帝，故曰皇。震數九，自二至上，若階陛然，故曰皇陛九重。坤爲重也。震爲登，坤閉，故不可登。乾爲天[一]，爲王公，乾伏，故不見。○宋、元本三四句倒置，兹依汲古。陛，依宋本、汲古。元本作階。

比

孔德如玉，出於幽谷，飛上喬木。鼓其羽翼，輝光照國。

艮堅，爲金玉。坎爲幽谷，在上，故曰出。艮爲飛，爲喬木。艮手，爲鼓，爲羽翼。艮爲輝光，爲國。詩小雅，其人如玉[二]。又伐木丁丁，鳥鳴嚶嚶[三]。出自幽谷，遷于喬木。○宋、元本皆作四句，

[一]“天”，刻本作“人”，據稿本改。
[二]“玉”，刻本作“王”，據稿本改。
[三]“嚶嚶”，刻本作“嬰嬰”，據稿本改。

并三四句爲一句〔一〕，作升高鼓翼。兹依汲古。

小畜

五軛四軌，優得饒有。陳力就列，騶虞悦喜。

軛，轅端橫木，駕馬領者。軌，論語，小車無軌。注，軌，轅端持衡者。通豫，艮爲小木，爲軛，爲軌。坎數五，震卦數四，故曰五軛四軌。乾富，故曰饒有。震爲陳列，艮爲騶虞。毛傳，騶虞，義獸也。震爲樂，故悦喜。陳樸園云，禮記射義，騶虞，樂官備也。注，樂官備者，謂騶虞一發，五豝五豵，喻得賢衆多也。故焦氏言陳力就列，騶虞悦喜也。又按，五軛四軌，言獵車之盛也。○汲古軛作範，軌作軌。依宋、元本。優得，依履之艮校，各本皆作復得。又各本下有四足无角，君子所服，南征述職，以惠我國四句。與上不韻，顯爲衍文。依履之艮删。宋本則作下履林，按之卦象亦協。

【補校】軌，宋、元、汲古各本皆作軌。依履之艮宋、元本校。

履

敝笱在梁，魴逸不禁，漁父勞苦。焦喉乾口，虛空无有。

通謙。坤爲敝，震爲筐筥，爲笱，艮爲梁，故曰敝笱在梁。坤爲魚，爲魴，在外，故逸。乾爲父，坎爲勞，兑爲口，離火，故曰焦喉乾口。○焦喉，各本皆作連室，皆无末句。依遯之大過校。

【補校】此林宋、元本作四足無角，君子所服。南征述職，以惠我國。兹依汲古。

泰

雷行相逐，無有攸息。戰於平陸，爲夷所覆。

震爲雷，爲逐，爲戰。坤爲平陸，爲夷狄。坤死，兑折，故曰爲

───────────────

〔一〕“一”，刻本作“二”，據稿本改。

夷所覆。如衛懿公是也。

否

六龍争極，服在下飾。謹慎管鑰，結禁无出。

乾爲龍，數六，在上，故曰六龍争極。乾爲衣，坤爲裳，故曰服。坤爲下，爲文，故曰下飾。坤閉，故曰管鑰，曰結禁。坤六四曰括囊，是其義也。○下，依宋、元本。汲古作不。鑰，元本作籥。

【補校】鑰，依宋本、汲古。無，宋、元本作毋。依汲古。

同人

長男少女，相向共語，福禄歡喜。

通師。震爲長男，巽爲少女。大過以巽爲女妻，故巽亦爲少女。震爲語，巽、震同聲相應，故曰共語。又離上下兩兌口相對，明夷謂曰有言，亦共語也。震爲福，爲樂。○汲古本共語下，有析薪在尪四字，於上下語甚不協。宋、元本无，從之。

大有

遷延惡人，使德不通。炎火爲殃，禾稼大傷。

離爲惡人，爲炎火，爲殃，餘未詳。○炎火，從宋、元本。汲古作災火。禾稼，宋、元本作年穀。年，疑禾之訛。依汲古。

【補校】禾稼，元本作年穀。依宋本、汲古。遷，依汲古。宋、元本作奸。

謙

脩其翰翼，隨風向北。至虞夏國，與舜相得。年歲大樂，邑無盜賊。

震爲翰翼，坤爲北，伏巽，故曰隨風向北。坤爲國，震爲帝王，故曰虞夏，曰舜。坤爲年歲，震爲樂。坤爲邑，坎爲盜賊，坎隱伏，故无盜賊。

豫

鉛刀攻玉，堅不可得。盡我筋力，胝繭爲疾。

　　艮堅在外，爲刀，坤柔，故曰鉛刀。震爲玉，艮爲堅。胝繭者，足病。震爲足，坎疾，故曰胝繭爲疾。筋力象是否爲艮，未詳。○胝，汲古誤眠，宋本作眡。兹依元本。

　　【補校】繭，宋、元本作璽。依汲古。璽、繭同。

隨

舉袂覆目，不見日月。衣衾簠簋，就長夜室。

　　震爲袂，爲舉，艮爲目，爲日，兑爲月，巽爲伏，故曰覆，曰不見。震爲衣衾，爲簠簋，艮爲室，兑爲夜。蓋三至上互大過，大過死，故就夜室。言墓内无光，如長夜也。禮記，齊大饑，黔敖設食於路。有蒙袂而來者，黔敖曰，嗟，來食。曰，余唯不食嗟來食，以至於此。遂死。士喪禮，幎目緇尺二寸。注，幎目，覆目者也。即袂也。○袂，宋、元本作被。依汲古。衾，依宋、元本。俗本誤裳。

蠱

賊仁傷德，天怒不福。斬刈宗社，失其邦國。

　　巽爲賊，爲傷，震爲怒，艮爲天〔一〕。艮手，爲斬刈。震爲宗，艮爲社，四至上艮震反覆，故曰斬刈宗社。艮爲邦國，坎爲失。○仁、天，從宋、元本。汲古作賊人，作大怒，非。

　　【補校】國，宋、元本作域。依汲古。

臨

白龍赤虎，戰鬭俱怒。蚩尤敗走，死於魚口。

〔一〕“天”，刻本作“大”，據稿本改。下文校語“仁、天”之“天”字同。

震爲白,爲龍,伏艮爲虎,乾爲赤,故曰白龍赤虎。震爲戰,爲怒。坤爲惡,故曰蚩尤。兌毀,故敗。震爲走,故曰敗走。坤爲死,爲魚,兌爲口。湘中志,湘南有魚口灘。唐李紳詩,雒陽城見梅迎雪,魚口橋逢雪送梅。又兌亦爲虎,兌納丁,故曰赤虎,亦通。

觀

北辰紫宮,衣冠中立。含和建德,常受天福。

坤爲北,艮爲星辰,爲宮,故曰北辰紫宮。天文志,中宮曰紫宮,即紫微垣也。坤爲衣裳,艮爲冠,居中五,故曰中立。伏乾爲德,爲天福。

【補校】中立,宋、元、汲古諸本皆作立中。依需之夬元本校。

噬嗑

稷爲堯使,西見王母。拜請百福,賜我喜子。

震爲稷,爲帝,爲行,故曰稷爲堯使。坎爲西,震爲王,伏巽爲母,故曰王母。艮手,爲拜。震爲言,爲請,爲百福;爲喜,爲子,故曰喜子。○喜,汲古訛嘉。喜子者,詩蠨蛸在户疏,蠨蛸,長腳蛛,俗呼爲喜子。荆楚歲時記,七月七日陳瓜菓乞巧,有喜子網于瓜,則以爲符應[一]。

【補校】喜,宋、元本作善。依明夷之萃校。

賁

三人異趣,反覆迷惑。一身五心,亂无所得。

互震爲人,數三,故曰三人。而三至上正覆震相背,故曰異趣,曰反覆。坎爲迷惑也。艮爲身,坎數一,故曰一身。坎爲心,納戊

[一]"應"字,稿本、刻本闕,據《廣漢魏叢書》本《荆楚歲時記》補。

數五,故曰五心。離爲亂,離虛,故无得。

【補校】三,汲古作二。依宋、元本。趣,元本作趨。依宋本、汲古。趣通趨。

剝

南山大玃,盜我媚妾。怯不敢逐,退而獨宿。

艮山,納丙,又爲玃,故曰南山大玃。坤爲我,伏兑,爲媚,爲妾。坤柔,爲怯。震爲逐,震覆爲艮,故不逐。震爲進,震覆,則爲退矣。坤爲宿。博物志,蜀南山有大玃,婦人好者輒盜以去。廣韻,玃,大猿也。

復

衆鬼所逐,反作光怪。九身无頭,魂驚魄去,不可以居。

坤爲鬼,爲衆。震爲逐,爲反,爲玄黃,故曰光怪。坤爲身,震納庚金,數九,故曰九身。乾爲頭,乾伏,故曰无頭。伏乾爲魂,坤爲魄,震爲驚。艮爲居,艮覆,故不可居。○鬼,從宋、元本。汲古作尤〔一〕。光,宋、元本作大。依汲古。

【補校】逐,依汲古。宋、元本作趨。

无妄

延頸遠望,眯爲目病。不見叔姬,使伯心憂。

艮爲頸,爲望,離爲目。大離,故目病。説文,眯,草入目中也。震爲草莽,而與大離連,故曰眯。易林小學之精,用一字无不與卦象確切如此。震爲姬,艮爲叔,故曰叔姬。震爲伯,巽爲心,爲憂。○眯,汲古誤昧。依宋、元本。

【補校】頸,宋本作頭。依元本、汲古。病,宋、元本作疾。依

〔一〕“尤”,稿本、刻本作“九”,據汲古本改。

汲古。

大畜

典册法書,藏在蘭臺。雖遭亂潰,獨不遇災。

　　伏坤爲文,故曰典册法書。巽爲伏,爲香,故曰藏在蘭臺。艮
爲臺也。坤爲亂潰,爲災,乾福,故无災。全用旁通象。

　　【補校】册,依宋本、汲古。元本作策。

頤

自衛反魯,時不我與。冰炭異室,仁道隔塞。

　　震爲衛,爲反,伏兑爲魯,故曰自衛反魯。艮爲時,坤爲我,爲
冰。艮爲火,爲炭,爲室,卦正覆艮相背,故曰異室。艮爲道,坤閉,
故道塞。○我,依宋、元本。汲古作可,非。

大過

瘤瘦禿疥,爲身瘖害。疾病癃殘,常不遠逮。

　　通頤。艮爲節,故曰瘤瘦禿疥,曰瘖。坤爲身,爲死,故疾病癃
殘[一],不能逮遠。○遠逮,汲古作屬遠。依宋、元本。

　　【補校】疾病,元本作病疾。依宋本、汲古。

坎

齊東郭盧,嫁於洛都。俊良美好,媒利過倍。

　　戰國策,韓子盧者,天下之良犬。東郭逡者,天下之狡兔。詩
齊風,盧令令,毛傳,盧,田犬。坎中爻艮爲郭,爲犬,震爲東,伏巽
爲齊。又盧者,黑色,艮爲黔,故曰齊東郭盧。舉一字,於卦之象數
皆合,神已!艮爲都,震爲嫁[二],坎爲河,故曰洛都。按,此林屢

───────────
〔一〕"病",刻本作"疾",據稿本改。
〔二〕"嫁",刻本作"家",據稿本改。

見。嫁，往也。列子天瑞篇，列子居鄭圃四十年，人無視者，將嫁於衛。又，女子適人亦曰嫁。嫁於洛都者，往售於洛都也。故下云媒利過倍。媒者，因也，言因犬得利也。○盧，汲古訛廬。齊東，宋本作東齊。茲依元本。

【補校】齊東，依元本、汲古。於，元本作我。依宋本、汲古。

離

齊魯爭言，戰於龍門。搆怨連禍，三世不安。

中爻巽齊兌魯，而二至五正反兩兌相背，兌爲言，故曰齊魯爭言。伏坎，中爻震爲戰，爲龍，艮爲門，故曰龍門。又，坎爲怨，爲禍。離卦數三，故曰三世。離爲亂，故不安。○連，依宋、元本。汲古作結。

【補校】連，宋、元本、汲古皆同。學津作結。

咸

膏澤肥壤，農人豐敞。利居長安，歷世無患。

兌爲膏，爲澤。艮爲壤，乾爲肥，故曰肥壤。伏震爲農人，爲豐敞。坤爲長安，爲世，震樂，故无患。○膏，從宋本。汲古、元本作芳。

【補校】敞，宋本訛敝。依元本、汲古。

恒

倉盈庾億，宜種黍稷。年豐歲熟，民得安息。

通益。艮爲倉庾，坤衆，故盈億。震爲黍稷，坤爲歲年，爲民，爲安息。詳乾之師。

遯

鳲鴞破斧，邦人危殆。賴旦忠德，轉禍爲福，傾危復立。

　　艮爲鷗鶹，兌爲斧，兌覆，故曰破斧。鷗鶹、破斧，豳風篇名，皆詠周公之德也。伏坤爲邦，震爲人。兌毀，故危殆。震爲旦，爲德。坤爲禍，震爲福。○旦，依汲古。宋、元本皆作其。

大壯

歲飢無年，虐政害民。乾谿驪山，秦楚結冤。

　　通觀。坤爲歲，爲飢，爲政，爲民，爲虐害。本卦兌爲谿，下乾，故曰乾谿。易以乾爲陵，爲馬，故曰驪山。兌西爲秦，震爲叢木，爲楚。驪山，秦地。乾谿，楚地。靈王死乾谿，始皇葬驪山，故曰結冤。

晉

捌絜堁堁，締結難解。嫫母衒嫁，媒不得坐，自爲身禍。

　　捌，捯也。絜，説文，麻一耑也[一]。艮爲手，言以手捯麻，締結難解也。堁堁，塵起貌。坤爲醜，故曰嫫母。離爲見，故曰衒。坎爲合，爲媒，坤爲身，爲禍，爲自。○捌，依汲古。絜，依局本。宋本作椆潔，元本作椆絜。堁堁，依汲古比之大有校。各本皆作累累。

明夷

娵訾開門，鶴鳴彈冠。章甫進用，舞韶和鸞。三人翼事，國无災患。

　　候卦坤居亥爲門，互震爲開，故曰娵訾開門。娵訾，亥辰也。震爲鶴，爲鳴。覆艮爲冠，艮手向下，故曰彈冠。章甫，禮冠。震爲進，爲樂，故曰舞韶；爲音，故曰和鸞。鸞，鈴也。坎爲和，坤文，爲鸞鳳。震爲人，數三，又爲翼，故曰三人翼事。翼，輔也，贊也。坤

──────────

〔一〕“耑”，刻本作“耑”，據稿本改。

爲事，爲國，坎爲憂患，震樂故无。○娵訾，各本皆訛爲訾陬。娵
訾，亥辰名，坤象。字既顛倒，娵又作陬，似非。

家人

弟姊合居，與類相扶。願慕羣醜，不離其友。

長女、中女，故曰弟姊。互坎爲合，故曰合居。艮手爲扶，離正
反半艮，故曰相扶。易家人用半象，故亦用半象。互坎爲願慕，離
爲醜，義本離上九也。重離，故曰羣醜。離坎爲友，體連，故不離。
東漢人皆以陰與陰爲友，豈知陰陽相遇方爲友也。○弟姊合，汲古
作姊妹本。茲從宋本。

【補校】弟姊合，宋本作弟妹合。從元本。

睽

邯鄲反言，父兄生患。涉叔憂恨，卒死不還。

坎正反兌口相背，故曰反言。坎爲患[一]，爲憂恨。餘象多未
詳，或用半象。史記，陳勝，字涉；吳廣，字叔。陳勝遣武臣徇趙，乃
反楚自立爲趙王。陳王乃徙繫武臣等家屬宮中。後涉叔二人，皆
爲下所殺。林似用其事。○叔，從宋、元本。汲古訛此。又元本舊
注，以涉叔爲陳涉，非。涉，陳勝字。叔，吳廣字也。

【補校】父兄，依汲古。宋、元本作兄弟。

蹇

二人逐兔，各爭有得。愛亡善走，多獲鹿子。

震爲人，三四及五上兩半震，故爲二人。震爲兔，爲逐，故曰二
人逐兔。兩震，故各爭有得。震爲爭，爲鹿，爲子，艮爲獲。愛亡
者，言喜走也。亡，往也。○汲古有作其，愛亡作愛妄。均依宋、元

────────────

〔一〕“坎”，刻本作“故”，據稿本改。

本。又，二人，宋、元本作三人。依汲古。此皆用半象。

解

北辰紫宮，衣冠立中。含和建德，常受天福。

坎爲北，爲宮室，爲和。震爲辰，爲衣，爲建，爲福。餘詳觀卦。

損

拜跪請兔[一]，不得其哺。俛首銜枚，低頭北去。

艮爲拜跪，震爲言，爲請；艮止，故曰請兔。兌爲哺，坤虛，故不得哺。艮爲首，坤下，故曰俛首，曰低頭。艮爲小木，爲枚，兌口，故曰銜枚。坤位北，震往，故北去。

【補校】兔，宋本作兔。依元本、汲古。枚，元本作枝。依宋本、汲古。

益

鶴盜我珠，逃於東隅。求之郭墟，不見所居。

震爲鶴，爲珠，巽爲盜。震往爲逃，爲東，故逃於東隅。艮爲求，爲郭，坤爲墟。艮爲居，巽伏，故不見。説苑，桓公至郭墟，問郭之所以亡。下二句用其事。又，此林屢見。鶴盜珠，必有故實，今不能攷。

【補校】之，汲古作我。依宋、元本。

夬

一簧兩舌，妄言謬訣。三姦成虎，曾母投杼。

兌爲簧，爲舌。詩，巧言如簧。乾卦數一，兌卦數二，故曰一簧

[一]“兔”，刻本作“兔”，據稿本改。注文同。

兩舌。乾爲言,兌口亦爲言,乃兌言與乾言相背,故曰妄言謬訣。夬
九四聞言不信,義與此同也。伏艮爲虎,坤爲姦,互三坤,故曰三姦
成虎。坤爲母,重坤,故曰曾母。曾、層通。凡易林用一姓一名,无
不從象生,與易同也。艮爲小木,爲杼,艮手爲投,故曰投杼。戰國
策,今有人言,市有虎,王信之乎? 曰否。三人言之,則信矣。史記
甘茂傳,昔魯人有與曾參同姓名者,殺人。人告其母,織自若也。又
一人告之,織自若也。又告之,其母遂投杼而走。古樂府,三夫成市
虎,曾母投杼趨。林正用其詞。○謬訣,宋本、元本作謬語〔一〕,汲
古作謀訣。今謬從宋、元本,訣從汲古。訣與舌韻。

姤

孤獨特處,莫與爲旅。身日勞苦,使布五穀,陰陽順序。

　　巽寡,故曰孤獨,曰無旅。乾爲日,通復,坤爲身,萬物皆致役,
故曰勞苦。巽爲穀,卦數五,故曰五穀。巽爲順。○依宋、元本。
汲古作伯虎仲熊,德義洵美,使布五穀,陰陽順序。

萃

褰衣涉河,水深漬罷。賴遇舟子,濟脱無他。

　　坤爲衣,爲河,艮手爲褰,故曰褰衣。坤水,互大坎亦爲水,
故曰河,曰水深。坤爲勞,故曰罷。罷同疲,音婆。三至五伏震
爲舟,爲子;震出,故濟脱。○第二句各本多作澗流浚多。依訟
之萃校。

升

憑河登山,道路阻難,求事少便。

　　坤爲河,二陽臨坤水,故曰憑河。本泰九二也。震爲登,爲道

〔一〕 “訣”下,刻本衍“從”字,據上下文意删。

路,互大坎,故曰阻難。坤爲事,艮爲求,三至五艮覆,故少便。山象,升六四用享于岐山,即以震爲山[一]。

【補校】路,元本作里。依宋本、汲古。

困

兔罝之容,不失其恭。和謙致樂,君子攸同。

離爲網,爲罝,伏震爲兔,故曰兔罝。坎爲和,兑悦,故曰致樂。伏艮爲君子。詩周南,肅肅兔罝。傳,肅,敬也。故曰不失其恭。林説詩意。

井

三女求夫,伺候山隅。不見復關,泣涕漣如。

下巽,上互離,下互兑,故曰三女。坎爲夫,本左氏也。二至四伏艮,爲山;艮止,故曰伺候。艮爲關,初至四正反艮,故曰復關。坎伏,故不見。坎爲泣涕。二句詩氓之語也。○如,從宋、元。汲古作洳。

革

螟蟲爲賊,害我五穀。簞笥空虛,家無所食。

互巽爲蟲,爲伏,故爲螟。螟食苗心,言其冥冥難見。巽爲賊,爲穀,卦數五,兑毁,故曰害我五穀。伏坤爲我,伏震爲簞笥,坤爲虛。伏艮爲家。兑爲食,坤虛,故无所食。語語本象與對象互用。○五,元本作黍。依宋本、汲古。簞笥,宋、元本作中雷。依汲古。

鼎

望尚阿衡,太宰周公。藩屏輔弼,福禄來同。

離爲望,巽爲稱,爲權,故曰望尚阿衡。望尚,太公;阿衡,伊尹

[一]"山象"至"震爲山",稿本作"山象,疑指覆艮。然震爲陵,或即指震"。

也。伏震爲周，爲福禄，艮爲藩屏。

　　【補校】周，宋本、汲古作國。依元本。

震

三牛生狗，以戌爲母。荆夷上侵，姬伯出走。

　　艮爲牛，數三，故曰三牛。互艮爲狗，震爲生，故曰生狗。艮先
天居戌方，戌狗，故曰以戌爲母。震爲草莽，爲荆，爲侵，爲姬，爲
伯，爲走，故曰姬伯出走。○第二句，汲古作以戌其母。此從宋本。
開元占經引天鏡云，牛生六畜，兵且起，其君不安。

　　【補校】第二句，從宋、元本。又，牛，宋、元本作年。依汲古。

艮

塗遏道塞，求事不得。

　　艮爲道塗，艮止，故遏塞。艮爲求，坎陷，不得。

　　【補校】遏，依宋、元本。汲古作回。

漸

探懷得蚤，所願失道。

　　艮爲手，爲探，坎爲懷，巽蟲爲蚤。坎爲願，爲失，艮爲道○宋、
元本得蚤下多無有凶憂。失道下多善居漸好四字。兹從汲古。

　　【補校】汲古舊注亦云，一本下有無有凶憂，善居漸好。

歸妹

飛樓屬道，趾多擾垣。居之不安，覆壓爲患。

　　艮爲樓，震爲覆艮，故曰飛樓。震爲道，爲趾，伏巽爲垣。趾多
擾垣者，言樓臨道，行人多，擾亂不安也。艮爲居，艮覆，故不安，故
覆壓。坎爲患也。○樓屬，從宋、元本。汲古本作蟻遇，非。壓，宋
本、汲古作厭，古通。

【補校】擾,宋、元本作攪。依汲古。

豐

義不勝情,以欲自傾。幾利危寵,折角摧頸。

艮爲角,爲頸,上卦艮覆,故曰折角、摧頸。又,兌亦毀折也。幾利,言好利也。〇幾利危寵,從元刊。宋本、汲古作幾危利寵。又,寵疑爲躬之訛字。

旅

潼瀷蔚薈,扶首來會。津液下降,流潦滂沛。

互大坎爲雲,故曰潼瀷蔚薈。艮爲首,爲扶。後漢書輿服志曰,凡先合單紡爲一系,四系爲一扶,五扶爲一首。雲氣來會,與絲縷集合同,故曰扶首。互大坎,故曰津液下降,流潦滂沛。下履之恒詞同,惟扶首作膚寸。何休注公羊云,側手爲膚,按指爲寸。恒,震爲反艮,艮反故象側手,象按指。蓋旅必作扶首,恒必作膚寸,方與卦象密切。近人不論卦象,概謂作扶首合,作膚寸非。疏矣。〇扶首,元本作林木,非。依宋本、汲古。潦,宋本作淹。依元本、汲古。下,宋本作來。依汲古。

【補校】下,依元本、汲古。滂,元本作霈。依宋本、汲古。

巽

白駒生芻,猗猗盛姝。赫喧君子,樂以忘憂。

伏震爲駒,巽白,故曰白駒。巽爲草莽,故爲生芻;爲長,爲高,故曰猗猗盛姝。姝,美也。二四伏艮,艮爲君子。赫喧者,容儀盛貌。震爲樂,故忘憂。〇喧,詩作咺,禮大學作喧,宋本同。汲古訛誼。

【補校】喧,元本作咺。

兑

車馳人趍，卷甲相仇。齊魯寇戰，敗於犬丘。

伏震爲車，爲人，爲馳。艮爲甲，艮伏，故卷甲。巽齊，兑魯。伏艮爲犬，爲丘。兑折，故敗於犬邱。地名。左傳，鄭子然侵宋，取犬邱。林但取卦象，不必與事相符。

涣

舉首望城，不見子貞，使我悔生。

震爲舉，坎爲首，艮爲城，爲望。坎伏，故不見。震爲子，艮止爲貞。詩衛風，乘彼垝垣[一]，以望復關。子貞，蓋猶鄭風之不見子都、子充，不必有其人。

節

龍鬬時門，失理傷賢。內畔外賊，則生禍難。

震爲龍，中爻正覆震，故曰鬬。艮爲時，爲門，故曰時門。左傳昭二十九年，龍鬬於鄭時門之外，是也。艮爲賢，坎爲失；爲賊，在外，故曰外賊。震爲生，坎爲禍難。畔象未詳。○外，從宋本。汲古作生。

【補校】外，從宋、元本。

中孚

安如泰山，福喜屢臻。雖有豺虎，不致危身。

互艮爲安，爲山；震東，故曰泰山。震爲福喜，爲至。艮爲豺虎，爲身；震樂，故不危。○豺，依宋、元本。汲古及常本作豹。致，汲古作敢。依宋、元本。

〔一〕“垣”，稿本、刻本作“坦”，據《毛詩》改。

【補校】福喜,依宋、元本。汲古作祿祐。

小過

初憂後喜,與福爲市。八佾列陳,飮御嘉友。

　　互大坎爲憂。震爲喜,爲後,故曰後喜。巽爲市,震爲舞。佾
舞,行列也。行數人數,縱橫皆同。艮九宮數八,上下正反震亦正
反艮,故曰八佾。取象之能,直同於易矣。震爲陳列。兌口爲飮,
艮爲友。艮陽在上,下乘二陰,易所謂一人行則得其友也。

既濟

持刀操肉,對酒不食。夫行從軍,少子入獄,抱膝獨宿。

　　艮爲刀,爲持,坎爲肉,故持刀操肉。坎爲酒,兌爲食;艮止,故
不食。坎爲夫;爲衆,故爲軍;在外,故曰從軍。艮爲小子,坎爲獄,
巽入,故曰小子入獄。艮爲抱,爲節,故曰抱膝。坎爲宿,坎孤,故
獨宿。除坎外皆用半象。○少,汲古作小。象同。

　　【補校】少,宋、元本作小。依汲古。刀,元本作刃。依宋本、
汲古。

未濟

陰衰老極,陽建其德。履離戴光,天下昭明。功業不長,蝦
蟆大王。

　　首二語言陽皆居上,陰居下也。半震爲履,半艮爲戴,重離,故
履離戴光,故天下昭明。震爲功業,半震,故不長。震爲鳴,爲王,
故曰蝦蟆大王。淮南子云,騂牛被靑紫,入太廟,用以求雨,不如黑
蜮。注,黑蜮即蝦蟇。古謂蝦蟇能求雨。大過之升云,蝦蟇羣聚,
從天請雨。又隨之臨,黿池鳴响,呼求水潦。故春秋繁露云,春旱
求雨以甲乙日,爲蒼龍一丈八尺立於壇上,取五蝦蟇錯置社池中,
方八尺深二尺,具淸酒膊脯,拜跪陳詞。又淮南子說林訓云,土龍

芻狗，旱歲疾疫，則爲帝。帝即大王，言當時尊貴也。功業不長，蝦
蟇大王者，言如蝦蟇，天旱用以求雨，尊貴一時，已則棄置也。○
大，宋、元本作代。依汲古。

屯之第三

屯

兵征大宛,北出玉關,與胡寇戰。平城道西,七日絶糧,身幾不全。

坎衆,坤衆,故曰兵。震爲征,坎位西,故曰大宛。艮爲關,震爲玉,爲出,坤位北,故曰北出玉關。坤陰爲胡,坎爲寇。正覆艮震,故曰戰。艮爲城,爲道,坎爲平,爲西。震數七,伏乾爲日;震爲糧,坤虛,故曰七日絶糧。坤爲身,爲死,故曰不全。史記,高帝至平城,爲匈奴所圍,七日不得食。大宛,西域國名,史記有大宛傳。坎、坤全用先天卦位。

【補校】關,元本作門。依宋本、汲古。

乾

汎汎柏舟,流行不休。耿耿寤寐,心懷大憂。仁不逢時,退隱窮居。

九家及荀爽皆以乾爲河,易林亦以乾爲江河,乃知荀及九家之所本。爲河,故曰汎汎,曰流行。乾由屯變來,屯之乾亦乾之屯。屯下震爲木,爲舟,故曰柏舟。坎爲心,爲憂,爲隱。艮爲時,爲居,故曰退隱窮居。左傳云,震之離亦離之震。林所本也。詩邶風,汎彼柏舟,亦汎其流。毛傳謂婦以柏舟自比。兹曰退隱,義與毛異。○退,各本皆作復。依咸之大過校。

坤

採薪得麟,大命隕顛。豪雄争名,天下四分。

坤爲薪;爲文,故爲麟。坤死,故曰大命隕顛。遇卦屯,震爲豪雄;艮爲名,初至五正反艮震,故曰争名。坤爲天下,坤拆,故四分。公羊哀公十四年,薪采者獲麟,孔子聞之,反袂拭面,涕沾巾,自知死不久也。

【補校】分,汲古作方。依宋、元本。

蒙

山崩谷絶,大福盡竭[一]**。涇渭失紀,玉歷既已。**

二四艮覆,故曰山崩,曰谷絶。乾爲福,爲大,三至五乾伏坤喪,故大福竭。坤水,坎水,混合漫流,故曰涇渭失紀。震爲玉;爲時,故爲歷。論語,天之歷數在爾躬,天禄永終。玉歷既已者,言歷數盡也。史記周本紀:幽王二年,三川竭,岐山崩。竹書,幽王二年,涇渭洛竭,岐山崩。後幽王被犬戎所殺,西周亡。○既,從宋、元本。汲古作盡。

【補校】既,從元本。宋本、汲古作盡。大,宋、元本作天。依汲古。

需

夏臺羑里,湯文所厄。鬼侯輸賄,商王解合。

通晉。艮爲臺,爲里;上離,故曰夏臺。書康誥,羑,王肅云道也。艮爲道,故曰羑里。坎爲水,下有艮火,故曰湯。離爲文。桀囚湯夏臺,紂囚文王於羑里,故曰湯文所厄。坎爲鬼,四爲諸侯,故曰鬼侯。艮爲貝,艮手爲輸,故曰輸賄。乾爲王,爲言,故曰商王。坎爲合。史稱鬼侯進女於紂,女不喜淫,醢鬼侯。與此異。○湯文,從宋、元本。汲古作文王,非。輸,依汲古。宋、元本

[一]"盡",稿本、刻本作"既",據宋、元、汲古及所見其他各本改。

皆作俞。

【補校】合,宋、元本作舍。依汲古。

訟

泥滓汙辱,棄捐溝瀆。所共笑哭,終不顯録。

坎爲泥滓,爲汙辱,爲溝瀆,爲衆。伏震爲笑哭。坎爲隱伏,故不顯録。○滓,從元本。宋本、汲古作津。所共,從宋本、汲古。元本作爲衆。

【補校】終,元本作然。依宋本、汲古。

師

李梅冬實,國多盜賊。擾亂並作,君不得息。

互震爲李梅;乾爲木果,坎爲冬,故曰冬實。左氏春秋,僖公三十三年十二月,李梅實,書不時也。坤爲國,坎爲盜賊,坤衆,故曰多。坤爲亂,震爲擾,爲作;爲君,震行故不息。○得,宋、元本作能。依汲古。

比

獐鹿逐牧,飽歸其居。反還次舍,無有疾故。

艮爲獐鹿,坤爲牧,反震爲逐。坎中滿,故曰飽。艮爲居,爲次舍,反震爲反還。坎爲疾,坤爲死,爲故;艮堅,故无有疾故。

小畜

夾河爲婚,期至无船。搖心失望,不見所歡。

通豫。坎爲河,四上下皆陰,故曰夾河。艮爲時,爲期,坎爲婚。震爲船,坎伏,故无船。坎爲心,震爲搖,艮爲望;坤失,故曰搖心失望。震爲歡,坎伏,故不見所歡。○搖,從元本。宋本、汲古皆作淫,非。戰國策,楚王曰,寡人心搖搖如縣旌。

履

百足俱行[一]，相輔爲强。三聖翼事，王室寵光。

　　通謙。互震爲足，爲百，爲行，故曰百足俱行。百足，蟲名。淮南子，百足之蟲，至死不僵，是也。兌爲輔；坎爲聖，震數三，故曰三聖。震爲翼，坎爲事[二]，故曰翼事。震爲王，坎爲宮室，艮爲光，故曰王室寵光。三聖，謂文、武、周公。

泰

坐位失處，不能自居。調攝違和，陰陽顛倒。

　　言與天尊地卑之義相反也，故曰陰陽顛倒。○調攝違和，宋、元本作賊破王邑。因與上下文義不協，故從汲古。

　　【補校】位，元本作立。依宋本、汲古。

否

登几上輿，駕駟南游。合從散横，燕齊以强。

　　艮爲几，坤爲輿。乾爲馬，爲行，故曰駕駟。乾位南，故曰南游。坤爲順，故曰合從。艮東北，爲燕，巽爲齊。乾健，艮堅，故曰强。○齊，汲古作秦，非。依宋、元本。

同人

三系維弩，無益於輔。城弱不守，郭君受討。

　　互巽爲繩，故曰系；離卦數三，故曰三系。後漢書輿服志[三]，

〔一〕“足”，刻本作“促”，據稿本改。
〔二〕“坎爲事”，稿本作“坤爲事”。
〔三〕“書”下，稿本、刻本衍“劉昭”二字。按，《後漢書·輿服志》爲晉司馬彪所補，梁劉昭注。下文引“凡先合單紡爲一系”，即《輿服志》語，非劉氏注文。謹據校删。

凡先合單紡爲一系是也。伏坎爲弓,爲弩。維,繫也。言以三系之
絲,繫於弩上,太弱,故曰无益於輔。伏坤爲城,坤柔,故曰城弱。
坤爲郭,伏震爲君,爲討伐,故曰郭君受討。郭,國名,滅於齊。○
系維,從汲古。宋本、元本作孫荷。城,從宋本。汲古作域。郭,
宋、元本作邦,汲古作郭。按,元本舊注云,三孫,謂季孫、叔孫、孟
孫。昭二十五年,三家反攻公,公遜齊。疑林辭指此。非。

大有

河伯大呼,津不得渡。船空無人,往來亦難。

　　丁云,河伯,水神。援神契,河者水之伯。按,此用遇卦屯象,
坎爲河,震爲伯,爲呼,故曰河伯大呼。艮爲止,故津不得渡。震爲
船,坤虛,故曰船空。震爲人,坎隱伏[一],故無人。震爲往,震覆,
故往來難。

　　【補校】得,元本作可。依宋本、汲古。

謙

甘露醴泉,太平機關。仁德感應,歲樂民安。

　　互坎爲水,坤爲水,故曰甘露,曰醴泉。坎爲平,爲機,艮爲關。
震爲仁德,爲歲,爲樂。坎爲心,故曰感應。坤爲民,艮爲安。舊
注,瑞應圖云,王者德至,則甘露降於松柏。六帖云,醴泉,太平則
出。

豫

重茵厚席,循皋採藿。雖躓不懼,復反其宅。

　　震爲茵席,正覆震,故曰重茵厚席。艮爲皋,震爲藿;艮手,故
曰採藿。坎爲憂懼,爲躓;震樂,故不懼。艮爲宅,震爲反,故曰反

〔一〕"隱",刻本作"伏",據稿本改。

宅。〇復反，宋、元本作反復。宅，元本作處。均依汲古。皋，汲古
作高。依宋、元本。

【補校】復反，汲古作後反。後疑爲復之譌字。翟本注反復
云，當作復反。茲依校。又，元本後多四句，猿墮高木，不踒手足。
還歸其室，保我金玉。汲古則作小注，謂一本云如此。

隨

太乙駕騮，從天上來。徵我叔季，封爲魯侯，無有凶憂。

　　太乙，星名，即北辰也。艮爲星，震爲馬，艮在震上，故曰駕騮。
否上之初，故曰從天上來。艮爲叔季，爲求，故曰徵我叔季。兌爲
魯，震爲侯，故曰魯侯。坎爲憂，震樂，故無有凶憂。〇宋、元本無
第五句。依汲古。

蠱

南巴六安，石斛戟天。所指不已，已老復一。將耋乃嫁，墟
敝室舊，更爲新家。

　　丁云，石斛、巴戟天，皆藥草名。神農本草經曰，石斛，出六安。
巴戟天，出巴郡。按，震爲南，艮爲城邑，故曰南巴。互大坎數六，
艮爲安，故曰六安。艮爲石，震爲斛，故曰石斛。艮爲刀，爲戟，在
上，故曰戟天。艮爲指，震爲反，爲復。已老復一者，言已年老，復
其一子，免其賦役也。艮爲堅，故爲耋。震爲嫁，故曰將耋乃嫁。
艮爲墟，爲室，巽爲敝，故曰墟敝室舊。艮爲光明，爲新，爲家。〇
巴六，從宋、元本。汲古作已大。非。斛，依汲古本。宋、元本譌
解。已老復一，宋、元本作耋老復丁，无將耋乃嫁句。此從汲古。
以已與一韻，嫁與家韻。墟敝室舊，宋、元本作敝室舊墟。以墟與
家韻。以文勢言，不如汲古，故從之。

臨

家給人足，頌聲並作。四夷賓伏，干戈韜閣。

通遯。艮爲家，震爲人，爲足。震爲音聲，爲言，爲作，故曰頌聲並作。震卦數四，坤爲夷，故曰四夷。震爲賓客。賓伏者[一]，言四夷賓於王庭。巽爲伏。兑爲斧，爲干戈，坤藏，故曰干戈韜閣。○伏，從宋、元本。汲古作服。伏、服古通用。

觀

東鄰嫁女，爲王妃后。莊公築館，以尊王母。歸於京師，季姜悦喜。

通大壯。震爲東鄰，爲嫁，兑爲女，爲妃。震爲王，爲木，故爲桓。莊，訛字也。震又爲公，故曰桓公。艮爲館，爲築。坤爲母，伏乾爲王，故曰王母。震爲歸，坤爲京師。艮爲季，巽爲姜，伏震爲喜。按，左傳莊元年，魯爲主，築館以逆王姬，非爲王后。又桓九年春，紀季姜歸於京師，爲桓王后。林辭全用此事。據穀梁疏，魯爲主方書歸。爲主，則必築館。然則莊爲桓之訛字无疑。

【補校】王母，汲古作主母。依宋、元本。

噬嗑

陳嬀敬仲，兆興齊姜。營邱是適，八世大昌。

震爲陳，坎爲仲，艮爲篤敬，故曰敬仲。坎爲兆，伏巽爲齊，爲姜。互艮爲營邱，震往故曰適。艮爲世，數八，震爲昌。嬀，陳姓；敬仲，即公子完，莊二十二年奔齊。初，懿氏卜妻敬仲，曰有嬀之後，將育于姜，故曰兆興齊姜。八世之後，莫之與京[二]。

【補校】嬀，宋、元本作妻。依汲古。兆，汲古作北。依宋、元本。

〔一〕“伏”上，刻本脱“賓”字，據稿本補。
〔二〕“八世之後，莫之與京”，刻本無，據稿本補。按稿本此頁夾一小字條，云：“噬嗑增八世。”蓋書刊行後所補記。又按，《左傳》莊公二十二年載，懿氏卜妻敬仲，其占辭云：“吉。是謂鳳皇于飛，和鳴鏘鏘。有嬀之後，將育于姜。五世其昌，並于正卿。八世之後，莫之與京。”此即注語所本。

賁

路多枳棘，步刺我足。不利旅客，爲心作毒。

　　艮震爲道路，坎爲枳棘，爲刺。震爲步，爲足，爲旅客；坎險，故不利。坎爲心，爲毒。

剥

天官列宿，五神共舍。宮闕光堅，君安其居。

　　艮爲官，爲星，故曰天官列宿。漢樂章有五神歌曰，五神相，包四鄉。如淳曰，五神相太一也。蓋即五星也。艮爲舍，反震爲神，坤五行數五，故曰五神共舍。艮爲宮闕，爲光，爲堅，爲居，爲安；一陽止于上，故曰君安其居，故曰共舍。言五陰承一陽也。

　　【補校】官，元本作宮。依宋本、汲古。共舍，汲古作室屋。宮闕作空門。光作完。均依宋、元本。

復

牧羊稻園，聞虎呻喧。懼畏惕息，終无禍患。

　　坤爲養，爲牧，震爲羊，震爲稻。坤爲園，爲虎，震爲喧。伏乾，乾惕，故懼畏惕息。坤爲禍，震樂，故无。○無，從宋、元。汲古作免。

无妄

鳴條之災，北奔犬胡。左衽爲長，國號匈奴。主君旄頭，立尊單于。

　　震爲鳴，爲木，故曰鳴條。乾伏坤位北，坤又爲胡，艮犬，故曰北奔犬胡。震爲衽，爲左，爲長。論語，吾其被髮左衽，胡俗也。艮爲國，爲奴僕，震爲號，故曰國號匈奴。震爲主，乾爲君，爲頭,震爲多髮,故曰主君旄頭。震爲立,艮爲尊,乾君,故曰單于。史記,湯伐桀於鳴條。又匈奴傳,索隱引樂彥括地譜云,湯放桀鳴條,其子獯粥,妻桀之衆妾,避居北野,隨畜移徙,中國謂之匈奴。旄頭,被髮也。漢官儀,舊選羽林爲旄頭,被髮先驅,是其證。由林辭觀之,括地譜之説,與古故實合。〇災,宋、元本作圖。依汲古。

【補校】犬,汲古作大。依宋、元本。

大畜

尅身潔己[一],逢禹巡狩。錫我玄圭,拜受福佑。

> 艮爲身,退在上,故曰尅身。乾爲王,震出,故曰逢禹巡狩。震爲玄黄,爲玉,乾爲錫,故曰錫我玄圭。艮爲拜,乾爲福佑。〇福,汲古作錫,非。依宋、元本。禹貢云,禹錫玄圭,告厥成功。圭,宋、元、汲古皆作珪。依局本。

頤

冬華不實,國多盜賊。疾病難醫,鬼哭其室。

> 艮爲果實,坤爲冬;震爲花,坤虚,故花而不實。坤爲國,伏巽爲盜,正反巽,故多盜。坤爲疾病,坤死,故難醫。坤爲鬼,震爲哭,艮爲室,故曰鬼哭其室。

大過

襄送季女,至於蕩道。齊子旦夕,留連久處。

> 兌少,故曰季女。伏震爲諸侯,故曰襄。震爲大塗,故曰蕩道。齊風,魯道有蕩,齊子發夕。刺齊襄與文姜亂也。巽爲齊,伏震爲

[一]　"尅身潔己",稿本、刻本作"尅己潔身"。據宋、元、汲古及所見其他各本改。注文"尅身"倣此。又檢姤之未濟、萃之屯二林皆同,可資參校。

子,震爲旦,兌昧爲夕。艮止,故流連久處。左傳桓三年,齊侯送姜
氏于讙。注,讙,魯地。繇辭言齊襄與妹亂,既送至魯境,而不忍別
也。辭皆本象與對象雜用。陳樸園云,齊風,齊子發夕。釋文引韓
詩云,發,旦也。今焦氏言齊子旦夕,是齊詩以發夕爲旦夕,與韓詩
訓同。

坎

朽根倒樹,花葉落去。卒逢火焱,隨風偃仆。

　　通離。中爻巽爲木,故曰根,曰樹。巽敝,故曰朽,曰倒。巽隕
落,故花葉落去。大過,兌爲華。離上互也,離上下皆火。互巽風
隕,故偃仆。

離

陰變爲陽,女化作男。治道得通,君臣相承。

　　通坎。乾二五之坤成坎,坎爲中男,爲陽卦,故陰化陽,女作
男。坎中爻艮爲道路,爲臣,震爲君,故曰君臣相承。五行志,魏襄
王十三年,有女子化爲丈夫。

咸

炎絕續光,火滅復明。簡易理得,以成乾功。

　　下艮爲火,故曰炎;上兌爲絕,故曰炎絕。巽繩,爲續。艮爲
火,爲光,巽伏,故光滅。乾日,故復明。乾簡,坤易。中爻乾,故曰
以成乾功。○火,依宋、元本。汲古作光,非。以,汲古作仍。依
宋、元本。

恒

多載重負,捐棄於野。予母誰子,但自勞苦。

　　坤、震皆爲車,坤厚載物,故曰多載。艮爲負,坤重,故曰重負。

坤爲野，兑附決，故曰捐棄。坤母，震子，兑決，故无子。坤致役萬物，故曰勞苦。多用伏象。○予母誰子，依宋、元本。諸本作王母離子，非。

遯

江河海澤，衆利室宅。可以富有，飲御嘉客。

　　乾爲江河海澤，巽爲利，艮爲室宅。乾爲富。伏兑爲口，故曰飲。震爲嘉客。○室，汲古及宋本皆作安，惟元本作室。

大壯

冬採薇蘭，地凍堅坼。利走東北，暮無所得。

　　此用遇卦屯象。坎爲冬，艮手爲採，震爲薇蘭。坤爲地，履霜堅冰，故曰地凍堅坼。震爲東北，爲走，伏巽爲利。坤爲暮，坤虛故無得。○坼，各本多誤難，以與蘭協[一]，惟宋本作坼，元本作折。東，宋、元本作室，從汲古。

　　【補校】坼，從宋、元本。汲古誤難。

晉

鳥鳴嘻嘻，天火將起。燔我室屋，災及妃后。

　　左傳襄三十年[二]，有鳥鳴于宋太廟曰，譆譆出出。宋火，伯姬被焚，卒。晉離爲鳥。離正反皆兑口，故曰嘻嘻。離爲火，艮爲天，亦爲火，故曰天火。艮爲室屋，坤爲妃后。火多，故曰燔、曰災。○鳥鳴，依宋、元本。汲古作烏鵲。嘻同譆，與左氏同。

　　【補校】鳥，宋、元、汲古諸本皆作烏。從翟本及中孚、兑之革二林汲古本校。室，元本作館。依宋本、汲古。妃，宋、元本作姬。

〔一〕"以與蘭協"，刻本作"致韻不協"，據稿本改。按，稿本此處有後改痕迹，並附夾一字條云"大壯注改三字"。蓋書刊行後補記，今謹依校正。

〔二〕"三十"，稿本、刻本誤作"十三"，據阮刻《左傳正義》改。

依汲古。

明夷

蠚室蜂户,螫我手足。不可進取,爲身害速。

此用遇卦屯象。坎爲室,爲毒,坤爲户,伏巽爲蟲,故曰蠚室蜂户。坎爲棘,爲刺,爲螫。艮爲手,震爲足;爲進取,坤凶,故不可進取。坤爲身,爲害,震爲速。○速,從宋、元本。汲古等本多作咎,與足不韻。

家人

崔嵬北岳,天神貴客。温仁正直,主布恩德。閔哀不已,蒙受大福。

此用屯象。坎北,艮山,故曰北岳。震爲神,爲仁,爲客。坎爲憂,故曰閔哀。震爲恩德,爲大福。○閔哀,宋、元本、汲古本皆作開衣,非。依局本。閔哀不已者,言悲憫人世,予人以福也。

【補校】岳,從元本。汲古作嶽。字同。宋本訛獄。仁,元本作人。依宋本、汲古。不已,汲古作不見。依宋、元本。

睽

伯蹇叔盲,莫與守牧。失我衣裘,代己除服。

此用屯象。震爲伯,坎蹇,故曰伯蹇。艮爲叔,互大離,故曰叔盲。坤爲牧,坤寡,故莫與守牧。震爲衣裘,爲服;坤喪,坎盜,故曰失。除,治也。言衣裘爲人盜去,代我治理服用也。○第二句宋、元本作莫爲守牂,第四句作伐民除鄉。均依汲古。

蹇

爲季求婦,家在東海。水長無船,不見所歡。

艮爲季,爲求,伏兑爲艮婦。艮爲家,互離爲東,坎爲海,爲水。

震爲船，震覆，故無船。震爲歡，震覆，坎伏，故不見。〇所，汲古本誤欣。依宋、元本。

解

山陵邱墓，魂魄失舍。精誠盡竭，長寢不覺。

此用屯象。艮爲山陵，爲邱墓。坎爲舍，爲心，爲精誠，坎失，故竭盡。坎爲夜，爲寢；坤死，故不覺。〇誠，汲古作神。從元本。

損

踦牛失角〔一〕，下山傷軸，失其利禄。

坤爲牛，艮爲角，兌毀折，故牛踦，故角失。踦，蹇也。艮爲山，坤爲下，坎爲軸；兌折，故傷軸。伏巽爲利，坤爲失。〇踦，宋本作騎。依汲古。

【補校】踦，元本作騎。依宋本、汲古。又，汲古下多過在誰執四字。

益

水載船舟，無根以浮。往來溶溶，心勞且憂。

坤爲水，震爲船，坤爲載。巽下斷，在水上，故曰無根以浮。震爲往，又爲反，故曰往來；坤水，故曰溶溶。伏大坎爲心，爲勞，爲憂。〇載，宋、汲古誤戴。從元本。

【補校】溶溶，元本作濟濟。依宋本、汲古。

夬

有鳥來飛，集于宮樹。鳴聲可惡，主將出去。

〔一〕“踦牛失角”，稿本此頁夾一字條，曰：“損，騎牛誤踦牛。”蓋書刊行後，作者復以“騎”爲是。若然，則當依元本改“騎”（詳“補校”），且注文、校語亦當隨改。今姑記以備攷。

屯，艮爲鳥，爲飛；爲宮，爲集，爲木，故曰集于宮樹。下震爲鳴，爲聲，坤爲惡。下震爲主，爲出。此用左傳，見前晉卦。○宮，宋、汲古作古，非。依元刊。

姤

東徙不時，觸患離憂。井泥無濡，思叔舊居。

通復。震爲東，爲徙；艮爲時，艮覆，故不時。坤爲憂患，震爲觸。坤爲井，爲泥；艮爲叔，爲居，坤爲舊。剝窮上反下，言復舊爲剝艮也。

萃

黃帝所生，伏羲之宇。兵刃不至，利以居止。

通大畜。震爲黃，爲帝，爲生，故曰黃帝所生。巽爲伏，艮爲宇，故曰伏羲之宇。艮剛在上，爲兵刃；艮止，故不至。巽爲利，艮爲居止。按，伏羲都陳，黃帝爲有熊國君少典之子。皇甫謐曰，有熊，今河南新鄭，非陳地。焦氏時古籍尚多，或別有所據歟？○伏，元本作宓。孟康漢書注，宓，今伏字。皇甫謐云，伏羲，或謂之宓羲。攷諸經史緯候，无宓羲之號，必後世傳寫誤虙爲宓。孔子弟子宓不齊，濟南伏生即子賤之後。是知虙與伏，古字通用，後誤爲宓。按，皇甫説是，故不從元本，依宋本、汲古。

升

東山拯亂，處婦思夫。勞我君子，役無休已。

震爲陵[一]，爲東，故曰東山。坤爲亂，伏艮爲手，爲拯。巽爲婦，在內，故曰處婦。坤爲思，震爲夫。坤爲勞，震爲君子。坤爲役，艮止，故已；艮覆，故不已。詞皆用東山詩意。○無已，汲古本

〔一〕“震”，刻本作“艮”，據稿本改。

作役使休止。從宋、元本。

【補校】拯，宋、元本作救。依汲古。

困

跛躓未起，失利後市，不得鹿子。

坎塞，故跛躓。坎伏，故未起。互巽爲利市，坎失，故失利後市。震爲鹿，爲子，震伏，故不得。○失，依汲古。宋、元本皆作先。

井

大蛇當路，使季畏懼。湯火之災，切近我膚。賴其天幸，趨於王廬。

巽爲蛇，伏震爲大塗，故曰大蛇當路。伏艮爲季，坎爲畏懼。中爻離上坎，故曰湯火。伏艮爲膚，爲廬。震爲王，爲走，故曰趨于王廬。○季，從宋、元本。汲古等本皆作我。非。緣此用漢高斬當路蛇事。王，汲古本作主，亦非。

革

從容長閑，游戲南山。拜祠禱神，神使無患。

通蒙。反正艮，艮止，故從容。震爲游戲，爲南，艮爲山，故曰南山。艮手，爲拜，爲祠。震爲禱，爲神。坎爲患，震樂，故無患。全用旁通。○禱，汲古作祀，无作兔，義皆可通。然禱爲震象較切，故從宋、元本。

【補校】長，元本作常。依宋本、汲古。神使，宋、元本作使神。依汲古。又，元本作震林。

鼎

區脫康居，慕義入朝。湛露之歡，三爵畢恩。復歸野廬，與母相扶。

通屯。坤虛,故曰區脱。史記匈奴傳,東胡與匈奴中間,有棄
地千餘里,各居其邊,爲區脱是也。坎西,康居西方國,坤國,故曰
康居。坤爲義,坎爲心,故曰慕義。震往,故曰入朝。坎爲露,震爲
歡;爲爵,數三,故曰三爵。坤爲野,艮爲廬,震爲反,爲歸,故曰復
歸野廬。坤爲母,艮手爲扶,初至五正反皆艮,故曰相扶。湛露,詩
篇名,天子宴諸侯入朝之詩。○義,汲古作仁。乾雖爲仁,然林辭
皆用旁通,坤義合也,故從宋本。復,從汲古。宋本作後,雖亦震
象,然不如復字於文理適。

　　【補校】義,從宋、元本。復,元本作後。從宋本、汲古。扶,依
宋、元本。汲古作候。

震

龜鼈列市,河海饒有。長財善賈,商季悦喜。

　　互艮爲龜鼈,伏巽爲市。坎爲河海,坎衆,故曰饒有。伏巽爲
利,爲長,爲商賈。艮爲季,震爲列,爲善,又爲悦喜。○財,宋、元
本皆作錢,賈作價。均依汲古。

　　【補校】季,宋、元本作李。依汲古。

艮

年常蒙慶,今歲受福。三夫採芑,出必有得。

　　互震爲年,爲慶,爲福,爲夫。數三,故曰三夫。艮手爲採,震
爲芑。詩小雅,薄言采芑。疏,芑,似苦菜。震爲出,坎爲得。○
夫,汲古作伏。依宋、元本。芑,宋、元本作芭。依汲古。

漸

二人俱東,道怒爭訟。意乖不同,使君悩悩。

　　通歸妹。震爲人,爲東,兑卦數二,故曰二人俱東。震爲大塗,
爲怒,故曰道怒。震爲言,兑亦爲言,故爭訟。坎爲意,爲憂,故爲

恛恛。震爲君。恛同惃，懼也。○怒，宋本、汲古作路。依元本。
使君恛恛，汲古作使我凶凶。依宋、元本。

歸妹

樹我藿莒，爲鹿兔食。君不慎護[一]，秋無收入。

　　震爲藿莒；爲立，故爲樹。震爲足，爲走，故爲鹿兔。兌口，爲
食。震爲君，坎爲憂恤。兌正秋，兌毀，故秋無收入。○我，依宋、
元本。汲古作栽。爲鹿兔食，宋、元本作鹿兔爲食。從汲古。慎，
宋、元本作恤。亦依汲古。

豐

黃鳥悲鳴，愁不見星。困於鷲鳥，鸇使我驚。

　　震爲黃，爲鳥，爲鳴，互大坎，故悲鳴，故愁。離爲星，坎伏，故
不見。伏艮爲鷲鳥，爲鸇；坎爲困，震爲驚。○下二句依宋、元本。
汲古作困于鷲鸇，使我心驚。又，元本困訛因。

旅

雙鳧俱飛，欲歸稻池。經涉萑澤，爲矢所射，傷我胸臆。

　　通節。兌卦數二，震爲鳧，爲飛，故曰雙鳧俱飛。兌爲池，震爲
稻，故曰稻池，故曰萑澤。震爲涉，坎爲矢，震爲射。兌爲傷，艮爲
胸臆。○池，依汲古。宋、元本皆作食。

　　【補校】俱，元本訛懼。依宋本、汲古。矢，汲古訛失。依宋、
元本。

巽

久客無依，思歸故鄉。霖雨盛溢，道未得通。

[一]　"慎"，稿本作"恤"。又下文注語"慎，宋、元本作恤"諸語稿本無。此蓋付
　　刻時所作更訂，於稿本則未之及。按，坎既爲險、爲憂，似亦有慎象。

巽爲商旅，爲客，重巽故曰久客。伏坎爲思，震爲歸，艮爲鄉，故曰思歸故鄉。兑爲雨，正反兑〔一〕，故曰霖雨，曰盛溢。伏艮爲道，坎陷，故不通。〇依，從宋、元本。他本多作休。霖，宋、元本作雷。從汲古本。

兑

道路辟除，南至東遼。衛子善辭，使國無憂。

通艮，爲道路。震爲辟除，爲南，先天震東北，故曰東遼。震爲衛，爲子，爲辭；艮初至五正反震，故曰善辭。艮爲國，互坎爲憂，震樂故无憂。〇辟，各本多誤僻。辟除者，清治也。惟元本不訛〔二〕。〇案史記朝鮮傳，王滿姓衛，故燕人，自全燕時常略屬真番、朝鮮，屬遼東外徼。後燕王盧綰反，滿東渡浿水，據朝鮮王之都王險。至孝惠時，滿與遼東太守約爲外臣，保塞外，王數世。林似指其事。

【補校】辟，宋本、汲古作僻。依元本。

渙

同枕共袍，中年相知。少賈無利，獨居愁思。

艮爲枕，震爲袍，中爻正反艮震，故曰同枕共袍。震爲年，坎爲中，故曰中年。伏兑爲少，巽爲賈；爲利，風散，故無利。巽爲

〔一〕“兑爲雨，正反兑”，刻本作“坎爲雨，互大坎”。據稿本後修之跡校改。又前文“故曰思歸故鄉”六字，刻本無，亦據補。按稿本此頁夾一字條，云“巽注改”。蓋言作如上修訂，今謹依校。

〔二〕“惟元本不訛”，此五字下，刻本有“此有故實，各家皆不能詳”二語。稿本已刪，今從校。又，下文“案史記朝鮮傳”至“林似指其事”一節，刻本作：“案史記，朝鮮王衛滿，本燕人，自全燕時常略屬遼東、真番。後燕王盧綰反，滿率部東渡浿水，都王險。高后時，與遼東太守約爲外臣，保塞外，滿遂王三世。林似指其事。”今據稿本增訂。謹按，稿本此頁夾一字條，上又云“兑注記添”，蓋指字句略有增益。

寡,艮爲居,故曰獨居。坎爲憂思。○相知,汲古作分去。少賈作價少。均依宋、元本。無利,宋本作無失,於下句文義不協,故從汲古。

【補校】共,宋、元本作同。依汲古。無利,宋、元本作無失。

節

衆神集聚,相與議語。南國虐亂,百姓愁苦。興師征討,更立賢主。

震爲神,坎爲衆,故曰衆神。坎爲集聚,二至五正反震,故曰相與議語。艮爲國,震南,故曰南國。伏離爲虐亂。震爲百,爲人,故曰百姓。上坎爲愁苦。震爲征討,坎衆,故曰興師征討。互震爲主,爲立,故曰更立賢主。○主,汲古本訛王。依宋、元本。

中孚

北陸閉蟄,隱伏不出。目盲耳聾,道路不通。

通小過。中互大坎,坎爲北陸。陸者,道也。左傳,日在北陸而藏冰是也。坎爲冬,爲隱伏,故曰閉。巽爲蟲,亦爲伏,故曰閉蟄,曰不出。本卦互大離,目睛漲大,故盲。小過互大坎,耳空塞實,故聾。艮震爲道路,坎塞,故不通。

小過

癡狂妄作,心誑善惑。迷行失路,不知南北。

此用屯象。震爲狂,坤迷,故曰癡狂。坎爲心,爲惑,正覆震相背,故曰誑。誑,妄語也。艮震爲道路,震爲南,坎爲北;坎失,故不知。○誑,依宋本。元本作心狂。非。迷行,依宋〔一〕、元本。汲

〔一〕"宋",刻本脱,據稿本補。

古作迷惑。

【補校】詆，依宋本、汲古。迷行，宋、元、汲古各本皆同。此謂汲古作迷惑，疑別有所指，謹紀以備攷。

既濟

棟隆輔强，寵貴日光。福善並作，樂以高明。

此用屯象。坎爲極，爲棟，爲車，爲輔。大過，棟橈之凶，不可以有輔也。詩，勿棄爾輔。毛傳，輔以佐車。輔，夾車木也。坎在上，故曰棟隆。艮堅，故曰輔强。艮爲日，爲光，爲寵貴。震爲福善，爲樂；艮爲高明。

【補校】輔强，元本作强輔。依宋本、汲古。

未濟

愛我嬰女，牽衣不與。冀幸高貴，反日賤下。

此仍用屯象。震爲嬰孩，坤爲女，坎爲愛，故曰愛我嬰女。震爲衣，艮爲手，爲牽；艮止，故不與。艮爲高貴，爲求，故曰冀幸高貴。坤爲賤下。

【補校】愛，汲古作受。依宋、元本。日，宋本、汲古作曰。依元本。

蒙之第四

蒙

何草不黄，至未盡玄。室家分離，悲憂於心。

> 震爲草，爲玄黄；坤貞未，言草至未而將變色。小雅詩，何草不黄，何草不玄。箋，玄，赤黑色。艮爲室家，二四艮覆，故曰分離。坎爲心，爲悲愁。○憂，依宋、元本。汲古作愁。

【補校】憂，宋本、汲古作愁。依元本。

乾

海爲水王，聰聖且明。百流歸德，無有畔逆，常饒優足。

> 乾爲海，爲水，爲王；爲聰聖，爲明，爲百。禹貢，江漢朝宗於海，故百流歸德。乾順行，故無有畔逆。乾富，故常饒優足。

坤

左輔右弼，金玉滿堂。常盈不亡，富如敖倉。

> 此全用蒙象。震爲左，震反爲右；震爲輔弼，故曰左輔右弼。艮爲金，震爲玉，艮爲堂，爲敖倉〔一〕。敖倉，所以盛粟。震爲粟，故尤切。○汲古本、宋、元本，首有天之所有，禍不過家二句。文義與下不屬。而元本家下，一云左輔右弼云云，是上二句確自爲一林，非與下爲一林。故删上二句，而附記于此。

【補校】宋、元本首句天之所有，汲古有作佑。又，堂，汲古作匱。敖作厫。均依宋、元本。

〔一〕"敖"，稿本、刻本作"厫"。按，林辭既依宋、元本定作"敖倉"，則注亦當從。兹謹依循校訂。下文倣此。

屯

安息康居，異國穹廬。非吾習俗，使我心憂。

坎位西，安息、康居，皆西方國。又，中爻艮止，故曰安息康居。艮爲國，爲廬，爲天，故曰穹廬。坤爲我，爲俗；坎爲心，爲憂。

需

范公鴟夷，善賈飾資。東之營邱，易字子皮。把珠載金，多得利歸。

坎爲毒，故曰范公。范，蠭也。襢弓，范則冠而蟬有緌是也。伏艮爲鴟。鴟夷者，革囊，盛酒器。楊雄酒箴所謂鴟夷滑稽，腹大如壺是也。艮又爲革，坎爲酒，故曰鴟夷。易林用一字兼數象，往往如是。范公鴟夷者，言范蠡適齊，號鴟夷子皮也。乾爲資財。飾、飭通，治也。離爲東，伏艮爲營邱；爲皮，伏坤爲字，故曰易字子皮。艮爲把，爲金，反震爲珠。坤爲載，爲利。兼用旁通。○鴟，依宋、元本。汲古作陶，非。載金，依宋本。元本作戴，非。得利，汲古作福利。依宋、元本。

【補校】載金，依宋本、汲古。

訟

老楊日衰，條多枯枝。爵級不進，日下摧隤。

巽木，乾老，故曰老楊。離爲日，爲枯，爲爵。巽爲隕落，故摧隤。○下，依宋、元本。汲古作乃。日下，依泰之咸校。宋、元本作遂下，汲古作遂乃。

【補校】進，汲古作造。依宋、元本。

師

小狐渡水，污濡其尾。利得無幾，與道合契。

此用蒙象。上艮,故曰小狐,曰尾。坤、坎皆爲水,故污濡其尾。坤爲財,爲聚;坤虚,故得少。震爲大塗,故曰道。坎爲合,爲信,故曰合契。○利,汲古作科,餘多作稍。無,汲古作其,契作符。皆非。依宋、元本。

比

豕生魚鲂,鼠舞庭堂。奸佞施毒,上下昏荒,君失其邦。

坎爲豕,坤爲魚,爲育,故曰豕生魚鲂。丁晏云,開元占經引京氏云,豕生魚鲂,其邑大水是也。艮爲鼠,爲庭堂,艮手爲舞。漢書五行志,燕有黄鼠,銜其尾,舞王宫。京房易傳曰,誅不原情,厥妖鼠舞門是也。坎爲毒,爲奸,坎上下兑口相背,故曰奸佞。艮爲上。坤爲下〔一〕,爲昏荒,爲邦。震爲君,震覆,故失邦。○邦,元本作國。依汲古。

【補校】邦,宋、元本作國。

小畜

天地配享,六位光明。陰陽順敍,以成厥功。

乾天,伏坤爲地。兑食,故曰享。乾數六,離爲光明,伏艮爲位,故曰六位光明。乾陽,巽順,乾爲功。○厥功,從汲古。宋、元本作和平。

【補校】敍,依元本。宋本、汲古作序。義同。

履

踝踵足傷,右指病癰。失旅後時,利走不歸。

通謙。震爲踝,爲足;艮多節,故曰腫,曰傷,曰癰。釋名,踵,鍾也,聚也。義與腫同,與易林合。艮爲指,兑爲右,故曰右指。坎

〔一〕"坤",刻本作"坎",據稿本改。

爲孤，爲失，故曰失旅。艮爲時，震爲後，故曰後時。震爲走，爲歸，坎陷，故不歸。〇宋、元本歸作來。從汲古。走不，汲古作不走，非。從宋、元本。又，右指病癱，元本作右足病擁，非。

【補校】右指病癱，依宋本、汲古。

泰

異體殊患，各有所屬。西鄰孤媼，欲寄我室。主母罵詈，求不可得。

坤爲體，爲患害；乾陽坤陰，故曰異體殊患。六爻皆有應予，故曰各有所屬。兌爲西，爲孤媼。伏艮爲室，爲寄。震爲主，坤爲母，震言，兌言，故曰主母罵詈。艮爲求，艮伏，故求不可得。〇異，汲古作思。殊患作同恩。求不可得作求子不得。皆非。今從宋、元本。主母，依汲古。宋、元本作王母〔一〕。

否

操秬鄉畝，祈貸稷黍。飲食充口，安和無咎。

艮手爲操，巽爲秬，爲稷黍。坤爲畝，乾爲言，故曰祈貸。言以秬爲祭而祈田也。伏兌爲口，爲食，坤爲安。〇秬，即秠，黑黍也。宋、元本作稻，非。書洛誥，以秬鬯二卣。秬鬯皆祭品，言操秬至野祈田也。祈貸，宋、元本作折貨，尤非。鄉，音向。安和，宋、元本作安利。依汲古。

【補校】口，汲古作中。依宋、元本。

同人

新受大寵，福禄重來。樂且日富，蒙慶得財。

〔一〕“宋、元本作王母”，稿本、刻本無“母”字。蓋省文。今據宋、元本校補，庶使易讀。

離爲新，乾爲大，爲寵，爲福禄。重乾，故曰重來。離日，乾富，故曰日富。乾爲慶，爲財。〇新受大寵，宋、元本作所受大喜。依汲古。

大有

舉杯飲酒，無益温寒。指直失取，亡利不歡。

通比。坤爲缶，爲杯，艮爲舉，坎爲酒，兑爲飲。離温，乾寒，時之自然，非酒所能改易也。艮爲指，爲取，乾爲直，故指直失取。言指僵不能取物也。坤貧，故亡利。震覆，故不歡。〇汲古二三句倒置〔一〕，直作宜。均依宋、元本。

【補校】直，汲古作宜。依宋、元本。歡，從元本。宋本、汲古作懽。懽、歡同。

謙

日月相望，光明盛昌。三聖茂承，功德大隆。

坎月，伏離爲日，爲目，故曰日月相望。艮爲光明，震爲盛昌。坎爲聖，艮納丙，數三，故曰三聖。震爲茂，爲隆；伏乾爲功德。

豫

猾夫爭强，民去其鄉。公孫叔子，戰於城南。

坎爲奸猾，震爲夫，爲强。坤爲民，爲鄉；震往，故民去其鄉。艮爲叔，爲孫，震爲子。正反兩震相背，故曰戰。艮爲城，震爲南，故曰城南。下二句故實未詳。〇城南，依汲古。宋、元本作瀟湘，雖與上協，似非。

隨

猿墮高木，不踒手足。保我金玉，還歸其室。

〔一〕 "二三句"，稿本、刻本誤作"三四句"，據汲古本改。

巽爲高,艮爲猿,艮在震木上,故曰猿墮高木。艮手震足,兑折
在外,故不蹳。蹳,折也。艮爲金,震爲玉,爲歸,艮爲室。○宋、元
本保我金玉,在第四句。依汲古。金玉,汲古作全生。依宋、元本。

蠱

逐狐東山,水遏我前。深不可涉,失利後便。

艮狐,震逐,震東,艮山,故曰逐狐東山。互大坎,故曰水,曰深
不可涉。巽爲利,坎爲失,故曰失利後便。○遏,汲古作過。依宋、
元本。

臨

鑿井求玉,非卞氏寶。名困身辱,勞無所得。

震爲玉,兑爲井,伏艮爲求。非卞氏寶,言求之非地也。艮爲
名,艮反,故名困。坤爲身,爲下,故爲辱。坤虚,役萬物,故勞無所
得。

觀

黄玉温厚,君子所服。甘露溽暑,萬物生茂。

伏震爲黄,爲玉,坤爲厚;艮火,故曰温厚,曰溽暑。艮爲君子。
坤爲萬物,爲暑;兑爲露。○厚,宋本、汲古作德。依元本。

【補校】厚,汲古作德。依宋、元本。

噬嗑

畫龍頭頸,文章不成。甘言善語,説辭無名。

震爲龍,艮爲頭頸。離爲文章,坎隱伏,故不成。初至四正覆
震,故曰甘言善語,曰説辭。艮爲名,坎隱,故無名。○善,依宋、元
本。汲古作美。

賁

招禍致凶,來弊我邦。病在手足,不得安息。

艮手爲招，爲致；坎爲災禍，爲凶。艮爲邦，伏巽爲敝。坎爲病，艮手，震足，坎居中，故病在手足。艮止，爲安息；坎險，故不安。○邦音崩，與凶韻。

剥

履位乘勢，靡有絶熱。皆爲隸圉，與衆庶位。

艮爲位，反震，爲履位乘勢。坤喪，故曰絶熱。艮爲隸圉，坤爲衆庶。艮僕、坤衆合居，故曰與衆庶位。○皆、圉，汲古作贊、圖，非。位，宋本、汲古作伍[一]。依元本。

復

獐鹿雉兔，羣聚東圃。盧黄白脊，俱往趨逐。九齝十得，君子有喜。

此用蒙象。坤文，爲雉。艮爲獐，震爲鹿，爲兔。坤爲羣，爲聚，爲圃。震東，故曰東圃。盧，黑犬；黄、白，皆犬名。史記李斯傳，吾與汝牽黄犬。西京雜記，李亨有白望犬。震爲玄黄，又爲白也。震爲追逐，爲口，爲齝。震數九，故曰九齝。坤數十，故曰十得。震爲喜，艮爲君子。○圃，依汲古。宋、元本皆作面。趨，依宋、元本。汲古作追。

无妄

織錦未成，緯盡無名。長子逐兔，鹿起失路。見利不得，因无所據。

巽爲帛，爲錦，爲緯。巽下斷，故曰未成，曰緯盡。艮爲名，巽爲伏，故無名。震爲兔，爲長子，爲逐；爲鹿，爲起，爲路。巽伏，故失路。震爲後，巽爲利；艮止，故不得。○錦、盡，從元本。汲古及

[一]　"本"，刻本訛"元"，據稿本改。又，"伍"下，稿本有"不叶"二字。

宋本作金,作畫,顯爲訛字。鹿起失路,依宋、元本。汲古作鹿失先路。見,依汲古。宋本作後,多因無所據四字〔一〕。因疑困之訛字,附記待攷。

【補校】見,宋、元本作後。又,宋、元本多因無所據四字。汲古無。

大畜

天厭周德,命與仁國。以禮靖民,兵革休息。

震爲周,爲德;乾爲天,兌絕,故曰天厭周德。艮爲國,震爲仁,故曰仁國。伏坤爲民,爲體。艮止,爲靖。艮剛在外,爲刀兵,爲膚革;艮止,故休息。〇靖,元本作靜。依宋本。

【補校】靖,依宋本、汲古。

頤

重譯貢芝,來除我憂。善說遂良,與喜相求。

震爲言,正反震,故曰重譯。艮爲芝,震爲進,故曰貢芝。坤爲我,爲憂;震樂,故不憂。正反震,故曰善說,故曰喜。艮爲求,正反艮,故曰相求。〇貢,宋、元本作賀,汲古作買。依局本。遂良,疑有訛字。

大過

膏壤肥澤,人民孔樂。宜利居止,長安富有。

上卦兌〔二〕,故曰膏澤。乾爲肥,伏坤爲壤,爲人民,伏震爲樂。巽爲利,伏艮爲居止。坤爲長安,乾爲富有。〇宋本、汲古作膏澤肥壤。依元本,與樂協。富有,依汲古,與止協。宋、元皆作富貴。

〔一〕 "後"、"多"二字,刻本誤倒,依稿本校正。
〔二〕 "上卦兌",稿本作"互大坎"。

【補校】居，宋本、汲古作俱。依元本。

坎

白龍黑虎，起釁暴怒。戰於涿鹿，蚩尤敗走。居止不殆，君安其所。

　　震爲白，爲龍。艮爲虎，爲黔，故曰黑虎。震爲起，爲釁，爲威武，爲怒；爲戰，爲鹿。坎水，故曰涿鹿。坎爲寇盜，故曰蚩尤。坎險，故曰敗走。艮爲居止，震爲君。○涿鹿，汲古及常本皆作阪泉，於象亦合。然鹿與上韻，故從宋、元本。釁，汲古作伏。從宋、元本。

離

抱關傳言，聾跛摧筋。衆賤無下，災殃所在。

　　伏艮爲關，爲手，故曰抱關。正反兌口，故曰傳言。坎爲耳，震爲行。坎伏，故聾；震伏，故跛。巽爲殞落，兌毀折，故曰摧筋，蓋伏坎爲筋也。坎爲衆，離爲災殃。○言，宋、元本作語。筋作殆。依汲古。汲古下二句作破賊无災，不安其所。依宋、元本。丁晏云，淮南子，聾者可令摧筋。王制，瘖聾跛躃，百工各以其事食之[一]。摧筋，謂摩筋，摧揉之使柔也。按[二]，抱關與跛聾爲對文，傳言與摧筋爲對文[三]。周禮秋官，掌戮云[四]，劓者使守關。守關則傳達禁令，故曰傳言。亦賤職也，故曰衆賤。爾雅釋訓，下，落也。儀禮士相見禮，執摯至下。鄭注，下，君所也。無下者，言衆賤無下落，不得其所也。言與筋亦韻。宋、元本筋作殆，非也，將對文之義

────────

〔一〕"之"，刻本作"按"，據稿本改。
〔二〕"按"，刻本脱，據稿本補。
〔三〕"與"，刻本脱，據稿本補。
〔四〕"戮"下，刻本有"職"字，據稿本删。

全失,且衆字亦無著落。此又汲古所據之本前于宋、元本之證也。

咸

憂禍解除,喜至慶來。坐立歡門,與樂爲鄰。

　　通損。震樂,故憂禍解除,喜至慶來。艮坐,震立,震歡,艮門,故曰坐立歡門。

恒

折鋒載戈,轝馬放休。行軍依營,天下安寧。

　　兑爲鋒,爲戈,爲毀〔一〕折。艮覆,兑折,故曰折鋒。震爲車,故曰載戈。震爲馬,在外,故曰放休。坤爲軍,伏艮爲營;艮止,故曰依營,言不出也。坤爲天下,爲安寧。○轝,汲古作輿。行軍,宋本、汲古作狩軍。依元本。

　　【補校】載,元本作戴。依宋本、汲古。依,汲古作褒。從宋、元本。

遯

至德之君,仁政且温。伊吕股肱,國富民安。

　　乾爲君,爲至德,爲仁。艮火,故曰温。艮爲臣,故曰伊吕。巽爲股,艮爲肱,故曰伊吕股肱。伏坤爲國,爲民;乾富,艮安。

大壯

千里望城,不見山青。老兔蝦蟆,遠絶無家。

　　震爲千里,艮爲城,爲望,爲山。震東方,色青,艮伏,故不見。震爲兔,爲蝦蟆。艮爲家,艮覆,故无家。○蟆,汲古作蟆。蟆、蟆同。山青,依元本。汲古作青山。

────────────

〔一〕“毀”,刻本無,據稿本補。

【補校】山青，宋本、汲古作青山。

晉

有莘季女，爲夏妃后。貴夫壽子，母字四海[一]。

　　坤爲茅茹，故曰有莘。艮爲季，坤女，故曰有莘季女。離爲夏，坤爲妃后。艮爲貴，爲壽；坎爲夫，爲中子。坤爲母，爲字。字者，養也。坤爲水，爲海；反震卦數四，故曰四海。有莘氏，大禹之母。

明夷

不虞之患，禍至無門。奄忽暴卒，痛傷我心。

　　坤爲患，爲禍，坎爲憂虞。艮爲門，三至五艮覆，故曰無門。坤死，故曰卒。坎爲心，爲痛，坤爲我。道德指歸論，道之爲物，窺之無户，察之無門。無門，言不知禍之所自來也。

家人

飛鷹退去，不食雉雞。憂患解除，主君安居。

　　此用蒙象。艮爲鷹，爲飛，震反，故退去。本卦離爲雉，巽爲雞，兑爲食。上卦兑覆故不食。坎爲憂患。震爲解除[二]，爲君主。艮爲安居。○雉雞，宋、元本作鄰鳥。依汲古。解除，汲古作心解。依宋、元本。主君，宋本、汲古作君主。依元本。

睽

踥蹉側跌，申酉爲祟。戌亥滅明，顏子隱藏。

　　二折震成兑，故踥蹉側跌[三]。兑西方金，故曰申酉爲祟。艮

〔一〕“母”，刻本訛“毋”，據稿本改。
〔二〕自“兑爲食”至“震爲解除”，刻本作“坎爲食，震爲解除，上卦兑覆故不食，坎爲憂患”。兹依稿本後修之跡改。
〔三〕“跌”，刻本誤“失”，據稿本改。

居戌亥，艮爲明，艮伏，故滅明。艮爲顏，艮伏，故顏子隱藏。○蹉，
元本作差。差、蹉古通。申酉戌亥，蓋古〔一〕占術。

蹇

司禄憑怒，謀議無道。商氏失政，殷人乏嗣。

　　　漢書天文志，司禄，文昌第六星。此用蒙象。艮爲星，爲官，故
曰司禄。震爲怒，爲言，故爲議。坎爲心，故曰謀議。艮爲道，坎
伏，故曰無道。震爲子，爲人。子者，殷商之姓。坤殺，故無子而乏
嗣。○氏，宋本、汲古作民。從元本。

解

望雞得雛，冀馬獲駒。大德生少，有廖從居。

　　　巽爲雞，離目爲望；巽伏，故不得雞而得雛。震爲雛也。坎爲
馬，震爲雛，爲駒。下二句疑有訛字，義皆未詳。○雛，依汲古。
宋、元本作雉。

　　　【補校】廖，宋、元本作瘳。依汲古。冀，汲古作求。依宋、元
本。

損

忉忉怛怛，如將不活。黍稷之恩，靈輒以存。

　　　詩陳風，心焉忉忉。傳，忉忉，憂貌。坤爲憂，故曰忉忉怛怛。
怛，亦憂也。坤死，故曰不活。震爲黍稷，爲恩。坤虛爲餓，故曰靈
輒。左傳宣二年，初，趙盾田，見靈輒餓，食之。故曰靈輒以存。○
忉忉，汲古訛切切，俗本又訛叨叨。依宋、元本。又，汲古多獲生保
年四字。依宋、元本。

―――――――――

〔一〕“古”，稿本作“西漢時”。

益

噂噂囁囁，夜作晝匿。謀議我資，來攻我室。空盡我財，幾無以食。

初至五正反震相對，故曰噂噂囁囁。噂囁，對語也。此句宋、元本、汲古原作莫莫輯輯，於卦象不切，依節之艮校。坤爲夜，與震連，故夜作晝伏。乾爲大明，爲晝，巽爲伏，故曰晝匿。坤爲財，爲我，正反震，故曰謀議我資。艮爲室，震爲伐，爲攻。坤虛，故財空。震爲食，坤飢，故無食。○來，依汲古。宋、元本作求。

夬

天之所壞，不可强支。衆口指笑，雖貴必危。

乾爲天，兌毀，故曰天之所壞，不可强支。兌爲口，爲笑，坤衆，故曰衆口。伏艮爲指，爲貴。兌毀，一陰將盡，故危。○指，汲古本作遭，乃嘈之訛字。指笑[一]，蠱之艮作嘈嘈。首二句本國語，天之所支不可壞也，所壞不可支也。

姤

目動睫瞲，喜來加身。舉家蒙歡，吉利無殃。

説文，瞲，目動也。西京雜記，陸賈曰，目瞲，得酒食。伏震爲動，爲喜，坤爲身。目睫象未詳。○睫，汲古本作頰，俗本多從之，非。依宋、元本。漢書，睫瞲，得酒肉。

萃

黿羹芬香，染指拂裳。口飢於手，子公恨饞。

艮爲黿，坤爲羹；巽爲臭，故曰芬香。艮爲指，爲拂；坤水，故染

〔一〕"指笑"二字，稿本、刻本無，據上下文意補。

指。坤爲裳，艮手，故拂裳。兌爲口，坤爲飢。口飢於手者，言口飢
而恃手也。於，依也。孔融書，舉杯相於。曹植樂府，心相於。杜
甫詩，良友幸相於。皆作依恃解，是其證。子公，鄭公子宋也。左
傳宣四年，楚人獻黿於鄭靈公。公子宋與子家將見。子公之食指
動，以示子家曰，他日我如此，必嘗異味。及入，宰夫將解黿，相視
而笑。公問，子家以告。及食大夫黿，召子公而弗與。子公怒，染
指於鼎，嘗之而出。林辭全述其事。○拂裳，依汲古。古人衣袖寬
博，言染指之時，須拂裳也。宋、元本作弗嘗。於、子公，依宋、元
本。汲古誤打，誤公子。饞作讒。

升

天福所豐，兆如飛龍。成子得志，六二以興。

伏乾，故曰天福，曰豐。震爲飛，爲龍，坤圻，爲兆，故曰兆如飛
龍。伏艮爲成，震子，故成子。震爲興，巽爲志，故曰得志。坤數
二，伏乾數六，故曰六二。翟云升云，六二謂十二世也。愚按，莊子
胠篋篇，田成子十二世有齊國。釋文云，自敬仲奔齊，至莊子九世，
知齊政；自太公和至威王[一]，三世而有齊國，共十二世，故曰六二
以興。○以，從元本。汲古及常本多作已。二，宋本作三，非。從
汲古。

【補校】以，從宋、元本。二，從元本、汲古。

困

氓伯易絲，抱布自媒。棄禮急情，卒罹悔憂。

詩氓之篇，氓之蚩蚩，抱布貿絲。匪來貿絲，來即我謀。布，幣
也。貿，即易也。伏震爲伯，巽爲絲，爲布。巽爲商賈，故抱布易
絲。伏艮爲抱，坎爲合，爲媒，爲憂。○易絲，宋本、汲古作以婚。

〔一〕“太”，刻本作“大”，茲依稿本。

依元本。罹,依宋本。元本作離,義同。

【補校】罹,依宋本、汲古。

井

夏姬親附,心聽悦喜。利以搏取,無言不許。

通噬嗑。離爲夏,震爲姬。兑悦,故親附,故悦喜。坎爲心,爲
聽。巽爲利,艮爲搏取。震爲言。○姬,汲古作姒。依宋、元〔一〕。
宋、元本作震辭。按左傳,巫臣嘗止子反取夏姬,後竟自取。林似
指此事。

【補校】搏,汲古作博。依宋、元本。又,兹從汲古,作井林。

革

南山昊天,刺政閔身。疾悲無辜,背憎爲仇。

通蒙。震南,艮山,故曰南山。本卦離爲夏,故曰昊天。爾雅
釋天,夏爲昊天。注,言氣皓旰也。坎爲刺,坤爲政,爲身。坎爲憂
閔,爲悲,爲疾,爲憎,爲仇。坤爲辜,坤虚,故無。艮爲背,下坎,故
曰背憎。詩小雅,節彼南山,不弔昊天。爲刺譏厲王之詩。林辭全
用其意。○昊,從宋、元本。汲古誤旻。元本作艮林,象亦合。

【補校】宋、元本作艮林。依汲古。

鼎

**三人爲旅,俱歸北海。入門上堂,拜謁王母。勞賜我酒,歡
樂無疆。**

通屯。震爲人,後天數三;震爲商旅,故曰三人爲旅。坤爲海
水,位北,故曰北海。震爲歸,故歸北海。艮爲門堂,震爲入,爲上。

〔一〕"依宋、元",刻本無,據稿本補。按,稿本此頁夾一字條,云"井校添依宋元
三字"。蓋書刊行後復校所記。

艮爲拜，震爲謁，爲王；坤母，故曰王母。坎爲勞，爲酒，坤爲我。象全用旁通。○宋、元本作井林，旁通噬嗑，於象不盡合。汲古少歡樂無疆四字，不協。

【補校】茲從汲古，作鼎林。

震

愆淫旱疾，傷害稼穡。喪制病來，農人無食。

　　愆者不及，淫者過也。艮爲火，坎爲疾，故曰旱疾。震爲稼穡，艮火，故傷害禾稼。震爲人，爲農，爲食，稼傷故無食。震初至四，與无妄初至四同。京房以无妄爲大旱卦，自虞翻莫明其義，由艮火之象失傳也。○愆，汲古作陽。疾作病。制作刈。茲從宋、元本。林辭訛誤若此者，直無如何！又宋、元本作革林[一]，象亦合。

【補校】茲從汲古，作震林。

艮

攫飯把肉，以就口食。所往必得，無有虛乏。

　　坎爲飯[二]，爲肉；艮手爲攫，爲把。互震爲口，爲食，爲往。坎爲得，故無有虛乏。○所，元刊作萬。依宋本、汲古。

【補校】宋、元本作鼎林。依汲古。

漸

烏飛無翼，兔走折足。雖欲會同，未得所欲。

　　離爲烏，爲飛；震爲翼，震伏，巽寡髮，故無翼。震爲兔，爲走，爲足；震伏坎折，故曰折足。○所欲，汲古作已惑。依宋、元本[三]。

────────

〔一〕“革”，稿本、刻本誤“井”，據宋、元、汲古諸本林辭改。
〔二〕“飯”，刻本誤作“飲”，據稿本改。
〔三〕“本”，刻本脫，據稿本補。

歸妹

體重飛難，未能踰關。行坐憂愁，不離室垣。

此用蒙象。坤爲身，爲重，故曰體重。震爲飛，坎陷，故難飛。艮爲關，坤閉，故未能踰關。震爲踰，爲行。坎爲憂愁，爲宮室；坎陷，故不離。〇宋、元本無第三句，汲古有。有是。未能，依元本。宋本、汲古作不得。

豐

四雄並處，人民愁苦。擁兵西東，不得安所。

震爲雄，卦數四，故曰四雄。互大坎爲人民，坎憂故愁苦。兌爲斧，爲兵；坎聚，故曰擁兵。震東兌西。震動，坎險，故不安。〇西東，汲古作東西。依宋、元本。

旅

譯重關牢，求解已憂。心感乃成，與善並居。

通節。中爻反正震，故曰重譯。坎爲牢，震爲開〔一〕，爲解。艮爲求，坎爲憂，爲心。辭皆費解，必有譌字。〇感，宋、元本作惑。譯重，元本作重驛〔二〕，非。譯重與關牢對文。牢，固也。依汲古。

【補校】感，元本作惑。依宋本、汲古。善，宋、元本作喜。依汲古。譯重，依宋本、汲古。

巽

患解憂除，王母相於。與喜俱來，使我安居。

〔一〕按此句"開"字於林辭無著。檢稿本，録林辭首句"關"誤"開"，後已改，然注文此句則遺而未及更訂。馬生新欽以爲，宜改爲"艮爲關"。説似可通，存以備覽。

〔二〕"驛"，稿本、刻本誤"譯"，據元本《易林》改。

通震爲樂,故無憂患。震爲王,巽爲母。相於者,相依也,義已見前萃卦。震爲喜,艮爲安居,皆用旁通。○於,從宋、元本。汲古作予。王,元本作皇,義同。

兌

冬生不華,老女無家。霜冷蓬室,更爲枯株。

伏坎爲冬,震爲生,兌爲華。冬,故不華。大過以兌爲老婦,艮爲家,艮伏,故老女無家。坎爲霜,爲冷。艮爲室,震爲蓬,故曰蓬室。巽爲木,互離,故曰枯株。○更,依元刊。汲古作競。

【補校】更,依宋、元本。

渙

震慄恐懼,多所畏惡。行道留難,不可以步。

坎爲恐懼,爲畏惡。震爲道,爲行。坎陷,故留難,故不可步。○步,汲古作涉。從宋、元本。

節

三夫共妻,莫適爲雌。子無名氏,翁不可知。

節長中少三男俱備,秖兌爲女象,故曰三夫共妻。適,主也。莫適爲雌,言兌女無所適從也。震爲子,艮爲名,坎隱,故無名氏。震爲父。翁者,父也。坎隱,又二至五正反皆震,故曰不知。此林爲愚求索林辭知其用象之始,故志其艱於此。○翁,宋、元本作公,義同。

【補校】翁,元本作公。依宋本、汲古。

中孚

早凋被霜,花葉不長。非時爲災,家受其殃。

震爲花葉,兌爲霜;巽爲隕落,故曰凋,曰不長。艮爲時,爲家;

兑折,巽落,故爲災殃。○災,依宋本。元本作落。旱,元本作草。
依宋本、汲古。

【補校】災,依宋本、汲古。

小過

雉兔之東,狼虎所從。貪饕凶惡,不可止息。

  艮爲鳥,爲雉。震爲兔,爲東,爲之。之,往也。艮爲狼虎,震
爲從。兑爲食,震亦爲食,故曰貪饕。兑毀,爲凶惡。艮爲止息,坎
險,故不可止息。○饕,依汲古。宋、元刊作叨。

既濟

馬驚車破[一],主墮深溝。身死魂去,離其室廬。

  此用蒙象。震爲馬,爲車,爲驚;坎破,故馬驚車破。震爲主,
坎爲陷,故曰主墮。坎爲溝,在下,故曰深溝。坤爲身,爲死,故曰
身死。震爲神,爲魂,爲去;艮爲室廬。○主,依宋、元本。汲古
作王。

【補校】車破,宋本、汲古作破車。依元本。

未濟

山林麓藪,非人所處。鳥獸無禮,使我心苦。

  此用蒙象。艮爲山,震爲林麓,故曰山林麓藪。震爲人,坎
險,故人不可處。艮爲鳥,爲獸。坤爲禮,坎隱伏,故無禮。坎爲
心,爲勞苦。○非人所處,從元本。汲古作兆人所往。兆因與非
形近訛。

【補校】非人所處,宋本作非人所往。

〔一〕“車破”,刻本作“破車”。據稿本乙正。

焦氏易林注卷二

需之第五

需

久旱三年,草木不生。粢盛空乏,無以供靈。

> 通晉。離火,艮火,故曰久旱。離數三,坤爲年,故曰三年。震爲生,爲草木;震覆,故不生。震爲粢,爲簠簋,故爲盛。坤虛,故空乏。

乾

火滅復息,君明其德。仁人可遇,身受利福。

> 此用需象。中爻離火,上臨坎水,故火滅。然革彖曰,水火相息,故曰火滅復息。乾爲君,爲德,爲仁人。離爲明。伏坤爲身。○福,汲古作祿。依宋、元本。

坤

溫山松柏,常茂不落。鸞鳳所庇,得其歡樂。

> 此仍用需象。乾爲山,離爲火,故曰溫山。坎爲木,爲堅,故曰

松柏，故曰不落。離爲文章，故曰鸞鳳。互兌爲悦，故歡樂[一]。

【補校】鳳，宋本、汲古作凰。依元本。所，宋、元本作以。依汲古。

屯

西誅不服，恃强負力。倍道趨敵，師徒敗覆。

坎位西，坤殺，故曰西誅。艮爲負，爲堅，故曰恃强負力。艮爲道，震爲大塗，故曰倍道。震爲趨，正反艮震，故曰敵。坤爲師徒，爲喪，故敗覆。丁晏云，史記，項梁西擊秦，屢敗之，有驕色，後敗死定陶。林辭似用其事。〇西，汲古作四。服作復。均非。從宋、元本。〇坎西之證。

【補校】服，宋、元、汲古各本皆同。此謂作復者，疑別有所據，謹紀以備攷。

蒙

三塗五岳，陽城太室。神明所伏，獨無兵革。

丁云，左傳昭四年，四嶽、三塗、陽城、太室，九州之險。注，皆山名。正反艮，故山多。震爲神明，坎爲伏，艮爲兵刃，爲膚革，坤虛故無。〇所伏，從宋、元本。汲古作之保。

訟

三牛生狗，以戌爲母。荆夷上侵，姬伯出走。

詳坤之震。〇三牛，從汲古本。宋、元本作二牛。離牛，坤牛，坤數二，故曰二牛。象亦合。

[一]“乾爲山”至“故歡樂”，稿本作：“需通晉。艮爲火，故曰温山。艮爲木，爲堅，故曰松柏，故曰不落。離文，坤文，故曰鸞鳳。需兌爲悦，故歡樂。”蓋初擬以需旁通晉爲説，付刻時又作改訂。

師

鳧遊江海，没行千里，以爲死亡。復見空桑，長生樂鄉。

　　震爲鳧，爲遊行。坤爲江海，爲没，爲千里，爲死亡。二上體復，震爲桑，坤虚，故曰復見空桑。震爲生，爲樂，坤爲鄉。吕氏春秋，伊尹生空桑。〇没，桑，長生樂鄉，均依汲古。宋、元本作役，作素，作長主凶憂。

比

太乙駕騮，從天上來[一]。徵召叔季，封爲魯侯，無有凶憂。

　　坤乙，艮星，故曰太乙。坤爲馬，五居坤上，故曰駕騮。艮爲天，爲求，爲叔季。伏兑爲徵召，爲魯。坎爲合，爲封。坤爲凶，坎爲憂，坤虚，故無。〇來，元本作求。從宋本、汲古。召，宋本、汲古訛君。依元本。

小畜

紝績獨居[二]，寡處無夫。陰陽失志，爲人僕使。

　　巽爲紝績，爲獨，爲寡。震爲夫，震伏，故無夫。伏坎爲志，坤爲失。艮爲僕使。〇志，從汲古。宋、元本作忘[三]。居，從元本。汲古作處。紝績，汲古作任宿。依宋、元。

　　【補校】居，從宋、元本。

〔一〕“來”，刻本作“求”，據稿本改，注做此。按，此頁稿本夾一字條云：“天上來，元作求。記改。”且林辭、校語皆有後改墨迹。蓋書刻行後，復作修訂如此。惟注文“艮爲求”未改，則與“來”象未符。今思艮既爲手、爲求，似亦有合“來”象。

〔二〕“居”，刻本作“處”，據稿本改。又，下文校語“居，從元本”至“依宋、元”，刻本無。亦據稿校補。按，稿本此頁夾一字條，云：“小畜，處改居。校增。”即指此，蓋亦書刊行後所記。

〔三〕“忘”，刻本訛“忌”，據稿本改。

履

兵征大宛,北出玉門。與胡寇戰,平城道西。七日絕糧,身
幾不全。

通謙。與屯同象。解見屯林。

泰

楚靈暴虐,罷極民力。禍起乾谿,棄疾作毒。扶伏奔逃,死
申亥室。

震爲木,爲楚,楚叢木也;爲神,爲靈,爲暴。坤爲害,爲虐。坤
役萬物,故罷極。坤爲民,爲禍,兌爲谿;下乾,故曰乾谿。坤爲疾,
爲毒。棄疾,靈王弟。艮爲扶,爲伏。扶伏,匍匐也,言匍匐而逃
也。震爲奔逃。坤死,坤後天位申,消息卦居亥,故死申亥。伏艮
爲室。○極,從宋、元本。汲古作及,非。伏,從元本。宋本、汲古
作仗,非。死申亥室,宋本、汲古作身死仄室[一],非。依元本。申
亥者,楚臣。左傳昭十三年,楚靈王暴虐,師潰于乾谿,王遂縊於芋
尹申亥氏。申亥,芋尹無宇之子也,妄者臆改申爲身耳。

【補校】伏,宋本作仗。汲古作杖。均非。

否

雌單獨居,歸其本巢。毛羽憔悴,志如死灰。

坤爲雌,爲寡;艮爲居,爲巢。伏震爲歸,故曰歸其本巢。巽爲
寡髮,故毛羽憔悴。坤爲死,爲志。灰,蓋艮象。

同人

兩矛相刺,勇力鈞敵。交綏結和,不破不缺。

〔一〕"仄",刻本作"亥",據稿本改。按稿本此頁又夾一字條,曰:"泰注,身死仄
室(汲古),誤作亥室。記改。"此亦書刻成後所作覆校語。

兑爲斧,爲矛;下離兩兑相對,故曰兩矛相刺。乾健,故曰勇。伏坎爲和,巽爲退。交綏,退軍名。見左傳文十二年,交綏注。坎爲破,爲缺,坎伏故否。○汲古,綏訛援。依宋、元本。

大有

乘船濟渡,載水逢火。賴幸免禍,蒙我生全。

通比。坤虚爲船。坎爲水,坤爲載,故曰載水。互艮爲火,故曰逢火。坤爲禍,乾爲幸。坤爲我,乾爲生。○幸,從宋本。汲古作行。

【補校】濟渡,宋、元本、汲古均作渡濟。依局本。幸,從宋、元本。禍,元本作患。依宋本、汲古。

謙

喪寵益尤,政傾家覆。我宗失國,秦滅周室。

艮爲寵,坤爲喪,爲尤,爲政。艮爲家,坎陷,故傾覆。震爲宗,坤爲我,爲國,爲失。坎位西,故曰秦。震爲周,艮室坤喪,故滅。○益,宋、元本作溢。依汲古。

豫

冬無藏冰,春陽不通。陰流爲賊,國被其殃。

坎爲冬,爲冰,坤爲藏;在下,故不藏。震爲春陽,坎陷,故不通。坤爲陰,坎爲賊。坤爲國,爲殃。○陽,從宋本。汲古作江,非。

【補校】陽,從宋、元本。

隨

田鼠野雞,意常欲逃。拘制籠檻,不得動搖。

艮爲鼠,巽爲雞,艮爲田野,故曰田鼠野雞。震爲逃,艮爲籠檻,爲拘,故不得動搖。○常,從宋本。汲古及俗本皆誤當。

【補校】常,從宋、元本。

蠱

佩玉榮兮,無所繫之。旨酒一盛,莫與笑語。孤寡獨特,常愁憂苦。

互震爲玉,爲華,爲榮,艮爲佩。巽爲繫,兌決,故無繫。互大坎爲酒,震爲盛;坎數一,故曰一盛。震爲笑語,巽寡,故無與。艮陽在上,故孤。巽寡,震陽在下,爲獨。兌爲特,大坎爲憂愁。凡六子,易林皆有鰥寡孤獨象。○榮,從宋本。汲古作藻,非。左傳哀十三年,佩玉榮兮,余無所繫之。旨酒一盛兮,余與褐之父睨之。林所本也。

【補校】榮,從宋、元本。

臨

没遊源口,求鮫爲寶。家危自懼,復出生道。

兌爲源,爲口;坤爲水,震爲遊,故曰没遊源口。坤爲魚,爲鮫。震爲玉,爲寶。伏艮爲求,故曰求鮫爲寶。述異記,鮫人居水中,如魚,不廢機織,眼泣成珠,故曰求鮫爲寶。艮爲家,艮覆,故家危。二至上體復,震爲出,爲生,爲道,故曰復出生道。○寶,從宋本。汲古作室,非。寶與道韻。

【補校】寶,從宋、元本。源,元本作原。依宋本、汲古。遊,宋本作游。依元本、汲古。原、源,游、遊,義皆通。

觀

河水孔穴,壞敗我室。水深無岸,魚鱉傾倒。

坤爲河水,艮爲孔穴。巽爲敗壞,艮爲室,坤爲我。重坤,故曰水深。艮爲岸,巽敝,故無岸。艮爲鱉,坤爲魚;巽漏,故傾倒。

【補校】倒，宋、元本作側。依汲古。

噬嗑

教羊牧兔，使魚捕鼠。任非其人，費日無功。

伏兑爲羊，巽爲魚；震爲兔，艮爲鼠。巽爲命，故曰教，曰使。艮手爲牧，爲捕。震爲人，上離爲日；坎失，故失任，故無功。○捕鼠，從宋本。元本作相捕，非。人，古音仍，與功韻。語本淮南子主術訓。

【補校】捕鼠，從宋本、汲古。

賁

升户入室，就温煗食。冰凍北陸，不能相賊。

艮爲户，爲室；震爲升，伏巽爲入，故曰升户入室。離火爲温，震爲缶，在離上，有若煗食。坎爲食也〔一〕。坎爲冰，爲凍，爲北陸，爲賊。震樂，故不賊。○煗，從宋、元本。汲古等本作煖，非。冰，依宋本。元本作水。

【補校】冰，依宋本、汲古。末句，汲古作寒不得賊。依宋、元本。

剥

孤竹之墟，老婦亡夫。傷於蒺藜，不見少妻。東郭棠姜，武氏破亡。

坤爲寡，坤虛，故爲竹。坤爲墟，故曰孤竹之墟。伏兑爲老婦，震爲夫。震覆坤喪，故曰亡夫。三四句用遇卦需象。坎爲蒺藜，兑爲少妻，坎伏，故不見。艮爲城郭，震爲武，震覆，故武氏破亡。武子者，崔杼，娶東郭偃之姊，棠公之妻。棠公死，武子弔，見棠姜而美

―――――――――――

〔一〕“坎”，稿本作“震”。蓋付刻時改。按坎、震皆爲食，此依坎象似更切。

之，遂娶之。事見左傳襄二十五年。○老，依宋、元本[一]。汲古作失。大過以兌爲老婦，故易林本之，遇兌即言老婦。此於經義所關至鉅。後人不知老婦指兌，於是説大過而誤，易林老婦亦不知所謂。

【補校】亡，依汲古。宋、元本作無。義同。棠，宋本訛堂。依元本、汲古。

復

凶憂災殃，日益明彰。福不可釐，三郤夷傷。

坤爲凶憂災殃，震爲明彰。坤禍，故無福。釐，予也。詩大雅，釐爾士女是也。震，數三。三郤，郤錡、郤犨、郤至。伏巽爲隙，坤喪，故夷。○憂，汲古作禍。晉殺三郤，在成十七年[二]。

无妄

載璧秉珪，請命于河。周公作誓，沖人瘳愈。

震爲璧，爲珪，爲載，艮手爲秉，故曰載璧秉珪。巽爲命，震爲請，上乾爲河，故請命于河。震爲周，爲作，爲誓，爲沖人；爲樂，故瘳愈。史記魯世家，成王病，周公爲自揃其蚤沈之河，成王病果愈。沖人，成王也。○作誓，從宋、元本。汲古作克敏。按，金縢作植璧秉圭，後有此林亦作植璧。然各本皆作載，故依之。

大畜

鳥飛鵲舉，照臨東海。龙降庭堅，爲陶叔後。封圻英六，履福綏厚。

艮爲鳥鵲，震爲飛舉。乾爲海，納甲，故曰東海。震多毛。龙，多毛犬也。艮爲庭，爲堅。艮爲火，爲陶，故曰陶叔。震爲後，爲

〔一〕"依宋、元本"，刻本脱此四字，據稿本補。

〔二〕"十七"，稿本、刻本誤作"七"，據阮刻《左傳正義》改。

英，乾數六；艮爲封圻，故曰封圻英六。庭堅，皋陶字。言皋陶之後，封在英、六二國也。見史記陳世家。又左傳文五年，楚人滅六，滅蓼，臧文仲曰，皋陶庭堅，不祀忽諸。又楚世家，成王二十六年滅英。張守節疑英即蓼，非。據杞世家，英亦皋陶後。○封圻，從宋、元本。汲古作圭析，非。六，汲古等本皆作雄，惟宋、元本作六。飛，依汲古。宋、元皆作升。

【補校】尨，宋本作龍。依元本、汲古。

頤

危坐至暮，請求不得。膏澤不降，政庚民忒。

艮爲坐，坤暮。艮爲請求，坤虛，故不得。上伏兌爲膏澤[一]，艮止，故不降。坤爲政，爲民，坤凶，故曰庚，曰忒。○忒，汲古作惑。依宋、元本。

大過

宜昌娶婦，東家歌舞。宴樂有緒，長安嘉喜。

通頤。巽爲婦，震爲娶；爲東，爲歌舞。艮爲家，故曰東家歌舞。巽爲緒，震爲嘉樂。○安，宋、元本作樂。依汲古。

【補校】宴，元本作燕。依宋本、汲古。燕通宴。緒，宋、元本作序。依汲古。序、緒義同。

坎

鑿井求玉，非卞氏寶。名困身辱，勞无所得。

艮手爲鑿，爲求，坎爲井。震爲玉，爲寶。艮爲身名，坎爲困辱[二]。楚卞和玉最良，然求之於井，非其地。坎爲勞，爲失，故

〔一〕“上伏兌”，稿本作“伏大坎”。
〔二〕“辱”字，刻本脱，據稿本補。

无得。

　　【補校】氏,元本作和。依宋本、汲古。卞氏即卞和。

離

鶬思其雄,欲隨鳳東。順理羽翼,出次須日。中留北邑,復反其室。

　　通坎。震爲鶬,爲東。離文爲鳳,震爲羽翼。艮手爲理,互巽,故曰順理。震爲出,艮爲次,離爲日。艮止,故須日。艮爲邑,坎北,故曰北邑。艮止,故留。震爲復,坎室。○出次須日,中留北邑,從宋、元本。汲古作出次日中,須留北邑,非。因翼、日、室爲韻,妄人盲改,韻不協矣。

咸

早霜晚雪,傷害禾麥。損功棄力,飢無所食。

　　乾爲冰,爲霜雪。巽爲禾麥;兌爲傷,爲害,爲損棄。乾爲功,兌爲食。伏坤爲飢,故無所食。

恒

蝙蟘生子,深目黑醜。雖飾相就,衆人莫取。

　　蝙蟘,即蝙蝠。爾雅注,齊人謂之蝙蟘。巽爲蟲,震爲生,爲子。伏大離,故曰深目。伏坤爲黑,爲醜,爲文飾,爲衆。震爲人,艮手爲取;艮覆,故莫取。○蝙蟘,從元本。宋本作蝙螺,汲古及常本作蝠螺,皆非。

遯

去如飛鴻,避凶直東。遂得全脱,與福相逢。

　　艮陽在上爲飛,艮爲鳥,故爲鴻。巽伏,故曰避凶。伏震爲東,爲脱,乾爲福。○直,宋本作且。依元本。

大壯

婚姻合配,同枕共牢。以降休嘉,子孫封侯。

此合對象言,震巽爲婚姻,爲合配。艮木爲枕,震爲盆,爲牢。史記平準書,官與牢盆。樂彦云,牢乃盆名。禮記昏義,共牢而食。注,共牢者,共食一牲也。此則以震盆爲象。震爲休嘉,爲子。兑爲孫,震爲諸侯。

晉

咸陽辰巳,長安戌亥。邱陵生止,非魚鱐市。不可避阻,終無悔咎。

伏乾爲陽,消息卦乾居辰巳。坤爲安,消息卦居戌亥。互艮爲邱陵,爲止。坤爲魚鱐。言邱陵之地,非魚市也。坎爲阻。○避,依汲古。宋、元本作辭。

明夷

螟蟲爲賊,害我五穀。簞笥空虛,家無所食。

伏巽爲螟。螟,食苗心蟲。坎爲賊,坤爲害。互震爲穀,坤數五[一],故曰五穀。震爲簞笥,坤爲空虛,故無所食。○笥,依汲古。宋、元本作食。

家人

蒙恩拜德,東歸吾國。慷慨宴笑,歡樂有福。

象多未詳。祇東歸,及宴笑、歡樂,知用伏震[二]。○蒙,依汲古。宋、元本作謀。

【補校】宴,元本作歡。依宋本、汲古。

〔一〕“互震”至“數五”,稿本作“伏巽爲穀,數五”。
〔二〕“震”,刻本作“象”,兹依稿本。

暌

齎貝贖狸，不聽我辭。係於虎須，牽不得來[一]。

　　伏蹇。艮爲齎，離爲貝，艮爲狸。震爲辭，震覆，故不聽。坎爲聽也。艮爲虎，爲須，爲牽。艮止，故不來。

　　【補校】須，宋、元、汲古諸本皆作鬚。依翟本。按，須即鬚之本字。

蹇

比目附翼，歡樂相得。行止集周，終不離忒。

　　伏重離，故曰比目。兌悦爲歡樂，艮爲止。○集周，依宋、元本。詩，集于道周是也。汲古作同。

解

一指食肉，口無所得。染其鼎鼐，舌饞於腹。

　　坎爲肉，數一，故曰一指食肉。一，或爲以之訛字，不敢定也。震爲口，在外，故無得。震爲鼎鼐，故染指於鼎鼐也。離爲腹。此仍用子公染指於鼎事，詳蒙之萃。○一，應作以。

損

曳綸江湖，釣掛魴鯉。王孫利得，以享仲友。

　　通咸。巽爲綸，艮手爲曳，坤爲江湖，故曰曳綸江湖。艮爲釣，爲掛，坤爲魚。震爲王，艮爲孫，故曰王孫。巽爲利，兌爲友，伏大坎爲仲。○江湖，從元本。宋作江海，汲古作汀洲。王孫利得，汲古作公孫得利。依宋、元本。

　　【補校】王孫利得，元本得作德。宋本利得二字倒。依未濟之

────────────────

〔一〕“來”，刻本訛“求”，據稿本改。

豫元本校。德、得古通。

益

商紂牧野，顚敗所在。賦斂重數，黎元愁苦。

坤爲惡，故曰商紂。坤爲野，爲養，爲牧，故曰牧野。坤喪，故顚敗。坤爲藏，故爲賦斂。坤爲重，故曰重數。坤爲民，爲黑；又艮黔，震蒼，故曰黎元。伏大坎，爲愁苦。

夬

北辰紫宮，衣冠立中。含和建德，常受天福。

通剝。艮爲星，坤北，故曰北辰。艮爲宮，爲冠，乾爲衣，兌爲和。乾爲天，爲福。○立中，依宋本、毛本。元作中立。

【補校】建，汲古作達。依宋、元本。

姤

輕戰尚勇，不知兵權。爲敵所制，從師北奔。

通復。震爲勇，爲戰。坤爲兵，巽爲權。坤迷，故不知兵權。震爲征，爲奔；坤爲師，爲北，故曰從師北奔。○從，依宋、元本。汲古作征。

【補校】尚，依宋本、汲古。元本作上。義通。

萃

大口宣脣，神使伸言。黃龍景星，出應德門。興福上堂，天下安昌。

兌爲口，爲脣，巽白爲宣。伏震爲神，爲伸，兌爲言。伏震爲黃，爲龍。艮爲星，爲明，故曰景星。艮爲門堂。○脣，從宋、元本。汲古作舌。伸，宋、元本作仲。依汲古。興、堂，從汲古。宋、元本作興，作天，非。

【補校】唇,從元本。宋本、汲古作舌。

升

凶子禍孫,仗劍出門。凶訟讙嚚,驚駭我家。

　　坤爲凶禍,震爲子孫。伏艮爲匕,爲劍。坤爲門户,震出,故曰
出門。初至四,正反兩兑口相背,故曰凶訟讙嚚。震爲驚駭,坤爲
我,艮爲家,艮反,故驚駭我家。○仗,依元本。宋、毛作把。

　　【補校】讙,汲古作觀。依宋、元本。出,宋、元、汲古各本皆作
向。按,此作出,似於義較勝。馬生新欽云,疑依乾之巽出門逢惡,
爲患爲怨校。

困

祝伯善言,能事鬼神。辭祈萬歲,使君延年。

　　三至上正反兑口,故善言。易所謂尚口也。故曰祝伯。祝史以口
舌爲用。伏震爲伯,坎爲鬼。伏震爲神,爲辭,爲歲年,爲萬,爲君。
辭,猶拜表、拜書。○辭祈,從宋、元本。汲古本、局本作拜辭,非。

　　【補校】辭祈,從宋本、汲古、局本。元本作拜辭。非。

井

珪璧琮璋,執贄見王。百里寧戚,應聘齊秦。

　　伏震爲玉,爲王。伏艮爲手,爲執。震爲百里,坎爲憂戚。巽
爲齊,兑爲秦。百里奚用於秦穆,寧戚以飯牛歌干齊桓也。

革

昧旦乘車,履危蹈溝。亡失裙襦,摧折兩軸。

　　通蒙。震爲昧旦,爲乘,爲車,爲履,爲蹈。坎險爲溝瀆,震上
坎下,故履危蹈溝。坤爲亡失,震爲裙襦。坎折坤,坤數二,故曰兩
軸。坤爲軸也。○震爲襦證。

【補校】蹈，元本作陥。依宋本、汲古。

鼎

膠著木連，不出牛欄。斯饗羔羊，家室相安。

通屯。坎爲膠，震艮坎皆爲木，故曰木連。又屯初至五，正反兩震相合，亦有木連象。震爲出，坤爲牛，艮爲欄，艮止故不出。本卦兑爲羔羊，爲食，故曰饗。艮爲家室，爲安。○木連，從宋本。汲古及常本皆訛未通，將卦象妙用全失。

【補校】饗，從宋本、汲古。元本作享。音義通。

震

卷領遯世，仁德不舍。三聖攸同，周國茂興。

艮爲領，坎伏，故曰卷領，曰遯世。震爲仁德，艮止，故不舍。舍，發也。坎爲聖，震數三，故曰三聖。艮爲國，震爲周，爲興，故曰周國茂興。○領，依宋、元本。汲古作舌。國，依元本。宋、汲古作家。

艮

黍稷苗稻，垂秀方造。中旱不雨，傷風枯槁。

互震爲禾苗，爲秀，爲造。造，作也。坎爲中，爲雨；艮火，故旱，故不雨。伏巽爲風，離爲枯槁。○苗稻，從宋本。汲古作禾稼，韻不協，非。

【補校】苗稻，從宋、元本。

漸

冠帶南遊，與福喜逢。期於嘉貞，拜爲公卿。

艮冠，巽帶，離南。伏震爲福喜，爲嘉。貞者，卜問。周禮天府，季冬，陳玉以貞來歲之美惡是也。艮手爲拜，艮爲官，故爲公卿。○貞，汲古作徵。依宋本。

【補校】逢,汲古作期。期作邀。均依宋、元本。

歸妹

一巢九子,同公共母。柔順利貞,出入不殆,福祿所在。

離爲巢,坎數一,故曰一巢。震爲子,數九,故曰九子。震爲公,伏巽爲母,故曰同公共母。震出巽入,震爲勇,往故不殆。震又爲福祿也。

豐

韓氏長女,嫁於東海。宜家宜主,柔順以居,利得過倍。

說文,韓,幹也。故震爲韓,爲長。兌爲女,故曰長女。震爲嫁,爲東,兌爲海。震爲主,伏艮爲家。巽爲順,爲利;二四正反巽,故曰倍。○三四兩句從宋、元本。汲古作多貌美好,宜家福壽。過,汲古作十。亦依宋、元本。

【補校】宜主,宋、元、汲古各本皆作富主。此作宜主,義較佳。馬生新欽云,疑依大畜林宜人宜家及咸之革宜家宜人校。

旅

因禍受福,喜盈我室,所願必得。

通節。坎爲禍,震爲福喜,艮爲室。○汲古多先人後己四字,在第三句。此從宋本。

【補校】此從宋、元本。

巽

晉平有疾,迎醫秦國。病乃大秘,分爲兩豎。逃匿肓上,伏於膏下,和不能愈。

通震爲晉,坎平坎疾,故曰晉平有疾。醫、醷同字,酒也。坎爲酒,故借用以與象合。坎西,故曰秦。艮爲國也。坎爲病,爲隱伏,

故曰病乃大秘。互艮爲僮僕,故曰豎;正反艮,故曰兩豎。坎爲心,
爲膏肓。成十年杜注,肓,鬲也。心下曰膏。坎又爲逃匿,爲和;坎
疾,故不愈。左傳成十年,晉景公疾,求醫于秦,秦使醫緩爲之。未
至,公夢疾爲二豎子,曰,彼良醫也,懼傷我,焉逃之? 其一曰,居肓
之上,膏之下,若我何? 醫至,曰,疾不可爲也,在肓之上,膏之下,
攻之不可,達之不及。○逃匿肓上,伏於膏下,宋、元本作逃匿膏
肓。雖簡捷,似不如汲古文勢足且韻協,故從汲古。

　　【補校】秘,從汲古。宋、元本作患。

兑

牡飛門啓,患憂大解。修福行善,不爲身禍。

　　牡,門牡也。兑牡在艮,艮伏不見,故曰飛。艮爲門,震爲啓,
故曰牡飛門啓。艮中爻坎爲憂患,震爲解,爲福。艮爲身,坎爲禍,
震樂,故不爲身禍。漢書五行志,成帝元延元年,長安章城門門牡
自亡。或謂此事,爲焦氏所不及見。豈知京房死于元帝時,真不及
見此事者,而房有厥妖門牡自亡之占。可見此事,古已有之,不始
於成帝時。○牡,依汲古。宋、元本皆作杜,非。

涣

追亡逐北,至山而得。稚叔相呼,反其室廬。

　　互震爲追逐,艮止,故至山而得。艮爲叔[一],中爻正反震,故
曰相呼。震爲反,艮爲室廬。○山,汲古作止,非。又汲古二三句
倒置,亦非。依局本[二]。

　　【補校】二三句,依宋、元本、局本。唯各本山作止,依未濟之

〔一〕"艮止"至"艮爲叔",稿本作"艮爲止爲得,艮爲稚爲叔"。
〔二〕"依局本",刻本作"依宋、元本"。據稿本改。按,稿本此頁夾一小字條,云
　　"涣注改"。

大過校。

節

鳥鳴葭端,一呼三顛。動搖東西,危慄不安,疾病無患。

　　震爲葦,爲葭,爲鳴,艮鳥在上,故曰葭端。坎數一,震數三,震爲呼,爲顛,爲動搖。震東,兌西。坎爲慄,爲疾病,爲患;震樂,故無。〇葭,宋、元作㕜,汲古作既。依局本〔一〕。

　　【補校】葭,宋本、汲古作既。元本作㕜。

中孚

龍化爲虎,泰山之陽。衆多從者,莫敢救藏。

　　震爲龍,艮爲虎,震反爲艮,故龍化爲虎。艮山,震東,故曰泰山。艮納丙,丙南,故曰山陽〔二〕。震爲從,正覆震,故曰衆。坎爲藏,坎伏,故莫藏。〇救,從元本。撫也,愛也。宋本、汲古作救,義淺。

小過

猋風阻越,車馳揭揭。棄古追思,失其和節,憂心惙惙。

　　巽風,艮火炎上,故曰猋風。爾雅,扶搖謂之猋。注,暴風從下上。又月令,猋風暴雨總至。注,回風爲猋。中爻正反巽,故曰猋風。越,散也,墜也。阻越,猶踰越也。易林用一字能含數象〔三〕,此等雖易亦少也。震爲越,爲車,爲馳。揭揭,馳貌。震爲追,坎爲思。坎爲和,爲失,爲憂,爲心。詩檜風,匪風發兮,匪車偈兮。顧瞻周道,中心怛兮。思周道也。棄古追思者,言古周道滅絶,今追

〔一〕“葭,宋、元作㕜”至“依局本”,刻本無,據稿本補。按稿本此頁夾一小字條,云“節注增”,即謂宜增此校語。唯所增校語似有小疏,詳“補校”。
〔二〕“山”,刻本誤“爲”,據稿本改。
〔三〕“數”下,刻本多“卦”字,據稿本删。

思之。正詩意也。或作棄名，則違詩意矣。○猋，從宋、元本。汲古作焱。猋，音標。焱，音豔，説文，火華也。阻越，各本皆訛忽起。古訛名。均依涣之乾宋本校。

【補校】猋，從元本。宋本、汲古作焱。思，宋、元、汲古諸本皆作亡。依翟本及涣之乾宋本校。惙惙，元本作怵怵。依宋本、汲古。

既濟

遊居石門，禄安身全。受福西鄰，歸飲玉泉。

此用需象。乾爲石，爲門，爲行，故曰遊居石門。乾爲福，爲禄，爲玉，坎爲西鄰。兑口，故曰飲。石門，地名。論語，子路宿於石門。

未濟

登高上山，見王自言。申理我讒，得職蒙恩。

震爲登，艮爲高，爲山。震爲王，爲言，爲申。坎離皆上下兑口相背，故曰讒。艮爲官，故曰得職。多用半象，易林於既、未濟通例也。

【補校】讒，汲古作寃。依宋、元本。

訟之第六

訟

文巧俗弊，將反大質。僵死如麻，流血漂櫓。皆知其母，不識其父，干戈乃止。

　　　通明夷。坤爲文，坎爲俗，巽爲敝。震爲反，爲白，故曰大質。坤爲死，震爲麻，坎爲血，爲櫓。坤水坎水，故流血漂櫓。僞古文尚書武成篇，血流漂杵。孟子同。杵，焦作櫓。坤爲母，乾爲父。明滅，故不知。離爲干戈。○櫓，從宋、元本。汲古及常本皆作杵。俗，汲古訛信。依宋、元本。

　　　【補校】漂，宋、元本作濡。依汲古。

乾

文王四乳，仁愛篤厚。子畜十男〔一〕，夭折無有。

　　　此用遇卦訟象。乾王，離文，故曰文王。艮爲乳，初二與三四皆形艮，故曰四乳。又巽數四也。乾爲仁愛，伏坤爲厚。震爲子、男，坤數十，故曰十男。坤爲死，故曰夭。坎爲折，震生，故夭折無有。又全用訟伏。

坤

日入望車，不見子家。長女無夫，左手搔頭。

　　　此亦用遇卦訟象。離伏，在下，故曰日入。易所謂後入于地

〔一〕"畜"，稿本、刻本作"蓄"，據宋、元、汲古及所見其他各本改。

也。離爲望，伏震爲車，爲子，坎爲室家。訟巽爲長女，坎爲夫，坎隱，故無。伏震爲左，反艮爲手，爲搔，坎爲頭。亦用訟伏。○車，依汲古。宋、元本作東。

屯

東上泰山，見堯自言。申理我冤，以解憂患。

> 艮山，震東，故曰泰山。震爲帝，爲言，故曰見堯自言。坎爲冤，爲憂患；震，解。

蒙

奎軫湯湯，過角宿房。宣時布和，無所不通。

> 艮爲星，先天居西北；對兌，兌居東南，故曰奎軫。奎西北宿，軫東南宿；而坤坎皆爲水，故曰湯湯。角、房皆東方宿，震爲東，故曰過角宿房。艮爲時，坎爲和，爲通。震爲軫，艮爲角、房，尤切。○湯湯，依汲古。宋、元本作温湯。按天官書，奎爲溝瀆，凡江河之事皆占之。又星經，天江近尾軫，南方宿。故曰湯湯。

需

引髵牽頭，雖懼無憂。王母善禱，禍不成災。

> 通晉。艮爲引，爲牽，爲髵，爲頭。坎爲憂懼，坤安故無憂。坤母，乾王，故曰王母。坎上下皆兌口，故曰善禱。坎爲禍災，坤安故不災。○髵，依汲古。宋、元本作船。頭，依宋、元本。汲古作須。懼，依汲古。宋、元作拘。

師

鳧得水没，喜笑自啄。毛羽悦懌，利以攻玉。公出不復，伯氏客宿。

震爲鼉,坤水、坎水,故曰沒水。震爲喜笑,爲口,爲啄;坤爲自,故曰自啄。震爲毛羽,爲悅懌,爲玉。伏巽爲利,坎爲破,爲攻,故曰利以攻玉。震爲公,爲出,爲復;坤死,故不復。震爲伯,爲客,坎爲夜,爲宿。○懌,從元本。宋本、汲古作澤,非。伯,依宋本。汲古訛柏。丁晏釋文不知其爲訛字,以爲柏氏即柏人。劉毓崧又以爲柏谷。皆不知震爲伯、爲客故也。

比

水流趨下,欲至東海。求我所有,買魴與鯉。

坎坤皆水,故曰趨下。坤爲海,納乙,故曰東海。艮爲求,坤爲我;爲魚,故曰魴鯉。○元本多足關路止四字。依汲古。

小畜

獐鹿逐兔,安飽其居。反還次舍,無有疾故。

通豫。艮爲獐鹿;震爲逐,爲兔,在前,故曰獐鹿逐兔。艮爲居,爲安,坎爲飽。艮爲次舍,震爲反,故反次舍。坎爲疾,震樂,故無疾。坤爲死,爲故。○有,汲古作乃,非。依宋、元本。

履

樹植藿豆,不得芸鋤。王事靡鹽,秋無人收。

通謙。震爲藿豆,艮手爲樹植,爲芸鋤;坎陷,故不得。震爲王,坤爲事。震爲行,故曰靡鹽。靡鹽,無定也,見詩唐風注。震爲人,震伏,故無。兌爲秋。○人,依汲古。宋、元本作所。又靡,元本作無,非。

【補校】藿,汲古訛壹。依宋、元本。

泰

弱水之西,有西王母。生不知老,與天相保。

坤水，坤柔，故曰弱水。互兌爲西，乾王坤母，故曰王母。震爲生，乾爲老，震樂故不知老。乾爲天，震爲健，故曰與天相保。○汲古多行者危殆，利居善喜二句，與上不協。依宋、元本。元本注云，柳宗元曰，西海之山有王母，神仙所居。其下有水，散渙無力，不能負芥。

否

數窮廓落，困於歷室。幸登玉堂，與堯侑食[一]。

乾爲陽九，居數之極，故曰數窮。乾爲遠，故廓落。艮爲室，爲時，故曰歷室。艮止爲困，乾爲玉；艮爲堂，乾行，故登玉堂。乾爲帝，故曰堯。伏兌爲食。○幸，依汲古。宋、元作卒。

同人

子鉏執麟，春秋作經。元聖將終，尼父悲心。

通師。震爲鉏，爲子，坤文爲麟，坎爲獲，故曰子鉏執麟。震爲春，坤爲秋，坤爲文，故曰春秋作經。乾爲聖，爲元，坤死故曰終。乾爲父[二]，爲山，故曰尼父。坎爲心，爲悲。按左傳哀十四年，叔孫氏之車子鉏商獲麟。公羊、穀梁皆以孔子感獲麟而作春秋。後漢班固傳注引演孔圖云，孔子母徵在夢感黑龍而生孔子，故曰元聖。公羊，孔子見麟，反袂拭面，涕沾袍。言孔子知將死而悲也。○經，依汲古。宋、元本作春秋作元，陰聖將終。殊費解。又按，車子鉏商，杜注以車子連文。疏引家語、服虔語，以證其誤。今按易林，以子鉏連文，益足證杜注之非。惟王肅、服虔，皆以子爲姓，鉏商爲名。今易林以子鉏連文，似以子鉏爲姓，商乃其名。服氏、王氏仍誤也。又，元字，據演孔圖疑爲玄。今漢書爲避清諱改。

〔一〕“侑”，稿本、刻本作“佑”，據宋、元、汲古及所見其他各本改。
〔二〕“父”，刻本誤“聖”，據稿本改。

乃查元刊易林,亦作元。是原作元,故從而不改。又按,此文下屢
見,皆依汲古此林校正,音義皆協。

大有

尹氏伯奇,父子生離。無罪被辜,長舌所爲。

　　周尹吉甫,子伯奇,爲後母所讒,被逐,故曰父子生離。林用其
事。此用遇卦訟象。訟通明夷,互震爲尹,爲伯,爲子。訟天水違
行,故曰父子生離。訟上乾爲善,故曰無罪。坎爲刑,故曰被辜。
兌爲舌,明夷互震,似兌形而長,故曰長舌。

謙

播木折枝,與母別離。九皋難和,絕不相知。

　　坎爲播,爲折,震爲木,爲枝,坤爲母。播,種也。言折枝種於
他處,故此枝與母木分離。震納庚,數九,艮爲皋,故曰九皋。詩,
鶴鳴于九皋。震爲鶴,在山上,高遠故難和。○播木,宋、元本作蟠
枚。和,作扣。均依汲古。後此詞屢見,皆依汲古此林校。

　　【補校】播木,元本作蟠枚。依宋本、汲古。

豫

眵雞無距,與鵲格鬭。翅折目盲,爲鳩所傷。

　　旁通小畜。上巽爲雞,半離,故眵目。説文,眵,目傷眥也。
震爲足,巽下斷,故無距。離爲鵲,爲鳩,兩兌口相對,故格鬭。
震爲羽,坎折,故翅折。震形目無上眥,故目盲。兌決,故爲鳩所
傷。○汲古多復歸野廬,與母相扶二句,與上義不屬。兹從宋、
元本。

　　【補校】眵,宋、元本作弜。依汲古。

隨

甲乙丙丁,俱歸我庭。三丑六子,入門見母。

震東方,故曰甲乙。艮納丙,兌納丁。艮爲庭,震爲歸,故曰甲乙丙丁,俱歸我庭。巽貞丑,震數三,故曰三丑。卦六子俱備,故曰六子。艮爲門,巽爲入,爲母,兌見,故曰入門見母。○以巽爲母,可釋蠱母象。

蠱

桑葉蟓蠹,衣敝如絡。女工不成,絲布爲玉。

巽爲桑,爲蟓蠹,爲絡。震爲衣,巽爲敝。言桑壞蠹飢,無所得絲,故衣敝如絡。巽爲女,爲工,巽下斷,故不成。巽爲絲布,震爲玉,言絲布貴如玉也。

【補校】工,依宋本、汲古。元本作功。音義同。

臨

開牢闢門,巡狩釋冤。夏臺羑里,湯文悦喜。

伏艮爲牢門,震爲開,爲巡狩,爲釋。艮爲臺,爲里,乾大,故曰夏臺。夏,大也。艮爲道,故曰羑里。羑,道也。震爲帝王,故曰湯文。震爲樂,故悦喜。

【補校】湯,汲古作商。依宋、元本。

觀

欽明之德,坐前玉食。必保嘉美,長受安福。

艮爲光明,爲坐,伏震爲玉。兌爲食,震爲佳美,坤爲安。○美,汲古作善。

噬嗑

武夫司空,多口爭訟。金火當户,民不安處,年飢無有。

震爲武夫,艮爲官,故曰司;離虛,故曰司空。震爲口,正反震,故曰多口,故曰爭訟。艮爲户,爲金,離火,故曰金火當户。金火,謂金星、火星也。史記天官書，月、五星順入，軌道。其逆入，若不軌道，以所犯命之；中坐，成形，皆羣下從謀也。金、火尤甚。故後漢書天文志，孝和帝永元七年二月癸酉，金、火俱在參。戊寅，金、火俱在東井。特書其異。唐楊炯渾天賦，金火犯之而甚憂。茲曰當戶，是金、火並見也。首二句似用左傳宋華元使民築城，民謳歌嘲笑華元故事。坎爲民，坎險不安。震爲年，離虛，故飢。○按，此震爲武人之證。易武人象，舊說皆誤。

賁

紫闕九重，尊嚴在中。黃帝堯舜，履行至公。冠帶垂裳，天下康寧。

艮爲闕，坎赤，故曰紫闕。震數九，上震覆，故曰九重。艮貴，故尊嚴。震爲帝，爲黃，故曰黃帝堯舜。震爲履，爲行。艮爲冠，伏巽爲帶。震爲裳，艮爲反震，故垂裳。震又爲康寧也。○裳，從元本。宋本、汲古作衣。闕，宋、元作閣。

【補校】闕，依汲古。

剝

負牛上山，力劣行難。烈風雨雪，遮遏我前，中道復還。

艮爲背，爲負，爲山；坤牛，故曰負牛上山。震爲行，震覆，故行難。坤柔，故力劣。坤爲風，爲冰霜，故曰烈風雨雪。艮止爲遮遏，坤爲我。艮爲道，反震爲還，爲復。○依旅之睽校。宋、元本多憂者自歡四字〔一〕，與上意不屬。

【補校】第二句，汲古作力行少難。依宋、元本。又，宋、元本多憂者自歡四字。汲古作憂者日歡。

〔一〕“者自”，稿本、刻本誤“苦日”，據宋、元本改。

復

蹇兔缺唇,行難齒寒。口病不言,爲身生患。

震爲兔,伏巽下斷,故曰蹇,曰缺唇。震爲行,坤閉,故難行。震爲齒,坤爲冰霜,故寒。震爲口,爲言;坤害,故口[一]病。坤閉,故不言。坤爲身,爲患;震爲生,故生患。○病,依元本。宋本、汲古作痛。

无妄

合體比翼,嘉耦相得。與君同好,使我有福。

艮爲體,正反艮相對,故曰合體。震爲翼,正反震相連,故曰比翼,故曰嘉耦。乾君,震君,故同好。乾爲福,故曰有福。○嘉,從宋、元本。汲古作喜,非。

大畜

口啄卒卒,憂從中出。喪我寶貝,无妄失位。

兌爲口,爲啄,震爲卒卒。漢書司馬遷傳,卒卒無須臾之間。注,卒卒,促遽也。乾爲惕,爲憂;震爲出,爲寶,艮爲貝。兌毀,故喪。无妄覆,故曰失位。○首句從宋本。汲古作憒憒不脱。无妄,汲古作亡妄。宋、元本作妻妾。依下升林校。

頤

兩心不同,或從西東。明論終日,莫適我從。

震起艮止,故兩心不同。震東,伏兌爲西,艮明,震論,艮終,伏乾爲日,故明論終日。坤爲我,震爲從,下動上止,故莫適所從。○以艮爲光明,凡易光明象得解。○我從,依汲古。宋、元

〔一〕"口",刻本作"曰",據稿本改。

本作相從。

【補校】終,元本作中。依宋本、汲古。

大過

啞啞笑言,與喜飲食。長樂行觴,千秋起舞,拜受大福。

兌爲笑言,爲飲食。伏震爲喜,爲樂,爲觴,爲起舞。兌爲正秋,乾爲千,故曰千秋。伏艮爲拜,乾爲大福。○喜,從汲古。宋、元本作善。

坎

初憂後喜,與福爲市。八佾列陳,飲御嘉友。

坎爲憂,震爲喜,爲福。艮後天數八,震爲佾。佾,樂舞八佾,橫縱皆八。正反艮震,故用以爲象。易林用象,其精妙不可思議如此。伏巽爲市。震爲列陳,爲飲御。艮爲友。○嘉,依元本,宋本、汲古作諸。

離

西徙無家,破其新車。王孫失利,不如止居。

中爻兌爲西,艮爲家,艮伏故無家。離爲新,伏震爲車,兌折故破。伏震爲王,艮爲孫,巽爲利,兌折故失利。艮止,艮居。○車,從宋、元本。汲古作事,非。

咸

鳳凰在左,麒麟處右。仁聖相遇,伊呂集聚[一]。時無殃咎,福爲我母。

通損。坤爲鳳凰,爲麒麟。震左兌右,乾爲仁聖。正反震兌口,故曰伊呂。伊,吾語聲;呂,雙口,皆取象震兌。坤爲積聚,爲殃

[一] "集",稿本、刻本作"積",據宋、元、汲古及所見其他各本改。惟注文"坤爲積聚"仍之。竊思"集聚"、"積聚"義近,於坤象亦可通歟?

咎,艮爲時。乾福,坤母。

恒

區脱康居,慕仁入朝。**湛露之歡,三爵畢恩。復歸舊廬,與母相扶。**

對象益中空,故曰區脱。兑西,故曰康居。震爲仁,爲朝,巽爲入,故曰慕仁入朝。互大坎爲湛露。湛露,小雅詩篇名,勞使臣也。震爲歡,爲爵,數三,故曰三爵。震爲歸,艮爲廬。坤爲母,正反艮手,故曰相扶。故實詳屯之鼎〔一〕。○宋、元本及汲古等本無末句,文勢不足。依屯之鼎補。不惟文足,與卦象尤覺神妙有味,且音協矣。

遯

疾貧望幸,賈販市井。開牢擇羊,多得大牂。

獨斷云,天子所臨曰幸,言或得賞賜而喜幸也。伏坤爲貧,艮爲望;乾爲福,爲君,故曰幸。巽爲賈販,爲市井。艮爲牢,伏震爲開,兑爲羊,爲牂。牂,説文,牡羊也。乾爲大,故曰大牂。○汲古望幸下,多使伯行販四字。宋、元本無賈販市井四字。而元本下注云,一云疾貧望幸,賈販市井。幸、井爲韻,較幸、販協矣,故從之。多得大牂,汲古訛喜得天祥。

大壯

處高不傷,雖危不亡。握珠懷玉,還歸其鄉。

伏巽爲高,震樂,故不傷,不危亡。伏坤爲亡也。震爲珠,乾爲玉,伏艮爲握〔二〕。震爲歸,坤爲鄉。

〔一〕“屯”,稿本、刻本誤“蒙”,據諸本林辭改。下“屯”字同。
〔二〕“艮”下,刻本衍一“艮”字,據稿本删。

晉

右手棄酒，左手收柈。行逢禮御，餌得玉杯。

　　艮爲手，伏兌爲右，坎爲酒。離爲左。柈，食器也。震爲柈，二四震反，故曰收柈。坤爲禮，艮爲玉，爲杯。○收柈，從汲古。宋、元本作牧牂，似非。得，汲古作德。依宋、元本。

明夷

養虎牧狼，還自賊傷。大勇小捷，雖危不亡。

　　坤爲虎狼，爲牧養。坤喪，故賊傷。坎爲賊也。震爲勇捷，乾大坤小。坎險，故危。震樂坤安，故不亡。

家人

戴堯扶禹，松喬彭祖。西過王母〔一〕，道路夷易，無敢難者。

　　通解。震爲帝，故曰堯、禹。下兩半艮，艮爲戴，爲扶；爲堅木，爲壽，故爲松喬彭祖。坎爲西，震爲王，巽爲母，故曰王母。赤松子、王子喬，皆仙人。彭祖，舊說姓籛名鏗〔二〕，壽八百歲。穆天子傳，穆王西巡，宴王母於瑤池之上。艮爲道路，坎爲平，故曰夷易。夷者，平也。艮皆用半象。○巽母可解易。○松，宋、元本作從。依汲古。過，汲古作遇。依宋、元本〔三〕。

　　【補校】松，元本、汲古作從。依宋本。過，宋本、汲古作遇。依元本。

───────────────

〔一〕 “過”，稿本、刻本作“遇”，據元本改。按，下文校語云當作“過”，故林辭亦宜從校。

〔二〕 “舊說姓籛名鏗”，原作“名籛”。據葛洪《神仙傳》改。

〔三〕 “松，宋、元本作從”至“依宋、元本”，刻本無。據稿本補。按此節文字當屬後補，頁中夾一小字條云：“家人校增，記添。”

睽

秋冬探巢，不得鵲雛。銜指北去，愧我少姬。

> 兌爲秋，坎爲冬，爲巢。半艮爲手，故曰探巢。離爲鵲，兌爲雛；坎失，故不得。兌口爲銜，艮爲指；坎北，故曰北去。坎爲愧，兌爲少姬。○愧，依宋本。汲古作慚。元本訛塊。

蹇

兩羝三羘，俱之我鄉。留連多難，損其食糧。

> 伏兌爲羊，故曰羝，曰羘。羝、羘，皆牝羊也。兌卦數二，艮數三，故曰兩羝三羘。艮爲鄉。坎陷，艮止，故流連。坎爲難。震爲食，爲糧；震覆，故曰損。○羘，從宋、元本。汲古作羊。我，宋、元本作代。依汲古。

解

南徙無廬，鳥破其巢。伐木思初，不利動搖。

> 震爲行，爲南，艮爲廬；艮覆，故曰南徙無廬。離爲鳥，坎爲巢；坎破，故鳥破其巢。震爲木，爲伐；坎爲思，故曰伐木思初。詩，伐木丁丁，鳥鳴嚶嚶。言鳥尚知求友也。震爲動搖，坎險，故不利。○鳥，從宋本。元本、汲古作烏。以伐木詩證之，作鳥是。初，依宋、元。汲古作切。
>
> 【補校】鳥，從宋本、汲古。元本作烏。

損

爭訟不已，更相牽擊。張季弱口，被髮北走。

> 二至上正反震，故爭訟。正反艮，故相擊。震爲張，艮爲季；坤柔兌口，故曰弱口。震爲髮；坤位北，故北走。○坤北之證。○擊，

從汲古。與上協。宋、元本作擊劍,非。顧千里謂[一],劍當作詢,
與下走協。豈知擊與已協,走與口協。汲古可從。

益

延頸望酒,不入我口。初喜後否,利得無有。

艮爲頸,爲望,兌爲酒;又爲口。坤我,口象覆,故不入我口。
震爲喜,爲後;坤喪,故初喜後否。巽爲利,坤亡,故利得無有。○
利得,依汲古。宋、元本皆作得利。

夬

被髮傾走,寇逐我後。亡失刀兵,身全不傷。

通剝。震爲髮;震反,故被髮。被者,下垂也。震爲走;震反,
故傾走。艮陽在上,爲刀兵;坤爲亡失,故曰亡失刀兵。坤爲
身。○艮爲刀證。○兵、傷韻。

姤

麟鳳所遊,安樂無憂。君子撫民,世代千秋。

通復。坤爲文,爲麟鳳。震爲遊,爲樂。坤爲憂,震樂,故安樂
無憂。乾爲君子;坤爲民,爲世,爲千秋。

【補校】三四句,汲古無。從宋、元本。

萃

褰衣涉河,水深漬罷。賴幸舟子,濟脫無他。

坤爲衣裳,艮手爲褰。坤爲水,故曰涉河。上兌,互大坎,下
坤,皆爲水,故曰水深。坎勞,故疲。伏震爲舟,爲子,爲濟。○漬,
依宋本。汲古作請,非。罷,同疲。唐韻正,疲音皮,皮音婆。凡經

[一]“里”下,刻本多“本”字,據稿本刪。

傅罷倦之罷，罷休之罷，皆音婆。愚按詩召南，羔羊之皮，素絲五
紽。即協婆。此罷字與他協，與詩正同。又按，左傳宣二年，牛則
有皮，犀兕尚多。協與此同。

【補校】瀆，依宋、元本。

升

憒憒不悦，憂從中出。喪我金罍，无妄失位。

坤迷，故曰憒憒。坤憂，故不悦。坤在外，故曰出。坤爲喪，爲
我；伏艮爲金，震爲罍，故曰喪我金罍〔一〕。伏无妄，故失位。○
悦，從宋、元本。汲古訛脱。喪，從宋本。元本作答。此與前大畜
辭同。而大畜首句，宋、元本作口啄卒卒，於象較切，姑兩存之。

困

絆跳不遠，心與言反。尼父望家，苕菡未華。

巽爲繩，伏震爲跳，故曰絆跳。震反，故不遠。坎爲心，三上正
覆兑相背，故曰心與言反。易所謂有言不信者以此。伏震爲父，艮
爲山，故曰尼父。互離爲望，艮爲家，故曰望家。兑爲華，爲苕菡；
巽落，故不華。○易有言不信得解。

【補校】絆，汲古作解。望家作妄行。均依宋、元本。

井

大牡肥牸，惠我諸舅。内外和穆，不憂飢渴。

通噬嗑。離爲牛，爲牡，爲牸。震爲父，爲舅；正反震，故曰諸
舅。坎爲和，内互大坎、外坎，故曰内外和穆。離爲飢渴，坎爲憂；震
樂，故不憂。詩伐木篇，既有肥牡，以速諸舅。林所本也〔二〕。○

〔一〕"曰"下，刻本脱"喪我"二字，據稿本補。
〔二〕"本"下，刻本脱"也"字，據稿本補。

牡,各本皆作壯。惟元本舊注云,壯,當作牡。按伐木詩,既有肥
牡。元本注是也,故從之。牸,音字,牝牛也;其見於史漢者,亦作
牝馬。宋本訛爲牿。

革

黄帝建元,文德在身。禄若陽春,封爲魯君。

通蒙。震爲黄,爲帝。爲建元者,首也,言黄帝始作甲子也。
乾爲首。坤爲文,爲身,爲禄。震爲陽春,爲君。兌爲魯,故曰
魯君。

【補校】身,汲古作手。依宋、元本。

鼎

虎聚磨牙,以待豚豬。往必傷亡,宜利止居。

通屯。正反艮,艮虎,故曰虎聚。艮爲磨,兌爲牙;正反兌,故
磨牙。坎爲豚豬,艮止,故曰待。震爲行,坎災在上,故往必傷。艮
爲居止。○利,從宋、元本。汲古作待,非。按本卦巽亦爲豬,乾亦
爲虎;但不如用旁通,字字有著。

震

天地配享,六位光明。陰陽順序,以成和平。

震爲口,爲食;上下震,故曰天地配享。艮爲位,爲光明。坎數
六,故曰六位光明。陽遇陰則通,故曰順序。坎爲和平。○六,依
蒙之小畜校。各本皆作立,非。○艮爲光明,可釋易。

【補校】六,依宋、元本。汲古作立。又,末句,汲古作以成厥
功,天下和平。兹從宋、元本。

艮

猿墜高木,不踒手足。保我金玉,還歸其室。

艮爲猿,在震上,故曰猿墜高木。艮爲手,震爲足。坎爲折,爲
蹉;震行,故不蹉。艮爲金,爲保。震爲玉,爲反,艮爲室。○墜,汲
古作墮。○艮金,可釋易。

【補校】墜,依宋、元本。

漸

營室紫宮,堅不可攻。明神建德,君受大福。

艮爲宮室,爲星。營室,宿名,居亥方,艮象也。天文志,紫宮
爲皇極之居,即北辰也。坎赤,故曰紫。艮爲堅,爲明。伏震爲神,
爲建,爲君,爲福。○建,從宋本。汲古訛達。

歸妹

孤翁寡婦,獨宿悲苦。目張耳鳴,無與笑語。

震爲翁,坎爲孤。伏巽爲震婦,巽寡,故曰寡婦。坎爲獨,爲
宿,爲愁苦。互離爲目,震爲張,爲鳴;坎耳,故曰目張耳鳴。震爲
笑語,坎孤,故無與笑語。

豐

低頭竊視,有所畏避。行者不利,酒酸魚敗,衆莫貪嗜。

艮爲頭,爲視。艮覆,故曰低頭,曰竊視。巽爲伏,故曰畏避。
震爲行,巽顚趾,故不利。巽爲魚,爲臭,故曰魚敗。兌爲酒,從木
作酸,故酒酸。○利,依宋、元本。汲古作至。竊,宋、元本皆作窺。
依汲古。

旅

載金販狗,利棄我走。藏匿淵底,悔折爲咎。

通節。震爲車,爲載,爲商販。艮爲金,又爲狗,故曰載金販
狗。震爲走,巽爲利;坎失,故曰利棄我走。坤爲淵,坎爲隱,坎入

坤中,故曰藏匿淵底。兑爲折。〇以艮爲金,易金象得解。

巽

行觸大忌,與司命牾。執囚束繫,拘制於吏。

伏震爲行,爲觸。初至四大過死,故曰大忌。巽爲命,初四正反兩巽相背,故與司命牾[一]。晉書天文志,文昌六星,在北斗魁前。五曰司命。主壽。禮記五祀之一。伏艮爲拘繫,爲官,故曰拘制於吏。〇忌、牾,從宋、元本。汲古作諱、作忤,亦通。然忌與下韻尤合。汲古下多憂人有喜四字。宋、元本無。此句與上義不合,故從宋、元本。又繫字,依汲古。與吏協。宋、元作縛,非。拘,依宋、元。汲古作鉗。

兑

執玉歡喜,佩之解攣。危詳反安,使我無患。

通艮。艮爲執,震爲玉,爲喜。中二句必有訛字,義未詳。〇反,汲古作及。依宋、元本。

【補校】反,宋本、汲古作及。依元本。

渙

機杼紛擾,女功不成。長女許嫁,衣無襦袴。聞禍不成,凶惡消去。

坎爲機杼。巽爲繩,爲女功。震爲動,艮爲成;二五正反震艮,故曰紛擾,曰不成。巽爲長女,震爲歸,爲嫁,爲言,故許嫁。震爲襦,巽爲袴;坎隱,故無襦袴。下二句疑贅。〇紛,依宋、元本。汲古作騰。功,依汲古。宋本作巧。女,依汲古。宋、元作妹。〇震襦,可解既濟六四。

〔一〕"命",刻本訛"令",據稿本改。

【補校】功，依宋本、汲古。元本作巧。

節

金人鐵距，火燒左右。雖懼不恐，獨得全處。

　　艮爲金鐵，震人，震距，故曰金人鐵距。艮爲火，震左兌右，故
火燒左右。坎爲憂恐，震樂艮安，故得全處。○距，依宋、元。汲古
訛鉅。

中孚

謝恩拜德，東歸吾國。舞蹈欣躍，歡樂受福。

　　艮爲拜，震爲謝，兌爲恩澤。震爲東，爲歸；艮爲吾，爲國。下
二句皆震象。○吾，從宋、元。汲古作吳，非。欣、歡，依宋、元。汲
古作歡、作愻。

小過

青牛白咽，呼我俱田。歷山之下，可以多耕。歲樂時節，民
人安寧。

　　艮爲牛，震東方，色青，故曰青牛。巽色白，兌爲咽，故曰白咽。
咽，音燕，與田韻。震爲呼，爲耕。艮爲山，兌爲下，故曰山下。震
爲歲時，爲樂，艮爲安寧。○寧，從宋本。汲古作業。

既濟

白雉羣雛，慕德朝貢。湛露之恩，使我得懽。

　　離爲雉，震爲白，爲雛；重離，故羣雛。坎爲慕，震爲朝。坎爲
露，爲恩，震爲懽。多用半象。○朝貢，依宋、元。汲古作貢朝，非。
懽，汲古訛懼。懽與恩韻。湛露，詩篇名。

未濟

避患東西，反入禍門。糟糠不足，憂思我心。

　　坎爲避，爲患，爲西；離爲東，故曰避患東西。艮爲門，坎爲禍。震爲糟糠；離飢，故不足。坎爲憂思，爲心。艮、震皆用半象。

　　【補校】思，從汲古。宋、元本作愁。

師之第七

師

鳥鳴呼子，哺以酒脯。高樓之處，子來歸母。嗇人成功，年歲大有，姤婦無子。

　　　震爲鳥，爲鳴，爲子，爲哺。坎爲酒，爲脯；爲室，坤爲重，故曰高樓。坤母震子，震歸，故曰子來歸母。震爲人，坤爲嗇嗇，故曰嗇人。嗇人，鄉官也。震爲功，坤爲年歲，爲積聚，故大有。坎爲姤，伏巽爲婦；坤喪，故無子。○鳥，宋、元本作烏。嗇，宋、元本作穡。

　　　【補校】鳥、嗇，均依汲古。

乾

一簧兩舌，佞言諂語[一]。三姦成虎，曾母投杼。

　　　此全用師象。震爲音，故曰簧。坎數一，故曰一簧。震爲舌，坤數二，故曰兩舌。震數三，坤爲姦，乾爲虎，故曰三姦成虎。坤爲母，爲重，曾與層同，故曰曾母。坎爲杼，事詳坤之夬注。佞言諂語，言坎上下皆兌口。凡易云有言者，象皆如此。○虎，從汲古。宋、元皆作市。

坤

春桃生花，季女宜家。受福且多，在師中吉，男爲邦君。

　　　此用遇卦師象。震爲春，爲桃，爲花，爲生。坎爲室家，伏巽爲季女。詩召南，桃之夭夭，灼灼其華。之子于歸，宜其室家。坤爲邦；震爲長男，爲君，故曰男，爲邦君。○邦，宋、元本作封。依汲

〔一〕"諂"，刻本訛"謟"，據稿本改。注文倣此。

古。陳樸園引無在師中吉四字，並謂似是武王娶邑姜事，故曰邦君。與毛異。

屯

殊類異路，心不相慕。牝牛牡豰，獨無室家。

　　艮、震皆為道路，相反，故曰殊類異路。心不相慕，坎為心也。坎為牡豰，坤為牝牛。艮為室家，坤寡坎孤，故無室家。

蒙

折若蔽日，不見稚叔。三足孤烏，遠其元夫。

　　楚辭，折若木以蔽日。若，木名也。坎為木，為折；離伏，故曰蔽日。艮為叔，為少；坎隱，故不見稚叔。震為足，數三；艮為鳥，為烏，故曰三足孤烏。震為夫，為長，故曰元夫。○若、日，從宋、元本。汲古作葉、作目，非。遠，汲古作達，亦非。

　　【補校】若、日，宋本、汲古均作葉、作目，非。元本作苦、作目，亦非。惟元本舊注云，一作折若蔽日。茲從校。遠，依宋、元本。

需

雀東求粒，誤入罔域。賴仁君子，脫服歸息。

　　通晉。離為雀，位東。艮為求，艮為反，震為粒，故曰雀東求粒。離為網罟。乾為仁，為君子。震為服，為歸。震反為艮，艮止，故曰脫服，曰歸息。詩，兩服上襄。注，兩服者，馬之上駕也。脫服，即弛駕也。○丁晏云，罔域，即網罟。服，宋本、汲古訛復，元本訛腹。皆不知服訓而妄改。○離東之證。

訟

王孫季子，相與孝友。明允篤誠，升擢薦舉，為國幹輔。

　　通明夷。震為王，為子；反艮為孫，為季。坤順，故孝友。離

明，坎信，故曰明允篤誠。震爲升擢、薦舉。坤爲國，震爲輔。○
幹，依宋、元本。汲古作藩。薦，宋、元本作家[一]。依汲古。

【補校】王，汲古訛五。依宋、元本。薦，元本作家。依宋本、
汲古。

比

刖樹無枝，與子分離。飢寒莫食，獨泣哀悲。

艮爲刀，爲手，爲木，故曰刖樹。坎爲孤，故曰無枝。坎爲寒，
坤爲飢。兌口爲食，兌伏，故莫食。坎爲獨，爲泣，爲悲哀。第二句
象未詳。○刖樹，從宋本。汲古作削木。泣，汲古作立。依宋、
元本。

【補校】刖樹，從宋、元本。

小畜

舜升大禹，石夷之野。徵詣玉闕，拜治水土。

通豫。震爲帝，爲升，故曰舜升大禹。艮爲石，坤爲夷，爲野，
故曰石夷之野。洛書靈准聽[二]，禹出石夷是也。震爲徵，爲詣，
爲玉。艮爲闕，爲拜。坎爲水，爲土。○玉，依宋、元本。汲古作
王，亦合。○坎爲土證。又按，史記夏本紀注，楊雄蜀王本紀云，禹
生於石紐。括地志，茂州汶川縣石紐山。華陽國志云，今夷人共營
其地，不敢居。石夷或指此。事詳乾之中孚[三]。

履

義不勝情，以欲自營。見利危躬，滅君令名。

〔一〕“元本”，稿本、刻本二字倒，茲依上下文意校。
〔二〕“准”，刻本訛“准”，據稿本改。
〔三〕“乾”，稿本、刻本誤“坤”，茲依乾之中孚尚注改。

通謙。坤爲義，坎爲情，爲欲。巽爲利，艮爲躬[一]；坎危，兌見，故曰見利危躬。震爲君，艮爲名，坎滅，故曰滅君令名。○躬，宋、元本皆作寵。依汲古。

【補校】躬，宋、元、汲古諸本皆作寵。依翟本及復之坤汲古本校。

泰

三人北行，六位光明。道逢淑女，與我驥子。

震爲人，數三，故曰三人北行。坤爲北。乾數六，伏艮爲位，爲光明，故曰六位光明。艮爲道，伏巽爲淑女，爲震婦，故曰與我驥子。震爲馬，爲子。○坤北之證。

否

羿張烏號，彀射天狼。柱國雄勇，鬭死滎陽。

坤爲惡，故曰羿。羿篡夏。論語，羿善射。烏號，弓名。伏震爲號，爲射，艮爲烏，故曰烏號，曰彀射。艮爲狼，上乾，故曰天狼。星名也。坤爲國，艮爲柱，故曰柱國。乾健，故曰雄勇。坤爲死，爲水，故戰死滎陽。滎，水名。按史記陳涉世家，陳王以房君蔡賜爲上柱國，後敗死，不著死地。死滎陽者，爲李歸。又吳叔雖死滎陽，爲部下所殺，非鬭死也。林辭或別有所據，抑蔡賜亦死滎陽歟？○又噬嗑之旅，井之大過，柱皆作趙。或趙國爲人名[二]？

同人

季姬踟躕，結衿待時。終日至暮，百兩不來。

離爲日，伏坎爲暮。乾爲百，坤爲大輿，數二，故曰百兩。巽

〔一〕"躬"，刻本訛"射"，據稿本改。
〔二〕"趙"，刻本無，據稿本補。

伏，故不來。季姬，指互巽。大過以巽爲女妻，易林本之，見巽即謂
爲少齊。季亦少也。陳樸園云，案左傳，齊桓公有長衛姬，少衛姬。
疑易林所云季姬，即少衛姬。又同人之隨，有望我城隅，終日至暮，
不見齊侯之語，陳氏並謂其説衛風静女之詩。

大有

鴻雁翩翩，始怨勞苦。災疫病民，鰥寡愁憂。

　　通比。艮爲鴻雁，爲飛，故曰翩翩。坎爲怨，爲勞苦，爲災病。
坤爲民，爲寡。艮爲鰥，坎爲寡。○怨，從宋本。汲古作若。鴻雁，
小雅篇名。林辭全本之詩。

　　【補校】怨，從宋、元本。勞苦，元本作苦勞。依宋本、汲古。

謙

穿胸狗邦，僵離旁春。天地易紀，日月更始。

　　坤爲腹，爲胸。卦一陽在五陰之中，坎爲穿，故曰穿胸。坤爲
邦，艮爲狗，故曰狗邦。坤死，故曰僵離。艮手，故曰旁春。坤地，
艮爲天。艮居丑寅，成始成終，故曰易紀，曰日月更始。坎月，艮爲
日，震爲春，故更始。爾雅釋地疏，蠻類有八，五曰穿胸，七曰狗軹，
八曰旁春。又逸周書王會〔一〕，正西，崑崙、狗國、貫胸、離丘。丁
晏云狗邦即犬戎，非。又，山海經有貫胸國。淮南子墜形訓，有穿
胸民。後漢書南蠻傳，有封離，楊竦破封離是也。又有那離，見西
羌傳。疑僵離或封離之音訛字。○旁春，元本作旁美。依宋本、汲
古。

豫

北山有棗，使叔壽考。東嶺多栗，宜行賈市。陸梁雌雉，所

〔一〕“逸”字，稿本、刻本脱，據《漢魏叢書》本《逸周書·王會解》校補。按《王
　　會解》謂正西有崑崙、狗國、貫胸、離丘諸國，即注文所本。

至利喜。

> 艮爲山，坤爲北，艮爲果，故曰北山有棗。艮爲叔，爲壽考。震
> 爲東，艮爲嶺，爲栗。伏巽爲賈市。艮爲梁，伏離爲雉，震爲喜。○
> 雉，依宋、元本。常本或訛雄。栗，元本訛粟。

隨

干旄旌旗，執幟在郊。雖有寶珠，無路致之。

> 震爲木，爲干，爲羽，故爲旄，爲旌旗。左傳，火焚其旗，即以震
> 爲旗。艮手爲執，震爲寶玉，爲路。艮止，故無路。詩鄘風，孑孑干
> 旄[一]，在浚之郊。毛謂美大夫下賢。兹曰雖有寶珠，無路致之，
> 是齊説與毛異。○執，依汲古。宋、元作撫。珠，依汲古。宋、元本
> 作玉。

蠱

精潔塞淵，爲讒所言。證訊詰問，繫於枳温。甘棠聽斷，怡
然蒙恩。

> 震爲精潔，兑爲淵，坎爲塞。詩衞風，秉心塞淵。箋，塞，充實；
> 淵，深也。三上正反震，故曰讒言，曰訊問。艮爲拘係。枳，地名，
> 在魏郡；温，在河内。巽木爲枳，艮火爲温，故曰枳温。凡易林用
> 字，無論地名、人名，無不從象生。巽爲棠。初四正反兑，故曰聽
> 斷。兑爲耳，爲聽，爲恩。按，以正反震兑爲讒，爲詰問，則易與左
> 傳用覆之處皆得解。繫於枳温，左傳僖二十八年，會於温，衞侯與
> 元喧訟於是，衞侯不勝，寘諸深室。甘棠聽斷者，詩召南甘棠篇，魯
> 韓詩説皆謂召伯聽訟棠下，兹曰蒙恩，似謂召伯能平反冤獄也。○
> 問，宋本、汲古作請。依元本。

〔一〕"孑孑干"，刻本訛"了了于"，據稿本校改。

臨

玄黄瘣隤,行者勞罷。役夫憔悴,踰時不歸。

　　震爲馬,爲玄黄,坤弱,故曰玄黄。瘣、隤,皆病也,見毛詩周南
注。震爲行,坤役萬物,故勞疲。坤爲役。震爲夫,爲踰,爲時,爲
歸。坤喪,故不歸。○瘣,宋本、汲古作虺,與毛詩合。元本作瘣,
音義與虺同,特字異耳。說詳賁之小過。

觀

膚敏之德,發憤晨食。虜豹禽説,以成主德。

　　艮爲膚,巽爲敏。伏震爲發,爲憤,爲晨,爲食。艮爲拘繫,爲
虜,爲禽。艮爲豹,伏兑爲説,故曰虜豹禽説。豹,魏王豹;説,代相
夏説也。見史記淮陰侯傳。伏震爲主。○説,從宋、元本。汲古訛
越。多爲王求福四字。晨食,亦用淮陰侯傳。汲古、宋本作忘食,
後人臆改。依元本。

　　【補校】主德,依宋本、汲古。元本作德主。

噬嗑

采唐沬鄉,要我桑中。失信不會,憂思約帶。

　　艮爲采,震爲唐。唐,菜也。艮爲鄉,坎隱,故曰沬鄉。沬,衛
邑,見衛風。震爲要,爲桑,坎爲中,故曰桑中。詩,期我乎桑中。
坎爲信,爲失;艮止[一],故不會。坎爲憂思,伏巽爲帶,爲約。約
帶,即結帶。按,檜風素冠篇,我心蘊結。曹風鳲鳩篇,心如結兮。
正義云,言憂愁不散,如物之裏結。即約帶之義也。楊慎謂即古詩
衣帶日以緩之義,非。

〔一〕"止",刻本訛"上",據稿本改。

賁

伯寧子福，惠我邦國。蠲除苛殘，使季無患。

　　震爲伯，爲子，爲福。艮爲邦國，爲季。坎爲患，震樂，故無患。

剝

讒父佞雄，賊亂邦國。生雖忠孝，敗困不福。

　　通夬。兌爲言，乾爲言，兌口與乾言相背，故曰讒父佞雄。父，長者之稱，言爲讒人之長，佞者之雄也。坤爲賊，爲亂，爲邦國。○父，依汲古。宋本、元本作言。讒父佞雄，對文，父亦乾象。困，宋、元本作恩。依汲古。雖，汲古作離。依宋、元本。又，不福，宋、元本作不足。依汲古。○此可釋夬聞言不信義。

　　【補校】父，元本作言。不福作不足。均依宋本、汲古。賊，元本作敗。依宋本、汲古。

復

淵泉隄防，水道利通。順注湖海，邦國富有。

　　坤爲淵，爲泉，坤閉爲隄防。震爲道，坤水，故曰水道。震爲通，伏巽爲利。坤爲順，爲湖海，爲邦國，爲富有。○利通，依元本。與防韻。宋本、汲古作通利，非。

无妄

江南多蝮，螫我手足。冤繁詰屈，痛徹心腹。

　　乾爲江河，位南，故曰江南。蝮，毒蛇也。伏坤爲螫，艮手，震足。正反震，故曰冤繁。正反艮，故曰詰屈。伏坤爲心，爲腹。

　　【補校】南，汲古作旁。依宋、元本。

大畜

三人俱行，別離獨宿。一身五心，反覆迷惑，亂無所得。

　　震爲人，爲行，數三，故曰三人俱行。一陽止上，故曰別離獨
宿。通萃，坤爲身，乾卦數一，故曰一身。巽卦數五，伏坤爲心，故
曰五心。三至上，正覆巽，坤迷，故反覆迷惑。坤虛，故亂無所
得。○宿，從汲古。宋、元本作食。

頤

鴉鳴庭中，以戒災凶。重門擊柝，備不速客。

　　艮爲鴉，爲庭，震爲鳴，坤爲災凶。古人常以鴉鵲鳴爲占。艮
爲門，正反艮，故曰重門。震爲柝，爲鳴，艮爲擊，震爲客。○鴉，從
宋、元本。汲古作鶩，非。○此可釋繫辭。頤與豫象同。

大過

功成事就，拱手安居。立德有言，坐飭貢賦。

　　通頤。震爲功，艮爲成，坤爲事。艮爲拱，爲手，爲安居。震爲
立，爲德，爲言。艮爲坐，坤爲貢賦，震爲飭。全用旁通。○飭，依
汲古。宋、元作飾。飾、飭古通。

坎

國亂不安，兵革爲患。掠我妻子，家中飢寒。

　　中爻艮爲國，震動，故不安。艮爲兵，爲革，坎爲患。艮手，爲
掠，震子，伏巽爲妻。艮爲家，坎爲寒，伏離爲飢。○艮爲兵證。

離

戴堯扶禹，松喬彭祖。西過王母，道路夷易，無敢難者。

　　通坎。中爻震爲帝，故曰堯禹。艮爲扶，爲戴，艮堅，爲松喬，
爲彭祖。解詳訟之家人。坎爲西，震爲王，巽爲母，故曰王母。艮
爲道路，坎平，故道路夷易。○松，汲古作從。過，作遇。依宋、元
本。○艮爲祖，可釋易。松喬、彭祖，皆古仙人名。

【補校】松，宋、元、汲古本均作從。依學津、局本。過，宋本、汲古作遇。依元本。

咸

長尾蝘蛇，畫地成河。深不可涉，絕無以北，惆悵噴息。

　　艮爲尾，巽長，故曰長尾。巽爲蛇，故曰蝘蛇。蝘蛇，蟲名也。管子水地篇，蝘，一頭兩身，其形若蛇，其長八尺是也。通摂。坤爲地，爲江河，艮爲畫。坤水，臨大澤，故曰深不可涉。兌爲絕，坤位北。兌口爲噴息。噴息，猶歡息。○蝘，依噬嗑之復校改。北，宋、元皆作比。依汲古。惆悵，汲古作惆然。依宋、元本。噴字，依汲古，宋、元本皆訛會。說文，噴，大息也。晏子春秋，噴然而歎。息，汲古作思。依宋、元本。

恒

乘龍從蜺，徵詣北闕。乃見宣室，拜守東域。鎮慰黎元，舉家蒙福。

　　震爲龍，爲乘，巽爲蜺。蜺，日旁氣。伏艮爲闕，坤爲北。震往爲詣，爲宣明；艮室，故曰宣室。艮爲拜，爲守，震東，故守東域。坤爲黑，爲黎元。艮家，震福。○坤北證。○域，依汲古。宋、元本皆作城。

遯

土與山連，終身無患。天地高明，萬歲長安。

　　艮爲土[一]，乾爲山，故曰土與山連。艮爲終，爲身，伏震爲樂，故終身無患。乾天坤地，巽高艮明，故曰高明。乾爲萬歲，艮安，巽長，故曰長安。○艮光明證。

〔一〕"土"，刻本訛"士"，據稿本改。

大壯

久旱水涸,枯槁無澤。虛修其德,未有所獲。

　　　通觀。艮爲火,故旱,故水涸。坤爲水,巽爲枯槁。枯槁,故無澤。坤爲虛,虛故無獲。○艮火,可解无妄旱卦。

晉

依山倚地,凶危不至。上清下净,君受其利。

　　　坤地艮山,艮爲依倚,故曰依山倚地。坤爲凶,坎爲危,艮安,故凶危不至。艮上坤下,坎水,故曰清净。伏乾爲君。○山,宋、元本作天。依汲古。宋、元多受福大明四字。依汲古。净,汲古作降。依宋、元本。

　　　【補校】第三句後,宋、元本多受福大明四字。

明夷

火烈不去,必殪僵仆。燔我衣裾,禍不可悔。

　　　離火;震往爲去,坎陷故不去。不去必僵仆,坤爲死也。震爲衣裾,離爲燔。坤爲我,爲禍。○禍,依元本。宋本作福。

　　　【補校】禍,依元本、汲古。

家人

配合相迎,利之四鄉。欣喜興懌,所言得當。

　　　此用師象。坎爲配合,巽爲利,震爲之。震卦數四,故曰利之四鄉。坤爲鄉。震爲樂,爲興,爲言。○懌,從汲古。宋元訛釋。

睽

清人高子,久屯外野。逍遥不歸,思我慈母。

　　　高子,高克。清,鄭邑名。詩序,鄭文公惡高克,使將兵河上,久不召,兵散,故賦清人詩。此似用遇卦師象。○逍,宋、元本、汲古皆作道。依局本。

【補校】道，宋本、汲古作道。依元本、局本。

蹇

武庫軍府，甲兵所聚。非里邑居，不可舍止。

此兼用師象。震爲武，坤爲軍，爲府庫。艮爲甲兵，坎爲聚。艮爲邑，爲里居，爲舍止。多兵，故不可舍止。○艮亦爲甲兵之證。

解

三德五才，和合四時。陰陽順序，國無咎災。

書洪範，六，三德，一曰正直，二曰剛克，三曰柔克。五材，金木水火土也。震數三，故曰三德。坎數五，震木，故曰五材。坎爲和，爲合。震爲時，卦數四，故曰四時。離坎雜居，故曰陰陽順序。○才，依宋本。汲古作材。

【補校】才，依宋、元本。才、材通。五，汲古訛王。依宋、元本。

損

解衣毛羽，飛入大都。晨門戒守，鄭忽失家。

震爲解，爲衣，爲毛羽，爲飛。坤爲大都。艮爲門，震爲晨，故曰晨門。艮爲守，震言爲戒，故曰戒守。坤爲鄭。釋名，鄭，町也；地多平，町町然也。町，田區畔也。故坤爲鄭，純取卦形。坤亡，故曰鄭忽失家。艮爲家也。鄭忽，鄭昭公名。左傳桓十一年，鄭忽出奔衛是也。○坤爲鄭象證。

益

剈根燒株，不生肌膚。病在心腹，日以焦枯。

艮爲刀兵，爲手，故曰剈根。巽下斷，剈根之象。艮爲火，故燒株。震巽皆爲本株。艮爲膚,巽落,故不生。坤爲腹,爲心,爲病。艮火爲焦枯,伏乾爲日。是可爲艮刀艮火證。○刖,依元本。宋本、汲古作削,皆淺人妄改。

夬

文山紫芝,雍梁朱草。生長和氣,王以爲寶。公尸侑食,福禄來處。

　　通剥。艮山坤文,故曰文山。艮形似芝,乾舍離,離宫色紫,故曰紫芝。乾爲大赤,故曰朱草。兑西,故曰雍梁。乾爲生長,兑悦,故曰和。乾爲王,爲寶,爲父,爲公。坤爲尸,兑爲食。乾爲福禄。詩大雅〔一〕,公尸來燕來處,福禄來下。陳樸園云,鳧鷖詩,鄭箋以爲第三章爲祭天地山川之詩。蓋王者德配天地,紫芝朱草符瑞並臻也。○四五句,依同人之剥增。宋、元、汲古諸本皆遺失,不惟不協,事義皆缺。

姤

多載重負,捐棄于野。予母誰子,但自勞苦。

　　通復。坤爲多載重負,爲捐棄,爲野。坤爲母,震爲子,震伏坤死,故曰誰子。言無子也。坤役萬物,故勞苦。坤爲自。○第三句從宋、元本。汲古及常本皆作小任其大,非。

　　【補校】捐棄,元本作棄捐。依宋本、汲古。

萃

鳧雁啞啞,以水爲家。雌雄相和,心志娛樂,得其歡欲。

　　艮爲鳧雁,正反兑口,故曰啞啞。艮爲家,坤爲水。兑雌艮雄,坎爲和,故曰相和。坎爲心志,兑悦爲娛樂,爲歡。○艮爲鳥證,

〔一〕“大”,稿本、刻本誤“小”,按注所引係《大雅・鳧鷖》句,據阮刻《毛詩正義》改。

漸、小過得解。詳焦氏易詁。

【補校】志,宋、元本作至。依汲古。

升

耳目盲聾,所言不通。佇立以泣,事無成功。

　　兌爲耳,坤閉,故聾。離爲目,兌半離,目不全,故盲。兌口爲言,坤閉,故不通。震爲立,坎爲泣。坤爲事,坤喪,故無功。

困

天官列宿,五神所舍。宮闕堅固,君安其居。

　　通賁。艮爲官,在上,故曰天官。艮爲星,故曰列宿。坎亦爲宿也。震爲神,坎數五,故曰五神。五神,金木水火土五星也。艮爲舍,爲宮闕,爲堅固,爲安居。震爲君。○震爲神證。

【補校】官,宋本、汲古作宮。依元本。

井

范子妙材,戮辱傷膚。後相秦國,封爲應侯。

　　巽爲蟲,故曰范。禮檀弓,范則冠而蟬有緌。注,范,蟺也。伏震爲子,故曰范子。巽爲材,兌爲毀折,離爲膚,故戮辱傷膚。伏震爲相,艮爲國,兌西,故曰相秦國。艮爲封,伏震爲諸侯,爲聲,正反震相和答,故曰應侯。史記范睢傳,魏齊笞睢,摺脇,棄廁中,更溺之。後爲秦相,封應侯。以應侯象正反震,神妙。○第三句,依大畜之剝校。各本皆作然後相國。

革

秋冬探巢,不得鵲雛。銜指北去,慚我少夫。

　　兌爲秋,互乾爲冬[一]。艮爲巢,爲手,故曰探巢。兌爲鵲雛,

〔一〕"互乾",稿本作"伏坎",兹依刻本。

坤爲失,故不得。兑口爲銜,艮爲指。坎爲北,震往,故曰北去。艮
爲少夫,坎爲慚,故慚我少夫。正伏象雜用。

鼎

子畏於匡,厄困陳蔡。德行不危,竟脱厄害。

> 通屯。震子,坎畏。匡,目匡,離象。坎陷,故厄困。震爲陳,
> 艮爲龜,爲蔡。事皆見論語。震爲行,艮安,故不危,故脱厄害。坤
> 爲害。

震

鴻飛在陸,公出不復。仲氏任只,伯氏客宿。

> 互艮爲鴻,爲飛;爲陸,故曰在陸。震爲復,爲公,爲出;坎陷,
> 故不復。坎爲仲,爲宿。震爲伯,爲客。首二語見豳風,美周公也。
> 震爲周,故因以起興。三句見邶風。任者,鄭箋,相親信也。○以
> 艮爲鴻,漸鴻得解。

> 【補校】只,宋、元本作止。依汲古。按,止、只皆語辭。

艮

鶴鳴九皋,避世隱居。抱朴守貞,竟不隨時。

> 互震爲鶴,爲鳴。艮爲皋,震數九,故曰九皋。坎爲隱避,艮爲
> 居;爲抱,爲守。震木爲朴,艮爲貞;爲時,坎隱,故不隨時。○貞,
> 從汲古。宋、元本作真。義同,而貞切艮象。隨時,依宋、元本。汲
> 古作相隨。鶴鳴,小雅篇名。序謂,誨宣王求賢而隱者。兹云隱
> 居,義與毛同。

漸

舜升大禹,石夷之野。徵詣王庭,拜治水土。

> 解見乾之中孚,師之小畜。漸伏象,與前同。

【補校】詣,元本作諸。依宋本、汲古。

歸妹

左輔右弼,金玉滿堂。常盈不亡,富如厥倉。

本象、對象雜用。解見蒙之坤。〇艮金之證。〇堂,依元本。
宋本、汲古作匱。

豐

崔嵬北岳,天神貴客。衣冠不已,蒙被恩德。

通渙。巽高,故崔嵬。艮山,坎北,故曰北岳。震爲神,爲客,
艮陽在上而貴,故曰天神貴客。艮爲冠,震爲衣,爲恩德。〇艮
貴證。

【補校】被,元本作彼。依宋本、汲古。

旅

空槽注器,獼猴不至。張弓祝雞,雄父飛去。

艮爲槽,互巽爲獼猴。莊子達生篇,以瓦注者巧。釋文,注,擊
也。注器者,擊器使獼猴聞,然槽空無食,亦不至也。艮止,故曰不
至。艮少,故曰獼猴。伏坎爲弓,震爲張,故曰張弓。巽爲雞,兌口
爲祝。祝者,呼聲。說苑,猶舉杖而祝狗,張弓而祝雞。伏震爲雄,
爲父,爲飛。巽伏,故曰飛去。〇父,汲古作鳩。從宋、元本。獼,
依宋、元。汲古作狝。注器,各本作住豬。至,作到。依咸之困校。
器、至協。雞、去協[一]。

───────────────

[一] "依咸之困校"至"雞、去協",稿本與刻本頗異,今從稿本。如"依"下刻本
多"汲古"二字,稿本已刪除。因咸之困諸本皆作"注器"、作"至",故刪
"汲古"二字是。又,"器、至協"之"協"字,刻本作"韻",稿本改爲"協",並
增"雞、去協"三字,林辭之韻律由是而明。故從稿本。此蓋書刻後作者又
重作修訂。

【補校】注器，宋、元本作注豬。汲古作住豬。

巽

蠻夷戎狄，太陰所積。涸冰冱寒，君子不存。

　　初四大坎，故曰太陰。蠻夷、戎狄，皆陰類。坎爲冰，爲寒，艮爲君子。二至四艮伏，故君子不存。○蠻夷，原作胡蠻；冱，作凍。均依既濟之謙校。

　　【補校】蠻夷，宋、元、汲古諸本皆作胡蠻。冱作凍。依汲古本既濟之謙校。

兌

甘露醴泉，太平機關。仁德感應，歲樂民安。

　　解見屯之謙。兌通艮，艮象與謙同。

渙

惡來呼伯，慎驚外客。甲守閉宅，以備凶急。臨折之憂，雖滅無災。

　　丁云，惡來，紂臣名。然此似非用事。惡來，猶聞凶耗也，故呼伯爲助〔一〕。震爲呼，爲伯。巽爲旅客，在外，故不驚外客。震爲驚。艮爲甲，爲守，爲宅。坎閉，故曰閉宅。伏兌爲急，爲毀折。坎爲憂，爲滅，爲災。震樂，故無災。○艮剛在外爲甲證。○甲、閉、急，依宋本。汲古作中、作閑、作黠，非。雖，元本作將，非〔二〕。

　　【補校】甲、閉、急，均依宋、元本。雖，宋、元本作將。依汲古。

〔一〕“爲助”二字，刻本無，據稿本補。按稿本此頁夾一小字條，旁批：“呼伯下，增爲助二字。”蓋指此。
〔二〕“雖，元本作將，非”，此六字刻本無。據稿本補。按稿本頁中夾一小字條，云：“渙注末字記貼，又增注，作字添。”蓋即謂此。

節

日月相望，光明盛昌。三聖茂功，仁德大隆。

　　坎爲月，艮爲日，爲觀；正反艮，故曰相望。艮爲光明，震爲盛
昌。坎爲聖，震數三，故曰三聖。震爲茂，爲功，爲仁德，爲隆。三
聖，指文、武、周公。

中孚

葛藟蒙棘，華不得實。讒佞亂政，使恩壅塞。

　　震爲葛藟，伏大坎爲棘，故曰蒙棘。兌爲華，艮爲實；巽隕，故
不實。中爻正反震，故曰讒佞。正覆艮，艮止，故壅塞。兌爲恩澤。
葛藟，本唐風葛生篇〔一〕。毛謂刺晉獻公好攻戰。兹謂刺讒佞，與
毛異。

小過

鄰不我顧，而望玉女。身多癲疾，誰肯媚者。

　　震爲東，故曰鄰。艮陽在上，爲望。震爲玉，兌爲女，故曰玉
女。艮爲身，多節，故曰癲疾。兌爲媚。〇媚，從宋、元本。汲古作
娓。

既濟

精誠所在，神之爲輔。德教尚忠，彌世長久。三聖茂功，多
受福祉。

　　此用師象。坎爲精誠，震爲輔，爲教。坎爲忠，故曰尚忠。坤
爲世，重坤，故曰彌世長久。坎爲聖，震數三，故曰三聖。震爲功，

────────────

〔一〕“葛藟，本唐風葛生篇”，稿本、刻本原作“葛藟，唐風篇名”。按《詩經·唐
　　風·葛生》有“葛生蒙棘”句，當即此林辭所本。然“葛藟”非篇名，故謹校
　　訂如上。

爲福祐。○神之爲輔,依元本。宋本、汲古皆作神爲之輔。忠,依宋、元本。汲古作中。史記,夏之政忠。祉,依宋本。汲古、元本作祐。茂功,依節林。宋、元本作尚功,汲古作與爲。

【補校】祉,依宋、元本。汲古作祐。

未濟

鑽木取火,掘地索水。主母飢渴,子爲心禍。

此仍用師象。伏同人,巽木離火;師,坤地坎水。坤爲母,震爲主,故曰主母。震爲子,坎爲心。○水,依元本。宋本、汲古作泉。子,宋、元本作手。依汲古。禍,汲古作福。依宋、元本。

比之第八

比

鹿得美草,鳴呼其友。九族和睦,不憂飢乏。

　　艮爲鹿,反震爲草,爲鳴呼。陰陽相遇爲友,艮爲友,以陽遇陰也,此謂九五也。坤爲族,漢上易謂坤數九,以乙至癸也,故曰九族。坎爲和睦,爲憂。坤虛,爲飢乏;比樂,故不憂。○宋、元本多長子入獄,霜降族哭八字,與上文意不屬,斷爲衍文。依汲古。

　　【補校】睦,從宋本、汲古。元本作穆。義同。

乾

繼祖復宗,追明成康。光照萬國,享世久長。

　　乾爲祖宗,爲大明,爲光,爲久長。伏坤爲萬國。

　　【補校】明,汲古作用。依宋、元本。

坤

麟子鳳雛,生長嘉國。和氣所居,康樂温仁,邦多哲人。

　　坤爲文,爲麟鳳,爲國,爲邦。遇卦比,坎爲和,爲明哲。艮火,故曰温仁。○温仁,依元本。宋本、汲古作無憂。元本此林作屯林〔一〕。

　　【補校】嘉,元本作家。依宋本、汲古。哲,宋、元本作聖。依汲古。

〔一〕“元本此林作屯林”,刻本無此句。據稿本補。按稿本此頁夾一小字條,云:“坤林與屯林互易,説元本。”蓋謂此。

屯

灼火泉源，釣鯉山巔。魚不可得，火不肯燃。

　　　　坎爲泉，坤亦爲水，而坎在上，故爲泉源。艮爲火，在坎下，故曰灼火泉源。艮爲山，坤爲魚，艮手爲釣，故曰釣鯉山巔。坤虛，故二者皆不可得。○火，依宋、元本。汲古作灼灼，非。鯉，宋本作鯦。○坤魚艮火確象。元本此林作坤林〔一〕。

　　【補校】灼火，宋、元本作取火。汲古作灼灼。依汲古本小畜之屯校。鯉，元本作魴。依汲古。

蒙

彭生爲豕，白龍作災。盜堯衣裳，桀跖荷兵。青禽照夜，三日夷傷。

　　　　艮爲壽，故曰彭老。彭壽八百。震爲生，坎爲豕。左傳，豕人立而啼，從者曰，公子彭生也。震爲白，爲龍。坎爲災，爲盜。震爲帝，故曰堯。震衣坤裳。坤爲惡，故曰桀跖。艮爲兵，爲荷。震爲馬。青禽、照夜，皆馬名。震東方，色青，艮鳥，故曰青禽。艮火，坤夜，故曰照夜。坤爲夷傷，伏離爲日；震數三，故曰三日。○彭生，元本作彭名。依宋本、汲古。龍，宋本、汲古作虎。依元本校。照夜，依汲古。宋、元作照火，非。

　　【補校】豕，宋、元本作娛。依汲古。衣，元本作舜。跖作蹠。均從宋本、汲古。

需

黍稷醇醲，敬奉山宗。神嗜飲食，甘雨嘉降，庶物蕃殖。獨

〔一〕 “元本此林作坤林”，刻本無此句。據稿本補。按稿本頁中夾一小字條，云：“坤林與屯林互易，説元本。”蓋指此。

蒙福祉,時災不至。

　　坎爲酒,故曰醇醴。乾爲宗,伏艮,故曰山宗。坎爲飲食,爲雨。伏坤爲庶物,乾爲福祉。○醴,依觀之坎校。宋本、汲古皆作醴。庶物,從元本。宋本、汲古作黎庶。又宋本無末句,茲從汲古。

　　【補校】醴,元本作釀。又,宋本、元本均無末句。

訟

李華再實,鴻卵降集。仁哲權輿,蔭國受福。

　　通明夷。震爲李,爲花,乾爲實。震爲鴻,爲卵,坤爲降集。震爲仁,坎爲哲,巽爲權。震爲輿,爲蔭,坤爲國。○卵,依汲古。宋、元本作飛。○巽爲權,震爲鴻證。

師

千歲之墟,大國所屠。不見子都,城空無家。

　　坤爲千歲,爲墟,爲國;爲殺,故曰屠。震爲子,坤爲都,故曰子都。坎伏,故不見。鄭風語也。坤爲城,爲虛,故曰城空。艮爲家,艮覆,故無家。家,音姑。○國,依宋、元本。汲古作兵。

小畜

公子王孫[一],把彈攝丸。發輒有得,室家饒足[二]。

　　通豫。震爲公子,爲王;艮爲孫,故曰王孫。坎爲彈丸,艮手爲把,爲攝。震爲發,坎爲得。艮爲家,坎爲室,坤爲饒足。

　　【補校】彈,汲古作鍬。依宋、元本。

履

驪姬讒喜,與二嬖謀。譖殺恭子,賊害忠孝。申生以縊,重

─────

〔一〕 "公子王孫",刻本作"王孫公子",據稿本校正。
〔二〕 "室家",稿本、刻本誤"家室",據宋、元、汲古及所見其他各本改。又檢尚注所定井之蹇、艮之豫二林正作"室家",可資參校。

耳奔逃。

乾馬，兌姬，故曰驪姬。正反兌相對，故曰讒。讒喜，言喜讒也。伏坎爲謀，爲嬖。嬖，愛也。兌卦數二，故曰二嬖。左傳莊二十八年，驪姬嬖，賂外嬖梁五與東關嬖五，使譖太子於公而殺之。伏坤爲殺，震爲子。巽爲賊，坤爲害，坤順爲忠孝，故曰賊殺忠孝。震爲申，爲生，巽繩爲縊，故曰申生以縊。坎爲耳，坤爲重，故曰重耳。震爲奔逃。○喜，從宋本。汲古等本訛嬉。逃，從宋本。汲古作走。

【補校】喜、逃，均從宋、元本。賊害，元本作害賊。依宋本、汲古。

泰

長生無極，子孫千億。柏柱載梁，堅固不傾。

震爲長生，爲子，伏艮爲孫，乾爲千萬。又坤衆，故曰千億。伏艮爲柏，爲梁柱；爲堅固，故曰不傾。○梁，依汲古。宋、元本皆作青。豈知梁與傾爲韻。

否

失意懷憂，如幽狴牢。亡子喪夫，附託寄居。

卦否，而象全用遇卦比。坎爲意，爲憂懷，爲牢狴。坎陷，故曰幽。艮爲子，爲夫；坤爲喪亡，故曰亡子喪夫。附託寄居，言陰順陽也。艮爲居。

同人

仁智隱伏，麟不可得。龍蛇潛藏，虛居堂室。

通師。震爲仁，坎爲智，爲隱伏。坤文爲麟，坤亡，故不可得。震龍巽蛇，巽伏，故曰龍蛇潛藏。坤爲虛，坎爲室，故曰虛居堂室。

大有

捖絜堁堁，締結難解。媒母銜嫁，媒不得坐，自爲身禍。

捫，捫也。絜、挈同，度也。莊子人間世，見櫟社樹，絜之百圍是也。堁，塵起貌。淮南子主術訓，揚堁而弭塵是也。卦通比，比互艮手，故曰捫絜。言捫轉絜度而堁堁塵起也。下重坤，坤土，故曰堁堁。坎陷，故締結難結。坤惡，故曰嬳母。反震爲嫁，離明在上，故曰衒嫁。坎爲和合，爲媒，艮爲坐；坎陷，故不得坐。坤爲自，爲身，爲禍。〇捫絜，從宋、元本。汲古作列潔。堁堁，從汲古。宋、元本作累累。捫絜累累，言以手提絜，下累累不絕，與重坤象亦合。然不若堁堁義深，於坤象尤合，且韻尤協。堁音顆，與解、坐、禍爲韻。媒不得坐者，言自欲娶此醜婦，與媒無涉也[一]。

謙

蜩飛墜木，不毀頭足。保我羽翼，復歸其室。

伏巽爲蜩。震爲飛，爲木，爲足。艮爲頭。艮堅，故不毀。震爲羽翼，爲歸。艮爲室。〇蜩，從宋、元本。汲古作鳥。

【補校】墜，元本作墮。依宋本、汲古。

豫

陳嬀敬仲，兆興齊姜。乃適營邱，八世大昌。

詳屯之噬嗑。象多同，故辭同。

隨

過時不歸，雌雄苦悲。徘徊外國，與母分離。

艮時，震歸；艮止，故不歸。兌、巽雌，艮、震雄。中互大坎，故曰苦悲。艮爲國，爲外；艮止，故徘徊外國。巽爲母，震行爲離。

[一] "媒不得坐者"至"無涉也"，刻本無，據稿本補。按稿本頁中夾一小字條，云"大有下注增"，當即指此。

蠱

齊魯爭言，戰於龍門。搆怨結禍，三世不安。

解見坤之離。蠱初至四，與離中爻正反兌同，故語同。皆易困有
言不信的注。○結，汲古作連，非。安作寧，失韻，尤非。依宋本校。

【補校】結、安，依宋、元本校。

臨

府藏之富，王以賑貸。捕魚河海，笱網多得。

坤爲府藏，爲富。震爲王，爲賑。賑，振也。坤爲魚，爲河海，
伏艮爲捕。震爲笱，伏巽爲繩，爲網。○笱網，宋、元本訛苟願。

觀

**鳴鶴北飛，下就稻池。鱣鮪鰥鯉，衆多饒有。一笱獲兩，利
得過倍。**

通大壯。震爲鶴，爲鳴，爲飛。坤北，故北飛。兌爲池，震爲
稻；坤下，故曰下就稻池。巽坤皆魚，故曰衆饒。震爲筐，爲笱。乾
卦數一，故曰一笱。兌卦數二，故曰獲兩。巽爲利市三倍，故曰過
倍。○笱，依王謨本。宋、元本作狗。汲古訛苟。

噬嗑

蒼梧鬱林，道易利通。元龜象齒，寶貝南金，爲吾福功。

震爲叢木，故曰蒼梧鬱林。皆南方郡。艮爲郡，震南，故象之
尤切。震艮皆爲道路，坎爲平，故道易利通。易，平易也。離艮皆
爲龜，艮黔，故曰元龜。震爲齒，艮爲象，故曰象齒。震爲寶，艮爲
貝[一]，爲金；離南，故曰南金。詩魯頌，元龜象齒，大賂南金。○

〔一〕“貝”，刻本訛“見”，據稿本改。

福，依宋本。汲古作歸，非。○艮金證。

賁

兩火爭明，雖鬪不傷。分離且忍，全我弟兄。

> 艮火離火，故曰兩火。三至上正反艮，故曰爭明，曰鬪。坎和，故不傷。坎爲分離，爲忍。震爲伯，爲兄，艮、坎皆弟；震福，故得全。○艮火證。

剝

伯夷叔齊，貞廉之師。以德防患，憂禍不存。

> 震爲伯，震覆，故伯夷。夷，傷也。艮爲叔，卦爲大艮，故曰叔齊。艮爲貞，爲廉。廉，側隅也。前漢賈誼傳，廉遠則堂高。艮陽在上，故曰廉。坤爲師，爲患；艮爲防，故曰防患。坤爲憂禍，艮安，故無禍。

> 【補校】禍，宋本訛福。依元本、汲古。

復

伯去我東，髮櫛如蓬。展轉空牀，內懷憂傷。

> 震爲伯，爲去，爲東。坤爲我。震爲髮，爲蓬。衛風詩語也。伏巽爲牀，坤虛，故曰空牀。震動，故曰展轉空牀。展轉，動貌也。坤爲內，爲懷，坤喪，故憂傷。○伯，依元本。汲古、宋本皆作季，非。○震髮證。

> 【補校】伯，宋、元、汲古諸本皆作季。惟翟本注云，季當作伯。詩伯兮，自伯之東。茲從校。

无妄

百足俱行，相輔爲強[一]。三聖翼事，王室寵光。

〔一〕“輔”，刻本訛“轉”，據稿本改。

乾爲百，震足，故曰百足。震爲行，爲輔，爲强。淮南子，百足之蟲，雖死不僵，以扶之者衆也。扶、輔義同。乾爲聖，震數三，故曰三聖。震爲翼，伏坤爲事。艮爲室，震王，故曰王室。乾爲寵，艮爲光。○艮光證。

大畜

甕遏隄防，水不得行。火盛陽光，陰蜺伏藏，退還其鄉。

艮爲甕遏，爲隄防，乾爲江河。艮止，故水不得行。艮爲火，爲光，陽在上，故曰陽光。巽爲蟲，故曰蜺。巽伏，故藏。震爲歸，艮爲鄉，故曰退還其鄉。○艮火證。

頤

螣蛇乘龍，年歲飢凶，民食草蓬。

左傳襄二十八年，蛇乘龍，宋鄭必飢。爾雅，螣蛇，龍類，能興雲霧。坤爲蛇，震爲龍，爲乘；坤在上，故曰螣蛇乘龍。坤爲年歲，坤虛，故飢凶。坤爲民，震爲食，爲草蓬。○螣，依元本。宋本、汲古作螣。又，汲古第二句多歲飢蓬蓬四字，此由下二句而衍。宋、元本無，從之。

【補校】螣，宋、元本作滕。汲古作螣。依局本。

大過

鉛刀攻玉，堅不可得。盡我筋力，胝繭爲疾。

通頤。上艮爲刀，坤柔，故曰鉛刀。震爲玉，艮爲攻，爲堅胝。繭，手足病。荀子子道篇，手足胼胝。注，皮厚也。戰國策，足重繭而不休息。注，皮皺似繭也。艮爲膚，爲堅，故曰胝繭。又上艮手，下震足，尤切。凡易用一字，含數象，每如此。○胝，從宋本。汲古訛眠。疾，宋、元本作候。依汲古。○艮刀證。

【補校】胝，從宋、元本。繭，依汲古。宋、元本作蠒。字同。

坎

恒山浦壽,高邑具在。陰氣下淋,洪水不處,牢人開戶。

翟云升云,地理志,常山郡有靈壽、浦吾,皆山邑,故曰高邑。按中爻艮山,坎北,故曰恒山。恒山,北岳也。坎爲浦,艮爲壽,爲高,爲邑。坎水,故曰陰氣下淋。上下坎,故曰洪水。震行,故不處。坎爲牢,震爲人,爲開,艮爲戶。○壽,從宋、元本。汲古作泛。不,依宋本。汲古作弗,非。易林諱弗字,劉毓崧曰,昭帝名弗,故易林無弗字。祇汲古此處一見,後校宋、元本,果作不。又,浦壽如翟解,當作蒲。漢書作蒲吾。蒲與卦象方合。又,牢,元本作勞。依宋本、汲古。

【補校】具,宋、元本作所。依汲古。下,汲古作不,依宋、元本。

離

比目四翼,來安我國。福善上堂,與我同牀。

重離,故曰比目。伏震爲翼,卦數四,故曰四翼。伏艮爲國,爲安,爲堂,爲牀。

咸

杜口結舌,心中怫鬱。去災生患,莫所告冤。

兌爲口舌,互大坎,故杜口結舌。或取艮止,亦通。坎爲心,爲憂,故怫鬱。坎爲災患,爲冤。兌口爲告,在外,故无可告。○生患,宋、元作患生,非。以患與冤協。

恒

牽尾不前,逆理失臣,衞朔以奔。

通益。艮爲尾,爲牽;坤下,故不前。坤爲理,爲逆,爲臣;坤失,故曰失臣。震爲衞,爲奔;坤北爲朔,故曰衞朔以奔。左傳桓十六年,衞朔奔齊。朔以讒構得國,致急子、壽子皆死。逆理失臣,謂朔不義,爲二公子所逐也。○衞,從元本。宋、汲古作惠。惟宋、元多忠莫往來四字,在第三句。

遯

早霜晚雪,傷害禾麥。捐功棄力,飢無所食。

　　詳解在需之咸。遯初至五與咸同,彼以兌爲傷害,此以巽落。

大壯

適戌失期,患生無知。懼以懷憂,發藏閉塞,邦國騷愁。

　　通觀。艮爲守,故曰適戌。艮爲時,坤失,故曰失期。坤迷,故曰無知。坤爲患,爲憂懼,爲藏,爲閉塞。震爲發,坤爲邦國。○知,元本作斯,音訛。左傳莊八年,齊侯使連稱、管至父戌葵丘,瓜時而往,及瓜而代。期戌,公問不至。二人因公子無知作亂。惟局本作無知,不惟韻協事當,並於象恰合。宋本、汲古作聊,益非。懷,依元本。宋本作發,非。發藏,依宋、元。汲古作開藏。

　　【補校】騷,汲古作窮。依宋、元本。

晉

昊天白日,照臨我國。萬民康樂,咸賴嘉福。

　　離爲夏,故曰昊天,曰白日,曰照臨。坤爲我,爲國,爲萬民。反震爲樂,爲嘉福。

　　【補校】樂,元本作寧。依宋本、汲古。

明夷

元吉无咎,安寧不殆。時行則行,勿之有悔[一]。

　　震爲元吉,坎爲殆,震爲行。之,往也。言勿往則悔也。○汲古無下二句,從宋、元本。

────────

〔一〕"勿",刻本訛"無",據稿本改。

家人

懿公淺愚，不受深謀。無援失國，爲狄所賊。

通解。震爲公，爲懿。懿，善也。坎爲謀，艮爲手，爲國。艮覆，故無援，故失國。坤爲夷狄，坎爲賊。丁晏云，列女傳，許穆夫人，初，許求之，齊亦求之，公將與許。女曰，許小而遠，齊大而近，倘有戎寇，赴告大國。懿公不聽。故曰不受深謀。〇謀，依宋、元本，與愚協。汲古作不深受諫，失韻。又，公，汲古訛恭〔一〕。

【補校】受深，宋、元、汲古諸本皆作深受。依翟本及睽之師、革之益二林汲古本校。

睽

城上有鳥，自名破家。呼喚鳩毒，爲國患災。

通蹇。解詳坤之蒙。蹇、蒙象同，故辭同。惟此以互離爲鳥。〇鳥、名，從宋本。汲古作鳥，作號，非。

【補校】名，宋本、汲古作號。依元本。呼喚，元本作喚呼。依宋本、汲古。

蹇

長股善長，趨步千里。王良嘉喜，伯樂在道，申見王母。

巽爲股，爲長，故曰長股。竹書，黃帝五十九年，長股氏來賓。又，淮南墜形訓，海外三十六國，自西北至西南，有修股民〔二〕。高誘曰，修，長也。淮南以父諱長〔三〕，故改爲修。股長，故善走〔四〕。

〔一〕　“又，公，汲古訛恭”，刻本無此六字，據稿本增。按稿本此頁夾一小字條，云：“家人，公，汲誤恭，注增。”蓋指此。
〔二〕　“民”，刻本誤作“氏”，茲依稿本。
〔三〕　“以”下，刻本衍一“以”字，據稿本刪。
〔四〕　“長”上，刻本脫“股”字，據稿本補。

半震爲走，爲步，爲千里；爲王，爲良，爲嘉喜；爲伯樂，爲道。離爲
見。○嘉喜，依汲古。宋、元本作嘉言，非。申見王母，從宋、元本。
汲古作申生見母，非。伯樂，依汲古。宋、元作伯來。汲古多下有由
子四字，似衍文。又，申，疑西之訛。言王良御穆王，西見王母也。

解

耕石山顚，費種家貧。無聊虛作，苗髮不生。

　　震爲耕，半艮爲石，爲山，爲家。震爲種，離虛，故貧。震爲苗，
爲髮；離燥，故不生。○虛，依汲古。宋本作處。

　　【補校】虛，宋、元本作處。

損

二人共路，東趨西步。千里之外，不相知處。

　　震爲人，兌卦數二，故曰二人。震爲路。震東兌西，震爲趨，爲
步。坤爲千里，坤迷〔一〕，故不知。

　　【補校】共，宋、元、汲古諸本均作異。依局本。

益

純服素裳，載主以興。德義茂生，天下歸仁。

　　坤爲服，色黑，故曰純服。震爲白，坤爲裳，故曰素裳。震爲
主，爲載，爲興，爲德。坤爲義，爲天下。震爲茂生，爲歸，爲仁。史
記周本紀，武王載木主，觀兵孟津，八百諸侯皆歸周。○素裳及主，
從汲古。宋、元本作黃裳，作載土，皆非。此時文王木主在軍，故素
服。黃裳，吉服也〔二〕。

────────────

〔一〕“坤”字，刻本脫，據稿本補。
〔二〕“裳”下，刻本衍“皆”字，據稿本刪。

夬

玉銑鐵頤，倉庫空虚。賈市無盈，與利爲仇。

乾爲玉，爲金，兑爲銑，爲頤。銑，鐘口兩旁也。伏艮爲倉庫，坤虚，故空。巽爲賈市，爲利；巽覆，故不利。○玉，從汲古。宋、元本作五，非。銑、頤，依宋本。汲古作玉鋭鐵頭，非。無，從宋本。汲古訛爲。

【補校】銑、頤、無，均依宋、元本。

姤

登崑崙，入天門。過糟邱，宿玉泉。同惠歡，見仁君。

乾爲山，爲行；在西北，故曰登崑崙。乾爲天，爲門户。内經以戌亥爲天門。巽入，故曰入天門。巽爲糟，乾爲山，故曰糟邱。乾爲玉，伏坤爲水，爲夜，故曰宿玉泉。伏震爲樂，乾爲君，爲仁。六韜，殷君喜爲糟邱，迴船酒池。又南史陳暄傳，暄好飲，語兄子秀曰，速營糟邱，吾將老焉。○乾爲山證。可解同人升其高陵。○同惠歡，依汲古。宋、元本作問惠觀，非。三字句[一]。

【補校】同惠歡，依局本。汲古作開惠觀。

萃

團團白日，爲月所食。損上毀下，鄭昭出走。

乾爲日，爲圜[二]；兑爲月，乾上缺，故曰爲月所食。兑爲毀折，在上，故曰損上。互巽，故曰毀下。坤爲鄭，艮爲光明，爲昭，故曰鄭昭。伏震爲出走。左傳桓十一年，鄭昭公立，四月出奔衛。

〔一〕"三字句"，刻本無，據稿本增。按稿本頁中夾一小字條，云"姤萃注皆增"。
〔二〕"爲圜"，刻本無此二字，據稿本後增之文補。按稿本頁中夾一小字條，云"姤萃注皆增"。

升

倉盈庾億，宜稼黍稷。年歲有息，國家富有。

　　伏艮爲倉、庾，爲多，故曰盈、億。震爲稼，爲黍稷，爲年歲；爲生，故曰息。坤爲國，爲富有。年歲有息，依宋本。汲古作年豐歲熟。

　　【補校】年歲有息，依宋、元本。

困

虎狼結謀，相聚爲保。伺嚙牛羊，道絶不通，傷我商人。

　　通賁。艮爲虎狼，坎爲謀，爲聚。艮止爲伺，兌爲羊，爲嚙。離爲牛，故曰伺嚙牛羊。艮爲道，坎陷，故不通。兌爲傷，震爲商人。〇伺嚙，依宋、元本。汲古訛思嚼[一]。他本或訛同齒。

井

中年摧折，常恐不活。老賴福慶，光榮相輔。

　　坎爲中，兌爲摧折，伏震爲年。初四大過死，故曰不活。坎爲恐也。伏艮爲壽，爲老，震爲福慶。艮爲光榮，兌爲輔。正伏象互用。〇中，從汲古。宋本作木。相輔，元本作輔相。依宋本。

　　【補校】中，宋、元本作木。相輔，元本、汲古作輔相。

革

同載共車，中道分去。喪我元夫，獨與孤居。

　　通蒙。震爲車，爲載，坤亦爲車，故曰同載共車。艮爲道，震爲去；正反艮亦正反震，所向不同，故曰分去。坤爲喪，震爲夫，爲長，故曰喪我元夫。艮爲居，爲獨，震爲孤；艮震對，故獨與孤居。〇與，從汲古。宋、元作爲。居，從元本。宋本、汲古作苦，失韵。

　　【補校】車，元本作輿。依宋本、汲古。

―――――――

〔一〕“古”，刻本誤“本”，據稿本改。

鼎

飲酒醉酗，距跳争訟。伯傷叔僵，東家治喪。

　　兌爲飲。通屯。坎爲酒，坤迷，震爲決躁，故曰醉酗，曰距跳。正反震，故争訟。震爲伯，艮爲叔；坤死爲僵，爲傷。震爲東，艮爲家，坤喪；艮手爲治，故曰東家治喪。○距跳，宋、元作跳躍。依汲古。訟，宋、元、汲古皆作鬭。依王謨本。

震

出值凶災，逢五赤頭。跳言死格，扶伏聽命，不敢動摇。

　　震爲出，坎爲災凶。坎數五，爲頭，爲赤，故曰逢五赤頭。震爲言，爲跳。艮手爲格，初四伏大過死，故曰死格。扶伏，丁晏云，與扶服同，即匍匐也。坎伏，故曰匍匐。坎爲耳，故曰聽。伏巽爲命。震爲摇動，坎懼，故不敢。○跳，依宋與汲古。元本訛姚。死格，依宋、元本。汲古作無祐，非。扶伏，依元本。宋本、汲古作扶杖，非。扶伏，即匍匐。聽命，依无妄之中孚校。元本作扶伏伏聽，非。

艮

狼虎争强，禮義不行。兼吞其國，齊魯無王。

　　艮爲虎狼，三至上正反艮，故曰争强。坤爲禮義，艮止，故不行。言坤變艮也。震口爲吞，艮爲國。伏巽爲齊，兌爲魯。震爲王，震覆，故無王。○齊魯，宋、元本作齊晉。依汲古。王，宋、元本作主。依汲古。

漸

南國少子，才略美好。求我長女，賤薄不與。反得醜惡，後乃大悔[一]。

────────────

〔一〕“乃”，刻本作“方”，據稿本改。

艮國,艮少,離南。艮巽皆爲材,伏兑爲美好。艮爲求,巽爲長女。坎爲薄,離爲醜惡。伏震爲後,坎爲悔。此林屢見,殆有故實。陳檏園云,觀明夷之噬嗑云仲氏爰歸,及此林,乃知南國本求婚長女,而女家不與,但以仲女往媵。追嫡不以媵備數,故明夷之噬嗑云不我肯顧,乃大悔恨。後其長女,反得醜惡,故亦悔也。其他林辭類此者,皆指此事。○才略,依元本、汲古。宋作方,係形訛。賤薄,依汲古。宋、元作薄賤。

歸妹

一身兩頭,莫適其軀。無見我心,亂不可治。

通漸。艮爲身,坎數一,故曰一身。坎爲頭,兑卦數二,故曰兩頭。坎爲心,爲隱伏[一],故不見。互離爲亂。○無見我心,依汲古。宋本無此句,不可治下多孰爲湯漢四字,費解,故不從。

豐

李耳彙鵲,更相恐怯。偃爾以腹,不能距格。

丁晏云,廣雅釋獸,於魁[二]、李耳,虎也。爾雅釋獸,彙,毛刺。注云,今蝟。史記,龜策傳,猬能伏虎,見鵲仰腹。虎畏蝟,蝟畏鵲,故云更相恐怯。按卦通渙,坎爲耳,震爲李,故曰李耳。坎爲棘,爲蝟。艮爲鳥,爲鵲。坎爲恐怯。離爲腹,在下,故曰偃。震爲距格,巽順,故不能。○彙,汲古誤橐。相作逢。怯作惜。偃爾作擾余。距作舉[三]。均依宋、元本。

〔一〕 "伏",刻本脱,據稿本補。
〔二〕 "魁",稿本、刻本訛作"魁",據《廣雅》改。
〔三〕 "怯作惜"至"距作舉"十一字,刻本無,據稿本補。又,前文"相作逢"下刻本多"均非"二字,依稿本校删。按,稿本此處頗有增删,顯爲補校痕迹。蓋亦書刊行後,作者重作修訂,故與刻本異。依前例當夾字條爲識,今未見。疑經翻閱遺佚。或當時未必一一夾條。以下類此者恐仍有,惟注明"據稿本",不復贅述原委。

旅

柏桂棟梁，相輔爲强。入敷五教，王室寧康。

艮爲木，爲堅，故曰柏桂，曰棟梁。兌爲輔，爲强。巽卦數五，又爲命令，爲入，故曰入敷五教。艮爲室，伏震爲王；爲樂，故曰寧康。〇桂，依汲古。宋、元本作松柏。入敷，從汲古。宋、元作八哲。寧康，從元本。宋、汲古作康寧〔一〕。

巽

雀行求食，暮歸孚乳。反其室舍，安寧無故。

通震。艮爲雀，震爲行，爲食。艮求。坎爲暮，爲孚。説文，卵，孚也。楊子方言，雞伏卵而未孚。艮爲乳，爲室舍，震爲反。艮爲安康。〇孚，依宋、元本。汲古作呼。無，依元本。宋、汲古作如。

兌

四尾六頭，爲凶作妖。陰不奉陽，上失其明。

通艮爲尾，震卦數四，故曰四尾。坎爲頭，卦數六，故曰六頭。坎爲凶，爲妖。兌上下卦陰在上，故曰陰不奉陽。兌昧，故上失其明。

渙

一衣三關，結緝不便。歧道異路，日暮不到。

震爲衣，坎數一，故曰一衣。艮爲關，數三，故曰三關。關即結束，如今之紐扣。坎爲合，故曰結緝。坎陷，故不便。艮震皆爲道路，二五正反艮震，所向不同，故曰歧道異路。坎爲暮，離爲日，離

〔一〕"宋"下，刻本無"汲古"二字，據稿本補。

伏，故曰日暮不到。○衣，從宋本。汲古作旅，非。翟云升據李白
詩，謂結縎即與同行者相結合。豈知宋本旅作衣，結縎謂衣也。
關，宋、元本作闚。今依汲古。

節

牙蘗生齒，室堂啓户。幽人利貞，鼓翼起舞。

　　牙、芽通。震爲牙蘗，兑爲齒。言齒初生，若草木之芽蘗也。
艮爲堂户，震爲啓。艮爲幽人。又，坎爲幽，震爲人，亦合。震爲
鼓，爲翼，爲起舞。○蘗，依汲古。宋、元本作孽。堂，宋、元本作
當。依汲古。

中孚

春鴻飛東，以馬貨金。利得十倍，重載歸鄉。

　　震爲東，爲春，爲鴻，爲飛，爲馬。艮爲金，震爲商旅；與艮對，
故曰以馬貨金。玉篇，貨，賣也。巽爲利，兑數十，故曰十倍。震爲
載，爲歸，艮爲鄉。○貨，從汲古。宋、元本作質。○艮爲金證。

小過

歡悦以喜，子孫具在。守發能忍，不見殃咎。

　　震爲樂，爲子，艮爲孫，故曰子孫具在。具者，備也。艮爲守，
爲忍，震爲發。○具，從宋、元本。汲古作俱，非。發，依宋、元本。
守發者，言或止或作，艮、震象也。汲古作守强，非。

　　【補校】具，從元本。宋本、汲古作俱。

既濟

精華銷落[一]，形骸醜惡。齟齬頓挫，枯槁腐蠹。

─────────

〔一〕"華"，刻本誤"神"，據稿本改。按稿本頁中夾一小字條，云："既，華誤
神。"蓋指此。

　　此用比象。坎爲精,坤死,故銷落。坤爲形,爲醜惡。伏兌爲齒牙,正反兌,故曰齟齬。伏離爲枯槁。○齟齬頓挫,從汲古。宋、元本作齬齟挫頓。

　　【補校】華,宋本、汲古作神。依元本。

未濟

登高上山,見王自言。申理我冤,得職蒙恩。

　　艮爲山。震爲登,爲王,爲言,爲申明。坎爲冤。艮爲官,坎爲恩,故曰得職。多用半象。

焦氏易林注卷三

小畜之第九

小畜

白鳥銜餌，鳴呼其子。榦枝張翅，來從其母。伯仲叔季，元
賀舉手。

　　巽爲白，離爲鳥，兌口爲銜，巽爲餌。通豫。震爲鳴，爲子，爲
枝，爲羽，爲榦，爲張。坤爲母。震爲從，爲伯。互坎爲仲，艮爲叔
季，爲手。元賀者，賀元日也。舉手，揖也。○元，依汲古。宋、元
本作尤。

乾

東遇虎蛇，牛馬奔驚[一]。道絕不通，商困無功。

　　此用遇卦象。離爲東，乾虎，巽蛇，故曰東遇虎蛇。離牛乾馬，
伏震爲驚奔，爲道。伏坎，故不通。巽爲商賈。○蛇，依汲古。宋、
元本作地。

――――――――――

〔一〕“奔驚”二字，稿本、刻本倒，疑誤，依宋、元、汲古及所見其他各本改。

【補校】遇，宋、元本作過。商作南。均依汲古。

坤

子鉏執麟[一]**，春秋作經。元聖將終，尼父悲心。**

　　依汲古訟之同人校。此用小畜象。○經，宋、元本作元。元聖，作陰聖。汲古下三句作：庶士開元，豪雄爭名，都邑倍遊。茲從宋、元本。

　　【補校】經，宋、元本作元。第三句作陰將以終。均依訟之同人校。

屯

灼火泉源，釣魚山巔。魚不可得，火不肯然。

　　詳比之屯。○灼，依汲古。宋、元作取。

蒙

機關不便，不能出言。精誠不通，爲人所冤。

　　坎爲機關，坤閉，故不便，故言不能出。震爲言，爲出。坎爲心，爲精誠；坤閉，故不通。坎爲冤，震爲人。

　　【補校】能，汲古作得。依宋、元本。

需

故室舊廬，稍蔽絨組。不如新巢，可以樂居。

　　坎爲宮室，爲廬。乾爲故舊。伏坤爲帛，爲絨組。坎爲蔽。離爲巢，爲新。兌悅，故曰樂居。○蔽絨組，從汲古。元本作稍弊且除。宋作且徐。可以，汲古、宋、元本作可治。依局本。

〔一〕“執”，稿本、刻本誤“獲”，據宋、元、汲古諸本改。又訟之同人，尚注訂爲“執”，亦可參校。

訟

蝼蛇循流,東求大魚。預且舉網,庖人歌謳。

　　巽爲蛇,爲魚。委蛇,行貌。離位東,坎爲流水。乾大,故曰大魚。預且,宋漁人名。莊子,神龜見夢於元君,不能避余且之網。離爲網。離火,故曰庖人。伏震爲歌謳。

　　【補校】求,汲古訛冰。依宋、元本。

師

鑿山通道,南至嘉國。周公祝祖,襄適荆楚。

　　艮覆,故曰鑿山。震爲大塗,爲通,故曰通道。震爲南,坤爲國。震爲周,爲公,爲祝;爲荆楚,爲諸侯,故曰襄適荆楚。左傳昭七年,公將往楚,夢襄公祖。梓慎曰,襄公之適楚也,夢周公祖而行。按,詩云,仲山甫出祖。毛傳,祖,祭道神也。周公祝祖者,謂襄公適楚,夢周公祖而行也。○祖,依宋本。汲古作周公所祝,非。

比

鵲近卻縮,不見頭目。日以困急,不能自復。

　　艮爲鵲,坤爲近,爲退,故曰縮。卻縮,退也,言鵲近人而避也。離爲目,乾爲首;離、乾伏,故不見。艮爲時,坎爲困,震爲復;震覆,故不能復。○近,從宋、元本。汲古作足。以,從宋、元本。汲古作久。

履

五舌啄難,各自有言。異國殊俗,使心迷惑,所求不得。

　　互巽卦數五,兌爲舌,故曰五舌。舌多,故啄難。正反兌相對,故各自有言。通謙。坤爲國,爲俗;艮亦爲國,正覆艮,故曰異國殊俗。坤爲迷,坎爲心,故曰使心迷惑。艮爲求,坤喪,故不得。○二三句皆用覆象。

泰

天門開闢，牢户寥廓。桎梏解脱，拘囚縱釋。

乾坤皆爲門户，而乾居戌亥〔一〕，故曰天門。乾鑿度云，乾爲天門。莊子庚桑楚云，天門者，無有也，萬物出乎無有。本之易也。互震，故曰開闢。坤閉，故曰牢户，曰桎梏，曰拘囚。震爲人，人閉坤中，故有此象。而震爲通達，故得解脱縱釋也。○囚，從宋、元本。汲古訛困。○坎爲牢，爲桎梏。坤閉，故與坎同象。此亦失傳之象。

否

堅冰黄鳥，啼哀悲愁。數驚鷙鳥，雛爲我憂。

艮爲堅，乾爲冰，坤爲黄，艮爲鳥，伏震爲啼，爲驚，坤爲悲愁。艮爲鷙鳥，兑爲雛；兑覆，故憂。○啼，從汲古。宋本誤常，元本誤當〔二〕。鳥、雛，從宋、元本。汲古作鵙、飄。悲愁，宋本誤愁悲，失韻。

同人

日走月步，趣不同舍。夫妻反目，主君失居。

通師。離日坎月。震爲步，爲趣，爲夫。巽爲妻，初至三兩半離相對，故曰反目。震爲主君，艮爲居。艮覆，故失居。小畜九三夫妻反目，即以兩半離相對爲反目也。

【補校】趣，從宋本、汲古。元本作趨。義同。

大有

金牙鐵齒，西王母子。無有禍殃，候舍涉道，到來不久。

〔一〕"戌"，刻本訛"戊"，據稿本改。
〔二〕"常"，稿本、刻本作"當"，"當"作"常"，據宋、元本改。

兌爲齒牙,乾爲金鐵。兌位西,乾王坤母,故曰西王母子。坤爲禍殃,坤伏故無。候舍涉道,未詳。疑有訛字。○禍,從汲古。宋、元本作患。候,宋、元本作扶。汲古作候。到,從宋、元本。汲古作別。

謙

式微式微,憂禍相絆。隔以岩山,室家分散。

式微,邶詩篇名。坤柔,故曰式微。坎爲憂,伏巽繩,故曰絆。艮爲岩山,爲室家;正反艮,故曰分散。○絆,從汲古。宋、元本作半,非。式微式微,胡不歸? 黎臣怨其君。不歸故曰絆。又,震爲歸,故知半非。又,式微,元本訛拭牧。依宋本、汲古。

豫

衆神聚集,相與議語。南國虐亂,百姓勞苦。興師征伐,更立賢主。

解詳屯之節。節中爻艮震,與豫體同。○聚集,從宋、元本。汲古作集聚。更,汲古作別。依宋、元本。

【補校】聚集,從元本。宋本、汲古作集聚。虐,宋、元本作虛。依汲古。

隨

虎狼爭食,禮義不行。兼吞其國,齊魯無王。

艮爲虎狼,初四正反艮,震口,故曰爭食。坤爲禮義,否初往上,坤形毀,艮止,故不行。艮爲國,兌口,故曰吞。巽齊兌魯,震爲王,正反震故曰無王。言列國互相兼并,周王不能制止也。○義、行、魯,從宋、元本。汲古作讓,作能,作晉。王,各本多作主。豈知行與王韻,主雖震象,韻不協。依汲古比之艮校。

【補校】虎狼,元本作狼虎。依宋本、汲古。

蠱

寄生無根，如過浮雲。本立不固，斯須落去，更爲枯樹。

　　漢書東方朔傳，著樹爲寄生。師古曰，寄生者，芝菌之類，爲雨淋著樹而生。故曰無根。上艮形似寄生，巽下斷，故無根。互大坎，故曰浮雲。巽下斷，故本不固，故落去。艮爲時，爲待，故曰斯須。言寄生頃刻即枯落也。離爲枯。丁據詩正義，以蔦釋寄生，非。蔦固名寄生，然非斯須落去之物，與此不合。

　　【補校】本立，元本作立本。依宋本、汲古。

臨

子啼索哺，母行求食。反見空巢，訾我長息。

　　詳乾之同人。○求，依宋、元本[一]。汲古作取。訾我，宋、元作訾弋。汲古作紫弋。依乾之同人校。

觀

駕駟逐狐，輪掛荆棘。車不結轍，公子無得。

　　伏震爲駕，爲駟，爲逐，艮爲狐。伏乾爲圜，爲輪。震爲荆棘，艮止，故曰掛。坤爲車，艮爲道路，爲轍。坤閉艮止，故曰車不結轍。言輪不動而無轍迹也。震爲公子，坤虛，故無所得。正伏象雜用。

噬嗑

方喙廣口，仁智聖厚。釋解倒懸，家國大安。

　　通井。兌爲口，艮爲喙。震爲仁，坎爲聖，爲智，艮爲厚。井巽繩爲懸，兌爲倒巽，故曰倒懸。震爲解釋。艮爲國家，爲安。○家，

────────────

〔一〕"元"下，刻本脱"本"字，據稿本補。

各本皆作唐。依井之恒校。

賁

駕福乘喜,東至嘉國。戴慶南行,移居安宅。

> 震爲駕,爲乘,爲福喜;爲東,爲嘉。艮爲國,爲戴。震爲慶,故曰戴慶。離爲南,故曰南行。艮爲宅,爲居,爲安。○東至嘉國,移居安宅,依汲古。宋、元本作來至家國,離我安居。失韻,非。

剥

孔鯉伯魚,北至高奴。木馬金車,駕遊大都。王母送我,騋牝字駒。

> 坤爲鯉,爲魚,中虛故爲孔。坤位北,艮爲奴,艮山在上,故曰高奴。高奴,地名。項羽傳,董翳王上郡高奴是也。坤爲馬,艮木,故曰木馬。坤爲車,艮金,故曰金車。坤爲都,伏乾爲大,故曰大都。乾王坤母,坤我,故曰王母送我。坤爲馬,爲牝,故曰騋牝字駒。史記平準書,乘字牝者,不得集會。字,乳也,即牝也。○字,依宋、元本。汲古作牸。字、牸同。○坤北、艮金確證。
>
> 【補校】騋,宋、元、汲古諸本皆作來。兹依學津、局本。

復

三足無頭,不知所之。心狂精傷,莫使爲明,不見日光。

> 震足,數三。乾爲頭,乾伏,故曰三足無頭。震爲之,坤迷,故不知所之。震爲狂,爲精神,坤爲傷,故曰精傷。坤黑,故不明。乾爲日,乾伏,故不見。

无妄

騋牝龍身,日馭三千。南止蒼梧,與福爲婚。道里夷易,安全無忌。

震爲馬,爲龍,巽爲牝,艮爲身。乾爲日,震爲馭驅也。爲三千,爲南,爲蒼梧。艮止,震巽爲夫婦,故曰婚。艮爲道,爲里,震爲夷易。艮安震樂,故無忌。○馭,依宋本。元本訛取。汲古訛越。由二本訛字觀之,似當爲趣。

【補校】日,元本作刃。忌作患。均依宋本、汲古。

大畜

辰次降婁,王駕巡狩。廣佑施惠,安國無憂。

降婁,即奎婁,戌分。艮先天位戌,故曰辰次降婁。乾爲王,震爲駕,爲巡狩。乾爲廣,爲施惠。艮爲安,爲國,震樂故無憂。○狩,依汲古。宋、元本作時,非。

【補校】汲古下多望季不來四字。與上文不協,依宋、元本刪。

頤

望幸不到,文章未就。王子逐走,馬騎銜傷。佚迹不得,曷其有常。

蔡邕獨斷云,天子所至,輒有賞賜,故曰幸,言人民冀幸得賞也。艮爲望,震爲王,爲行,爲幸。艮止,故不到。坤爲文章,艮止,故不就。震爲王子,爲走;爲馬,爲騎,爲口,故爲銜。坤傷,故曰銜傷。震爲迹。佚,避也,言遁迹不得也。○文章未就,從宋本增。汲古及各本皆無。佚,從宋本。汲古作失,非。屈子遠遊,離人羣而遁佚,是其義。○艮爲望確證。

【補校】文章未就,從宋、元本增。幸,汲古作車。依宋、元本。佚,宋、元本均作昳。此謂宋本作佚者,疑校檢偶誤,或別有所據,謹紀以備攷。

大過

中原有菽,以待饗食。飲御諸友,所求大得。

乾爲郊,故曰中原。下巽爲菽[一]。兑爲飲食,爲友。伏艮爲求。

坎

亂茅縮酒,靈巫拜禱。神怒不許,瘁愁憂苦。

　　伏巽爲茅,坎爲酒。祭時灌酒茅上,曰縮酒。縮,漏也。井九三云,甕敝漏。巽爲漏也。伏兑爲巫,爲禱,艮爲拜。震爲神,爲怒。坎爲勞瘁愁苦。○愁憂,從宋、元本。汲古作盡愁。

離

李華再實,鴻卵降集。仁哲以興,蔭國受福。

　　詳比之訟。

咸

源出陵足,行於山趾。不爲暴害,民得安處。

　　通損。坤爲水,艮陵。震爲足,爲趾。上山下足,水從山出,故曰源出陵足,行於山趾。坤爲害,艮安故不害。坤爲民。○源,汲古作原。依宋、元本。處,宋本、汲古作居。從元本。

恒

客入其門,奔走東西。童女不織,士棄耕畝。暴骨千里,歲飢民苦。

　　通益。震爲客,艮爲門,巽入。震東兑西,震爲奔走。兑少,故曰童女。巽爲織,艮止,故不織。震爲士,爲耕,坤爲畝;艮止,故不耕。兑爲骸骨,坤爲千里。艮火在上,故曰暴骨千里。坤爲歲,爲民,爲飢。○飢,依汲古。宋、元本作寒。

―――――――――

〔一〕"下巽",稿本作"伏震",兹依刻本。

遯

天之所予,福禄常在。以永康寧,不憂危殆。

乾爲天,爲福禄。艮安,故不危。○汲古無第三句。依宋、元本。

【補校】末句,從汲古。宋、元本作歲寒無年。

大壯

蝗食我稻,驅不可去。實穗無有,但見空藳。

伏巽爲蝗,兑爲食,震爲稻,爲驅。艮爲果蓏[一],爲實穗。艮伏,故無有。坤虛,故曰空藳。○藳,汲古作槁。依宋、元。

晉

牛驥同槽,郭氏以亡。國破空虛,君奔走逃。

艮爲槽,坤牛坎馬,皆與艮連體,故曰同槽。説文,槽,馬食器也。艮爲郭,坤亡,故曰郭氏以亡。郭,國名,爲齊所滅。坤爲國,爲空虛;坎破,故曰國破。乾爲君,乾伏,故曰君逃。○槽,從宋本。汲古作堂,以與亡韻。豈知槽與逃韻。以,從汲古。宋、元本作已。郭,國名,爲齊所滅。見胡傳。

【補校】槽,宋、元、汲古諸本皆作堂。依升之小畜及翟本校。

明夷

狗無前足,陰謀叛北。爲身害賊,何以安息。

艮爲狗,初爻陽,故曰無前足。坎爲謀,爲伏,故曰陰謀。震爲反,爲叛。坤爲北,爲身,爲害。坎爲賊。震行,故不息。○害賊,從元本。宋本作賊害,不韻。叛,汲古、宋、元作其。依局本。

[一]"蓏",刻本訛"蓏",據稿本改。

【補校】害賊，宋本、汲古作賊害。北，從宋、元本。汲古作比。

家人

兩輪自轉，南上大阪。四馬共轅，無有屯難，與禹笑言。

通解。坎爲輪，重坎，故曰兩輪。離爲南，震爲上，爲阪。坎爲木，爲轅；震爲馬，卦數四，故曰四馬共轅。坎爲屯，震樂，故無有屯難。震爲笑言，爲王；坎勞，故曰與禹笑言。○屯，從元本。宋本、汲古作重。又，宋元多鶴鳴竅穴，不離其室八字，與上文義不屬。故從汲古。

暌

芽蘗生達，陽昌於外。左手執籥，公言錫爵。

此用小畜伏象。伏震爲芽蘗，爲生達。在上，故曰昌外。艮爲手，爲執。震爲左，爲籥；爲公，爲言，爲爵。全用小畜伏象。○震爲公，爲爵，可解易。

【補校】蘗，宋、元本作孼。依汲古。孼通蘗。

蹇

秋花冬萼，數被嚴霜。甲兵當庭，萬物不生。雄犬夜鳴，民擾大驚。

此用小畜象。兌爲花萼，爲秋。乾爲冬，爲霜。離爲甲兵，伏艮爲庭。當庭，疑有訛字。震爲萬物，兌折，故不生。艮爲犬，坎夜，震爲擾驚。○兌爲華確證，可釋大過。

【補校】第五句，汲古作雄火夜明。依宋、元本。

解

霜降閉戶，蟄蟲隱處。不見日月，與死爲伍。

詳坤之需。

損

身載百里,功加四海。爲文開基,武立天柱。

坤爲身,爲載,爲百里,爲海。震爲功,數四,故曰功加四海。坤爲文,艮爲基。震爲武,艮爲天,爲柱。○天,依汲古。宋、元本作大。○震爲武證,可解易。又,載,疑爲宰。又按神異經,崑崙有銅柱焉,其高入天,所謂天柱。又列子,共工氏觸不周之山,天柱折,地維絕。立天柱,猶植基也。

益

禹作神鼎,伯益銜指。斧斤高閣,憧立獨坐。賣庸不讎,苦困爲禍。

震爲王,爲禹,爲神,爲鼎,爲伯。坤爲聚,爲益。艮爲指,震口爲銜。伏兑爲斧斤,艮爲高閣。言斧斤閣置不用也。憧,説文,意不定也。咸九四,憧憧往來。憧立者,言徙倚不定也。又集韻,憧,音憃,與騃同。憧立,猶癡立也。尤與坤迷象合。震立艮坐,坤寡,故曰獨坐。庸、傭同。艮爲庸,巽爲市易,故曰賣庸。漢書欒布傳,窮困賣庸。注謂受僱也。坤害,故不讎。漢書高祖紀,每留酤,讎數倍。如淳曰,讎,售也。坤爲困苦,爲害。丁晏云,吕覽,周鼎著倕而齕其指。淮南子本經,周鼎著倕,使銜其指。注,明不當太巧也。兹作伯益,乃傳聞異詞。凡子書述故事多如此。○憧,從宋、元本。汲古作幢,非。立,從汲古。宋、元本作位,非。賣庸不讎,從元本。宋本作賣庸不售[一]。汲古作賣賈不售。苦,從宋、元本。汲古作讎,乃妄人將讎字移置於此。禍,從宋、元本。汲古作害。

〔一〕"賣庸不售",稿本、刻本誤作"不售賣庸",據宋本改。

夬

福祚之聚，喜至憂除。如魚逢水，長樂受喜。

乾爲福，重乾，故曰聚。伏坤爲魚，爲水。兑悦，故喜。○三四句依汲古。宋、元本作如風兼雨，出車入魚。

【補校】三四句，元本謂或本又云如魚逢水，長樂受喜。是其又見本與汲古同。聚，從汲古。宋、元本作家。

姤

蒼龍隱伏，麟鳳遠匿。寇賊同處，未得安息。

震爲蒼，爲龍，震伏故曰隱。坤文，爲麟鳳，坤伏故曰匿。巽爲寇賊，在内〔一〕，故曰同處。消陽〔二〕，故不息。○寇賊，從汲古。元本作冠履。宋本作寇來。蒼龍，從宋本。元本訛倉。

萃

白鶴銜珠，夜食爲明。懷安德音，身受光榮。

伏震爲鶴，爲珠。兑口爲銜，爲食。坤爲夜，艮爲光明，故曰夜食爲明。言得珠而明也。伏震爲音。坤爲身，艮貴，艮光，故曰光榮。○爲，從宋、元本。汲古作待，非。安，從宋、元本。汲古作胡，非。○艮爲光明，易光明象皆得解。○宋、元本作升林。此必有故實。

升

旦生夕死，名曰嬰鬼，不可得祀。

震爲旦，爲生。坤爲夕，爲死。兑爲嬰兒，坤爲鬼。兑食，爲祀。坤閉，故不可得。○旦，依宋、元。汲古作朝。祀，從汲古。宋

〔一〕“在内”，稿本作“坤衆”，兹依刻本。

〔二〕“消陽”，稿本作“震行”，兹依刻本。

本訛視。○宋、元作萃林。

困

行役未已，新事復起。姬姜勞苦，不得休息。

> 通賁。震爲行役，正反震，故不已。離爲新，震起。震爲姬，巽爲姜。坎爲勞，故不息。○休，從宋、元本。汲古作安。

> 【補校】行役，元本作役行。依宋本、汲古。

井

憂患解除，喜至慶來。坐立懂忻，與樂爲鄰。

> 詳蒙之咸。

革

晨風文翰，大舉就溫。昧過我邑，羿無所得。

> 晨風，鷗也。通蒙。艮爲鷗。震晨，巽風，故曰晨風。坤爲文，震爲翰，故曰文翰。文翰，詳大過之豫。艮火，故曰就溫。坤爲我，爲邑，坤黑[一]，故曰昧過我邑。坤爲惡，故曰羿。坤虛，故無得。陳樸園云，詩，鴥彼晨風，鬱彼北林。疑齊詩作溫彼北林，故林辭屢言就溫。溫、蘊通用。雲漢詩，蘊隆蟲蟲。韓詩作鬱。蘊、鬱義同。毛傳，鬱，積也。就溫，猶集菀耳。○文，宋、元本作之。汲古作天。他本或又訛大。茲依大過之豫校。○艮鳥、震翰確證，易多處得解。

鼎

下田種黍，方華生齒。大雨淋集，紛澇滿甕。

> 通屯。坤爲下，爲田。震爲黍，爲華，爲生。本卦兌爲齒。坎

〔一〕"坤"，刻本訛"神"，依稿本改。

雨坤水,故曰大雨淋集,曰紛淓。震爲甕,在下承之,故滿甕。○種,依汲古。宋、元作稷。方,從元本。宋、汲古作芳。生,從宋、元。汲古作當。詩,黍稷方華,林辭所本。故知宋、汲古皆誤。甕,亦從宋、元本。汲古作紛榮滿甕,非。滿甕,即盈缶之義。

【補校】淋集,宋、元本作集降。依汲古。

震

鳥庇茂木,心樂願得。君子碌碌,見者有穀。

艮爲鳥,爲庇,震爲茂木。艮爲君子,艮止,故碌碌。坎爲心願,震爲樂,爲穀。穀,善也。○木,汲古作林。依宋、元本。樂,宋、元作勞。依汲古。見者有穀,宋、元作見春百穀。依汲古。君子句,汲古在第二句。依宋、元本。

【補校】得,宋、元本作德。依汲古。得、德古通。按,此林汲古與宋、元本文序頗異。玆依汲古,唯將二三句互乙。宋、元本作:君子碌碌,鳥庇茂木。見春百穀,心勞願德。又按,翟本校字與此同,唯文詞次序首二句依宋、元,三四句依汲古,音義亦協。其詞云:君子踿踿,鳥庇茂木。心樂願得,見者有穀。

艮

折臂踒足,不能進酒。祠祀闊曠,神怒不喜。

艮爲臂,坎折;震爲足,坎蹇,故曰折臂踒足。坎爲酒,坎陷,故不進。震爲祠祀,艮止,故闊曠。震爲神,爲怒,爲喜;坎憂,故不喜。○震爲神確證。凡易神象有著。

【補校】闊曠,元本作曠開。依宋本、汲古。

漸

學靈三年,仁聖且神。明見善祥,吉喜福慶。鴟鵠知來,告我無憂。

學靈,小兒學語也。小畜兌爲雛,爲口;正反兌相對,故曰學靈。乾爲年,離卦數三,故曰三年。伏震爲仁,坎爲聖,震爲神,爲善。艮爲明。祥者,兆也,吉凶之先見者也。惟明者能先見之。震爲喜慶,爲鴇鵠。震覆爲艮,口向內,故曰來。震爲言,故曰告。坤爲我,坎爲憂;震解,故無憂。顧千里曰,淮南氾論訓[一],乾鵠知來而不知往。鄭注大射儀引爲鴇。愚按,廣雅,鴇鵠,鵲也。廣韻,鴇鵲,鳥名。陸賈云,乾鵲噪而行人至。鴇鵲、乾鵲、乾鵠,實一物,即今俗所云喜鵲也。○各本皆作鳴鳩飛來。依宋本晉之艮校[二]。且神、明見,宋、元本作神明、光見[三]。依汲古。

【補校】仁聖且神,宋、元本作聖且神明。依汲古。鴇鵲,宋本、汲古作鳴鳩。元本作鳲鳩。翟本注云,鳲鳩,鴇鵲之形誤也。茲從校。

歸妹

三婦同夫,志不相思。心懷不平,至常愁悲。

兌爲婦,震數三,故曰三婦。震爲夫,坎爲心志,坎陷故不平。坎憂,故愁悲也。○至常,宋、元本作志常。志與上複。依汲古。

【補校】志,元本作忽。依宋本、汲古。

豐

中田膏黍,以享王母。受福千億,所求大得。

坎爲土[四],爲中,互大坎,故曰中田。巽爲黍,爲母,兌食爲享;震爲王,故曰以享王母。震爲福,爲千億,伏艮爲求。○膏,從

〔一〕"氾",刻本訛"汜",據稿本改。
〔二〕"依宋本晉之艮校",按宋、元本晉之艮此句作"餌吉知來",可依校者唯"知"字。疑"鴇鵲"二字,翟本注頗可從。詳"補校"。
〔三〕"光",稿本、刻本誤"先",據宋、元本改。
〔四〕"土",刻本訛"士",據稿本改。

宋、元本。汲古訛高。山海經，廣都之野，后稷葬焉，其地生膏黍。膏黍者，黏黍也。豐中互大坎，故曰膏。

旅

陽火不災，二耕慶來。降福送喜，鼓瑟歌謳。

離艮皆爲火，中互大坎；坎水，故不爲災。旁通節。震爲耕，兑卦數二，故曰二耕。春耕、秋耕也。震爲喜慶，爲福，爲鼓瑟，爲歌謳。○不災、慶來，從宋、元本。汲古作不憂，作喜至。二耕，從汲古。宋、元本作喜至慶來。又〔一〕，汲古鼓瑟上多爲我二字，歌謳下多送喜二字，爲五句。然音皆不協，疑字句有訛誤。然宋、元本災、來韻，謳不韻，仍未愜。

【補校】三四句，依宋、元本。汲古此林作五句，云：陽火不憂，二耕喜至。慶來降福，爲我鼓瑟，歌謠送喜。

巽

陽明不息，君無恩德。伯氏失利，農喪其力。

互離火，故明不息。震爲君，爲恩德，爲伯。震伏，故無，故失利。巽爲利也。震爲農人。震伏，故喪力。○農，從宋、元本。汲古作民。

兑

燕雀銜茅，以生孚乳。兄弟六人，姣好悌孝。各得其願，和悦相樂。

兑爲燕雀，爲銜；互巽爲茅，故曰銜茅。伏坎爲孚，艮爲乳。震爲生，爲兄。艮、坎爲弟，坎數六，故曰兄弟六人。兑爲媚，爲悦，故

―――――――――――――――――――――――――――――

〔一〕“汲古作不憂”至“又”凡二十二字，刻本無。疑誤脱。據稿本校補。唯其中“宋、元本”之“元”字，稿本亦遺，從元刊本校增。

曰姣好。互巽爲順,故曰悌孝。兌悅,故曰和樂。艮爲鷙鳥。凡雕
鶚之屬皆爲艮象。兌與艮對,燕、雀皆小鳥,故爲兌象。俗象離,
非。○姣,從宋本。汲古作交。悌孝,汲古作孝悌。依宋、元本。
孝與樂韻。

渙

鶉尾賁賁,火中成軍。虢叔出奔,下失其君。

　　左傳僖五年,龍尾伏辰,鶉之賁賁。火中成軍,虢公其奔。杜
注,鶉,鶉火星;尾,尾星。言丙子平旦,鶉火中,軍事有成功也。艮
爲火,爲尾,爲星,又爲鳥,故曰鶉火,曰鶉尾。賁賁,星體之象。互
震爲武人,故曰軍。艮手,艮虎,故曰虢。說文,虢,虎所攫畫,明文
也。艮爲少,故曰虢叔。震爲奔,爲君。坎爲失,爲下。○艮火證。

節

兩人相距,止不同舍。夫妻離散,衛侯失居。

　　中爻正反艮,故曰相距。正反震,故曰兩人。又兌卦數二,亦
兩人象。艮爲舍,爲止。正反艮,故不同舍。震夫巽妻,巽爲風而
伏不見,故曰離散。震爲諸侯,爲衛,故曰衛侯。艮爲居,坎陷,故
失居。○此用覆象,易詞用覆者可解。

中孚

魃爲旱虐,風吹雲卻。欲止不得,反歸其宅。

　　艮爲火,故曰旱虐。震爲神,與艮火連體,故曰魃。詩大雅,旱
魃爲虐。毛傳,魃,旱神也。巽爲風,兌口爲吹。大坎爲雲,坎伏,
故曰雲卻。卻,退也。艮爲止,爲宅,震爲歸,故曰反歸其宅。○
魃、虐,從宋本、汲古。旱,從丁釋文。汲古作䔍。宋本作燔。元本
作魁爲番虎,全訛。

　　【補校】吹,元本作推。從宋本、汲古。止,宋、元本作上。依

汲古。

小過

關雎淑女[一]，配我君子。少姜在門，君子嘉喜。

　　　艮爲城關，爲鳥，故曰關雎。兑女，震善，故曰淑女。艮爲君子，兑者艮妻，故曰配。巽爲姜，大過以巽爲女妻，故曰少姜。艮爲門，震爲喜。○少姜，依汲古。宋、元本均作少妻，非。妻，應作齊。少齊，見左傳，巽象也。陳樸園曰，關雎乃后妃爲文王求嬪。據易林，則是后妃爲文王求少姜而得之矣。愚按，文王妃嬪，不見有姜氏。武王后邑姜，爲太公女，安知非爲武王求得乎？又易林師之坤説桃夭詩，云男爲邦君。陳樸園以爲似是武王娶邑姜事，非民間嫁娶，與此正合。此焦詩與毛異處。

既濟

慈母赤子，饗賜得士。夷狄服除，以安王家。

　　　此用小畜象。伏坤爲母。震子，坎赤，故曰赤子。兑爲讌饗，震爲士。伏坤爲夷狄，坤順，故服。震王，艮家。○夷狄服除，依宋、元本，汲古作降。家，依宋、元，與除韻。服除者，言降服掃除之也。

　　　【補校】夷，從宋本、汲古。元本作襄。除，汲古作降。士作土。家作室。均依宋、元本。

未濟

三足孤烏，靈明督郵。司過罰惡，自賊其家，毀敗爲憂。

　　　漢志，日中有三足烏。小畜伏震爲足，數三，故曰三足。離爲烏，伏坎，故曰孤烏。離爲明。坎爲賊，艮爲家。伏坤爲過惡，艮爲司，坎爲罰。○依坎之渙校，增末句。汲古孤烏訛狐鳴，司訛思。

────────────

〔一〕“雎”，刻本訛“睢”，據稿本改。注倣此。

依宋、元。家音姑,與烏韻。丁云,漢書尹翁歸傳,往署督郵。蓋督
察之官。愚按,周禮龜人,天龜曰靈屬。爾雅,二曰靈龜。古今注,
龜,一名元衣督郵。然則靈明督郵,謂龜也。與烏同,爲離象。

　　【補校】明,宋、元、汲古諸本皆作鳴。依翟本及坎之渙、噬嗑
之鼎校。

履之第十

履

十烏俱飛,羿射九雌。雄得獨全,雖驚不危。

元刊易林舊注云,堯時十日並出,羿射其九日,九烏皆死。離爲烏,兌數十,故曰十烏。離爲惡人,故曰羿。伏震爲射,數九,故口羿射九雌。坤爲雌。坤伏,乾出,故曰雄得獨全。伏震爲驚,坎爲險;坎伏,故不危。○烏,從宋、元本。他本多訛鳥。雄得獨全,雖驚不危,依汲古。宋本作雖得渻全。元本作雄雖得全。皆非。又雖驚,宋、元本作且驚。亦非。

【補校】射,宋、元本作得。依汲古。

乾

東向蕃垣,相與笑言。子般執鞭,圉人作患。

此用履象。巽爲蕃垣。蕃垣,牆也。蕃與藩通。詩大雅,四國于蕃是也。離東,故曰東向。初至五兩兌口相對,故曰相與笑言。伏震爲子,爲般。般,反也。伏艮爲執,巽爲鞭,故曰執鞭。艮爲圉,坎爲患。左傳莊三十二年,雩,女公子觀之。圉人犖自牆外與之戲,子般鞭之。後犖弒子般〔一〕。林全用其事。○圉、患,從宋、元本。汲古等本皆訛作樂人作歡。○離東證。

【補校】蕃,宋、元本作藩。依汲古。蕃、藩通。

〔一〕"子般",稿本、刻本誤作"閔"。按《左傳》莊公三十二年:"冬十月己未,共仲使圉人犖賊子般于黨氏。"是犖所弒者子般,非此後即位之閔公。謹依校改。

坤

循河榜舟，旁淮東遊。漁父舉網，先得大鰭。

　　坤爲河，爲淮。履伏震爲舟，爲東，故曰東遊。坤爲聚，爲漁，
乾爲父，故曰漁父。離爲網，坤爲鰭，巽亦爲鰭，兼用遇卦。○榜
舟，從汲古。宋作楠。元作摘。皆訛。

屯

轅折輪破，馬倚僕臥。後旅先宿，右足跌踒。

　　震爲轅，坎爲輪，爲折，爲破。震馬，艮僕；艮止，故馬倚僕臥。
震爲後，爲行旅，坎爲宿。震爲足，遇險故跌踒。○先，從宋、元本。
汲古作失。

蒙

兩人相絆，相與悖戾。心乖不同，訟爭惚惚。

　　震爲人，正反震，故曰兩人。伏巽爲繩，正反巽，故相絆。坎爲
悖戾，兩人相背，故悖戾，故不同。坎爲心，震爲言；正反震，故訟
爭。○絆，從宋、元本。汲古作伴。二三句從汲古。宋、元本作心
不同爭，訟惚惚然。非。

　　【補校】悖，汲古作僕。惚惚作凶凶。均依宋、元本。

需

北辰紫宮，衣冠立中。含和建德，常受天福。

　　詳坤之觀。○立，汲古作在。

訟

遊居石門，禄安身全。受福西鄰，歸飲玉泉。

　　詳需之既濟。惟此以巽爲石，乾爲門。○巽爲石、坎爲西證。
可解易。○第二句宋、元本作禄身安全，汲古作禄祉安全。兹依需

之既濟校。

師

羊腸九縈，相推稍前。止須王孫，乃能上天。

　　坤爲腸，震爲羊；數九，故曰九縈。震爲王，伏乾爲天。詳蠱
之剥。

　　【補校】稍，宋、元、汲古諸本皆作併。依蠱之剥校。

比

爭訟相倍，和氣不處。陰陽俱否，穀風毋子。

　　坎上下兩兑口相倍。倍，反也。坎爲和，相倍故不和。穀風，
邶詩篇名。毛謂爲夫所棄。兹謂無子，是齊詩義也。坤爲風。

　　【補校】毋，宋、元本訛母。依汲古。

小畜

郭叔矩頤，爲棘所拘。龍額重顙，禍不成殃，復歸其鄉。

　　舊注皆云故實未詳。蓋所據者，古今無其書。但以象論，似無
訛字。卦通豫。艮爲郭，爲叔，兑爲頤。坤方，故曰矩頤。坎爲棘，
艮拘。震龍，艮爲額，爲顙。坤爲重，故曰重顙。坤爲禍，震解，故
不成殃。艮爲鄉，震爲復，爲歸。○矩，各本訛距。龍額，汲古作童
顏。非。依宋本。

泰

蠆室蜂戶，螫我手足。不得進止，爲吾害咎。

　　詳屯之明夷。

否

怒非其怨，因物有遷。貪妬腐鼠，而呼鴉鳶。自令失餌，倒
被困患。

伏震爲怒。坤爲物，爲嫉妬。艮爲鼠，巽敝，故曰腐鼠。艮爲鶎鳶，震爲呼。莊子，鴟得腐鼠，鵷鶵過之，仰而視之，曰嚇。林似本此而變其意，言貪得腐鼠，呼鴟鳶相助，豈知反爲所奪而失餌也。○倒被困患，依丁本、局本。宋、元二本皆作失反被困。汲古作到掀困患。自令失餌，依汲古增。

【補校】怒，依宋、元本。汲古作願。物，依汲古。宋、元本作拘。自令失餌，宋、元本無。汲古令作合，似形訛。依翟本及復之渙汲古本校。

同人

嬰孩求乳，母歸其子，黃麛悅喜。

　　此用履伏象。震爲嬰孩，艮爲乳，爲求。震爲子，爲歸，坤爲母。坤舍震上，故曰母歸其子。震爲鹿。麛，鹿子也。坤黃，故曰黃麛。震爲喜。○宋、元本末多自樂甘餌。

大有

鍼縷徒勞，錦繡不成。鷹逐雉兔，爪折不得。

　　此用履象。伏坎爲針，巽爲縷，爲錦繡。兌毀，故曰徒勞，曰不成。伏艮爲鷹，離爲雉。震爲兔，爲足，爲爪。坎蹇，故爪折不得。本象、對象雜用。○徒勞，依汲古。宋、元本作勝服。

謙

雨潦集降，河渠不通。齊魯閉塞，破費市空。

　　坤水，坎水，故曰雨潦，曰河渠。坎爲塞，故不通。伏巽爲齊，兌爲魯。坤閉，故曰齊魯閉塞。坎破，巽爲市；坤虛，故市空。○渠、齊，依汲古。宋、元作梁，作鄒。

豫

封豕溝瀆，水潦空谷。客止舍宿，泥塗至腹，處無黍稷。

坎爲豕,爲溝瀆。天官書,奎爲封豕,爲溝瀆。主江河之事,故
曰水潦。坎爲水,艮爲谷;坤虚,故曰空谷。震爲旅客,艮止。艮
舍,坎爲宿,爲泥塗。坤爲腹,故曰至腹。震爲黍稷,坤死故無。

【補校】舍宿,汲古作宿舍。泥訛紀。均依宋、元本。

隨

三姦相擾,桀跖爲友。上下騷離,隔絶天道。

震數三,巽爲伏,爲姦,震爲擾。正反震,故曰相擾。兌剛,故
曰桀。巽爲盜,故曰跖。艮上兌下,互大坎,故隔絶。艮爲道。○
友,依汲古。宋、元本作交。

蠱

齊景惑疑,爲孺子牛。嫡庶不明,賊孽爲患。

巽爲齊,互離日,故曰齊景。互坎,故疑惑。艮爲孺子,離爲
牛。震爲嫡子,兌爲孽,爲庶。坎爲賊,爲患,爲孺子牛。事見左傳
哀六年,鮑子曰,汝忘君之爲孺子牛而折其齒乎?孺子,名荼[一]。

【補校】牛,汲古訛手。依宋、元本。

臨

三羊俱亡,奔走南行。會暮失迹,不知所藏。

兌爲羊,震數三,故曰三羊俱亡。亡者,逃也。震爲亡,爲奔
走,爲南。坤爲暮,震爲迹;坤迷,故失迹。坤爲藏,坤黑,故不
知。○所,依宋、元。汲古作其。

【補校】奔走,宋、元本作走奔。依汲古。

觀

請伯行賈,岱山之野。夜歷險阻,不逢危殆,利如澆酒。

〔一〕"荼",刻本訛"茶",據稿本改。

通大壯。震爲伯,爲商賈。艮爲山,震東,故曰岱山。坤爲野,爲夜,艮爲險阻。巽爲利。酒,疑坤水象。○夜,依宋、元本。汲古作犯。岱,宋、元皆訛代。韻補云,殆音以。按易林殆字,十九協以。

噬嗑

桑之將落,隕其黃葉。失勢傾側,而無所立。

震爲桑,伏巽爲落,爲隕。震爲黃,故曰隕其黃葉。坎陷,爲傾側,爲失。○之,依宋、元本。汲古作方。非。桑,依宋本。元本與汲古作葉。非。詩衛風,桑之落矣,其黃而隕。

賁

上山求魚,入水捕狸。市非其歸,自令久留。

震上艮山。艮求,下離爲魚。坎爲水,艮爲捕,爲狸。狸在上而於下坎水捕之,魚在下而於上山求之,當然不得。伏巽爲市。歸,聚也,言所市非地。艮止,故久留。○狸,從宋本。汲古作兔。

【補校】狸,從宋、元本。

剝

名成德就,項領不試。景公耄老,尼父逝去。

艮陽在上,爲名,坤爲成。艮爲項領。詩小雅,有鶖其領。傳,領,頸也。又,四牡項領[一]。傳,項,大也。箋,但養大其領,不肯爲用。茲曰不試,與詩義同也。艮止,故不試。艮爲火,爲景,坤爲老。伏乾爲父,艮山,故曰尼父。坤死,故逝去。論語,景公曰,吾老矣,不能用也。孔子行。左傳,孔子卒,公誄之曰,哀哉尼父! 勿自律。

〔一〕“牡”,稿本、刻本誤“牧”,據阮刻《毛詩正義》改。

復

天之奧隅，堯舜所居。可以存身，保我國家。

　　伏乾爲天，坤方大，故曰奧隅。震爲帝，故曰堯舜。坤爲聚，爲居，爲身，爲國家。坤安，爲保。○第三句宋本作以存保身。依汲古。第四句宋、元本作爲我國家。汲古作保我邦國。茲保我，依汲古；國家，依宋、元本。

无妄

涉伯殉名，棄禮誅身。不得其道，成子奔燕。

　　左傳定十年〔一〕，晉趙鞅圍衛，討衛之叛，曰由涉佗、成何。遂殺涉佗，成何奔燕。君子曰，此之謂棄禮。震爲伯，艮爲名。坤爲禮，爲身；坤伏，故曰棄禮誅身。震爲道，巽伏，故不得。艮爲成，震爲子，爲奔，爲燕。○宋、元本作頤林。

　　【補校】不得其道，汲古無。依宋、元本。

大畜

兩人俱爭，莫能有定。心乖不同，訟言起凶。

　　震爲人，三上正反震。故曰兩人，曰相爭，曰無定，曰心乖不同而訟也。伏坤爲凶。

頤

雎鳩淑女〔二〕，賢聖配耦。宜家受福，吉慶長久。

　　艮爲鳥，爲雎鳩，震淑坤女。伏乾爲聖賢，乾坤爲配偶。艮爲家，震爲福，爲吉慶。艮爲長久。○慶，依宋本。汲古作善。宋本作无妄林。

〔一〕“十”，稿本、刻本誤“九”，據阮刻《左傳正義》改。
〔二〕“雎”，刻本訛“睢”，據稿本改。注倣此

【補校】慶,依宋、元本。受,宋、元本作壽。依汲古。

大過

踰江求橘,並得大栗。烹羊食炙,飲酒歌笑。

> 伏坤爲江河,震爲踰;艮爲橘,爲求。乾爲大,爲木果,故爲大
> 栗。兌爲羊,爲飲食。大坎爲酒,震爲歌笑。正伏象雜用。〇江,
> 依宋、元本。汲古作河。炙,依汲古。宋、元作肉。飲,汲古作飯。
> 依宋、元本。

坎

山險難行,磧中多石。車馳轊擊,重載折軸。擔負差躓,跌
蹉右足。

> 詳乾之謙。〇差,同蹉。依汲古。宋、元本訛善。此等處汲古
> 尚存真字,勝宋、元本。
>
> 【補校】轊,汲古作頞。依宋、元本。載折,宋、元本作傷載。
> 依汲古。

離

允利孔福,神所子畜。般樂無苦,得其歡欲。

> 互巽爲利。伏震爲孔,爲福;爲神,爲子;爲般樂,爲歡。〇允,
> 從汲古。宋、元本訛元。

咸

鳥鵲食穀,張口受哺。蒙被恩福,長大成就。柔順利貞,君
臣合德。

> 艮爲鳥,兌爲食,巽爲穀。兌爲口,爲哺。乾爲恩福。伏震爲
> 長,下艮爲成。坤爲柔順,巽爲利。乾君艮臣,故曰合德。〇德,依
> 汲古。宋、元本作好。

【補校】穀,汲古作谷。依宋、元本。

恒

潼溢蔚薈,膚寸來會。津液下降,流潦滂沛。

　　詳坤之旅。惟彼曰扶首來會,以艮爲扶,互坎爲首,巽爲絲縷,故必曰扶首乃切。此則震爲覆艮,艮爲手。公羊傳僖三十一年,何休注此句云,側手爲膚,按指爲寸。艮覆,象側手按指,故必曰膚寸方切。或者不論何卦,謂扶首是、膚寸非者,殊不知林辭林字皆由象生也。

遯

路多枳棘,步刺我足。不利旅客,爲心作毒。

　　詳屯之賁。

大壯

尩蝮所聚,難以居處。毒螫痛甚,瘡不可愈。

　　通觀。巽爲蟲,爲尩蝮,坤聚。艮居,坤害,故不可居。坤陰,爲毒螫。艮爲節,爲瘡;坤喪,故不可愈。○首句依宋、元本。汲古作尩蛇求聚。

晉

麟鳳相隨,察觀安危。東國聖人,后稷周公。君子攸同,利以居止,長無憂凶。

　　離文,坤文,故曰麟鳳,曰相隨。離爲觀,艮安坎危。坤爲國,離東,故曰東國。坎爲聖,坤土爲后稷。反震爲周,爲公。艮爲君,爲居止。坤爲憂凶,離明在上,故不凶。○周公下,宋、元本多共和政令四字。汲古無。察觀,依汲古。宋、元作觀察。東國,依汲古。宋、元本作東郭。

【補校】憂,汲古作災。依宋、元本。

明夷

桀亂不時,使民恨憂。六趾爲笑,君危臣羞。

　　離爲惡人,坤亦爲惡,故曰桀。離爲亂,坤亦爲亂。艮爲時,艮覆,故曰不時。坤爲民,坎爲憂。震爲趾,坎數六,故曰六趾。震爲笑,爲君;坤爲臣,爲羞。坎險,故危。○桀,宋、元作築。依汲古本。六,依汲古。宋本訛立。趾,依元本。宋本訛祉,汲古同。莊子,駢拇枝指。注,枝指,六指也。駢拇,謂足拇指連第二指也。又云,二者或有餘於數,或不足於數,其爲憂一也。六趾,或爲六指。六指屢見他林。

　　【補校】六,宋、元本訛立。羞作騷。均依汲古。

家人

黃帝所生,伏羲之宇。兵刃不至,利以居止。

　　詳屯之萃。○宇,宋、元本作宅。失韻。

睽

雀行求粒,暮歸屋宿。反其室舍,安寧如故。

　　詳比之巽。○屋宿、反,依宋本。元本反作及;屋宿,汲古作喔嚅。如,依汲古。宋、元作無。又屋宿,比之巽作孚乳。姑兩存之。

蹇

太倉積穀,天下饒食。陰陽和調,年歲時熟。

　　此用履伏象。艮爲倉,震爲穀;坤聚,故曰積穀,故曰饒食。坎爲食也。坎爲和,坤爲年歲,艮爲時。

　　【補校】太,汲古作大。依宋、元本。

解

干旄旌旗，執幟在郊。雖有寶珠，無路致之。

　　詳師之隨。○宋本作損林。

　　【補校】干，宋、元本作竿。依汲古。又，宋、元本作損林。茲依汲古。

損

履尾蹈顛，墜入寒淵。行不能前，足蹉不便。

　　震爲履蹈，艮爲尾，爲顛。坤爲淵，爲寒；坤下，故墜。震爲行，艮止，故不能前。兌折，故足蹉。○尾，汲古作危。依宋、元本。寒，依宋本。汲古作泉。行，依宋本。汲古作蹇，與下蹉義複。故知宋本是。宋本作解林。

　　【補校】尾，宋、元本作機。此謂依宋、元作尾，似檢審偶誤。然作尾字義較暢。馬生新欽疑或據周易履九四履虎尾校。寒、行，均依宋、元本。又，宋、元本作解林。茲依汲古。

益

銜命上車，合和兩家。蛾眉皓齒，二國不殆。

　　巽爲命，震口爲銜，爲上，坤爲車。艮爲家，正反艮相對，故曰和合兩家。巽爲蛾，艮爲眉，震爲齒，爲白，故曰蛾眉皓齒。坤爲國，數二；震樂，故曰二國不殆。此似有故事，待攷。○不殆，依汲古。宋、元本訛率殭。

夬

吉日車攻，田弋獲禽。宣王飲酒，以告嘉功。

　　乾爲日，爲吉。伏坤爲車，爲田。艮爲禽獲。乾爲王，乾又爲大明，故曰宣王。兌爲飲，爲告。乾爲功。吉日、車攻，皆小雅美宣王詩篇名。禽、攻爲韻。與易比九五象辭禽、中韻正合。

姤

金帛貴寶，宜與我市。嫁取有息，利得過母。

乾爲金，爲貴，爲寶。伏坤爲帛，爲我。巽爲市。震爲嫁，爲生，爲息。巽爲母。○金帛貴、與，依汲古。宋、元本作重伯黃，作以。息，汲古作恩。依元本。利得，依宋、元本。汲古作得利。母，依宋、元。汲古作倍。

【補校】息，宋本、汲古作恩。

萃

延頸望酒，不入我口。深以自喜，利得無有。

詳訟之益。

升

牧爲代守，饗食甘賜，得吏士意。戰大破胡，長安國家。

此用李牧事。坤爲養，爲牧，爲邑；爲北，故曰代。伏艮爲守。兌爲饗，坤爲甘。震爲吏士，爲戰。兌爲折，坤爲胡，故曰破胡。坤爲安，爲國家，巽爲長。○食、吏，從宋、元本。汲古作養、作利。非。家，音姑。○史記，李牧爲代守，日饗士不與匈奴戰，後大破胡。

困

日出溫谷，臨照萬國。高明淑仁，虞夏配德。

離爲日，爲溫，兌爲谷，故曰日出溫谷。伏艮爲國，震爲萬，爲臨，離日爲照，故曰照臨萬國。艮爲高，爲明。震爲淑仁，爲帝王，故曰虞夏。○仁，汲古作人。德，作合。依宋、元本[一]。

〔一〕“元”下，刻本脱“本”字，據稿本補。

【補校】臨照，汲古作照臨。依宋、元本。

井

逐兔索烏，破我弓車。日暮不及，失利後時。

　　通噬嗑。震爲兔，爲逐；艮爲求，爲烏，故曰逐兔索烏。坎爲破，爲弓，爲車。離日，坎暮；坎蹇，故不及。巽爲利，震爲後，爲時，坎爲失，故曰失利後時。

　　【補校】烏，元本作鳥。依宋本、汲古。

革

譌言妄語，傳相詿誤。道左失迹，不知所處。

　　二上正反兩兑口相背，故曰譌言妄語，曰傳相詿誤。戰國韓策，詿誤人主。漢書景帝紀，詿誤吏民。言疑誤也。艮爲道，震爲左，爲迹，伏坎爲失。○所，依宋本。汲古作户。○此可解困象有言不信。

　　【補校】所，依宋、元本。

鼎

履虎躡蛇，貶損我威。君子失車，去其國家。

　　此用伏象屯。震爲履躡，艮爲虎，坤爲蛇。坤柔，故損威。震爲威也。艮爲君子。坤爲車，爲喪，故失車。坤爲家國，震爲去。○蛇、車，依宋本。汲古作尾，作否。

　　【補校】蛇、車，依宋、元本。

震

本根不固，華葉落去。更爲孤嫗，不得相視。

　　通巽，下斷，故曰本根不固，華葉落去。兑爲華，巽隕落。嫗，老母也。巽爲母，爲寡，故曰孤嫗。離目爲視。○視，依汲古。宋、元本作親。○兌爲華,可解大過九五。巽隕落,見左傳。

【補校】華葉,汲古作新花。依宋、元本。

艮

五軶四軩,優得饒有。陳力就列,騶虞喜悦。

　　詳坤之小畜。惟彼作四軩[一]。此作軶,音月。説文,轅端持衡者。皆取艮象。騶虞,亦艮象,白虎黑文。○軶,汲古訛軏。喜悦,作悦喜。均依宋、元本。

漸

黄帝紫雲,聖哲且神。光明見祥,告我無殃。

　　通歸妹。震爲帝,爲黄,坎爲雲。九宫,九色紫。離九,故曰紫雲。坎爲聖哲,震爲神,爲福祥。坎爲殃,震解,故無殃。震爲言,故曰告。○光明見祥,從汲古。宋、元本作光見福祥。○左傳,黄帝有雲瑞,故以雲紀官。

【補校】第二句,宋、元本作聖且神明。依汲古。

歸妹

五利四福,俱田高邑。黍稷盛茂,多穫藁稻。

　　通漸。巽卦數五,爲利,故曰五利。震爲福,卦數四,故曰四福。巽爲高,艮爲邑。震爲黍稷,爲盛茂,爲稻。離枯,故曰藁稻。○田,依汲古。宋本作佃。佃,治田也。詩,無田甫田。義同佃。○此巽五、震四卦數之證。

【補校】田,宋、元本作佃。

豐

羣虎入邑,求索肉食。大人衞守,君不失國。

〔一〕"惟彼作四軩",按坤之小畜,尚注亦作"軶",不作"軩"。細檢稿本,知原由"軩"改"軶"。惟此林注未隨之更訂。讀者宜察其故。

通渙。艮爲虎，正反艮，故曰羣虎。巽入，艮邑。艮求，坎爲
肉，爲食。五爲大人，艮爲守，故曰大人衞守。震爲君，艮爲國，坎
失；震爲主，故不失國。○此坎爲肉之證。可解噬嗑。

旅

烏子鵲雛，常與母居。願慕羣侶，不離其巢。

　　離爲烏鵲，伏震爲子，兌爲雛。巽爲母，艮爲居。伏坎爲心，爲
願慕。離爲巢，艮止，故不離。○離，依宋、元。汲古作育。非。

　　【補校】侶，汲古作旅。依宋、元本。旅通侶。

巽

蹇驢不材，駿驥失時。筋勞力盡，疲於沙邱。

　　通震，爲馬。坎蹇，故曰蹇驢。震爲材，坎折，故不材。震爲駿
驥，艮爲時；坎陷，故失時。坎爲勞疲，艮爲沙，爲邱。丁晏云，列子
説符篇，穆公使九方皋求馬，三月而反，曰，得之矣，在沙邱。按，坎
爲脊，爲要。筋力，或爲坎象。

兌

玄鬣黑額，東歸高鄉。朱鳥道引，靈龜載莊。遂抵天門，見
我貞君。

　　通艮。坎爲玄，震爲鬣，艮爲額，坎爲黑，故曰玄鬣黑額。互震
爲東，爲歸。艮爲高鄉，爲鳥。坎赤，故曰朱鳥。艮爲龜，居西北，
故曰天門。震爲君，艮爲貞，故曰貞君。載莊，言載運行李也。

　　【補校】汲古下多人馬安全四字。從宋、元本。

渙

探巢得雛，鳩鵲來俱，使我音娛。

　　艮爲巢，爲探，伏兌爲雛。離爲鳩，震爲鵲，故曰鳩鵲來俱。震

爲音，爲娱。○音，依宋、元本。汲古作欣。

【補校】來俱，汲古作俱來。依宋、元本。

節

安上宜官，一日九遷。升擢超等，牧養常山，君臣獲安[一]。

互艮爲官，爲安；陽在上，故曰安上。伏離爲日，坎數一，故曰一日。震爲遷，爲升；數九，故曰九遷。艮爲山，爲臣，震爲君。○汲古無末句。宋、元本有。有，文氣始足。

中孚

大頭明目，載受嘉福。三雀飛來，與禄相得。

伏大坎，故曰大頭。互大離，故曰明目。震爲載，爲嘉福，爲雀；數三，又爲飛，爲禄，故曰三雀飛來，與禄相得。

【補校】明目，宋、元本作目明。依汲古。載，元本作戴。依宋本、汲古。

小過

遠視千里，不見黑子。離婁之明，無益於光。

震爲遠，爲千里，艮爲視。互大坎隱伏，故不見黑子。坎爲黑，震爲子也。伏大離，故曰離婁之明。艮爲光，居坎下，故無益於光。○三四句依宋、元本。汲古作離婁明視，移於小人。失韻。移，益音之訛[二]。小人，乃光形之訛。而汲古等本不知其訛，反注云，一作云云。疏已！又，於光，汲古注作爲光。亦非。

既濟

三女爲姦，俱遊高園。背夫夜行，與伯笑言。不忍主母，爲

〔一〕"獲"，稿本、刻本誤"得"，據宋、元本改。
〔二〕"音"，刻本作"字"，據稿本改。

失醴酒,冤尤誰告。

此用履伏象謙。坤爲女,震數三,故曰三女。坤爲姦,故曰三女爲姦。艮爲園,巽爲高,故曰高園。坎爲夫,爲夜,艮爲背,震行,故曰背夫夜行。震爲伯,爲笑言;正反震,故曰與伯笑言。坤母震主,故曰主母。坎爲憂,故曰不忍。坎爲酒,爲失,爲冤尤。坎隱伏,故無可告語。○爲,從宋、元本。汲古作成。俱遊高園,依宋、元本補。汲古等本俱無。主母,依宋、元本。汲古作王母。爲失醴酒,冤尤誰告,依汲古。宋、元作失禮酒冤,皇天誰告。非。事詳後離之訟。

【補校】背夫,宋、元本作倍室。依汲古。又,冤尤誰告,汲古尤訛天。依離之訟校。

未濟

日辰不良,强弱相振。一鳥兩雛,客勝主人。

此仍用履伏象。○一鳥兩雛,依汲古。宋、元本作一雌兩雄[一]。未知孰是。

【補校】良,宋、元本作和。依汲古。

─────────────────

〔一〕“雌”下,刻本脱“兩雄”二字,據稿本補。

泰之第十一

泰

求玉陳國，留連東域。須我王孫，四月來復。主君有德，蒙恩受福。

> 坤爲國，震爲玉，爲陳，爲東。伏艮爲流連，爲須，爲孫。乾爲王，故曰王孫。兌爲月，震爲復，卦數四，故曰四月來復。震爲主，爲君，乾爲德，爲恩福。○求玉，依宋、元本。汲古作有求。左傳有韓宣子求玉環於鄭事。兹云陳國，未詳。

乾

伯夷叔齊，貞廉之師。以德防患，憂禍不存。

> 詳比之剥。此用泰象。震爲伯，坤殺，故曰伯夷。夷，滅也。伏艮爲叔，巽爲齊，故曰叔齊。

坤

濟深難渡，濡我衣袴。五子善櫂，脱無他故。

> 坤爲水，故曰濟深，曰難渡，曰濡。坤爲我，爲衣袴。

屯

倚立相望，適得道通。驅駕奔馳，比目同床。

> 艮倚，震立。艮望，正反艮，故曰相望。震爲道，爲通，爲驅駕奔馳。艮爲目，初至五正反艮相對[一]，故曰比目。艮爲牀，坤衆，故曰同牀。○得，依宋本。汲古作我。

〔一〕“五”下，刻本多一“爻”字，據稿本删。

蒙

葛藟蒙棘，華不得實。讒佞爲政，使恩壅塞。

　　詳師之中孚。

需

四足無角，君子所服。南征述職，與福相得。

　　此用泰象。震爲足，卦數四，故曰四足。艮爲角，艮伏，故無角。乾爲君子。震爲南，爲征。乾爲福。○四足無角，依宋、元本。汲古作四牡兼用。相得，依宋、元本。汲古作同德。

訟

踝踵足傷，左指病癃。失旅後時，利走不來。

　　詳蒙之旅。通明夷。震爲足，爲踝踵。坎爲傷，爲病癃。震爲左。因明夷互震，中互坎，故有此象。○足，依汲古。宋、元本作之，乃趾音之訛。然則足或爲趾。

　　【補校】左，汲古作大。依宋、元本。

師

春城夏國，生長之域。可以服食，保全家國。

　　坤爲城，爲國，震爲春；伏離爲夏，故曰春城夏國。震爲長生，爲食。坤爲家，震樂，故保全。○生長，汲古作長生。依宋、元本。

比

望驥不來，拘蹇爲憂。雨驚我心，風撼我肌。

　　艮爲望，乾爲驥。乾伏，故不來。坎爲蹇，爲憂，爲雨，爲心。坤爲我，爲風。艮爲肌膚，爲撼。○拘，宋、元本作駒。依汲古。

　　【補校】撼，汲古作憾。依宋、元本。

小畜

久客無狀，思歸我鄉。雷雨滿盈，道不得通。

巽爲旅客，爲狀，兌毀折，故無狀。伏坎爲思，震爲歸，坤爲我，爲鄉。震爲雷，坎爲雨；坤亦爲水，故曰滿盈。艮爲道，坎陷，故不通。○滿，從元本。宋本作涌。汲古作浸。

【補校】滿，宋、元本皆作涌。唯元本舊注云，涌當作滿。兹從之。

履

方船備水，傍河燃火。積善有徵，終身無禍。

通謙。坤爲方，震爲船，坎爲水。方，並也。詩方舟爲梁是也。以船爲梁，故曰備水。坤爲河，艮爲火，故曰傍河然火。坤爲積，震爲善。坤爲身，艮爲終，坤爲禍。○汲古多天福吉昌，永得安康八字。方，從汲古。宋、元本作舫。

【補校】傍河，宋、元本作旁可。依汲古。

否

陟岵望母，役事未已。王政靡鹽，不得相保。

互艮爲山，爲望，坤爲母，故曰陟岵望母。爾雅釋山，有草木曰岵。坤爲役，爲事。乾爲王，坤爲政。詩魏風，陟彼岵兮，瞻望母兮。又唐風，王事靡鹽。傳，鹽，不攻緻也。坤惡，故曰靡鹽。○靡，依汲古。與詩同。宋、元作無。非。

【補校】未，汲古作不。依宋、元本。

同人

多載重負，捐棄於野。予母誰子，但自勞苦。

通師。坤爲載負，爲重，爲野；爲喪，故曰捐棄。坤爲母，震爲子,坎爲勞苦。○三四句,從宋本。汲古作王母離子,思勞自苦。
重負,從宋、元本。汲古作負重。

【補校】三四句,從宋、元本。

大有

生直地乳,上皇大喜。賜我福祉,壽算無極。

　　通比。坤爲地,艮爲乳。洛書甄耀度,政山在崑崙西南[一],
爲地乳。王勃九成宮頌,峰橫地乳。翟云升釋地乳爲醴泉,非。乾
爲帝,爲皇。艮高,九五獨尊,故曰上皇。乾爲大,兌爲悅,故曰大
喜。坤爲我,乾爲福祉。艮爲壽,坤多,故曰壽算無極。○壽算,依
汲古。宋、元本作受命。直,依宋、元本。汲古作值。汲古多賓于
作命四字。依宋、元本。

謙

翕翕輷輷,隕墜山巔。滅我令名,長沒不全。

　　詳否之離。○隕墜山巔,依汲古。宋本作稍墮[二]。元本作
崩巔。全,依宋、元。汲古作存。

【補校】隕墜山巔,宋本作稍墮山巔。元本作稍墮崩巔。我,
從汲古。宋、元本作其。

豫

東鄰嫁女,爲王妃后。莊公築館,以尊王母。歸于京師,季
姜悅喜。

　　詳屯之觀。○悅喜,汲古本作喜悅。茲依宋、元本。莊,應爲桓。

〔一〕"在",刻本訛"左",據稿本改。又,"西南",《漢學堂叢書》本《洛書甄耀
　　度》作"東南"。
〔二〕"宋本作稍墮",刻本"稍墮"二字誤置此節文末,致語意不通。據稿本校
　　正。

隨

伯虎仲熊，德義淵閔。使布五穀，陰陽順序。

　　震爲伯，坎爲仲，艮爲熊虎。巽爲穀，卦數五，故曰五穀。

　　【補校】穀，汲古作教。依宋、元本。序，依汲古。宋、元本作
敍。義同。

蠱

敏捷勁疾，如猿升木。彤弓雖調，終不能獲。

　　巽風爲敏捷，爲木。艮爲猿，在巽上，故曰升木。互大坎爲弓，
震爲玄黃，故曰彤弓。

　　【補校】捷，汲古作教。依宋、元本。勁，宋、元本作敬。依汲
古。

臨

舉袂覆目，不見日月。衣裘簟席，就長夜室。

　　詳坤之隨。○震爲袂證〔一〕。可解歸妹。

　　【補校】袂，宋、元本作被。席作床。均依汲古。

觀

忍醜少羞，無面有頭。耗減寡虛，日以削消。

　　坤爲醜，爲羞。艮止爲忍，又爲面，巽爲廣顙。艮在下，巽伏，
故無面。廣顙在上，故有頭。坤爲耗，爲虛，巽爲寡。伏乾爲日，坤
爲消。○艮爲面證。○三四句，依汲古。宋、元本作虛日以弊，消
寡耗減。

　　【補校】末句，汲古消訛酒。依豫之渙汲古本校。

────────

〔一〕“震”下，刻本無“爲”字，據稿本補。

噬嗑

涸陰沍寒，常冰不温。凌人惰怠，雹大爲災。

坎爲陰寒，爲冰。離爲温，居坎上，故不温。震爲人，爲凌，故曰凌人。艮止，故曰怠。離爲災，坎爲雹。言冬不藏冰，夏致雹災。○涸，依宋、元本。汲古作固。凌，依元本。宋本訛令。雹大，依宋、元本。汲古訛庖火[一]。按周禮天官，有凌人。鄭云：凌，冰室也。引豳風納於凌陰爲證。凌人藏冰、出冰，正以宣洩寒暑，否則陰陽不調而冰雹爲災。惰，依否之蹇校。各本皆作墮。

【補校】凌，宋本、汲古訛令。又，汲古下多雷火爲蕃四字。依宋、元本删。

賁

夏麥麨麰，霜擊其芒。疾君敗國，使民夭傷。

離爲夏，震爲麥，爲麨麰。坎爲芒，爲霜。艮手爲擊，故霜擊其芒。坎爲疾，震爲君，艮爲國，坎爲敗，爲民。艮爲少，伏兌折，故夭傷。○麰，從宋本。汲古訛麴。○震爲君證。

【補校】麰，從宋、元本。民，汲古作我。依宋、元本。

剥

淵涸龍憂，箕子爲奴。干叔隕命，殷破其家。

坤爲淵，艮火在中，故涸。震爲龍，震覆，故憂。又坤亦爲憂。萃初六云，勿恤。升象云，勿恤。以坤爲恤，是其證。震爲箕子，艮爲奴。上震覆爲艮，故曰箕子爲奴。艮爲叔，爲求，故曰干叔。殷比干也。坤死，故曰殞命。殷，子姓。震爲子，震覆，故曰殷破其家。艮爲家也。明夷象傳云，箕子以之。由此可證箕子指震。○

〔一〕“火”，刻本誤“大”，據稿本改。

家,音姑。干叔,宋、元本皆訛午叔。

復

跛踦相隨,日暮牛罷。陵遲後旅,失利亡雌。

　　震爲行,坤退,故跛踦。坤爲夜,故日暮。爲牛,爲役,故罷。震爲後,爲旅。巽爲利,巽伏故失利。坤爲雌,爲亡。

无妄

桑之將落,隕其黃葉。失勢傾側,如無所立。

　　詩衛風,桑之落矣,其黃而隕。震爲桑,巽爲隕落。震爲黃,爲葉,爲立。巽爲傾,故曰失勢傾側,如無立也。○之,從宋、元本。汲古本作方。非。側,依宋、元本。汲古作倒,非[一]。

大畜

生長以時,長育根本。陰陽和德,歲樂無憂。

　　震爲生長,艮爲時。震爲根荄,二五相應與,故曰陰陽和德。和,合也。震爲歲,爲樂。○和德,從宋、元本。汲古作相和。

　　【補校】生長,汲古作長生。育作柱。均依宋、元本。

頤

童女無夫,未有配合。陰陽不和,空坐獨宿。

　　伏巽爲童女,震爲夫。坤寡,故無夫。上下卦皆男象,故未有配合,故不和。艮爲坐,爲宿;坤爲寡,爲夜,故曰空坐獨宿。○夫,從宋、元本。汲古作室。非。按,伏兌爲少女,童似爲兌象。然曰無夫,震爲夫,故知童女指巽。大過固以巽爲女妻也。配合,依汲古。宋、元本作匹配。

─────────────

〔一〕"非",刻本無,據稿本補。

大過

春令原宥,仁德不周。三聖攸同,周國茂興。

　　通頤。震爲春,巽爲命,故曰春令。古者霜降申憲,立春息刑,故曰原宥。震爲仁,爲周,震伏故不周。震數三,乾爲聖,故曰三聖。坤爲國。○不周,依汲古。與宥韻。宋、元本作不合。與宥不韻。

坎

金精躍怒,帶劍過午。兩虎相距,雖驚無咎。

　　坎水爲金精,震爲躍怒。艮爲劍,納丙,故曰過午。艮爲虎,正覆艮,故曰兩虎相距。震爲驚。○距,依宋、元本。汲古作妒。非。白虎,西方宿,故曰金精。

離

危坐至暮,請求不得。膏澤不降,政戾民忒。

　　詳需之頤。離中爻亦伏頤,故語同。

　　【補校】請,汲古作謀。依宋、元本。

咸

老楊日衰,條多枯枝。爵級不進,日下摧頹。

　　詳蒙之訟。

恒

蔡侯適楚,留連江濱。踰日歷月,思其后君。

　　巽爲蔡,震爲楚。乾爲江河,爲日,兌爲月。乾爲君。○濱,從宋、元本。汲古等本作湖。非。后君,從汲古。與濱協。宋、元本作君后。○以兌爲月,與恒象傳同。左傳,蔡侯朝楚,楚相囊瓦欲其羔裘,而不肯獻,遂留楚二年。

【補校】濱，汲古作湖。依宋、元本。日，宋、元本作時。依汲古。

遯

右撫劍佩，左援鉤帶。凶訟不止，相與爭戾，失利市肆。

艮爲劍，爲鉤，巽爲帶。乾爲言，兑口與乾言反，故曰訟，曰爭。巽爲利市，風隕故失。○佩，依汲古。宋、元本作頭。若依宋本，則下句當爲帶鉤，與頭協。然各本皆作鉤帶，无如何也。鉤，亦兵器。

【補校】援，宋、元本作受。依汲古。

大壯

水流趨下，遠至東海。求我所有，買鮪與鯉。

詳訟之比。○與，從宋、元本。汲古作得。非。此全用對象，故與比同辭。

晉

登几上輿，駕駟南遊。合從散橫，燕齊以强。

詳屯之否。○齊，皆作秦。依屯之否宋、元本校。散衡，與秦不利，故知秦非。

明夷

求兔得獐，過其所望。歡以相迎，高位夷傷。

震爲兔，艮爲獐；艮覆，故得獐。離目爲望，震在上，故曰過望。震爲歡。伏巽爲高，艮爲位；艮覆，故夷傷。

家人

過時不歸，道遠且迷。旅人心悲，使我徘徊。

震爲時，爲歸；震伏，故不歸。又震巽相反覆，震究爲巽，故曰過時。震爲道，坎伏故迷。巽爲商旅，坎爲心，爲悲。

睽

魂孤無室,御宿舍食。盜張民潰,見敵失內。

　　坎爲魂,爲孤,爲室。坎隱,故無室。兌爲食。坎爲宿,爲盜,爲民。○次句宋、元本作銜指含食。汲古本作御宿舍食。潰、內,亦依汲古。宋、元本作饋,作肉。失內者,失其妻室也。左傳僖十七年,齊侯好內。是內爲妻妾也。

蹇

居如轉丸,危不得安。東西不寧,動生憂患。

　　坎爲丸,坎險,故曰危,曰不寧。離東坎西。坎爲憂患。○離東坎西證。艮爲居,上坎,故曰居如轉丸。

解

坤厚地德,庶物蕃息。平康正直,以綏百福。

　　此用泰象。坤爲厚,爲庶物,震爲蕃息。震大塗,故曰平康正直。乾爲百福。

　　【補校】德,汲古作載。依宋、元本。百,宋、元本作大。依汲古。

損

樹蔽牡荊,生藜山旁。讐敵背憎,孰肯相迎。

　　震爲樹,爲荊;震陽卦,故曰牡荊。震爲生,爲藜,艮爲山。二至上正反兩艮震相背,故曰背憎,曰讐敵相背,故不相迎。○樹、藜,依未濟之姤校。各本皆訛作挩,作賢。山旁,依元本。宋本作山傍。汲古訛止悔,末多上下有眚四字。

　　【補校】樹,宋、元本作挩。汲古作浰。

益

鳳凰銜書,賜我玄珪,封爲晉侯。

坤爲鳳,爲書。震口爲銜,爲玄,爲珪。艮爲封,震爲晉,爲諸
侯。○汲古作玄珪賜我。依宋、元本。

夬

作凶不善,相牽入井。溺陷辜罪,禍至憂有。

兌毀折,故曰凶。又通剥,下坤爲凶。艮手爲牽。坤爲淵,爲
井;爲辜罪,爲憂禍;爲水,故溺。○坤爲憂證。○至、有,依宋本。
汲古作生、滋。

【補校】至、有,依宋、元本。

姤

悲鳴北行,失其長兄。伯仲不幸,骸骨散亡。

通復。震爲鳴,坤爲悲,爲北,爲失。震爲長兄,爲伯,震伏故
失。兌爲骸骨,兌覆風散,故曰散亡。○散亡,依宋、元本。汲古作
敗亡。○坤爲北證[一]。

萃

羔衣豹裘,高易我宇,君子維好。

兌爲羔,互艮爲豹,坤爲衣裘。巽爲高,艮爲宇,爲君子。○
宇,依汲古。宋、元本作家[二]。好,依宋、元。汲古作新。○兌爲
羔證。可見説卦羔非訛字。

升

日中爲市,各抱所有,交易貨賮。貪珠懷寶,心悅歡喜。

通无妄。巽爲市,乾爲日。艮手爲抱。巽爲交易,乾爲貨賮。
震爲珠玉,爲悅喜。

〔一〕"北",稿本作"悲"。
〔二〕"元"下,刻本脱"本"字,據稿本補。

【補校】貨貲，宋、元本作資貨。依汲古。貪珠，汲古作含味。

困

振急絕理，恒陽不雨。物病焦乾，華實無有。

通賁。下離火，艮又爲火，故曰暘，曰不雨。互坎爲雨，爲病，離火爲焦乾。艮爲果，爲實，兌爲華。○兌爲華證。大過九五即以兌爲華。又按，焦、京皆以无妄爲大旱之卦，亦以艮火互大離爲説。自艮火象失傳，虞翻即不解京義。○恒，依汲古。宋、元作常。陽，當作暘。

井

狐貉載剥，徙溫厚蓐。寒棘爲疾，有所不足。

坎爲狐貉，伏艮爲手，爲剥。巽爲茅蓐。坎爲寒，爲棘，爲疾。震爲足，震伏故不足。○厚、有，依宋、元本。汲古作翠〔一〕，作何。又徙，汲古作凌。依宋、元本。

革

履踐危難，脱執去患。入福喜門，見誨大君。

通蒙。震爲履踐，坎險，故曰危難。震爲脱，爲去。坎陷，故曰執。坎憂，故曰患。艮爲門，震爲福喜，巽爲入。乾爲大君，震爲誨。

鼎

四亂不安，東西爲患。退止我足，無出國域。乃得全完，賴其生福。

通屯。坤爲亂，震數四，故曰四亂。震東坎西，坎爲憂，故曰東

〔一〕“翠”，刻本訛“萃”，據稿本改。

西爲患。震爲足，艮止。坤爲國，艮爲域；上坎陷，故不出。震爲福。言見險能止，故得安全而生福也。全用對象。○坎西之證。

震

南國少子，材略美好。求我長女，賤薄不與。反得醜惡，後乃大悔。

　　詳比之漸。

艮

妄怒失理，陽孤無輔。物病焦枯，年飢於黍。

　　互震爲怒，坎爲失。陽止於上，故曰孤，曰無輔。坎爲病，艮爲火，故物病焦枯。震爲黍，爲年。焦枯，故飢。○艮爲孤。易林凡遇六子皆有孤寡象，不祇巽爲寡也。

漸

倬然遠咎，辟患害早。田獲三狐，巨貝爲寶。

　　風散，故倬然遠咎。坎爲患害，巽出險，故能辟患。艮爲狐，數三，故曰三狐。坎爲獲。艮爲貝，巽爲高，爲長，故曰巨貝。○艮爲貝，易震貝得解。○巨貝，從汲古。宋、元作見民。見，貝之訛。民，巨之訛。

歸妹

逐鹿山巔，利去我西。維邪南北，無所不得。

　　震爲鹿，爲逐。艮覆，故至山顛。兌爲西。離南坎北。維邪，呼聲。○維邪，依宋、元本。汲古等本作雖祁[一]，疑訛。按史記滑稽傳，汙邪滿車，疑與此義同。汙、維音亦通。史記注，汙邪，下

────────

〔一〕“祁”，刻本訛“邪”，據稿本改。

田也。似非。按爾雅釋詁，伊，維也。注，發語辭。淮南子，今夫舉大木者，前呼邪許，後亦應之。此舉重勸力之歌也。然則維邪者，呼聲也。歸妹上震爲言，下兌爲口，故曰維邪。由是推史記之汙邪與淮南之邪許同，而非下田。

豐

龍蛇所聚，大水來處。滑滑沛沛，使我無賴。

　　震龍，巽蛇。互大坎，故曰聚，曰大水，曰滑滑沛沛。○沛沛，宋、元本作沛沛。依汲古。

　　【補校】來，汲古作樂。依宋、元本。

旅

從風吹火，牽騏驥尾[一]。易爲功力，因摧受福。

　　巽爲風，兌口爲吹。離在上，故曰吹火。艮爲尾，爲牽，伏震爲馬。兌爲摧折，震爲福。○功力，從宋本。汲古作之功。非。

　　【補校】摧，宋、元本作催。依汲古。

巽

澤狗水鳧，難畜少雛。不爲家饒，心其亟逋。

　　通震。互艮爲狗，兌爲澤，故曰澤狗。説文，獺如小狗，水居食魚是也。震爲鳧，坎水，故曰水鳧。二者皆野物，故難畜。震爲子，爲雛；震伏，故曰少雛。互艮爲家，坎爲心。震往，故曰逋。言澤狗水鳧，不爲家畜，時時欲逃也。○亟逋，依汲古。宋本作函憂。憂、饒，古亦協。

　　【補校】亟逋，依宋本、汲古。元本作函憂。

――――――――――

〔一〕“騏”，刻本作“麒”，疑誤。據稿本、宋、元、汲古及所見其他各本校改。

兌

水壞我里，東流爲海。龜黿驪囂，不見慈母。

　　通艮，爲里。互坎，爲水。互震爲東，兌爲海。艮爲龜，震爲黿；爲樂，故曰驪囂。巽爲母，坎伏，故不見。

　　【補校】見，宋、元本作覩。依汲古。

渙

褰衣涉河，水深漬罷。賴幸舟子，濟脫無他。

　　○首二句依訟之萃校。宋、元本作褰衣涉行，水深漬多。汲古作深漬請罷，非。子作者，尤非。罷，音婆。

節

龜厭江海，陸行不止。自令枯槁，失其都市。憂悔爲咎，亦無及已。

　　艮爲龜，兌爲河海。震爲行，艮爲陸。互大離爲枯槁。巽爲市，坎爲憂。○悔爲，從宋本。汲古作害無。厭，作歜。皆非。末句依宋、元。汲古無。○艮爲龜證。

　　【補校】悔爲、厭，均從宋、元本。

中孚

同本異葉，樂仁政德。東鄰慕義，來興我國。

　　互大離爲東鄰，艮爲國。○政，依宋本。汲古作正。

　　【補校】葉，宋、元本作業。依汲古。

小過

桃李花實，纍纍日息。長大成熟，甘美可食，爲我利福。

　　震爲桃李，兌爲花。艮爲實，爲成。巽爲長，兌爲食。震爲福，巽爲利。

【補校】纍纍,依汲古。宋、元本作累累。義通。

既濟

重瞳四乳,聰明順理。無隱不形,微見千里。災害不作,君子集聚。

此用泰象。伏艮爲目,坤爲重,故曰重瞳。艮爲乳,巽數四,故曰四乳。艮明,坤順。巽伏,故隱。兌爲見,坤爲千里,爲災。乾爲福,故不災。艮爲君子,坤爲積聚。文王四乳,舜目重瞳,見淮南子。

未濟

實沈參墟,以義討尤。次止結盟,以成霸功。

按左傳昭元年,遷實沈于大夏,主參。故參爲晉星。泰伏艮,艮爲星,故曰實沈,曰參。而實沈與參,皆晉墟。震爲晉也。皆用泰象。文意似指晉文伐楚事。止,首止。僖五年,齊侯會諸侯於首止。

否之第十二

否

秦爲虎狼，與晉爭强。并吞其國，號曰始皇。

> 此全用伏。兌爲秦，爲虎狼。震爲晉，爲爭。兌爲吞。乾爲皇，爲始。

> 【補校】虎狼，汲古作狼虎。依宋、元本。

乾

江河淮濟，天之奥府。衆利所聚，可以饒有，樂我君子。

> 此用否象。坤爲江河淮濟。乾爲天，坤爲府，爲衆。巽爲利，坤爲聚，故曰饒。艮爲君子。○首句依汲古。宋、元本無。非。濟、聚爲韻。

坤

天之所災，凶不可居。轉徙獲福，留止憂危。

> 否，坤爲災，爲凶。伏震爲轉徙；震爲福，故曰獲福。艮爲留止，坤爲憂危。言弗化也。○坤爲憂證，可釋易。○憂危，依汲古。宋、元作危憂。

屯

名成德就，項領不試。景公鮐老〔一〕，尼父逝去。

> 艮爲名，爲成，爲項領。坎伏，故不試。震爲諸侯，艮爲光，故曰景公。坤爲老，艮爲山，故曰尼父。震亦爲父也。坤亡，故曰逝

〔一〕"鮐"，稿本、刻本誤"耄"，據宋、元、汲古諸本改。

去。論語,景公曰,吾老矣,不能用也。孔子行。○艮爲名證。毛詩,四牡項領[一]。注:項,大也。按魏書蘇則傳注,則尋出兵,臨其項領。似不以大詁項字。林辭亦然。又按後漢吕强傳,姦邪項領,膏唇拭舌。又杜詩,鄉里兒童項領成。似皆以項領爲壯盛强横之皃。與詩詞合,異毛傳。

蒙

持善避惡,福禄常存。雖有豺虎,不能危患。

艮手爲持,伏乾爲善,坤爲惡;坎隱,故曰避。震爲福禄。艮爲豺虎。坎爲危患。震出險,故無患。

【補校】持,宋、元本作特。惡作患。均依汲古。常,元本作長。豺作犲。均從宋本、汲古。

需

避患東西,反入禍門。糟糠不足,憂動我心。

詳訟之未濟。○足,依汲古。宋、元本作屬。

訟

珪璧琮璋,執贄見王。百里寧戚,應聘齊秦。

詳需之井。惟此以乾爲珪璧琮璋。○王,宋本訛五。戚,宋、元本作越。

【補校】王,從元本、汲古。戚,依汲古。

師

揚水潛鑿,使石潔白。裏素表朱,遊戲皋沃。得君所願,心志娱樂。

〔一〕“牡”,稿本、刻本誤“牧”,據阮刻《毛詩正義》改。

坎爲水，震爲揚，坎爲潛。伏巽爲石，爲白，爲素。伏乾爲表，
爲朱。震爲戲遊，爲陵，爲皐。坎爲沃。震爲君，爲樂。坎爲心志。
詩唐風揚之水，白石鑿鑿，素衣朱襮，從子于沃。注，鑿鑿，潔白貌。
襮，領也。然則此所謂潛鑿〔一〕，亦取伏巽象也。又襮，即表。吕
氏春秋忠廉篇，臣請爲襮。高誘注曰，襮，表也。兹焦亦訓襮爲表
，與毛傳訓領異。又讀衣爲裹，尤異也。○裹，各本皆作衣。依豫之
大過宋、元本校。

【補校】石，宋、元本作君。表朱，作朱表。均依汲古。遊戲，
汲古作戲遊。依宋、元本。

比

官爵相保，居之無咎。求兔不得，使伯恨悔〔二〕。

艮爲官爵，爲居，爲求。震爲兔，爲伯。震覆，故求兔不得。坎
爲憂，故曰悔恨。○使伯，依汲古。宋、元作怕使。非。

小畜

戴元無褌，裸裎出門。小兒作笑，君子憂患。

通豫。艮爲戴，坎爲首，故曰戴元。元，首也。坤爲褌，坤伏，
故曰無褌。艮爲皮膚，爲身，故曰裸裎。艮爲門，震出，故曰出門。
震爲子，爲笑樂。艮小，故曰小兒作笑。艮爲君子，坎爲憂患。○
戴元，宋本、汲古均作載車。依元本。○全用對象。

【補校】戴元，宋本作載元。汲古作載車。子，從汲古。宋、元
本作爲。

履

把珠入口，爲我利寶。得吾所有，欣善嘉喜。

〔一〕“則”下，刻本脱“此”字，據稿本補。
〔二〕“恨悔”二字，稿本、刻本倒，疑誤，兹依宋、元、汲古諸本校。

乾爲珠玉，兑口，伏艮爲手，故曰把珠入口。伏坤爲我，爲利，爲吾。乾爲嘉喜。○善，從汲古。宋、元本皆作然。

泰

行不如還，直不如屈。進不如退，可以安吉。

内剛外柔方泰，乾進而外則否矣。故林辭以爲戒。乾爲行，爲進。震爲反。坤爲安。○還、屈，從宋、元本。汲古作止，作曲。

【補校】如退，宋、元本作若退。依汲古。

同人

衆鬼瓦聚，中有大怪，九身無頭。魂驚魄去，不可以居。

通師。坤爲鬼，坎亦爲鬼；坎衆，故曰衆鬼。震爲瓦，坤爲聚。坎爲怪。坤爲身，震數九，故曰九身。坎爲頭，坎伏，故曰無頭。震爲神，爲魂，坤爲魄。震又爲驚，爲去也。○瓦聚，依汲古。宋、元本作凡聚。瓦聚，疑與瓦合、瓦散同義。中有，宋、元本作還生。依汲古。

大有

家給人足，頌聲並作。四夷賓服，干戈櫜閣。

此用否象。艮爲家，伏震爲人。坤聚，故曰給足。震爲頌聲，爲作。坤爲夷，震卦數四，又爲賓客，故曰四夷賓服。艮爲干戈，坤爲櫜。艮止，故曰櫜閣。言偃武不用也。○櫜，宋、元本作囊。依汲古。

【補校】頌，元本作訟。依宋本、汲古。

謙

人面鬼口，長舌如斧。斲破瑚璉，殷商絶嗣。

震爲人，艮爲面，坤爲鬼，震爲口，故曰人面鬼口。兑爲舌，震形長於兌,故曰長舌。伏兌爲斧。艮爲斯。震爲玉,故曰瑚璉。震爲子,子爲殷商姓。坤爲殺,震子被坤殺死,故殷商絕嗣也。○如斧,從汲古。宋、元作爲斧。

豫

南山之峻,真人所在。德配唐虞,天命爲子。保佑歆享,身受大慶。

震爲南。艮爲山,爲真人,爲保佑。震爲唐虞,爲子,爲慶。伏乾爲天,爲命。坤爲身。

【補校】歆,宋、元、汲古諸本均作飲。依翟本及賁之解校。

隨

春桃生花,季女宜家。受福多年,男爲邦君。

詳師之坤。

蠱

鴟鴞破斧,沖人危殆。賴其忠德,轉禍爲福,傾危復立。

艮爲鴟鴞。兌爲斧,爲毀折,故曰破斧。艮爲少子,故曰沖人。互大坎爲忠德。震爲福,爲立。殆,音以。鴟鴞、破斧,豳風詩篇名。沖人謂成王,忠德指周公。

臨

猿墮高木,不踒手足。保我金玉,還歸其室。

詳訟之艮。

觀

天之奧隅,堯舜所居。可以存身,保我邦家。

詳履之復。

噬嗑

伯蹇叔盲，足病難行。終日至暮，不離其鄉。

　　震爲伯，坎爲蹇。初四互大離，坎爲叔〔一〕，故曰叔盲。震足爲行，坎病，故難行。離爲日，艮爲終，坎夜，故曰終日至暮。艮爲鄉，艮止，故不離。○病，依宋、元。汲古作痛。

賁

日月相望，光明盛昌。三聖茂功，仁德大隆。

　　詳師之節。○茂，從宋、元本。汲古作成。

剝

桃李花實，纍纍日息。長大成就，甘美可食。

　　詳泰之節。○汲古多爲我利福四字。宋本無。此用否象。巽爲桃李，艮爲實，伏兑爲華。

復

入和出明，動作有光。運轉休息，所爲允康。

　　入巽，故曰和。出震，故曰明。震爲動作。震旦，故曰光明。震出，故運轉。龍潛在下，故休息。出入无疾，故允康。○所爲，宋、元本作動作。依汲古〔二〕。

　　【補校】允，宋、元本作尤。依汲古。

无妄

陰衰老極，陽建其德。履離戴光，天下昭明。功業不長，蝦

〔一〕“坎”，稿本作“艮”，兹依刻本。
〔二〕“所爲”至“依汲古”，刻本及稿本均作：“動作，汲古作所爲。依宋、元本。”蓋稿本末句原依宋、元本作“動作允康”，付刻時則改依汲古作“所爲允康”。然校語未隨之更改，今謹爲訂正。

蟆大王。

　　詳坤之未濟。此以巽爲蝦蟆。○大,依汲古。宋、元本作代。
建,汲古作見。戴作載。俱依汲古坤之未濟校。

　　【補校】建,依宋、元本。戴,宋、元、汲古俱作載。衰,從汲古。
宋、元本作冥。然二本皆注曰,一作衰。

大畜

行役未已,新事復起。姬姜勞苦,不得休止。

　　震爲行役,爲起。伏坤爲事,艮爲光明,故曰新事。震爲周,故
曰姬。伏巽爲齊,故曰姜。艮爲休止,震起,故不得休止。

　　【補校】止,宋、元本作息。依汲古。

頤

狐鳴室北,飢無所食。困於空邱,莫與同力。

　　艮爲狐,震爲鳴。艮爲室,坤北,故曰室北。坤爲飢,震爲食。
艮爲困,爲邱;坤虛,故曰空邱。○室,依汲古。宋、元本作苑。○
坤北證。

大過

雄聖伏,名人匿。麟遠走,鳳飛北。擾亂未息。

　　乾爲雄,爲聖。伏艮爲名,巽伏,故曰名人匿。坤文爲麟,坤伏
不見,故曰遠。坤爲鳳,爲北;坤伏,故曰走,曰飛。按韻,前四句,
句皆三字,第五句乃爲四字。漢魏叢書本竟以四字斷句,非。

坎

疾貧望幸,使伯行販。開牢擇羊,多得大羘。

　　詳訟之遯。

離

翁翁軥軥，隕墜顛崩。滅其令名，長没不存。

　　詳泰之謙。○軥軥，依汲古。音横，車聲。宋本作輷輷。音田，與下存韻。元本第二句作稍稍崩顛，與上輷輷韻。汲古則以軥、崩爲韻，且與下協。

　　【補校】軥軥，宋、元本作輷輷。第二句，從汲古。宋、元本作稍稍崩顛。

咸

華落實槁，衣敝如絡。女功不成，絲布如玉。

　　兑爲華，巽爲隕，故華落。艮爲果實，艮火，故槁。巽爲絡，爲敝，伏震爲衣。巽落，故曰女功不成。巽爲絲布，伏震爲玉。○兑爲華證。可解大過九五。○華落實槁，依宋本。汲古作華薄實藁。非。功、如，從宋本。汲古作巧，作爲。非。

　　【補校】華落實槁，依元本。宋本、汲古作華薄實藁。功、如，從宋、元本。

恒

温山松柏，常茂不落。鸞鳳所止，得其歡樂。

　　詳需之坤。○止，從宋、元本。汲古作庇。其，從汲古。宋、元作以。

遯

失恃毋友，嘉偶出走。攫如失兔，㒴如喪狗。

　　坤伏風隕，故曰失恃。艮爲友，巽寡，故毋友。坤爲偶，震爲嘉，爲走；坤、震皆伏，故曰嘉偶出走。艮手爲攫。攫，撲也。震爲兔，爲失。失、佚古通。佚兔，言兔逸也。艮爲狗，巽寡，故曰㒴如。

伏坤爲喪。○失恃毋友，依宋、元本。汲古作失持母教。非。又攫
如失兔，傑如喪狗，亦依宋、元本。汲古作攫如失老，如喪家狗。
尤非。

【補校】攫、喪，宋、元本作玃，作虐。依汲古校。又，宋、元舊
注皆曰，虐作喪。則亦可從。

大壯

太乙駕騮，從天上來。徵我叔季，封爲魯侯。

通觀。坤納乙，居北，而互艮爲星，故曰太乙。本卦震爲駕，爲
騮，爲從。乾爲天，震爲來，故曰從天上來[一]。艮爲叔季。兌爲魯，
震爲諸侯，故曰魯侯。○來，依汲古等本。宋、元本皆作求[二]。以
文理言，來順。以韻言，求協。今從汲古[三]。又徵我叔季，亦依
宋、元本。汲古等本皆作微我季叔。

晉

雙鳧俱飛，欲歸稻池。徑涉萑澤，爲矢所射，傷我胸臆。

詳屯之旅。○以坎爲矢，與易經合。舊說以離爲矢。誤。

【補校】萑，宋、元本作蓷。汲古作藿。依學津、局本及屯之旅
校。蓷同萑。

明夷

深坑復平，天下安寧。意娛心樂，賴福長生。

坎陷，故曰深坑。坎又爲平，故曰復平。坤爲天下，坤順，故曰

〔一〕"震爲來，故曰從天上來"，刻本作"伏艮爲求，故曰從天上求"。茲依稿本。
正文"來"字亦依改。

〔二〕"來，依汲古等本。宋、元本皆作求"，刻本作"求，依宋、元本，汲古等本皆
作來"。茲依稿本。

〔三〕"今從汲古"，刻本作"未知孰是"，茲依稿本。

安寧。震爲娛樂，坎爲心意。震爲福，爲長生。○坑，依宋本。他本皆作坎。

【補校】坑，汲古作坎。依宋、元本。

家人

俱爲天民，雲過吾西。風伯雨師，與我無恩。

此用否象。乾天坤民，故曰天民。坤爲雲，伏兌爲西。巽爲風，伏震，故曰風伯。伏兌爲雨，故曰雨師。獨斷云：風伯箕星，雨師畢星。艮爲星，故曰風伯，曰雨師。小畜云，密雲不雨，自我西郊。與我無恩者，言上風下火，雨澤不至也。○雨師，依宋、元本。汲古等本皆訛爲疾雨。

暌

野鳥山鵲，來集六博。三梟四散，主人勝客。

伏艮爲鳥，爲山野。坎爲集，數六，故曰來集六博。梟、雉，皆博采名，故曰野鳥山鵲。兌上缺，故曰三梟。離卦數三。三梟四散，必當時六博采名。戰國策云，夫梟棊之所以能爲者，以散棊能佐之也。夫一梟不勝五散，明矣。茲曰三梟四散，孰勝孰負，皆不能解。○梟，依汲古。宋、元本作鳥。

蹇

北陰司寒，堅冰不温。凌人惰怠，大雹爲災。

詳泰之噬嗑。○惰〔一〕，汲古、宋、元作情。依局本。

解

伊伯智士，去桀耕野。執順以待，反和无咎。

〔一〕“惰”下，刻本衍一“怠”字，據稿本刪。

震爲音,爲伯,故曰伊伯。伊吾,讀書聲也。坎爲智,故曰智士。離爲惡人,故曰桀。震爲耕。否,艮爲野,爲執,爲待。坎爲和。○伯,從汲古。宋、元本作尹。智士,從宋、元本。汲古作致仕。待,依汲古。宋、元本作傳。孟子,伊尹耕於有莘之野,而樂堯舜之道。

【補校】智士,從元本。宋本、汲古作致仕。

損

秋風牽手,相從笑語。伯歌季舞,燕樂以喜。

兌爲秋,坤爲風,艮手爲牽。震爲笑語,爲從。二上正反震,故曰相從笑語。震爲伯,爲歌舞。艮爲季。兌爲燕。○秋,宋、元本作北。依汲古。詩,北風其涼,攜手同行。從,依宋、元本。汲古作提。

益

從巢去家,南過白馬。東西受福,與母相得。

艮爲巢,爲家。震爲從,爲去,爲南。巽爲白,坤爲馬,故曰白馬。白馬,津名,在大伾山南。震爲東,伏兌爲西,震爲福。坤爲母。○從,依汲古。宋、元本作從。

夬

鳥飛趺跛,兩兩相和。不病四支,但去莫疑。

伏艮爲鳥,爲飛。兌折,故趺跛。坤數二,重坤,故曰兩兩。兌爲和,坤爲病,爲疑。坤伏,故不病,不疑。

姤

三牛生狗,以戌爲母。荆夷上侵,姬伯出走。

詳坤之震。○狗,宋、元本作駒。非。

【補校】牛，從汲古。宋本作年。元本作馬。惟元本舊注云：三年，一作二牛，見需之訟；一作三年生狗，見坤之震。

萃

破筐敝筥，棄捐於道。壞落穿敗，不復爲寶。

　　通大畜。震爲筐筥，兌爲破，巽爲敝。艮爲道，艮止不用，故曰棄捐。兌毀，故曰壞落穿敗。震爲玉，爲寶；震覆，故不爲寶。○爲，依宋、元本。他本皆作所。非。

升

結紐得解，憂不爲禍。食利供家，受福安坐。

　　巽爲結紐，震爲解；爲樂，故憂不爲禍。坤爲憂，爲禍也。巽爲利，兌口，故曰食利。伏艮爲家，爲安坐。震爲福。○紐，從宋、元本。汲古等本皆訛紉。供，依宋、元本。汲古作僕。非。

困

白日揚光，雷車避藏。雲雨不行，各自還鄉。

　　巽白，離日，震雷。震伏，故曰避藏。坎爲雲雨，日出坎上，故雲雨不行。伏震爲反，艮爲鄉，故曰各自還鄉。○還，依汲古。宋、元本作止。

井

杜口結舌，心中怫鬱。去災生患，無所告冤。

　　兌爲口舌，坎伏，故杜口結舌。坎爲心，爲憂患凶災，爲冤。上坎，下互大坎，故無所告冤。○去，依汲古。宋、元本作凶。

革

資貝贖狸，不聽我辭。繫於虎鬚，牽不得來。

　　詳需之睽。

【補校】鬚，宋、元本作髯。依汲古。

鼎

鳴鶴抱子，見蛇何咎。室家俱在，不失其所。

　　　通屯。震爲鶴，爲子，艮手爲抱。巽爲蛇，兑見，故曰見蛇。鶴
　　以蛇爲糧，故无咎。艮爲室家。〇鳴，汲古作如，宋本作持，漢魏叢
　　書本作鳴。下屢見，亦多作鳴，故從之。

震

逐兔山西，利走入門。賴我仁德，獲爲我福。

　　　震爲兔，爲逐。艮山坎西，故曰山西。伏巽爲利，艮爲門。震
　　爲仁德，爲福。〇坎西證。

艮

興役不休，與民爭時。牛生五趾，行危爲憂。

　　　互坎爲勞，故曰興役不休。坎爲衆，爲民。艮爲時，三上正反
　　艮震，故曰爭時。震爲生，爲趾。坎納戊，數五，故曰五趾。艮爲
　　牛。坎爲憂，爲危，震行。按漢書五行志，興徭役，奪民時。厥妖
　　牛，生五足。秦孝文王五年〔一〕，有獻五足牛者，劉向以爲近牛禍。
　　此自舊事〔二〕，五行志述之。不得謂林本漢書。

漸

春栗夏梨，山鮮希有。斗千石萬，貴不可販。

〔一〕“秦孝文王五年”，按《史記·秦本紀》載秦孝文王立當年即卒，疑《漢書·
　　五行志》“五年”爲“元年”之訛。今檢光緒刊王先謙《前漢書補注》引齊召
　　南曰：“孝文王即位祇一年遂卒，安得有五年也？此文可疑。”又金陵書局
　　刊吳汝綸《漢書點勘》引齊説同。據此可知，前人已頗疑《五行志》之誤也。
〔二〕“事”，稿本作“占”，兹依刻本。

艮爲果，故曰栗、梨。伏震爲春，離爲夏。艮爲山，巽爲魚，故曰山鮮。梨、栗至春夏即壞，故曰希有。艮爲斗，爲石，爲貴，爲求。伏震爲千萬。○栗，依汲古。宋、元作粟[一]。山，依湖北局本。宋、元、汲古皆作少。非。販，依宋、元本。汲古作求。

【補校】斗，汲古作牛。依宋、元本。

歸妹

悲號北行，失其長兄。伯仲不幸，骸骨散亡。

震聲，兌口，坎悲，坎北，故曰悲號北行。震爲長兄，坎隱伏，兌折，故曰失其長兄。震爲伯，坎爲仲。兌爲骸骨，兌折坎險，故曰不幸，曰散亡。

【補校】散，汲古作敗。依宋、元本。

豐

賦斂重數，政爲民賊。杼軸空虛，去其家室。

坎爲聚，故曰賦斂。互大坎，故曰重數。坎爲民，爲賊，爲杼軸。離虛，故曰空。艮爲家室，艮覆，故去。○空虛，去其家室，依復之兌校。各本皆作空盡，家去其室。

旅

履服白縞，殃咎並到，憂不能笑。

通節。震爲履，爲服。巽爲白，爲縞。坎爲殃咎，爲憂。震爲笑。○能，依汲古。宋、元本作敢。

【補校】白縞，汲古作自敝。依宋、元本。

巽

杜口結舌，言爲禍母。代伯受患，無所禱免。

〔一〕“作”，稿本作“訨”，兹依刻本。

互兑爲口舌，爲言。正覆兑相背〔一〕，故曰杜口結舌。巽爲母，震爲伯。震巽相往來，故曰代伯受患。兑爲患。兑口爲禱。○免，依汲古。宋、元本作冤。

兑

免冠進賢，步出朝門。儀體不正，賊孼爲患。

通艮。艮爲冠，互震爲進，爲賢。進賢，冠名也。漢書貢禹傳，見責，免冠謝。故曰免冠進賢。震爲步，爲出，艮爲朝門。互坎爲賊，爲患。坎曲，故不正。艮爲身體。○步出朝門，儀體不正，依汲古。宋、元作步行出朝，門體不正。非。

渙

娶於姜女，駕迎新婦。少齊在門，夫子悦喜。

巽爲姜，震爲娶，爲駕。巽爲婦，爲少齊。左傳昭二年，晉侯謂之少齊是也。艮爲門。震爲夫子，爲悦喜。○少齊，依宋、元本。汲古等本皆作少妻。非。夫子，亦依宋、元本。汲古等本作之子。尤謬。

節

牧羊稻園，聞虎喧譁。畏恐悚息，終無禍患。

詳屯之復。

【補校】畏，宋、元本作思。依汲古。

中孚

老妾据機，緯絶不知。女功不成，冬寒無衣。

兑爲妾。老妾，本大過九五也。巽爲進退，爲機，爲緯；兑折，故緯絶，故女功不成。左傳昭二十四年，鳌不恤其緯，而憂宗周之

〔一〕"背"，稿本作"對"，兹依刻本。

隕。乾爲冬,爲寒,爲衣。今上下乾象皆缺,故無也。○据,依宋、元本。汲古作踞。

【補校】寒無,汲古作無寒。依宋、元本。

小過

黑龍吐光,使陰復明。燎獵載聖,六師以昌。

震爲龍,艮爲黔,故曰黑龍。兑口爲吐,艮爲光明,故曰吐光,曰使陰復明。艮爲火,故曰燎。震車爲載,坎爲聖。言文王出獵,載太公以歸也。坎數六,坎衆,故曰六師。震爲昌也。○明,依宋本。汲古作陽。燎,依宋、元本。汲古作熊。惟黑,依汲古。宋、元本作乘。

既濟

東鄰嫁女,爲王妃后。莊公築館,以尊王母。歸於京師,季姜悅喜。

詳屯之觀。○季姜,汲古作姜姬。依宋、元本。左傳桓九年,紀季姜歸于京師,爲桓公后是也。莊當爲桓。

【補校】王母,宋本作主母。依元本、汲古。

未濟

灌頡東從,道頓跌踦。日辰不良,病爲身禍。

離爲惡人,故曰灌頡。離爲東。言顛頡從公子重耳於東也。灌,疑爲顛之音訛字。離爲日,坎爲病,爲禍,爲跌踦。○東從,依宋、元本。汲古作同徒。日辰不良,依汲古。宋、元本作日食不退。非。

【補校】頡,從汲古。宋、元本作鵠。跌踦,依汲古。宋本作跌踦。元本作跌踦。

焦氏易林注卷四

同人之第十三

同人

櫜置山巔,銷鋒鑄刃。示不復用,天下大歡。

通師。坤爲櫜,震爲陵。乾亦爲山陵,爲巔。艮爲鋒刃,艮覆,故銷,故不用。坤爲天下,震樂,故曰大歡。○櫜置,宋本作密櫜。疑非。茲依汲古。

【補校】歡,宋、元本作勸。依汲古。

乾

一臂六手,不便於口。莫肯爲用,利棄我走。

○便於,從宋本。汲古作使堵。非。

【補校】便於,從宋、元本。爲,宋、元本作與。依汲古。

坤

獐鹿逐牧,飽歸其居,安寧無悔。

○寧,從宋本。汲古作息。此用同人伏象。

【補校】寧,從宋、元本。牧,汲古作木。依宋、元。

屯

鴻魚逆流，至人潛處。蓬蒿代柱，大屋顛仆。

　　艮爲鴻，坤爲魚，爲水，爲逆，故曰鴻魚逆流。鴻，大也。坎爲
聖人，在下，故曰潛處。坤爲蓬蒿，震木爲柱；坤在艮屋下，故曰代
柱。坎陷，故顛仆。〇大，從宋、元本。汲古作天屋。處，宋、元本
作渚。依汲古。仆，依觀之需校。各本皆作倒。〇坤爲魚證〔一〕。
五行志，衆逆同志，河魚逆流上。故林辭不吉。

蒙

三羖五牂，相隨俱行〔二〕。迷入空澤，經涉六駁，爲所傷賊。

　　伏兌爲羊，故曰羖，曰牂。艮納丙，故曰三羖。坎納戊，故曰五
牂。互震爲行，坤爲迷，爲虛，故曰空澤。坎陷，故曰澤。艮爲駁，
能食虎豹。然曰經涉，則非獸也。詩秦風，隰有六駁。傳，駁如馬。
疏〔三〕，陸機云，駁馬，梓榆也。樹皮青白駁犖，遙視似駁馬，故謂
之駁。下章云，山有苞棣，隰有樹檖。皆言木。此不應言獸。茲林
辭曰，經涉六駁，爲所傷賊，正用詩語，亦以六駁爲木，與陸詰合。
坎數六，故曰六駁。坎又爲賊。〇駁，依宋本。汲古訛駿。末句汲
古作爲賊所傷。依宋、元本。爲所傷賊者，言羊爲駁木觸傷也。

　　【補校】駁，依宋、元本。

需

黄帝出遊，駕龍乘馬。東上泰山，南過齊魯，邦國咸喜。

　　離爲黄，乾爲帝。乾爲馬，故曰駕龍乘馬。離爲東，乾爲山〔四〕。

〔一〕“坤爲魚證”，刻本無。據稿本校補。
〔二〕“隨”，刻本誤“遇”，據稿本改。
〔三〕“疏”，刻本誤脱。據稿本校補。
〔四〕“乾爲馬”至“乾爲山”，稿本作“爲出，爲龍馬。離爲東，伏艮爲山，乾爲
　　　南。”茲依刻本。

兑爲魯〔一〕,伏坤爲邦國,兑悦爲喜。○東,依宋本。汲古訛乘。

訟

履危不安,心欲東西。步走逐鹿,空無所得。

　　通明夷。震爲履,坎爲危,故履危不安。坎爲心,爲西,離爲
東。震爲鹿,爲走。坤虚,故空無所得。○坎西離東證。

師

望尚阿衡,太宰周公。藩屏湯武,立爲侯王。

　　伏離爲望,伏巽爲權衡。震爲主,爲周,故曰太宰周公。又乾爲
聖人,伏重乾,故聖人多也。坤爲城,爲屏藩。坎水,故曰湯。震爲
武,爲王,故曰湯武也。○太宰周公,依宋本。汲古作大半用公〔二〕。
皆訛字。

比

白龍黑虎,起伏俱怒。戰於阪泉,蚩尤敗走,死於魚首。

　　詳蒙之坎。魚首,地名。坎爲首,坤爲魚,故曰魚首。○魚首,
宋、元本、汲古皆作魯首。非。敗走,作走敗。兹從益之比較改。

　　【補校】泉,宋、元、汲古諸本皆作兆。依局本。

小畜

載石上山,步跌不前。嚬眉之憂,不得所歡,長思憂歎。

　　通豫。艮爲石,爲山,坤爲載,故曰載石上山。震爲步,坎陷,
故步跌不前。坎爲憂,故曰嚬眉。艮爲眉也。震爲歡,坎伏,故不
得。坎爲憂。○嚬,汲古訛顰。依宋、元本。汲古無長思憂歎四

─────────────

〔一〕“魯”下,稿本有“反巽爲齊”四字,兹依刻本。
〔二〕“用”,刻本誤“周”。據稿本改。

字。依宋、元本。

履

周德既成,行軸不傾。申酉昳暮,鼇老衰去[一]**,箴石不祐。**

　　通謙。震爲周,艮爲成,故曰周德既成。震爲行,坎爲軸;坎平,故不傾。坤居申,坎先天居酉,故曰昳暮。言日至申酉而暮也。坤爲老衰,坎爲箴,艮爲石。箴,鍼也。石,砭石,即石箴也。丁晏云,山海經,高氏之山,其下多箴石。注,可以爲砥鍼者是也。坤死,故雖有箴石,不能祐助。○行軸,依汲古。宋本作杼軸。申酉昳暮,依宋、元本。汲古作中酉跌墓。

　　【補校】行軸,宋、元本作杼軸。申酉昳暮,宋、元本昳作跌。汲古作跌。茲依學津。又,翟本引牟庭曰:跌當作昳,説文,日昃也。

泰

乘雲帶雨,與飛鳥俱。動舉千里,見我慈母。

　　坤爲雲,兌爲雨。震爲乘,伏巽爲帶。震爲飛,爲鳥,爲舉動,爲千里。坤爲母,爲我,兌爲見。○坤爲雲、兌爲雨證,可解易[二]。○動舉,依宋本。汲古作舉動。

否

齎貝贖狸,不聽我辭。繫於虎須,牽不得來。

　　詳需之睽。○艮爲貝、爲虎、爲須證,可釋易。○於,宋、元本作我。依汲古。

　　【補校】須,宋、元、汲古諸本皆作鬚。依翟本。按,須即鬚之本字。

〔一〕“鼇”,稿本、刻本誤“鼇”,據宋、元、汲古諸本改。
〔二〕“解”,稿本作“釋”,茲依刻本。

大有

三翼飛來，是我逢時。俱行先至，多得大利。

　　離數三，爲飛，爲翼。伏艮爲時，坤爲我。乾爲行，爲先。伏坤爲利。○是，依宋本。汲古作字。

　　【補校】是，依宋、元本。

謙

兩足四翼，飛入我國。寧我伯姊，與母相得。

　　坤數二，震爲足；爲翼，卦數四，故曰兩足四翼。震爲飛，坤爲國，爲我。震爲伯，伏巽爲姊。坤爲母。○我國，從汲古。宋本作家國。○震數四證，爲翼證。

　　【補校】我國，宋、元本作家國。姊作子。均依汲古。

豫

按民呼池，玉杖文案。魚如白雲，一國獲願。

　　艮手爲按，坤爲民，爲河。震言坎水，故曰呼池。呼池，即呼沱河。周禮職方氏作虖池。國策作呼沱。並同。震爲玉，爲杖，坤爲文，艮爲案，故曰玉杖文案。後漢書禮儀志，仲秋，縣道皆案民比戶，年七十授以玉杖[一]。八十九十，禮有加。文案，乃養老加禮。坤爲魚，爲雲，震白，故曰魚如白雲。○按民呼池，依宋、元本。汲古作案民湖池。文案，依宋本。汲古等本皆訛爲天授。願，依宋本。與案爲韻。汲古等本並訛爲鯉。

　　【補校】文案、願，均依宋、元本。杖，宋、元、汲古及所見各本皆作杯。此蓋據後漢書推攷其當爲杖之訛字。

────────────────

〔一〕此節取典於《後漢書・禮儀志》，檢原文，作"案戶比民"，作"王杖"。與所引"案民比戶"、"玉杖"略有小異。謹録此以備攷。

隨

季姬踟躕，望我城隅。終日至暮，不見齊侯，居止無憂。

　　兌爲季姬，艮止故踟躕。艮爲日，爲望，爲城，爲終。兌昧[一]，故曰終日。巽爲齊，震爲諸侯，故曰齊侯。巽伏，故不見。艮爲居止，震樂，故無憂。陳樸園云，案左傳，齊桓公有長衛姬、少衛姬。易林所云季姬，即指少衛姬。衛風靜女云，俟我於城隅。戴震云，此媵俟迎之禮。諸侯惟親迎嫡夫人，媵則至乎城下，以俟迎者而後入。故易林師之同人云，結衿待時，終日至暮也。謂林辭全説靜女詩，而與毛異。○望我，依宋、元本。汲古作望還。居止，宋、元本作君上。非。依汲古。君者，居之訛。上者，止之訛。○艮爲望，可釋易[二]。

　　【補校】居止，汲古作居室。按，此謂依汲古作居止，疑校檢偶疏。然作居止義實佳，馬生新欽云，似可依謙之井利以居止，長無咎憂，及家人林居止何憂校。

蠱

龍渴求飲，黑雲影從。河伯捧觴，跪進酒漿，流潦滂滂。

　　震爲龍，兌口爲飲，艮爲求。互大坎爲黑，爲雲，爲河。震爲伯，故曰河伯。震爲觴，艮手爲捧，坎爲酒漿，爲流潦。○龍渴求飲，汲古作龍隅求泉。黑作置。均依宋、元本。

　　【補校】捧，依汲古。宋、元本作奉。義通。

臨

出門逢患，與福爲怨。更相擊刺，傷我手端。

――――――――――――――――

〔一〕“兌昧”，稿本作“離伏”，兹依刻本。
〔二〕“艮爲望，可釋易”，刻本無，據稿本補。

震爲出,坤爲門,爲患。坤禍,故不福。伏艮爲擊,對遯、臨正
反艮,故相擊。兑爲傷,伏艮爲手,坤爲我。○福,從宋、元本。汲
古等本皆訛爲怒。

觀

播天舞,光地乳。神所守,樂无咎。

> 艮爲天,爲手,爲播,爲舞。坤地,互艮爲乳〔一〕。艮爲守,伏
> 震爲樂,坤爲安。○此三字四句。宋、元本作播天舞地,神明所守,
> 安樂无咎。汲古訛爲播衣樂天,乾坤所命,安樂无咎。皆改作四字
> 三句。兹依剥之兑宋本校。地乳,詳泰之大有。

噬嗑

兩金相擊,勇氣鈞敵。終日大戰,不破不缺。

> 震爲金,正反震,故曰兩金。艮手爲擊,正反艮,故曰相擊。震
> 爲勇,正反震,故曰鈞敵。艮爲終,離爲日,震爲戰。兑爲破缺,兑
> 伏,故不破不缺。○勇氣鈞敵,依宋本。汲古等本作武勇敢敵,將
> 林辭用覆之妙全失。

賁

車雖駕,兩靷絶〔二〕。馬奔出,雙輪脱。行不至,道遇害。

> 震爲車,爲駕。伏巽爲靷,兑卦數二,故曰兩靷。兑折,故絶。
> 震爲馬,爲奔出。坎爲輪,兑卦數二,兑毀,故曰雙輪脱。坎陷,故
> 行不至。震爲道,坎陷爲害〔三〕。○汲古作四字句,而添二字作五
> 句,爲大車難駕,兩靷如繩。馬奔山後,輪脱不行,中道遇害。不有

〔一〕“互艮爲乳”,稿本作“伏震爲神”,兹依刻本。
〔二〕“靷”,刻本訛“紖”,據稿本改。
〔三〕“震爲道,坎陷爲害”,稿本作“震爲道塗,坎爲害”,兹依刻本。

宋、元本，誰復知[一]廬山真面？誰復知林辭奇妙如此？此與上六卦，凡常本辭意失解者，皆賴宋、元本復明，其可貴如此。

剥

文山紫芝，雍梁朱草。長生和氣，王以爲寶。公尸侑食，福禄來處。

　　詳師之夬。

復

把珠入口[二]，爲我畜寶。得吾所有，欣然嘉喜。

　　震爲口，爲珠玉，爲寶。坤爲我，爲吾，爲畜。震爲嘉喜。

　　【補校】欣，依宋本、汲古。元本作忻。義同。

无妄

負牛上山，力盡行難。烈風雨雪，遮遏我前。中道復還，憂者得歡。

　　艮爲負，爲山，爲牛。艮止，故力盡行難。互巽爲風，乾爲冰，故曰雨雪。艮止，故曰遮遏。艮爲道，震反，故曰還。坎爲憂，震樂，故曰得歡。○力盡，依汲古。宋本作力劣[三]。負牛，依宋本。汲古作負車。

　　【補校】盡，宋、元本作劣。牛，依宋、元本。

大畜

陶朱白圭，善賈息資。三致千金，德施上人。

　　艮火，故曰陶。乾爲大赤，故曰陶朱。震爲玉，爲白，故曰白

〔一〕“知”，稿本作“識”，兹依刻本。
〔二〕“把”，刻本訛“抱”，據稿本改。
〔三〕“力”字，稿本、刻本無，據宋本增。

圭。二人皆善治生致富。乾爲富,故曰息資。伏巽爲商賈。艮數三,乾爲金,爲千,故曰三致千金。乾爲德,震爲人。上人者,及人也。○人,依宋本。汲古作仁。

頤

子鉏執麟,春秋作經。元聖將終,尼父悲心。

　　詳訟之同人。○經,依釋文。元,依汲古。宋本作作元,作陰聖,非。

　　【補校】經,依丁晏釋文。宋、元本作元。汲古作陰。元,依汲古。宋、元本作陰。

大過

春日載陽,福履齊長。四時不忒,與樂爲昌。

　　通頤。震爲春,乾爲日,爲陽。震爲福履,巽齊,故曰齊長。艮爲時,震數四,故曰四時。震爲樂,爲昌。○昌,依汲古。宋本作倡。

　　【補校】昌,依宋本、汲古。元本作倡。

坎

孔德如玉,出於幽谷,飛上喬木。鼓其羽翼,輝光照國。

　　詳坤之比。○輝,依汲古。宋本作大。照國,依宋本。汲古及常本作耀光照目。非。

　　【補校】輝,宋、元本作大。汲古作耀。依坤之比校。

離

區脱康居,慕仁入朝。湛露之歡,三爵畢恩。復歸穹廬,以安其居。

　　注詳訟之恒。○穹,宋本作窮。非。

【補校】穿，宋、元本作窮。非。依汲古。區，宋本作甌。依元本、汲古。按元本舊注云：區脫，與甌脫同，土室也。胡人候望處。出匈奴傳。

咸

秋冬夜行，照覽星辰。道理利通，終身無患。

兌爲秋，乾爲冬，互大坎爲夜。艮爲明，爲觀，故曰照覽。艮爲星辰，爲道里。巽爲利。艮爲身，爲終。坎爲患，兌悅，故無患。○理，應作里。無患，依汲古。宋本作何患。

【補校】無患，宋、元本作何患。

恒

鳴鵠抱子，見蛇何咎。室家俱在，不失其所。

注詳否之鼎。古鵠、鶴通用。

遯

安如泰山，福壽屢臻。雖有豺虎，不能危身。

艮爲山，爲安，爲壽。乾爲福。艮爲豺虎，爲身；艮安，故不危。○艮爲身證。○宋本如訛和。

【補校】如，宋、元本訛和。依汲古。

大壯

耆蒙睡眠，不知東西。歲君失理，命直爲曲，王稱爲寶。

乾老，故曰耆。說文，耆，老也。伏艮，故曰蒙。耆蒙，即老少也。艮止坤迷，故曰睡眠。震東兌西。坤迷，故不知。乾爲君，爲年，故曰歲君。坤爲理，坤伏，故失理。伏巽爲命。孟氏逸象，乾爲直，爲王，爲寶。震口爲稱。○耆蒙睡眠，依汲古。宋本作老目瞢眠。老目者，耆之訛。瞢，蒙之訛。歲君失理，命直爲曲，王稱爲

寶，依汲古。宋本作君失理命，以直爲傴，王珍爲寶。非。此又汲
古勝宋本處。

晉

植璧秉珪，請命于河。周公克敏，沖人瘳瘉。

　　此用同人象。伏震爲珪璧。艮手，故曰秉，曰植。坎水坤水，
故曰河。艮爲沖人。沖，幼也。震爲公，爲周。艮堅，故瘳瘉。○
植璧秉珪，依宋本。汲古等本作載璧乘珪〔一〕。非。植璧秉珪，金
縢文。瘉，依汲古。説文，病瘳也。徐鍇曰，今人作愈，非。由是證
宋本作愈，非。○史記魯世家，成王有疾，周公揃爪沈河，以祈病
瘳。

明夷

太王執政，歲熟民富。國家豐有，王者有喜。

　　震爲王，坤老，故曰太王。坤爲政；爲歲，爲利，故曰歲熟。坤
爲民，爲富，爲國家，爲豐。震爲王，震喜。○太，依宋本。汲古作
大。他本或作天。

　　【補校】太，依元本。宋本、汲古作大。王者，宋、元本作主者。
依汲古。

家人

訟爭相背，和氣不處。陰陽俱否，穀風無子。

　　離爲有言，故爭訟。坎爲和，坎伏，故不處。穀，毛詩作谷，傳
云，東風也。巽爲風，離東，故曰東風。震爲子，震伏，故無子。谷
風詩，毛傳謂刺夫婦失道。兹曰無子，蓋齊詩義也。○訟爭，依汲
古。宋、元本作爭訟。

〔一〕“乘”，刻本誤“秉”，據稿本改。

睽

齊魯爭言，戰於龍門。構怨結禍，三世不安。

兌魯。齊，似用半巽象。正反兩兌口相對，故曰爭言。餘詳坤之離。

蹇

鹿得美草，鳴呼其友。九族和睦，不離邦域。

此用同人象。伏震爲鹿，爲草，爲鳴。伏坤爲族，震數九，故曰九族。震樂，故和睦。坤爲邦域。

【補校】睦，依汲古。宋、元本作穆。義通。

解

百里南行，雖微復明。去虞適秦，爲穆國卿。

百里奚自虞適秦，故曰南行。震爲百，爲南，爲行。離爲明。坎爲憂虞，震樂，故去虞。坎位西，故曰秦。○南，從宋、元本。汲古訛難。微，從汲古。宋、元本作徵。非。

損

梅李冬實，國多寇賊。亂擾並作，王不能制。

詳屯之師。

益

府藏之富，王以賑貸。捕魚河海，笱網多得。巨蛇大鮪，戰於國郊，君遂走逃。

詳比之臨。○笱，依汲古。宋、元訛苟。後三句定爲衍文，應依比之臨校删。

夬

牡飛門啓，憂患大解。修福行善，不爲身禍。

詳需之兌。○修福行善，依需之兌校。宋、元本皆作去老乘馬。汲古無第三句。又牡，宋、元本訛杜。

姤

宜昌娶婦，東家歌舞，長樂歡喜。

　　巽爲震婦。震爲娶，爲昌，爲東，爲歌舞，爲歡樂。伏坤爲家。

萃

正陽之央，甲氏以亡。禍及留吁，煙滅爲墟。

　　左傳宣十六年正月，晉人滅赤狄甲氏及留吁。春正，故曰正陽。央，中也，言正月之中也。伏乾爲陽，互大坎爲中。艮爲甲，坤喪，兌毀，故曰甲氏以亡。坤爲禍，兌口爲吁。坤爲墟，爲滅。○甲，汲古訛申。依宋、元。

升

鳧過稻廬，甘樂穬鰭。雖驅不走，田畯懷憂。

　　震爲鳧，爲稻，爲樂，爲穬。穬，大麥也。巽爲鰭，坤亦爲魚。震爲驅，爲走。坤爲田畯，爲憂。○鳧，從汲古。宋、元本作鳥。非。詩小雅，田畯至喜。

困

跛踦俱行，日暮車傷，失旅乏糧。

　　通賁。坎蹇，故曰跛踦。震爲行。離爲日，坎爲夜，故曰日暮。震爲車，坎折，故傷。震爲行，旅爲糧，兌毀，故曰失旅乏糧。

井

龍門水穴，流行不害。民安其土，君臣相保。

　　通噬嗑。震爲龍，艮爲門，爲穴。坎水爲流，流順故不害。坎爲民，艮爲安，爲土。震君艮臣。○艮爲臣證。○水，汲古作小。

依宋、元本。集韻,害,音曷。與穴韻。

革

山陵四塞,遏我徑路。欲前不得,復還故處。

　　通蒙。艮爲山,爲塞,爲遏,爲徑路。坎陷艮止,故欲前不得。
震卦數四,故曰四塞。○四,依宋、元本。汲古作西。前作全。非。
　　【補校】復,汲古作俱。依宋、元本。

鼎

兩虎爭鬬,血流漂杵。城郭空虛,蒿藜塞道。

　　通屯。艮爲虎,坤數二,故曰兩虎。又正反艮,故曰爭鬬。坎
爲血,爲杵。艮爲城郭,坤爲空虛。震爲藜蒿,艮爲道。
　　【補校】漂,汲古作浮。郭作廓。均依宋、元本。

震

依叔牆隅,志下心勞。楚亭晨食,韓子低頭。

　　艮爲牆,爲叔,爲依。坎爲志,爲心,爲勞。震爲楚,爲晨,爲
食。艮爲亭。坎爲信,故曰韓子。韓子者,韓信也。艮爲頭,坎下
首,故低頭。史記淮陰侯傳,常數從南昌亭長寄食,亭長妻患之,不
爲具食,信怒,絕去。○叔,依宋、元本。汲古作東。

艮

龍生無常,或託空桑。憑乘風雲,爲堯立功。

　　震爲龍,爲生,爲桑。互大離,離虛,故曰空桑。坎爲雲,伏巽
爲風,震爲乘,艮手爲憑。震爲帝,故曰堯。按,皇甫謐云,伊尹生
于空桑,堯時諸臣。禹生石紐,見史記注。無生空桑者,西漢時古
籍多,或別有所據。○空桑,依汲古。宋、元本作葉。
　　【補校】雲,汲古作雨。依宋、元本。

漸

魁行搖尾,逐雲吹水。汙泥爲陸,下田宜稷。

　　艮爲星,爲尾。魁,北斗星也。巽進退,故曰搖尾。坎爲雲水,
兌口向坎,故曰逐雲吹水。坎爲汙泥。坎陷,故亦爲下田。艮爲
陸,巽爲稷。言宜種黍稷也。○水,汲古作火。依宋、元本。宜稷,
多作爲稷。依巽之師校。

　　【補校】水,元本、汲古作火。依宋本。

歸妹

跛踦相隨,日暮牛罷。陵遲後旅,失利亡雌。

　　坎蹇,故跛踦。離爲日,爲牛;坎夜坎勞,故曰日暮牛罷。震爲
商旅,爲後。巽爲利,巽伏,故曰失利亡雌。巽爲震婦,故曰雌也。

豐

**三人俱行,北求大牂。長孟病足,倩季負糧。柳下之寶,不
失我邦。**

　　震爲人,爲行;數三,故曰三人俱行。互大坎爲北,兌爲羊。震
爲長孟,爲足;坎病,故曰病足。按家語,叔梁紇之妾生孟皮,孟皮
病足。季,季路也。家語,子路曰,吾爲親負米百里之外。互巽爲
糧[一],伏艮爲季,爲負。震爲柳,伏坤爲下,爲邦。○糧,宋、元、
汲古作囊。依汲古革之恒校。孟,從宋、元。汲古作子。寶,從宋、
元。汲古作賣。非。按呂氏春秋,齊伐魯,求岑鼎,魯以他鼎往。
齊侯曰,柳下季謂是,則因受之。魯侯請柳下季,季曰,君以賂欲免
國也,臣亦有國。破臣之國,以免君之國,所不願也。魯侯乃以真
岑鼎往。我邦,各本皆作驪黃。依汲古渙之豫校。

――――――――――――――

〔一〕“互”,稿本作“伏”,兹依刻本。

旅

鳳凰在左,麒麟處右。仁聖相遇,伊吕集聚。傷害不至,時
無殃咎,福爲我母。

　　離爲鳳凰,爲麒麟。離東爲左,兑西爲右。坎爲聖,爲集聚。
兑口爲伊,巽爲齊,爲吕。○處右,從宋、元。汲古作在右。

巽

乘筏渡海,雖深不殆。曾孫皇祖,累累俱在。

　　伏震爲筏,爲乘。互大坎爲海,爲深。兑悦,故不殆。伏艮爲
曾孫,爲祖。○海,從宋、元。汲古作河。不協,非。

　　【補校】汲古下多受其大福四字。兹依宋、元本。

兑

比目四翼,來安吾國。齎福上堂,與我同牀。

　　詳比之離。

渙

娶於姜吕,駕迎新婦。少齊在門,夫子悦喜。

　　詳否之渙。○吕、齊,汲古作女,作妻。依宋、元本。

節

螟蟲爲賊,害我稼穡。盡禾殫麥,秋無所得。

　　坎爲賊,爲害。伏巽爲螟蟲,震爲禾稼。兑正秋,兑毀折,故秋
無所得。○盡禾,汲古作冬禾。依宋、元本。

　　【補校】殫,宋、元本作單。依汲古。單通殫。

中孚

衣裳顛倒,爲王來呼。成就東周,邦國大休。

震爲衣裳，正反震，故曰顛倒。震爲王，爲呼，爲東周。艮爲
成，爲邦國。按齊風，東方未明，顛倒衣裳。顛之倒之，自公召之。
毛詩敍謂朝廷興居無節。焦意似指太公佐周，與毛異。

小過

王孫季子，相與爲友。明允篤誠，升擢薦舉。

　　震爲王。艮爲孫，爲季子，爲友。震爲明允，艮爲篤誠。震爲
薦舉，艮手爲擢。辭似用史記舜舉八元八愷事。○篤，元本訛駕。
依宋本、汲古。薦，依汲古。宋、元本皆訛慶。

既濟

踴泉滑滑，流行不絶。汙爲江海，敗毀邑里。家無所處，聞
虎不懼，向我笑喜。

　　坎爲泉，重坎，故流行不絶，故汙爲江海。坤爲邑里，三坤爻隔
絶，故云敗毀。坎爲懼。虎與笑喜，蓋用半象。○踴，汲古作漏。
依宋、元。懼，從宋、元。汲古作悖。又按，似用同人伏象。

未濟

桑扈竊脂，啄粟不宜。亂政無常，使心孔明。

　　離爲鳥，故曰桑扈、竊脂。坎爲竊，爲脂。竊脂，即桑扈，一物
也。左傳襄四年，桑扈竊脂，爲蠹驅雀者也〔一〕。詩小雅，交交桑
扈。餘似用半象。○扈，宋、元本作戶。從汲古。心，依宋、元本。
汲古作我。

〔一〕"桑扈竊脂，爲蠹驅雀者也"，按《左傳》昭公十七年，"九扈爲九農正"，孔
　　疏引賈逵説，有此二語。前文謂出《左傳》襄四年，檢之未見，似偶誤記。

大有之第十四

大有

白虎張牙，征伐東萊。朱雀前驅，贊道説辭。敵人請服，銜璧而趨。

兑爲虎，爲牙；西方色白，故曰白虎張牙。白虎，西方宿[一]。離爲東，兑爲決，爲斧鉞，故曰征伐東萊。萊，汲古本作東華。按史記云，師尚父封於營邱，未至國，萊人來伐，爭營邱。營邱邊萊。萊，夷人也。但太公征萊，今史不詳。不知華、萊孰是？姑從宋、元。朱雀，南方宿。離爲雀，南方色赤，故曰朱雀。兑口，故曰贊道説辭。道，導通。乾爲玉，兑口，故曰銜璧。○東萊，汲古本作東華。依宋、元。

【補校】雀，汲古作鳥。道説，作導悦。均依宋、元本。贊，宋、元本作讚。依汲古。按，道、導、説、悦皆通。贊同讚。又，東萊，宋、元本萊作來。此訂爲萊，疑別有據，謹紀俟攷。

乾

南山太行，困於空桑。老沙爲石，牛馬無食。

此用大有象。乾爲山，爲行，位南，故曰南山。太行，亦山名也。伏坎爲困，艮爲桑，坤虚，故曰空桑。艮爲沙石，坤爲老，爲牛馬[二]。兑爲食，坤閉，故曰無食[三]。○無食，宋、元本作無糧。

[一]"白虎，西方宿"，此下稿本有"淮南子，白虎西方金也，其神爲太白，其獸爲白虎"。似付刻時删。

[二]"馬"下，稿本有"坤虚，兑爲食，坤虚震覆，故曰無食"十三字。

[三]"曰"，稿本無，兹依刻本。

依汲古[一]。

坤

播木折枝，與母別離，絕不相知。

　　　　依訟之謙校。播，種也。言折枝種於他所，與母樹分離也。○
宋、元、汲古皆作蟠木失歧。誤。按，此亦用大有伏象。

　　　　【補校】首句，宋、元、汲古諸本皆作蟠枝失岐。依訟之謙校。

屯

噂噂所言，莫如我垣。歡樂堅固，可以長安。

　　　　詳乾之困。○宋、元本作譐譐。依汲古。莫如我垣，亦依汲
古。宋、元作莫知我恒。誤。

蒙

雹梅零墜，心思憒憒。懷憂少愧，亂我魂氣。

　　　　艮爲果，爲梅；坎爲冰，故曰雹梅。爾雅，葵蘆葐注，紫花大根，
俗呼雹葖[二]。由此例之，是雹梅爲象形之字，作李者非也。坎
折，故零墜。坎爲心思，坎憂，故憒憒。坤爲我，爲亂，爲魂氣。○
憒憒，依宋、元本。汲古作積憒。雹，各本作李。依頤之否校。

需

火雖熾，在吾後。寇雖多，在吾右。身安吉，不危殆。

　　　　離爲火，伏坤爲吾；在下，故曰在後。坎爲寇，兌爲右。伏坤爲
身，爲安。殆，音以。

〔一〕“古”下，稿本有“山疑爲出之訛”六字。
〔二〕“葖”，稿本作“葵”，蓋付刻時改。按，郝懿行《爾雅義疏》云：“郭云俗呼雹
　　葵者，《齊民要術》三引《廣志》曰，蘆葐一名雹葖。葖不从草。宜據以訂
　　正。”此似刻本改“葖”之所據。

訟

虎臥山隅，鹿過後胸。弓矢設張，蝟爲功曹。伏不敢起，遂至平野[一]，得我美草。

　　　乾爲虎，爲山。伏震爲鹿，爲後。廣韻，胸，山名。史記始皇本紀，立石上胸界中。由是例之，後胸，或山名也。坎爲弓矢，爲棘，爲蝟，爲伏。伏坤爲平野，爲我。震爲美草。〇遂，依宋、元本。汲古作逐。平，汲古、元本作洋。依宋本。〇坎爲矢證。後漢書百官志，功曹，主選署及衆事，爲郡吏長。論衡云，人謂虎食人，功曹爲姦所致。其意以爲功曹爲吏率，虎爲獸雄。而蝟能伏虎，故虎畏，見史記龜策傳注，蝟能伏虎。

　　　【補校】遂，宋、元本作逐。依汲古。平，汲古作洋。依宋、元本。

師

三火起明，雨滅其光。高位疾顛，驕恣誅傷。

　　　伏離爲火，數三，故曰三火。坎爲雨，爲黑，故無光。坎爲疾，坤爲誅傷。〇顛，宋、元作巔。依汲古。誅，汲古作深。依宋、元。

　　　【補校】雨，宋、元本作兩。依汲古。

比

疋居楚烏，遇讒無辜，久旅離憂。

　　　丁云，疋、雅同。説文，雅，楚烏也。一名鷽，一名卑居，秦謂之雅。言雅居楚即謂烏也。艮爲鳥，故曰烏，曰雅。坎上下兌口相背，故曰讒。坎爲憂。〇疋居楚烏，依汲古。宋、元本作匹君楚馬。非。旅，依宋、元。汲古作散。〇艮鳥確證。

_____

[一]　“野”，刻本誤“原”，據稿本校改。

【補校】汲古烏作鳥，依翟本。

小畜

一室百子，同公異母。以義防患，禍災不起。

　　通豫。坎爲室，數一。坤爲百。震爲子，爲公。坤爲母，上下坤相背，故曰異母。坎爲患。坤爲禍災，坎伏，故不起。○百子、同公，依宋、元本。汲古作十子，作同心。似非。

履

商人行旅，資所無有。貪其利珠，流連王市。還家內顧，公子何咎。

　　通謙。震爲商旅，爲行人，爲珠。巽爲利市，乾爲王，故曰王市。艮爲家，離爲顧，震爲公子。○所無，依宋、元本。資所無有者，言資無所出也。汲古作資無所有。非。

　　【補校】其，宋、元本作具。家作旋。均依汲古。

泰

禹將爲君，北入崑崙。稍進揚光，登入溫湯。代舜爲治，功德昭明。

　　乾爲君王，故曰禹。伏艮爲崑崙，坤位北。艮陽在上，爲光；艮手，故曰揚光。坤水爲湯，艮火，故曰溫湯。震爲帝，故曰舜。○揚光，依宋、元本。汲古作陽光。非。代舜爲治，依宋、元本增。汲古無。○坤北證。

否

乾行天德，覆幬無極。嘔呼烹熟，使各自得。

　　乾爲天，故覆幬無極。伏震兌，故曰嘔呼。艮火坤釜，故曰烹熟。○天，汲古作大。烹，作享。均依宋、元本。

同人

南國盛茂，黍稷醴酒。可以享老，樂我嘉友。

乾爲南，伏坤爲國。震爲盛茂，爲黍稷。伏坎爲酒。乾爲老，震爲樂。○盛茂，汲古作茂盛。醴，作醲。均依宋、元本。

謙

方船備水，傍河燃火，終身無禍。

震爲船，坤爲方。方，并也。詩，方舟爲梁，故可備水。坎水坎河，艮爲火，故曰傍河然火。坤爲身，爲禍；震喜，故無禍。○汲古多與夫吉昌，永得安康二句。依宋、元本。

豫

雷行相逐，無有休息。戰於平陸，爲夷所覆。

詳坤之泰。

隨

躑躅跼蹰，拊心搔頭。五晝四夜，睹我齊侯。

震足，故躑躅跼蹰。坎爲心，爲首；艮手，故拊心搔頭。艮爲日，爲晝，兌爲夜。震卦數四，巽五。巽爲齊。○睹，依宋、元本。汲古作賭。○上二句用邶詩。注詳同人之隨。

蠱

大口宣脣，神使伸言。黃龍景星，出應德門。與福上堂，天下安昌。

詳需之萃。

【補校】德，宋、元本作侯。依汲古。

臨

陰衰老極，陽建其德。履離戴光，天下昭明。

詳否之无妄。〇第三句，各本皆訛離載陽光。依坤之未濟校。
【補校】第三句，宋、元本作離陽載光。汲古作離載陽光。

觀

三塗五岳，陽城太室。神明所伏，獨無兵革。

詳需之蒙。〇汲古多下有保國四字。依宋、元本。

噬嗑

年豐歲熟，政仁民樂。利以居止，旅人獲福。

震爲年歲，爲豐熟，爲仁樂。伏巽爲利，艮爲居止。震爲旅
人。〇政仁，依宋、元。汲古作仁政。非。

賁

楚烏逢矢，不可久放。離居無羣，意昧精喪。作此哀詩，以
告孔憂。

楚烏即雅。見說文。艮爲黔啄，故曰烏。震爲叢木，故曰楚
烏。坎爲矢，故曰楚烏逢矢。艮爲居，坎爲孤，故曰離居無羣。坎
爲心，爲隱伏，故曰意昧。震神坎陷，故精喪。坎爲哀憂，震爲告。
詩四月篇，君子作詩，維以告哀。〇烏，從宋、元本。汲古作鳥。
矢，宋、元本訛天。從汲古。可，宋、元本作時。從汲古。羣，汲古
作辜。從宋、元本。汲古無意昧精喪句。

剝

出門大步，與凶惡忤。罵公詈母，爲我憂恥。

坤爲門户，爲凶，爲母，爲我憂。伏乾爲行，爲公。兌爲罵
詈。〇凶，依宋、元本。汲古作兄。非。恥，亦從宋、元本。汲古作
趾。非。

復

火至井谷，陽芒生角。犯歷天市，闚觀太極。登上玉牀，家
易六公。

　　　○天市，依汲古。天官書，旗中四星，曰天市。宋、元本作天
　　戶。非。太極，依汲古。即北極也。宋、元作太微，不韻。又，陽，
　　宜作楊。古楊柳不分，即柳星也。○按此亦用大有象。離爲星，爲
　　火，兌爲井谷。伏艮爲角，離爲觀。太極謂五。乾爲玉，伏艮爲牀。
　　【補校】至，汲古作之。陽作楊。均依宋、元本。

无妄

牧羊逢狼，雖憂不傷。畏怖惕息，終無禍殃。

　　　震爲羊，震艮對，故曰逢狼。艮爲狼。坤爲牧，爲憂傷。乾惕，
　　故曰惕息。坤爲禍殃，坤伏，故無〔一〕。○惕，依汲古。宋、元本訛
　　既。

大畜

繭栗犧牲，敬事鬼神。神嗜飲食，受福多孫。望季不來，孔
聖厄陳。

　　　上四句詳乾之旅。艮爲季，艮止，故不來。乾爲聖，震爲孔，爲
　　陳。○鬼，宋、元本作貴。神嗜，作享者。兹依汲古。

頤

大澤治妝，南歸牧羊。長伯爲我，多得牛馬，利於徙居。

　　　坤爲水，爲海，故曰大澤。妝，俗作娤，爲裝之訛字。震爲行，
　　故治裝。伏兌爲羊，坤爲牧。震爲歸，爲南，爲伯，爲長。坤爲我，

―――――――――

〔一〕“乾惕”至“故無”十四字，稿本作“伏大坎爲畏怖惕息，坤爲禍殃，故無”。

爲牛,爲馬。震行,故徙居。〇大澤治妝,宋、元本作大蓋治牀。依
汲古。歸、羊,從宋、元本。牧,從汲古。牛馬,依宋、元本。汲古作
馬牛。

【補校】牛馬,依宋、元、汲古本。學津、局本作馬牛。又第二
句,宋、元本作南歸殺羊。汲古作南販牧牂。兹南歸、羊依宋、元,
牧字從汲古。

大過

枯樹無枝,與子分離。飢寒莫養,獨立哀悲。

通頤。震爲樹,互大離科上槁,故曰枯。巽寡,故無枝。震爲
子,風散,故分離。乾爲寒,離虚爲飢。坤死,故莫養。坤爲哀悲。

坎

天地九重,堯舜履中。正冠垂裳,宇宙平康。

互震爲帝,故曰堯舜。震爲履,坎爲中。艮爲冠,坤爲裳,坎爲
平。〇履,汲古作治。依宋、元本。

【補校】垂,汲古作衣。依宋、元本。

離

鳧鷖遊涇,君子以寧。履德不衍,福禄來成。

伏震爲鳧鷖,坎爲涇。艮爲君子。震爲履,爲福禄。〇涇,元
本作淫。從宋本、汲古。履,從宋、元本。汲古訛復。

咸

裸裎逐狐,爲人觀笑。牝雞雄晨,主作亂根。

通損。坤爲身,故曰裸裎。艮爲狐。震爲逐,爲人,爲笑。艮
爲觀。互巽爲雞,震爲雄;爲旦,爲鳴,故曰雄晨。震爲主,坤爲
亂。〇裸裎,宋、元本作贏襢。依汲古。觀,汲古作所。雄,作司。

均依宋、元本。書，牝雞之晨，惟家之索。

恒

典册法書，藏在蘭臺。雖遭亂潰，獨不遇災。

　　詳坤之大畜。○書、亂，從宋、元本。汲古作言，作禍。論衡，
連山藏在蘭臺。

遯

三癡且狂，欲之平鄉。迷惑失道，不知昏明。

　　通臨。坤爲癡，震數三，故曰三癡。震起，故曰且狂。詩鄭風，
不見子都，乃見狂且。説文，且，薦也。薦，進也。集韻，且，徂也。
且狂，猶狂且也。坤爲平鄉，震爲之。坤爲迷惑，爲失，震爲大塗。
坤夜震旦，故曰昏明。坤迷，故不知。全用對象。○且狂，依汲古。
宋、元本作俱。非。且，音徂。

大壯

瘦瘤瘍疥，爲身瘖害。疾病癃痾，常不危殆。

　　通觀。艮多節，故曰瘦瘤瘍疥，曰癃痾。坤爲身，爲害，爲疾
病。艮安，故不危殆。○害，依宋、元本。汲古作患。不協。痾、危
殆，皆依汲古。宋、元本作痾，作屬逮。似非。

　　【補校】疥，汲古作疹。依宋、元本。

晉

三豕俱走，鬭於谷口。白豕不勝，死於坂下。

　　坎爲豕，離卦數三，故曰三豕。艮爲谷，伏兑爲口。兑剛魯毀
折，故鬭。兑西方，色白，故曰白豕。坤死，艮坂，故曰死於坂
下。○谷，宋、元本作虎。依汲古。

　　【補校】坂，元本作阪。依宋本、汲古。

明夷

賴主之光,受德之佑。雖遭顛沛,獨不凶咎。

　　震爲主,離爲光。震爲德。○主,依汲古。宋、元本作先。遭,
依宋、元本。汲古作造。

家人

上義崇德,以建大福。明哲且聰,周武立功。

　　通解。震爲德,爲福,爲建。離爲明,爲哲,爲聰。震爲周,爲
武,爲功。○哲、立功,從宋、元本。汲古作德,作功立。非。

　　【補校】明哲且聰,汲古作吉宜詰旦。局本哲作德。兹依宋、
元本。

睽

四亂不安,東西爲患。身止無功,不出國城。乃得全完,賴
其生福。

　　兑數四,離爲亂。坎險,故不安。離爲東,坎爲西,爲患。伏艮
爲身,爲止,爲國城。艮止,故不出。

　　【補校】患,汲古作恨。全完,作完全。均依宋、元本。

蹇

金牙鐵齒,西王母子。無有患殆,涉道大利。

　　詳小畜之大有。此亦用大有象。○涉道大利,依汲古。宋、元
本作減害道利。

解

賀喜從福,日利蕃息,歡樂有得。

　　震爲喜樂,爲賀,爲福。伏巽爲利,離爲日,震爲蕃息。

　　【補校】日,宋、元本作曰。依汲古。

損

昊天白日,照臨我國。萬民康寧,咸賴嘉福。

　　艮一陽在上,故爲天,爲日。納丙,故曰昊天。昊天,夏日也。坤爲我,爲國。艮爲光明,故曰照臨。坤爲萬民。震爲康寧,爲嘉福。○嘉福,依宋、元本。汲古作受福。

益

左眇右盲,視闇不明。下民多孽,君失其常。

　　震爲左,伏兌爲右。互大離,故曰眇,曰盲,曰不明。坤爲黑暗,爲下,爲民,爲孽。震爲君。

夬

吾有黍粱,委積道傍。有囊服箱,運到我鄉,藏於嘉倉。

　　通剝。艮爲道。坤爲委積,爲囊,爲箱,爲鄉。坤載,故曰運到我鄉〔一〕。坤爲藏,艮爲倉,又爲果蓏。蓏,草實也。黍粱,疑故爲艮象〔二〕。○吾有,從汲古。宋、元本作吾家。囊,從宋、元。汲古作架。

　　【補校】委積,宋、元本作積委。依汲古。

姤

殊類異路,心不相慕。牝豕無猳,鰥無室家。

　　通復。坤爲類,爲心。震爲大塗。坤爲牝,巽爲豕,故曰牝豕。猳,牡也。坤寡,故曰鰥。○牝豕,宋、元本作牝豨。依汲古。

　　【補校】鰥無,元本作鰥無。汲古作鰥居。依宋本。按元本舊注云,鰥即鰥字。

〔一〕“運”下,刻本脱“到我鄉”三字,據稿本補。
〔二〕“故”上,刻本脱“疑”字,依稿本補。

萃

雀行求食，出門見鷂。顛蹶上下，幾無所處。

　　艮爲雀，爲求，兌爲食。艮爲門，爲鷂。兌折，故顛蹶。

升

野有積庚，穡人駕取。不逢狼虎，暮歸其宇。

　　坤爲野，爲積，爲庚。震爲稼穡，爲人，故曰穡人。艮爲虎狼，艮伏，故不逢。坤爲莫，震爲歸。○積庚，宋本作積庚。元本作種庚[一]。依汲古。狼虎，亦依汲古。宋、元本作虎狼。與下宇不韻。

困

膚敏之德，發憤晨食。虙豹禽説，爲王求福。

　　詳師之觀。○虙，依汲古。宋、元本訛虎。晨，各本皆作忘。依宋、元本師之觀校改。説，從宋、元。淮陰伐趙，禽夏説。汲古作越，非。

井

光祀春成，陳寶雞鳴。陽明失道，不能自守，消亡爲咎。

　　漢書郊祀志，秦文公獲若石，于陳倉北阪城祠之。其神來常以夜，光輝若流星，從東方來，集于祠城，其聲殷殷，若雄雉野雞夜鳴，名曰陳寶。兹云春成[二]，疑祠城之訛。疑原句無春字。祀成，即祠城。或爲光集祠城也。卦通噬嗑。離爲光，坎爲集，艮爲祠城。震爲陳，爲鳴。本卦巽爲雞。○光祀，從宋、元本。汲古作光禮。禮，即集之音訛字。陳寶，宋本、汲古皆作陳項。非。依元本。

━━━━━━━━━

〔一〕“庚”，刻本誤“庚”，據稿本改。
〔二〕“成”，刻本訛“城”，據稿本改。

革

左抱金玉,右得熊足。常盈不亡,獲心所欲。

　　通蒙。震爲左,爲玉。艮爲金,爲抱。兌爲右,艮熊,震足。坤爲多,故曰常盈。坤爲亡;震樂,故不亡。坎爲心,爲欲。○艮金證。熊足,即熊掌。

鼎

履泥汙足,名困身辱。兩仇相得,身爲痛瘝。

　　通屯。震爲足,爲履;坤爲土,爲水,故曰履泥汙足。艮爲名,坎陷,故名困。坤爲身,坤下,故辱。坤數二,故曰兩。正反艮,故相仇。○爲痛瘝,依宋、元本。汲古作其爲虐。

震

安居重遷,不去其廛。禾米相間,樂得常産。

　　艮爲居,艮止,故安居不遷。震往,艮廛;艮止,故不去其廛。震爲禾米,爲樂。○廛,從汲古。宋、元本作亶。音訛字。

　　【補校】禾米,宋、元本作未來。依汲古。間,宋、元、汲古諸本皆作聞。惟翟本注引牟庭云,聞當作間。茲從校。

艮

天災所遊,凶不可居。轉徙獲福,留止憂危。

　　互坎爲災凶,震爲遊。上下卦陽在上,故曰天災。艮爲居,坎險,故不可居。震爲徙,爲福。艮止坎危。○憂危,從汲古。與居韻。宋、元作危憂。

漸

昧昧墨墨,不知白黑。景雲亂擾,光明隱伏。犬戎來攻,幽王失國。

坎隱伏,故曰昧墨,故不知白黑。巽爲白,坎爲黑,爲雲。離明,故曰景雲。離爲亂,爲光明。坎伏。艮犬。坎爲幽,爲失,艮爲國。震爲王,震伏,故曰幽王。○白黑,依宋、元本。汲古作白日[一]。

【補校】墨墨,汲古作默默。犬戎來攻,汲古無。均依宋、元本。

歸妹

鳧雁啞啞,以水爲宅。雌雄相和,心志娛樂,得其所欲。

詳大畜之鼎。○心志,依宋、元。汲古作常共。

豐

長生無極,子孫千億。柏柱載梁,堅固不傾。

震爲長生,爲子。伏艮爲孫。震爲千億,爲柏柱,爲載,爲梁。伏艮爲堅固。○梁,從汲古。宋、元本作器。

旅

麒麟鳳凰,善政得祥。陰陽和調,國無災殃。

離爲文明,故曰麟鳳。卦一陰從一陽,二陰從二陽,故曰和調。

巽

天之奧隅,堯舜所居。可以存身,保我室家。

伏艮爲天。震爲帝,故曰堯舜。艮爲居,爲身,爲室家,爲保。全用旁通。○室家,從宋、元。汲古作家室。非。家音姑,與居韻。

兌

配合相迎,利之四鄰。昏以爲期,與福笑喜。

[一]“日”下,刻本衍一“黑”字,據稿本刪。又,“白”字,刻本無,依汲古本補。

兌昧爲昏〔一〕。震爲福，爲笑喜。迎、鄰爲韻。鄰音靈。

【補校】鄰，汲古作鄉。笑喜，作喜笑。均依宋、元本。

渙

砥德礪材，果當成周。拜受大命，封爲齊侯。

震爲德，爲材。艮石，故曰砥礪。震爲周。艮爲拜。巽爲命，爲齊。

節

與福俱坐，蓄水備火，終無災禍。

震爲福，艮爲坐。坎水艮火。坎爲積蓄，爲災禍。〇宋、元本多思患預防四字，爲第三句。依汲古。

【補校】災，宋、元本作殃。依汲古。

中孚

晨昏潛處，候時煦煦。卒逢白日，爲世榮主。

震爲晨，兌爲昧，爲昏。巽爲潛。艮爲待，爲時，震爲煦。煦，和也。巽爲白，艮爲日。震爲主，爲榮。〇晨，元本作畏。依宋本、汲古。候時煦煦，宋、元本作候明昭昭。茲從汲古。煦、主爲韻。

【補校】逢，宋本作連。依元本、汲古。

小過

視日再光，與天相望。長生歡悦，與福爲多。

艮爲日，爲光，爲望，爲天。巽長震生。震歡悦，爲福爲多也。〇再，從汲古。宋、元本作載。多，從宋、元本。汲古作兄。與，從汲古。宋、元作以。〇艮爲天證。

〔一〕"兌昧"，稿本作"伏坎"。

既濟

大頭明目，載受嘉福。三雀飛來，與禄相觸。

　　　坎爲大首，離爲明目。震爲載，爲嘉福。離爲鳥，卦數三，故曰三雀飛來。震爲飛，爲禄。除坎離外，皆用半象。○載受嘉福，從宋、元本。汲古作再受喜福。三，從宋、元本。汲古作二。觸，從汲古。宋、元訛單。

未濟

梗生荆山，命屬輸班。袍衣剝脱，夏熱冬寒。立成枯槁，衆人莫憐。

　　　詳乾之既濟。○梗，汲古訛梗。依宋、元本。

　　　【補校】屬，宋、元本作載。成作餓。均依汲古。

謙之第十五

謙

王喬無病,狗頭不痛。亡跛失履,乏我徒從。

艮爲壽,故曰王喬。王喬,古仙人。坎爲病,震樂,故無病。艮爲狗,坎爲首,爲痛。震爲履,坎蹇,故跛。坤爲我。○狗,依汲古。宋、元本作苟。跛,依汲古。宋、元本作破。亡,疑爲足之訛。震足,坎蹇,故曰足跛。

【補校】徒,宋、元本作送。依汲古。

乾

喋囁嚤嘽,昧冥相搏。多言少實,語無成事。

此取遇卦謙象。注解詳卷九明夷之豫。豫與謙同象。○喋,汲古作嗛。依宋、元本。嚤嘽,宋、元本訛處曘。汲古作嚤嚶。搏,宋、元作待,汲古訛持。依汲古中孚之升校,有詳説。

坤

北辰紫宮,衣冠立中。含和建德,常受大福。鉛刀攻玉,堅不可得。

詳坤之觀[一]。多下二句。此亦用謙象。艮爲刀,爲金。坤柔,故曰鉛刀。震爲玉,艮爲堅。○艮爲刀、爲金證。

【補校】建,汲古作達。依宋、元本。

────────────

〔一〕"詳",稿本作"同"。

屯

東壁餘光,數暗不明。主母嫉妬,亂我事業。

　　震爲東,艮爲壁,故曰東壁〔一〕。艮又爲火〔二〕,爲光明。坎爲暗,故不明。坤爲母,震爲主,故曰主母。坎爲嫉妬,坤爲亂,爲事業。列女傳,貧婦徐吾,與鄰婦會燭夜績。燭數不給,鄰婦欲擯之。吾曰,一室之内,增一人燭不爲闇,少一人不爲明,何愛東壁之餘光乎? 林用其事。

　　【補校】主,汲古作王。依宋、元本。

蒙

下背其上,盜明相讓。子嬰兩頭,陳破其墟。

　　坤爲下。艮爲背,爲上,爲明。坎爲盜,震爲言。正反震相對,故曰相讓。震子震嬰;坎爲首,坤數二,故曰兩頭。震爲陳,坎爲破,坤爲墟。兩頭於象甚合,其義未詳,疑爲面縛之訛。○相讓,從宋、元本。汲古作其。非。讓,責也。子嬰,從汲古。宋、元本作嬰子。非。陳,陳涉也。言陳涉亡秦,滅子嬰也。

　　【補校】盜,汲古作資。依宋、元本。

需

鳳生會稽,稍巨能飛。翺翔桂林,爲衆鳥雄。

　　離文爲鳳,伏艮爲山。會稽,山名。艮陽在上,爲飛,爲翺翔,爲林,爲鳥。坤爲衆。全用伏。○能飛,從宋本。元本作飛翔。非。巨,汲古作具。依宋、元本。

　　【補校】能飛,從宋本、汲古。桂林,宋、元本作往來。依汲古。

〔一〕“故曰東壁”,稿本作“東壁,星名”。
〔二〕“火”,稿本作“星”。

訟

鑿井求玉,非和氏寶。名困身辱,勞無所得。

　　　坎陷爲井,乾爲玉,爲寶。坎爲和。伏坤爲身,爲辱。艮爲名,
艮覆,故名困。坎爲勞。○非和氏寶,依宋本及汲古。元本作非卞
氏室。非。

　　【補校】非和氏寶,依汲古。宋本作非卞氏寶。

師

邦桀載殳,道至東萊。百僚具舉,君王嘉喜。

　　　坤爲邦,爲惡,故曰桀。艮爲殳,兵器也。詩衛風,邦之桀兮,
伯也執殳。震爲大塗,爲陵;震東,故曰東萊。東萊,山名。坤爲
百,艮爲官[一]。互震爲君王[二],爲嘉喜。○邦桀,從宋、元本。
汲古訛拜傑[三]。殳,從陳本。元本、宋本、汲古皆訛役。道,從
宋、元本。汲古作送。漢書郊祀志,東萊山,黃帝所常遊。林辭似
指此事。

比

安息康居,異國穹廬。非吾邦域,使伯憂戚。

　　　詳蒙之屯。○穹、戚,依汲古。宋、元本作同,作惑。

小畜

江河淮海,天之都市。商人受福,國家富有。

　　　詳否之乾。

〔一〕"官",稿本作"舉"。
〔二〕"互震",稿本作"伏乾"。
〔三〕"傑",刻本誤"桀",據稿本改。

履

同本異業，樂仁尚德。東鄰慕義，來興吾國。

　　　　通謙。震爲木，正反震，而以三爻爲本，故曰同本異葉。震爲
　　　　仁德，爲樂，爲東，爲興。坤爲吾，爲國。○鄰，依宋、元本。汲古
　　　　訛林。

　　　　【補校】尚，宋、元本作上。依汲古。上、尚通。

泰

白鶴銜珠，夜室爲明。懷我德音，身受光榮。

　　　　震爲白，爲鶴，爲珠。兌爲口，故曰銜。坤爲夜，爲室。震爲
　　　　明，爲音。坤爲懷，爲我，爲身。乾爲光榮。搜神記，噲參行，遇黔
　　　　鶴爲弋人射傷，收養之，放去。一夜，雌雄各銜一明月珠來，以報
　　　　參。○室，宋、元作食。從汲古。爲，從宋、元。汲古作反。我，元
　　　　本作吾。從宋本、汲古。

否

踐履危難，脫厄去患。入福喜門，見吾邦君。

　　　　伏震爲踐履，坤爲患。乾在外，故脫厄去患。艮爲門，乾爲福
　　　　喜，巽爲入。坤爲吾，爲邦，乾爲君。○福，依宋、元本。汲古作臨。

　　　　【補校】邦，汲古作母。依宋、元本。

同人

宮商既和，聲音相隨。驪駒在門，主君以歡。

　　　　通師。震爲樂，故曰宮商，曰聲音。震爲隨，爲馬。坤爲門。
　　　　震爲主，爲君，爲歡。又震爲行。驪駒，爲送行之詩。

大有

天地配享，六位光明。陰陽順敍，以成厥功。

　　詳訟之震。

豫

江河淮海，天之奧府。衆利所聚，可以饒有，樂我君子。

　　詳否之坤。

隨

雙鳥俱飛，欲歸稻池。徑涉崔澤，爲矢所射，傷我胸臆。

　　詳屯之旅。○崔，依屯之旅校。宋、元本作蓷。汲古作藋。皆
非。

蠱

伯仲叔季，日暮寢寐。羸卧失明，喪我貝囊，衍却道傍。

　　震爲伯，大坎爲仲，艮爲叔季。坎爲莫，爲寢寐。艮爲身，爲羸，
爲卧，爲明。兑昧，故失明。兑毁折，故曰喪。艮爲貝，震爲道，爲
囊。○伯，從汲古。宋、元本作留。羸，汲古作裸。宋、元本作羸。
由汲古證之，可見宋、元本原作羸。羸、裸同，故從之。明、喪、貝，
從汲古。宋、元本作限、虐、具。非。却，汲古作卸。依宋、元本。

臨

受終文祖，承衰復起。以義自閑，雖苦无咎。

　　坤爲文，伏艮爲終，爲祖，故受終文祖。坤爲衰，震爲起。坤爲
義，爲咎。震樂，故无咎。○閑，依汲古。宋、元本作閉。

觀

据斗運樞，順天無憂，與樂並居。

　　詳益之節。

噬嗑

周師伐紂，戰於牧野。甲子平旦，天下悦喜。

震爲周，爲伐，坎衆爲師。離爲惡人，故曰紂。艮爲城。尚書注，牧野城，周武王所築。震爲旦，爲子。艮爲甲，故曰甲子。坎爲平，故曰平旦。艮爲天，震爲下，爲樂。周書，武王伐紂，甲子昧爽，王朝至于商郊牧野。林所本也。

賁

十雌百雛，常與母俱。抱雞搏虎，誰敢害諸。

通困。巽爲雌，兌爲雛；數十，故曰十雌。震爲百，爲子，故曰百雛。巽爲母，爲雞；艮爲虎，爲抱，故曰抱雞搏虎。〇百，元本作伯。從宋本、汲古。諸，依宋、元本。汲古作者，與俱不協。〇巽母證。

剝

桀跖並處，人民愁苦。擁兵荷糧，戰於齊魯。

此用謙象。坤爲惡，故曰桀。坎爲盜，故曰跖。震爲人民，坎爲愁苦。艮爲兵，震爲糧。艮手爲擁，艮背爲荷。震爲戰。伏兌爲魯，巽爲齊，故曰齊魯。

復

南山昊天，刺政閔身。疾悲無辜，背憎爲仇。

詳乾之臨。

【補校】疾，汲古作侯。依宋、元本。

无妄

百川朝海，流行不止。道雖遼遠，無不到者。

乾爲海，爲百川。震爲行，爲道，爲遠；爲至，故無不到。

大畜

目不可合，憂來搖足。悚惕危懼，去其邦域。

大離，故目不合。震爲足，爲搖。乾爲憂，爲危惕。艮爲邦域；艮在外，故曰去。○危，依汲古。宋、元本作爲。

頤

烏升鵲舉，照臨東海。尨降庭堅，爲陶叔後。封於英六，履福綏厚。

　　詳需之大畜。

　　【補校】烏，宋、本汲古作鳥。依元本。尨，宋本作龍。元本作厖。依汲古。英六，汲古作蓼丘。依宋、元本。履福，宋本作履禄。汲古作福履。依元本。綏，元本作爲。依宋本、汲古。

大過

北方多棗，橘柚所聚。何囊載黍，盈我筐筥。

　　通頤。坤爲北。艮爲棗，爲橘柚。正反艮，故曰聚。坤亦爲聚也。坤爲囊，艮爲何。震爲黍，爲載，爲筐筥。

　　【補校】何，宋、元、汲古諸本皆作荷。依翟本。何通荷。黍，汲古作香。依宋、元本。

坎

懸狙素飡，食非其任。失望遠民，實勞我心。

　　詩魏風伐檀篇[一]，胡瞻爾庭有懸狙兮，不素餐兮。互艮爲狙。震爲素，爲餐。坎爲食。伏巽爲繩，故曰懸。艮爲望，坎失，故曰失望。坎爲民，爲勞，爲心。○狙，宋、元本作狟。飡，汲古作餐。依宋、元本。食非其任，言不稱職也。

　　【補校】狟，依汲古。飡，宋本、汲古作餐。依元本。飡、餐同。

────────────────

〔一〕“魏風”，稿本、刻本誤“小雅”，據阮刻《毛詩正義》校改。

離

羔羊皮革，君子朝服。輔政扶德，以合萬國。

　　　詳晉之臨。

咸

齊魯争言，戰於龍門。搆怨致禍，三世不安。

　　　詳坤之離〔一〕。○世，依宋、元本。汲古作三歲。

恒

久陰霖雨，塗行泥潦。商人休止，市空無有。

　　　互大坎，故曰陰，曰霖雨，曰泥潦。震爲大塗，爲行，爲商人。
　　坎陷，故休止。巽爲市，兑毁，故空無所有。○市空無有，依汲古。
　　宋、元本作市無所有。

遯

桃雀竊脂，巢於小枝。摇動不安，爲風所吹。心寒慄慄，常
憂殆危。

　　　艮爲鳥，故曰桃雀竊脂。詩大雅，肇允彼桃蟲。傳，桃蟲，鷦鷯
　　也。鷦鷯即桃雀。爾雅，桑扈，竊脂。皆小鳥。艮爲小也。艮爲
　　巢，爲枝。巽風進退，故動摇。乾爲寒，爲惕，故曰慄慄，曰危
　　殆。○巢，依宋、元本。汲古作來。非。心寒，依旅之晉校。

　　　【補校】心寒，宋、元、汲古諸本均作寒心。雀、慄慄，依宋、元
　　本。汲古作鵲，作悚慄。

大壯

防患備災，凶禍不來，雖困無災。

───────────

〔一〕“離”，刻本作“大畜”，據稿本改。

通觀。坤爲患，爲災。艮爲防。坤爲凶禍，坤閉，故困。○均
依汲古。宋、元本禍作惡，無災作無憂，多未獲安休四字。

晉

引頸絕糧，與母異門。不見所歡，孰與共言。

> 艮爲頸，震爲糧；震覆坤閉，故絕糧。坤爲母，爲門，艮亦爲門。
> 坤西南，艮東北，故曰異門。震爲歡，爲言；震覆坤閉，故不見所歡，
> 故無與共言。○頸，依汲古。宋、元本作順。非。

明夷

鰌蝦去海，藏於枯里。街巷褊隘，不得自在。南北極遠，渴
餒成疾。

> 坤爲魚，故曰鰌蝦。坎爲海，坤在外，故曰去海。坤爲里，爲
> 藏。離爲枯，爲巷。坎爲褊隘。離南坎北。坎爲疾，離爲渴餒。○
> 褊，汲古作偏。從宋、元本。極遠，汲古作無極。從宋、元本。

家人

恭寬信敏，功加四海。辟去不詳，喜來從母。

> 坎爲信，巽爲母，伏震爲喜。

睽

歲飢無年，虐政害民。乾谿驪山，秦楚結怨。

> 離虛，故飢。坎爲衆，爲民。兌毀折，故曰虐，曰害。坎爲谿，
> 離火，故曰乾谿。坎爲馬，伏艮爲山，故曰驪山。兌西，故曰秦。離
> 南，故曰楚。楚靈王死於乾谿，秦始皇葬驪山，故曰秦楚結怨。坎
> 爲怨也。

蹇

右目無瞳，偏視寡明。十步之外，不知何公。

此用謙象。伏兑爲右，艮離目不全，故無瞳，故偏視。坎黑，故寡明。坤數十。震爲公，爲步。正反震，故不知何公。

解

蜩螗歡喜，草木嘉茂。百果蕃熾，日益庶有。

此用謙象。震爲鳴，伏巽，故曰蜩螗。豳風注，蜩，蟬也。宋曰螗。震爲歡喜。詩大雅，如蜩如螗，如沸如羹。箋云，言飲酒歡呼之聲，似蜩螗之鳴。兹曰歡喜，用詩意也。震爲草木，爲嘉茂，爲百，爲蕃熾。艮爲果，爲日。○果、庶，從汲古。宋、元作菜，作多。

損

常德自如，安坐無尤。幸入貴鄉，到老安榮。

艮止，故曰常德，曰安坐。艮爲鄉，爲貴。坤爲老，震爲榮。○幸入，宋本作莘入〔一〕。元本作華入。依汲古。○艮貴，可解易。

【補校】常德，元本作當得。依宋本、汲古。如，宋本作知。依元本、汲古。

益

狡兔趯趯，良犬逐咋。雄雌爰爰，爲鷹所獲。

震爲兔，爲行。互艮爲犬，震爲逐。震口爲咋，爲雄。巽爲雌。爰爰，行貌。艮爲鷹，爲獲。詩小雅，躍躍毚兔，遇犬獲之。釋文，躍，他歷反。與趯同。又王風，有兔爰爰。傳，爰爰，行緩也。○雄雌爰爰，依未濟之師校。各本作雄雉受害。非。

【補校】良犬，汲古作犬良。依宋、元本。

夬

春桃生花，季女宜家。受福多年，男爲邦君。

〔一〕“莘入”，稿本、刻本誤“華萃”，據宋本改。

詳師之坤。

姤

山石朽弊,消崩墮落。上下離心,君受其祟。

　　乾爲山,爲石。巽爲朽弊,爲消崩墮落。乾爲君,陰消陽,故曰受祟。○消、墮,從汲古。宋、元本作稍、墜[一]。

　　【補校】消,宋、元、汲古諸本皆作稍。依學津、翟本及夬之姤校。墮,宋本作墜。依元本、汲古。按,墮落,似當依夬之姤及翟本校作墮墜,以與祟協。

萃

水壞我里,東流爲海。龜鼊讙譁,不睹我家。

　　詳泰之兌。

　　【補校】譁,宋、元本作嚻。依汲古。

升

七竅龍身,造易八元。法天則地,順時施恩,富貴長存。

　　元本注,聖人心有七竅,伏羲蛇身。左傳,高辛氏有才子八人,天下謂之八元。互兌爲穴,爲竅;數七,故曰七竅。震爲龍,坤爲身,故曰龍身。坤數八,又爲地。伏乾爲天,故曰法天則地。震爲時,坤順,故曰順時。伏乾爲富貴。翟云升謂,伏羲龍身,八元即八卦。○易,汲古作化。施恩,作施行。均從宋、元本。

　　【補校】七,汲古作十。依宋、元本。

困

四夷慕德,來興我國。文君陟降,同受福德。

　　坎爲夷,伏震卦數四,故曰四夷。坎爲慕。伏艮爲國。震爲

〔一〕"墜",刻本誤"墮",據稿本改。

君,互離,故曰文君。正反震,故曰陟降,曰福德。○同、福,依宋、
元本。汲古作合、其。詩大雅,文王陟降。文君,即文王。

【補校】陟降,汲古作降陟。依宋、元本。

井

華首山頭,仙道所遊。利以居止,長無咎憂。

> 伏艮爲山,坎爲首,兌爲華,故曰華首。艮爲壽,故曰仙道。伏
> 震爲遊。巽爲利,爲長。艮爲居止,坎爲憂。

革

鶻鳩徙巢,西至平州。遭逢雷雹,損我葦蘆。家室飢寒,思
吾故初。

> 通蒙。艮爲鶻鳩,爲巢。震行,故曰徙巢。坎爲平,爲西,爲冰
> 雹。震爲雷,爲葦蘆。兌毁,坤我。艮爲家室,坤爲飢寒。○損,從
> 汲古。宋、元本作鬬。

【補校】巢,汲古作來。依宋、元本。家室,宋、元本作室家。
依汲古。

鼎

狗無前足,陰謀叛北,爲身害賊。

> 詳小畜之明夷。艮爲狗。初二半艮,無初爻,故無前足。震爲
> 足,震伏,亦無。○北,依汲古。宋、元本作背。説文,北,乖也〔一〕。
> 二人相背。史記魯仲連傳,士無反北之心。背乃妄人所改。

【補校】謀,汲古作雄。依宋、元本。

震

陽孤亢極,多所恨惑。車傾蓋亡,身常驚惶。乃得其願,雌

〔一〕“北”,刻本誤“背”,據稿本改。

雄相從。

　　　詳乾之屯。○從,依宋、元本。汲古作存,乃音訛。

艮

空槽注器〔一〕,豚彘不到。張弓祝雞,雄鳩飛去。

　　　○鳩,皆作父。依師之旅校。祝,呼也。

漸

長夜短日,陰爲陽賊。萬物空枯,藏於北陸。

　　　巽爲長,坎爲夜。離日,坎隱,故短日。坎爲賊,北方陰。離日
　　　爲陽,陽爲坎陰所蔽,故曰陰爲陽賊。巽爲草莽,爲萬物;離虛,故
　　　空枯。坎爲藏,爲北;艮爲道,故曰北陸。冬日行北陸。

歸妹

爪牙之士,怨毒祈父。轉憂於己,傷不及母。

　　　兌爲爪牙,震爲士;爲父,故曰祈父。坎爲怨毒,爲憂。巽爲
　　　母,巽伏,故傷不及母。詩小雅祈父,予王之爪牙。胡轉于予恤,有
　　　母之尸饔。祈父,司馬也。言司馬令我久役,移憂於己,不及事母,
　　　令母主饔也。林全説詩意。○震父巽母證。

豐

拜跪請兔,不得臭腐。俛眉銜指,低頭北去。

　　　伏艮爲拜跪,震爲兔;震言,故請兔。巽爲臭腐,巽伏,故不得。
　　　艮爲眉,坎陷,故俛眉。艮爲指,兌口,故銜指。坎爲首,爲低,爲
　　　北。多用伏象。○俛,從汲古。宋、元本訛挽。眉,依宋、元本。汲
　　　古作首。低頭,依宋、元本。汲古作不得。
　　【補校】得,宋本作德。依元本、汲古。

────────────

〔一〕"注器",稿本作"住猪"。

旅

有莘季女，爲夏妃后。貴夫壽子，母字四海。

> 巽爲草莽，爲莘，兑爲季女。離爲夏。艮貴艮壽，震夫震子。
> 巽爲母，兑爲海。震卦數四，故曰四海。○夏，從宋、元。汲古作
> 王。○巽母可解易。

巽

季姬躊躇，待孟城隅。終日至暮，不見齊侯。

> 詳同人之隨。○季姬、暮，從宋、元本。汲古作姜，作且。非。

兑

邯鄲反言，父兄生患。涉叔憂恨，卒死不還。

> 詳坤之睽。○叔，從宋、元本。汲古作此。非。叔，吳廣字也。
> 憂恨，從汲古。宋、元作援姐〔一〕。卒，從汲古。宋、元作一。

渙

逐鹿山巔，利去我西。維邪南北，所求不得。

> 艮爲鹿，爲山，爲巔。震爲逐，巽爲利，坎爲西。震爲言，故曰
> 維邪。維邪，呼聲。震爲南，坎爲北，艮爲求。○所求不得，依汲
> 古。宋、元作利无不得。

節

穿鼻繫株，爲虎所拘。王母祝福，禍不成災，突然自來。

> 艮爲鼻，坎爲穿，伏巽爲繫，震爲株。言既穿其鼻，又繫於木
> 也。艮爲虎，爲拘。震爲王，伏巽爲母，故曰王母。震爲福，爲祝。
> 坎爲禍，爲災。○株，汲古作珠。依宋、元本。福，依汲古。宋、元

〔一〕“姐”，稿本、刻本誤“狙”，據宋、元本改。

本詑榴。

【補校】元本作中孚林。兹依宋本、汲古。

中孚

虎豹熊羆，遊戲山谷。君子仁賢，皆得所欲。

　　艮爲虎豹熊羆，爲山谷。易井九二，井谷射鮒，以伏艮爲谷也。震爲遊。艮爲君子，爲仁賢。〇皆，汲古作亦。從宋、元本。

【補校】元本作節林。兹依宋本、汲古。

小過

梅李冬實，國多盜賊。擾亂並作，王不得制。

　　詳屯之師。此以正反巽爲盜賊，故曰多。

【補校】得，宋、元本作能。依汲古。

既濟

望幸不到，文章未就。王子逐兔，犬蹄不得。

　　此用謙象。艮爲望，坤爲文章。震爲王，爲子，爲逐，爲兔。艮爲犬，坎爲蹄。〇王子，依宋、元本。汲古作三。

【補校】王子，汲古作羊子。局本作三子。

未濟

千柱百梁，終不傾僵。仁智輔聖，周宗寧康。

　　此用謙象。坤爲千百。艮爲柱，坎爲極，爲梁。震仁坎智。坎聖，震爲周。

豫之第十六

豫

冰將泮散，鳴雁雝雝。丁男長女，可以會同，生育聖人。

坎爲冰，下臨艮火，故曰泮散。艮爲雁，震鳴，故曰雝雝。伏兌納丁。晉書李密傳，零丁孤苦。丁男，言孤男，無配偶也。巽爲長女，震爲生，坎爲聖。言少男長女，及冰未泮而婚嫁也。周禮媒氏疏引韓詩傳，古者霜降逆女，冰泮殺止。按詩邶風，士如歸妻，迨冰未泮。據韓詩，是冰泮後禁嫁也。荀子及家語皆同韓詩說，鄭誤。○聖，從宋、元本。汲古作賢。雝雝，從宋、元本。汲古作雍雍，與毛詩字異。

乾

龍馬上山，絕無水泉。喉焦脣乾，口不能言。

詳乾之訟。此用豫象。

坤

蔡侯朝楚，留連江濱。踰時歷月，思其后君。

左氏定三年[一]，蔡侯朝楚，子常求其裘，弗與，乃留蔡侯，弗使歸。豫震爲草莽，爲蔡，爲楚，爲諸侯。坎陷，故流連。坎水，故曰江濱。艮爲時，坎爲月，爲思。震爲君。全用豫象。

屯

文厄羑里，湯囚夏臺[二]。仁聖不害，數困何憂。免於縲紲，

〔一〕"三年"，稿本、刻本誤"五年"，據阮刻《左傳正義》改。
〔二〕"囚"，刻本訛"困"，據稿本改。

爲世雄侯。

中爻坤爲文,爲里。坤闇,故厄。坎爲水,艮火,故曰湯,曰夏。艮爲臺。震爲仁,坎爲聖,坤爲害。坎爲困,爲憂。巽爲繩紲,巽伏,故免。震爲雄,爲侯。○紲,從汲古。宋、元本作索。雄,依宋、元本。汲古作明。史記周本紀,紂囚文王於羑里。殷本紀,夏桀囚湯于夏臺。

【補校】囚,從汲古。宋、元本作拘。

蒙

典册法書,藏在蘭臺。雖遭亂潰,獨不遇災。

詳坤之大畜。

【補校】册,依宋本、汲古。元本作策。義通。

需

氈裘羶國,文禮不飭。跨馬控弦,伐我都邑。

伏坤爲裘,爲文禮,爲馬,爲我,爲都邑。謂匈奴寇邊也。

訟

星隕如雨,力弱無輔。強陰制陽,不得安土。

左傳莊七年,星隕如雨。離爲星,坎爲雨,風隕。伏象明夷,明入地中,故曰陰制陽。坤爲土。○第三句,宋、元本作強陽制陰。從汲古。

師

蝗嚼我稻,驅不可去[一]。實穗無有,但見空蕙。

詳小畜之大壯。

[一]“可”,稿本、刻本作“我”。按注文謂“詳小畜之大壯”,今檢彼林,正作“可”。謹依宋、元本校。

【補校】可,汲古作我。依宋、元本。

比

虎飢欲食,爲蝟所伏。禹導龍門,避咎除患,元醜以安。

　　艮爲虎,坤虛,故飢。伏兌爲食。坎爲蝟,爲伏。伏乾爲王,爲龍,爲門,故曰禹導龍門。坎爲患,爲隱伏,故曰避咎除患。坤爲醜,爲安。○所伏,依汲古。宋、元本作而伏。非。史記龜策傳,蝟能伏虎,見鵲而仰。

　　【補校】辟,依汲古。宋、元本作辟。義通。

小畜

蝙蝠夜藏,不敢晝行。酒爲酸漿,魴鱺鮑羹。

　　巽爲蝙蝠,伏坎爲夜,爲藏。離爲晝,震爲行;震伏,故不晝行。坎爲酒漿。巽爲魚,爲鱺,故曰魴鱺鮑羹。○鮑,元本作飽。非。依宋本、汲古。鱺同臭。

履

精華墜落,形體醜惡。齟齬挫頓,枯槁腐蠹。

　　兌爲華,風隕,故墜落。伏坤爲形,爲醜惡。兌爲口,正反兌相對,故齟齬。離爲枯槁,巽爲腐蠹。○兌爲華,可釋大過。

　　【補校】墜,宋、元本作墮。依汲古。體,汲古作掩。依宋、元本。

泰

兩足不獲,難以遠行。疾步不能,後旅失時。

　　互震爲足,兌卦數二,故曰兩足。兌毀,故不獲,故不行。震爲後,爲時;坤喪,故失時。

　　【補校】旅,依宋、元本。汲古作倡。馬生新欽云,倡疑爲侶之形訛,侶、旅通也。

否

令妻壽母,宜家無咎。君子之歡,得以長久。

　　巽爲妻,乾善,故曰令妻。坤爲母,艮壽,故曰壽母。艮爲家,爲君子。伏震爲樂,故曰歡。巽爲長,艮爲久。

同人

飢蠱作室,緡多亂纏,端不可得。

　　巽爲蠱,爲蠱;離虛,故曰飢蠱。伏坎爲室。巽爲緡,離爲亂。○飢蠱,宋、元本作蠱飢。緡,宋本作昏。元本作緒。均依汲古。端,丁晏依御覽校[一]。宋本、汲古皆作緒。

　　【補校】緡,宋、元本作昏。翟本作緒。端,宋、元、汲古諸本皆作緒。

大有

子鉏執麟,春秋作經。元聖將終,尼父悲心。

　　詳訟之同人。○經,宋本作元。元作陰。皆非。依汲古訟之同人校。汲古只此不訛,餘皆訛。作陰,蓋以經字不協,而妄改。豈知麟音苓,心音惺,古與經字皆協。而宋、元本改爲陰聖,尤失解。

　　【補校】經,宋、元本作元。汲古作陰。元聖,從汲古。宋、元本作陰聖。鉏,元本訛鋤。依宋本、汲古。

謙

螟蟲爲賊,害我稼穡。盡禾殫麥,秋無所得。

　　詳同人之節。○殫,宋、元本皆作單。

　　【補校】第三句,從汲古。宋本作禾殫麥盡。元本同,唯殫作

　　[一]　"晏",稿本、刻本誤"宴",據廣雅書局叢書本《易林釋文》卷端題款改。

單。按,單通殫。

隨

憂在腹內,山崩爲疾。禍起蕭牆,竟制其國。

　　　　互大坎爲憂,離爲腹。艮爲山,震爲覆艮,故曰山崩。巽爲草
　　莽,艮爲牆,故曰蕭牆。艮爲國。○以覆艮爲山崩,可知京讀崩來
　　无咎之所本。以艮爲國,可得易各處國邑之象。

蠱

茹芝餌黃,飲食玉瑛。神與流通,辰無憂凶。

　　　　震爲芝,爲黃。兌口,故曰茹,曰餌,曰飲食。震爲玉,爲神;爲
　　樂,故不憂。此言神仙導引之事。黃,黃精也。
　　　【補校】神與,宋、元本作與神。依汲古。

臨

一夫兩心,歧刺不深。所爲無功,求事不成。

　　　　震爲夫,坤爲心;數二,故曰兩心,曰歧。兌毀折,故無功,故不
　　成。坤爲事。○歧,宋、元本作衼。汲古作技〔一〕。皆非。依宋本噬
　　嗑之豐校。隴上記狄梁公墓,棘直而不歧。歧,尖也,故曰歧刺〔二〕。
　　又後漢張堪傳,麥穗兩歧。注,一莖兩穗。亦一證也。又,易坤靈
　　圖引,亦作拔刺。

觀

十里望烟,渙散四分。形容滅亡,終不見君。

　　　　坤爲里,數十,艮爲望。烟,音因,與氤通。班固典引,烟烟熅

〔一〕"作"上,刻本脫"汲古"二字。據稿本補。又,"技"字,稿本、刻本誤"拔"。
　　蓋局本作"拔",而誤書汲古。今據汲古本改。
〔二〕"歧",刻本作"棘",據稿本改。

煜。烟煜,天地氣也,與絪縕同。艮陽在上,坤在下,天地氣接,故
曰望烟。巽風爲散,數四,故曰四分。坤爲形,爲死,故滅亡。乾
伏,故不見君。○四分,依宋、元本。汲古作四方,以與亡協。豈知
烟音因,作分乃協。

【補校】四分,依元本。宋本、汲古作四方。

噬嗑

張弓控弩,經涉山道。雖有伏虎,誰敢害諸。

坎爲弓,爲弩,震爲張。艮爲山道;爲虎,坎伏,故曰伏虎。坎
爲害。○諸,依宋、元本,以與虎韻。汲古作者。

【補校】控,宋、元本作廓。依汲古。

賁

泉閉澤竭,主母飢渴。君子困窮,乃徐有説。

坎爲泉。坎伏,故閉;下火,故竭。震爲主,伏巽爲母。離虚而
燥,故飢渴。艮爲君子,坎爲困。説、脱通,言脱去困窮也。○主
母,宋、元本作王母。依汲古。

剥

野鳶山鵲,弈棊六博。三梟四散,主人勝客。

艮爲鳶,爲鵲,爲梟,爲山。元本注,三梟四散,皆古局戲名。
按戰國楚策云,夫梟棊之所以能爲者,以散棊佐之也。夫一梟之不
勝五散亦明矣。按黄山谷詩,安知樗蒲局,臨關敗三梟。今博戲失
傳,故不知其義。○鳶,從宋、元本。汲古作猿。

復

羊驚馬走,上下揮擾。鼓音不絶,頃公奔敗。

震爲驚,爲羊,爲馬,爲走,爲鼓,爲音。坤爲頃,震爲公,故曰

頃公。震爲奔，坤爲敗。左傳成二年，晉郤克與齊頃公戰〔一〕，晉人援枹而鼓之，頃公奔敗。○頃，汲古訛項。依宋本。

无妄

黄帝神明，八子聖聰。俱受大福，天下康平。

　　震爲黄，爲帝，爲神。艮爲明，數八；震子，故曰八子。乾爲聖聰，爲大福，爲天。震陽在下，故曰天下。左傳，高陽氏有才子八人。林所本也。○康平，依宋、元本。汲古作平康。

大畜

輕車醊祖，猋風暴起。泛亂祭器，飛揚鼓舞。明神降祐，道無害寇。

　　震爲車，爲祭祀，故曰醊祖。祖者，將行犯軷之祭。詩大雅，仲山甫出祖是也。伏巽爲風，進退，故曰猋風。震爲器，兌毀，故泛亂。震爲飛揚，爲鼓舞，爲明神，爲福祐，爲道。坤爲害，爲殺；坤伏，故無。○首句原作住馬醊酒，猋作疾，第四句作飛揚位卓。卓，宋、元本又作草。兹依汲古坎之巽校，祇泛字依本文。

　　【補校】首句，宋、元本作住車醊酒，汲古車作馬。猋、祭，宋、元、汲古均作疾，作福。第四句，宋、元本作飛揚位草，汲古草作卓。祐，宋、元本作禄。汲古作佑。同祐。按，此林依汲古坎之巽校，然彼猋仍作疾。惟瞿本注云一作猋，可從校。

頤

螣蛇乘龍，宋鄭飢凶，民食草蓬。

　　左傳襄二十八年，梓慎曰，蛇乘龍，龍，宋、鄭之星也。宋、鄭必飢。震爲龍，坤爲蛇，在震上，故曰乘龍。説文，以木架屋爲宋。故

〔一〕“郤”，刻本誤“郤”，據稿本改。

艮爲宋。鄭，説文，地町町然平也。故坤爲鄭。爲凶，爲民。震爲
食，爲草莽。

【補校】臘，宋、元本作滕。汲古作騰。兹依局本。

大過

揚水潛鑿，使石潔白。裏素表朱，遊戲皐沃。得君所欲，心
志娛樂。

詳否之師。按汲古作衣素表朱，宋、元本作裏素表朱。毛詩詁
襮爲領，謂衣素而黼領朱也，與爾雅合。後儒據高誘呂覽注及班
賦，詁襮爲表，以攻毛。豈知素衣朱表，語已不合。兹按林辭，亦詁
襮爲表。然曰裏素，則讀衣爲裏也。素裏朱襮，義始分明。○沃，
汲古作澤。依宋、元本。

【補校】沃，宋、元、汲古諸本皆作澤。依翟本及否之師校。遊
戲、欲，宋、元本作遨遊，作願。均依汲古。

坎

西過虎廬，驚我前驅，雖憂無危〔一〕。

坎位西，中爻艮爲虎，爲廬。震爲驚，坎爲憂危。○危，從汲古
本。宋、元作尤。非。

【補校】我，宋、元本作其。驅作樞。均依汲古。

離

衣成無袖，不知所穿。客指東西，未得便安。

通坎。震爲衣，坎爲穿，震爲袖。中爻正覆震相對，故曰無袖。
又中爻亦正覆艮，艮止，故不知所穿。震爲客，爲東。兑爲西。○
袖，依宋本。汲古作開。

〔一〕“無”，刻本誤“不”，據稿本改。

【補校】袖,依宋、元本。

咸

晨風文翰,隨時就温。雌雄相和,不憂殆危。

　　詩駴彼晨風〔一〕,傳,鸇也。巽爲風,伏震爲晨,爲翰。坤爲文,故曰文翰。文翰,即晨風。詳大過之豫。艮爲時;爲火,故曰温。震雄巽雌。兑口震鳴,故曰和。○殆危,依汲古。宋本作危殆。

　　【補校】殆危,宋、元本作危殆。雌雄,作雄雌。均依汲古。

恒

心多恨悔,出言爲怪。梟鳴室北,聲醜可惡,請謁不得。

　　通益。坤爲心,爲悔恨。震爲言,爲出,爲鳴。艮爲梟,爲室。坤北,故曰室北。震爲聲,坤爲醜,爲惡。震爲請謁,坤閉,故不得。○恨悔,從元本。汲古作悔恨。説苑,齊景公爲露寝之臺,成而不通。柏常騫曰,臺成,君何爲不通? 公曰,梟昔者鳴,其聲無不爲,吾惡之甚。

　　【補校】恨悔,從宋、元本。室,依汲古。宋、元本作于。

遯

離女去夫,閔思苦憂。齊子無良,使我心愁。

　　下艮爲夫。巽風,故曰離女。風散,故曰去夫。伏坤爲苦憂。巽齊震子,坤惡,故無良。坤爲我,爲心,爲愁。○愁,依宋、元本。汲古作悲。

大壯

過時不歸,雌雄苦悲。徘徊外國,與叔分離。

〔一〕“駴”,稿本、刻本誤“駴”,據阮刻《毛詩正義》改。

詳比之隨。

晉

鵲巢柳樹，鳩奪其處。任力薄德，天命不祐。

> 艮爲鵲，離爲巢。艮爲木，故曰柳樹。離又爲鳩，正居巢中，故曰鳩奪其處。

> 【補校】奪，宋、元本作集。依汲古。薄德，汲古作德薄。天作人。均依宋、元本。

明夷

鶴盜我珠，逃於東都。鵠怒追求，郭氏之墟。不見蹤跡，使伯心憂[一]。

> 震爲鶴，爲珠。坎爲盜，故曰盜珠。震爲逃，爲東。坤爲都，爲郭，爲墟。震爲鵠，爲怒，爲伯。坎爲心憂。○鵠，依汲古。宋、元本作懷。此有故實，今不能攷。

家人

夫婦相背，和氣弗處。陰陽俱否，莊姜無子。

> 此用豫象。震巽爲夫婦，巽伏，故曰相背。艮爲背，正反艮，故曰相背。坎爲和，震起，故弗處。卦一陽陷羣陰中，而陰多無應，陰乘陽，故曰俱否。巽爲姜。震子，坤殺，故無子。震爲莊。詩綠衣篇注，衛莊公惑于嬖妾，莊姜賢而無子。

睽

日走月步，趣不同舍。妻夫反目，主君失位。

> 此用豫象。艮日坎月。上震，故曰步，曰走。正反震，故曰趨

〔一〕“伯”，刻本訛“我”，據稿本改。

不同舍。艮爲舍也。震爲夫，坤爲妻。文言云，臣道也，妻道也。是以坤爲妻也。艮爲目，正反艮，故曰反目。震爲主，爲君。艮爲位，震在外，故曰失位。坎爲失也。又，説文，睽，兩目不相聽也。互坎爲夫，離爲坎妃，故曰夫妻。坎上下兩半目相背，故反目。是睽原有反目象也。○日走月步，從元本。宋本、汲古本皆作月走日步。趣，依汲古。宋、元本作逃。位，依宋、元本。汲古作居。

【補校】妻夫，宋、元本作夫妻。依汲古。

蹇

雒陽嫁女，善逐人走。三寡失夫，婦妬無子。

此亦用豫象。坎水，故曰雒。坤爲都，故曰雒陽。坤爲女，震爲歸，故曰嫁女。震爲人，爲逐，爲走，故曰善逐人走。坤爲寡，震爲夫，數三；坎失，故曰三寡失夫。坎爲妬，震爲子；坤爲婦，爲殺，故曰婦妬無子。

解

周德既成，杼軸不傾。太宰東西，夏國康寧。

震爲周，坎爲杼軸。震爲宰，爲東，坎爲西。離爲夏。夏國，大國也。坎又爲平，故不傾。

【補校】杼，元本訛抒。依宋本、汲古。太，汲古作大。依宋、元本。大、太通。

損

日中爲市，交易資寶。各利所有，心悦以喜。

通咸。乾爲日，在中爻，故曰日中。巽爲市，爲交易。乾爲寶[一]，巽爲利。兑悦震喜，坤爲心。○各，依宋、元本。汲古作

[一]“乾”，刻本誤“巽”，據稿本改。

名。○坤爲心證。

益

童妾獨宿，長女未室，利無所得。

　　伏兌爲妾，爲少女，故曰童妾。坤寡，故獨宿〔一〕。巽爲長女，
　艮爲室；巽寡，故未室。巽爲利，坤喪，故無得。○童，依宋、元本。
　汲古作僮。

夬

忠言輔成，王政不傾。公劉兆基，文武綏之。

　　乾爲王，爲成，爲言。

姤

牛驥同槽，郭氏以亡。國破爲虛，主君奔逃。

　　詳小畜之晉。郭亡，見說苑，詳前。
　　【補校】槽，宋、元、汲古諸本皆作堂。依翟本及升之小畜校。

萃

中原有菽，以待饔食。飲御諸友，所求大得。

　　詳小畜之大過。惟各本饔皆作雉，茲依大過林改。

升

多虛少實，語不可知。尊空無酒，飛言如雨。

　　陰多陽少，故曰多虛少實。震爲言語，坤亂〔二〕，故不可知。
　震爲樽，兌爲酒，坤虛，故空無。震言，兌亦爲言，言多故如雨。兌
　爲雨。○知，依汲古。宋、元本作覆。

〔一〕“坤寡，故獨宿”，稿本作“坤爲寡爲宿”。
〔二〕“亂”，稿本作“閉”，茲依刻本。

【補校】尊空,宋本作尊虛。元本作樽虛。依汲古。

困

青蠅集蕃,君子信讒。害賢傷忠,患生婦人。

　　蕃,毛詩作樊,義皆通藩。周官大司徒,蕃樂,杜子春讀蕃爲藩,是其證。青蠅[一],刺幽王詩也。巽爲蠅,東方木色青[二],故曰青蠅。伏艮爲蕃,爲君子。三至上正覆兌相背,故曰讒。困象曰,有言不信。林所本也。坎爲忠,爲害,爲患。巽爲婦,伏震爲人。○汲古作君信讒言。依宋本。

　　【補校】君子信讒,依宋、元本。

井

履株覆輿,馬驚傷車,步爲我憂。

　　通噬嗑。震爲株,爲輿,爲履。二至四震覆,故曰覆輿。震爲馬,爲驚。坎破,故車傷。震爲步,坎爲憂。言行路難也。

革

商風召寇,來呼外盜。間諜内應,與我爭鬭。殫已寶藏,主人不勝。

　　兌西,正秋,互巽,故曰商風。巽爲伏,爲寇盜。史記天官書,風從南方來,大旱。西方,有兵。故曰召寇。二至上正覆兌,故曰間諜,曰爭鬭。乾爲寶。震爲主人,震伏,故不勝。○第二句,汲古作呼我北盜。依宋、元本。

　　【補校】第二句,宋、元、汲古諸本皆作呼我北盜。依翟本及既濟之井校。

─────────────

〔一〕“青蠅”,稿本、刻本無。蓋省文。謹據上下文意增足之。

〔二〕“木”,刻本訛“本”,據稿本改。

鼎

逸豫好遊,不安其家。惑於少姬,久迷不來。

伏震爲樂,故曰逸豫。震爲遊。伏艮爲家,坎險,故不安。兌爲少姬,伏坤爲迷。此有故實,不能確指。〇惑於少姬,依宋、元本。汲古作或有〔一〕。非。

震

吾有驒驪,畜之以時。東家翁孺,來請我駒。價極可與,後無賤悔。

震爲馬。艮爲止,爲畜,爲時,爲家。震東,故曰東家。艮爲祖,爲少男,故曰翁孺。震爲請,爲駒,爲後。坎爲悔。〇賤,從宋、元。汲古作賊。林意言馬已得善價,可與之,不致後悔也。

【補校】請,汲古作詣。依宋、元本。駒,宋本、汲古作車。依元本。

艮

厄窮上通,與堯相逢。登升大麓,國無凶人。

陽窮在上,故曰厄窮上通。互震爲帝,故曰堯。三上正反震,故曰相逢。震爲登,爲升。艮爲山麓,爲國。震爲人,震樂,故無凶人。虞書,納于大麓,烈風雷雨弗迷。謂舜也〔二〕。

漸

衆兔俱走,熊羆在後。踦不能進,失信寡處。

伏震爲兔,爲走。坎衆,故曰衆兔俱走。艮爲熊羆,震爲後。

〔一〕“或”,刻本誤“惑”,據稿本改。
〔二〕“舜”下,刻本脫“也”字,據稿本補。

坎蹇,故踦。艮止,故不進。坎爲信,爲失,巽爲寡。○踦,依宋、元本。汲古作踦。非。

歸妹

旁行不遠,三思復返。心多畏惡,日中止舍。

　　震爲行,爲返。坎爲思,震數三,故曰三思。坎爲心,爲畏,爲中。離爲日,伏艮爲止,爲舍。○惡,依宋、元本。汲古作患。

　　【補校】日中,宋、元本作中日。依汲古。

豐

倉唐奉使,中山以孝。文侯悦喜,擊子徵召。

　　元本注,魏太子擊,封中山,三年不召,其傅趙倉唐請使,魏文侯大悦,召擊子立之。伏艮爲倉,爲山。巽順,故曰孝。離爲文,震爲侯,爲喜,爲子。艮手,故曰擊子。震爲召。○倉唐,從宋、元本。汲古作倉皇。非。

旅

入天門,守地户。君安樂,不勞苦。

　　艮爲門,陽在上爲天。巽入,故曰入天門。先天艮居戌亥,乾鑿度以乾爲天門,與艮同位,故艮亦爲天門。巽爲地户,而艮爲守,爲户牖,故曰守地户。伏震爲君,爲樂。○地户,依宋、元本。汲古作城户。非。○汲古下有文山蹲鴟,肥脯多脂,王孫獲願,載福巍巍四句。宋、元本同。惟勞苦下多一説二字。顯爲另一林辭,與上三字句文不相屬。○艮爲天證。

巽

登階上堂,見吾父兄。左酒右漿,與福相迎。

　　通震爲登。艮爲堂,爲階。震爲父,爲兄,爲左。兑爲右。互大坎爲酒漿。震又爲福。

兌

秋蛇向穴，不失其節。夫人姜氏，自齊復入。

兌正秋，巽爲蛇，兌爲穴。互巽爲齊，爲姜。伏震爲人，爲夫。左傳，莊姜與齊襄通，屢赴齊會齊侯。

渙

忍醜少羞，無面有頭。耗減寡虛，日以削消。

象多未詳。○耗減、削消，依汲古。宋、元本作滅耗，作削銷〔一〕。非。

節

景星照堂，麟遊鳳翔。仁施大行，頌聲並興〔二〕。

艮爲星，伏離爲日，亦爲星，故曰景星。艮爲堂。伏離爲文，故曰麟鳳。互震爲遊翔，爲仁，爲聲，爲行。○麟遊鳳翔，依汲古。宋、元作麟鳳遊翔。

【補校】並，宋、元本作以。從汲古。

中孚

干旄旌旗〔三〕，執幟在郊。雖有寶珠，無路致之。

詳師之隨。

【補校】干，宋、元本作竿。依汲古。

小過

李華再實，鴻卵降集。仁德以興，蔭國受福。

〔一〕“銷”，稿本、刻本誤“瑣”，據宋、元本改。
〔二〕“並”，刻本訛“大”，據稿本改。
〔三〕“干”，刻本訛“千”，據稿本改。

詳小畜之離。

既濟

白馬赤烏,戰於東都。天輔有德,敗悔爲憂。

此用豫象。震爲白,爲馬;艮爲烏,坎赤,故曰白馬赤烏。震爲東,坤爲都,正反艮,故曰戰於東都[一]。艮爲天,坎爲憂。史記,武王渡河,有火流于王屋,化爲赤烏。丁晏云,詩,有客有客,亦白其馬。蓋白馬爲殷人所尚。東都,指牧野。○第三句汲古無。依宋、元本補。

【補校】馬,汲古作烏。依宋、元本。

未濟

採薪得麟,大命隕顛。豪雄争名,天下四分。

詳屯之坤。此取遇卦豫象。坤爲薪,爲麟;艮手爲採,坎爲獲,故曰採薪得麟。伏巽爲命,爲隕顛;乾爲大,故大命隕顛。震爲豪雄,艮爲名;正反艮,故争名。坤爲天下,坎爲分;震卦數四,故曰天下四分。

〔一〕“此用豫象”至“故曰戰於東都”,稿本作:“此兼用半象。巽爲白,坎爲馬,離爲赤,爲烏,故曰白馬赤烏。”又云:“艮爲都,離先天位東。”按此原兼取半象爲説,付刻時又改訂爲用遇卦象。今謹録存原説,以備參覽。

焦氏易林注卷五

隨之第十七

隨

鳥鳴東西，迎其羣侶。似有所屬，不得自專，空返獨還。

　　艮爲鳥，震爲鳴，爲東，兌西。初四正覆艮，故迎其羣侶。震爲返，爲還。震虛，故空返。巽寡，故獨還。○似有所屬四字，宋、元無。依汲古。

乾

鼻目易處，不知香臭。君迷於事，失其寵位。

　　此取隨象。艮爲鼻，大離爲目。艮在離上，故曰易處。巽爲臭，兌昧，故不知香臭。震爲君，坤爲迷，爲事。一陽居二陰下，故曰君迷於事。陽在下，故失位。

　　【補校】末句，依宋本、汲古。元本作失於共居。唯元本又謂，一云失其寵位。則或本同宋本、汲古。

坤

唐虞相輔，鳥獸喜舞。安樂無事，國家富有。

此仍取隨象。震爲帝，爲唐虞。正反震，故曰相輔。艮爲鳥，
爲獸。震爲喜，爲舞，爲樂。坤爲國家。〇安樂，依宋、元本。汲古
作康。

屯

左輔右弼，金玉滿堂。常盈不亡，富如敖倉[一]。

　　　　詳蒙之坤。

　　　【補校】堂，宋、元本作櫃。汲古作匱。依蒙之坤校。

蒙

蒼龍單獨，與石相觸，摧折兩角。

　　　　詳坤之屯。

　　　【補校】蒼，汲古作東。單作見。均依宋、元本。

需

釣日厭部，善逐人走。來嫁無夫，不安其廬。

　　　　日，從宋、元本。汲古、局本作目。均未詳其義。似用遇卦隨
　　　象。隨下震爲人，爲走，爲逐，故曰善逐人走。震爲嫁，爲夫；二四
　　　震覆，故無夫。艮爲廬，震動，故不安。首句有訛字。

　　　【補校】日，從汲古。宋、元、局本作目。

訟

逐虎驅狼，避去不祥。凶惡北行，與喜相逢。

　　　　通明夷。乾爲虎，震爲驅逐。坎爲避，坤爲不祥，爲凶惡。坎位
　　　北，故北行，遇震而喜也。〇虎，汲古作兔。喜作善。均依宋、元本。

　　　【補校】去，宋、元本作者。依汲古。

────────────

〔一〕"敖"，刻本作"厫"，據稿本改。

師

齎貝贖狸，不聽我辭。繫於虎鬚，牽不得來。

　　詳需之睽。

比

同載共輿，中道別去。喪我元夫，獨與孤居。

　　詳比之革。○同，元本訛岡。依宋本、汲古。居，汲古作苦。依宋、元本。

小畜

奮翅鼓翼，將之嘉國。愆期失時，反得所欲。

　　通豫。震爲翅，爲翼，爲鼓，爲之，爲嘉。坤爲國。艮爲時，坎陷，故愆期失時。震爲樂，故曰反得所欲。○反，汲古作乃。從宋、元本。

履

目傾心惑，夏姬在側。申公顛倒，巫臣亂國。

　　離目，伏坎爲心，爲惑。兌爲姬，離爲夏，故曰夏姬。伏震爲公，離明，故曰申公。巽爲顛，正反巽，故曰顛倒。兌爲巫，伏艮爲臣，爲國，離爲亂，故曰巫臣亂國。左傳，楚滅陳，取夏姬。楚王及子反等皆欲娶之，皆爲申公巫臣諫止。後巫臣自娶夏姬，奔晉，楚滅其家。巫臣乃遣其子適吳，教吳伐楚。子重、子反一歲七奔命。

泰

搏鳩彈鵲，逐兔山北。丸盡日暮，失獲無得。

　　坤爲文，故爲鳩。震爲鵲，伏艮爲手，故爲搏，爲彈。震爲兔，爲逐。乾爲山，坤爲北，故曰山北。乾爲日，爲丸。坤爲暮；爲失，故無得。○坤爲鳩、爲北證。○逐，汲古作獵。依宋、元本。

否

鹿求其子,虎廬之里。唐伯李耳,貪不我許。

　　　艮爲鹿,爲求,爲虎,爲廬,爲里。伏震爲子,爲伯,爲李。伏兑
爲耳。丁云,方言,江淮南楚之間謂虎爲李耳,關東西謂之伯都。
唐伯、李耳,皆虎名也。○李,宋本訛季。從元本、汲古。

同人

敗魚鮑室,臭不可息。上山履塗,歸傷我足。

　　　巽爲魚,爲敗,爲鮑,爲臭。乾爲山。伏震爲履,爲塗,爲足。
坎折,故傷足。又初二半震,足不全,亦爲傷也。○乾爲山。同人
三爻,升其高陵。易即以乾爲陵。

大有

華燈百枝,消暗衰微。精光訖盡,奄如灰糜。

　　　離爲燈,乾爲百,兑爲華。伏坎,故暗。兑毀折,故衰微,故光
盡。○宋、元本作消衰暗微。依汲古。末句如、糜,各本作有,作
靡。兹依艮之蹇校。

　　　【補校】糜,宋、元本作靡。汲古作飛。局本作麋。

謙

顏叔子夏,遊遨仁宇。温良受福,不失其所。

　　　艮爲顏,爲叔,震爲子;伏離,故曰顏叔子夏。元刊注,顏叔,顏
無繇也。震爲遊,爲仁,爲福。艮爲宇。言顏叔、子夏同遊聖門也。

　　　【補校】遊遨,宋、元本作遨遊。依汲古。

豫

梁柱堅固,子孫蕃盛。福喜盈積,終無禍悔。

　　　震爲梁柱,艮爲堅固。震爲子,艮爲孫;坤衆,坎衆,故曰子孫

蕃盛。震爲福喜。坤爲積,爲禍悔。艮爲終,震樂,故無。○盛,依
宋、元本。汲古作熾。

蠱

邊鄙不聳,民狃於野。稽人成功,年歲大有。

　　艮居西北,故曰邊鄙。震爲稽,爲人,爲功,爲年歲。○聳,依
宋、元本。汲古作寧。非。於,依汲古。宋本作其。稽,依宋、元
本。汲古作嗇。

　　【補校】於,宋、元本作其。

臨

黿池鳴呴,呼求水潦。雲雨大會,流成河海。

　　震爲鳴,爲黿,兑爲池。坤爲水潦,艮爲求。兑爲雨,坤爲雲,
爲江海。重坤,故大會。○黿,汲古聲訛爲蝸,宋本又訛爲虵。池
爲牛。以兩本形聲定之,必爲黿字。黿,古文蛙字也。鳴呴、呼求,
依宋、元本。汲古作鳴呵,作呼我。按春秋繁露,求雨法,取五蝦
蟇,置池中,具酒脯陳請[一]。

觀

志合意同,姬姜相從。嘉耦在門,夫子悦喜。

　　坤爲志,爲意;重坤,故曰同。伏震爲周,故爲姬。巽爲齊,故
爲姜。坤爲耦,爲門。伏震爲夫子,爲悦喜。

噬嗑

白馬駁騮,更生不休。富有商人,利得如邱。

　　震爲白馬,爲玄黃,故曰駁騮。爲生,正反震,故更生不休,故

〔一〕“置池中,具酒脯陳請”,稿本作:“錯置池中,池方五尺,深二尺,具酒脯陳
　　祝。”似付刻時所作删省。

富有。震爲商人。伏巽爲利，艮爲邱。○駁驪，依宋、元本。汲古作驪駁。

賁

太姒夏禹，經啓九道。各有攸處，民得安所。

　　禹姒姓。離爲夏，互震爲王，故曰夏禹。震爲啓，爲大塗，數九，故曰九道。艮爲處。坎爲民，艮爲安。

　　【補校】處，宋、元本作家。依汲古。太姒，汲古作大似。依宋、元本。

剝

甲戊己庚，隨時轉行，不失其心。唐季發憤，擒滅子嬰。

　　此用遇卦隨象。隨互艮，艮外堅爲甲[一]。隨上互大坎，坎納戊。下互大離，離納己，震納庚。甲，東方，春。庚，西方，秋。坎戊冬，離己夏。故曰甲戊己庚，隨時轉行。震爲帝，故曰唐。艮少，故曰唐季，曰子嬰。艮手，故曰擒。兌折，故曰擒滅。唐季，謂高祖。劉向高祖頌，漢帝本系，出自唐帝。班固述贊，皇矣大漢，纂堯之緒。○四五句，宋、元本作得且安寧[二]。依汲古。

復

穆違百里，使孟厲武。將帥襲戰，敗於殽右。

　　左傳僖公三十三年，秦穆公不聽蹇叔之諫，使百里孟明視襲鄭，敗於殽。而史記謂百里奚與蹇叔並諫，故曰穆違百里。坤爲百里。震爲諸侯，故曰穆。震爲孟，爲武，爲將帥，爲戰伐。坤喪，故曰敗。○孟，依宋、元本。汲古作明。

〔一〕"隨互"至"爲甲"八字，稿本作"隨自否來，上乾納甲"。
〔二〕"得"，稿本、刻本誤作"樂"，據宋、元本校改。

【補校】右,宋、元本作口。依汲古。

无妄

茅茹本居,與類相投。願慕羣旅,不離其巢。

伏坤爲茅茹。與乾爲類,故相投合,故願慕羣旅。震爲旅,艮爲巢,伏坤爲願慕。○茅,汲古作茆。投,宋、元本作扶。疑投是。易林每以十一尤與四豪協。

【補校】茅茹,汲古作茆如。依宋、元本。茅、茆同。投,依汲古。

大畜

伯仲叔季,日暮寢寐。坐卧失明,喪其貝囊。

震爲伯,伏大坎爲仲,艮爲叔季。乾爲日,伏坤爲暮,爲寢寐。艮爲坐卧,乾爲明,坤失。坤喪,坤囊〔一〕,艮爲貝。○艮爲貝證。

頤

亡羊補牢,張氏失牛。駊䮮奔走,鶬盜我魚。

兑爲羊,兑伏,故亡羊。艮爲牢。震爲張,坤爲牛;坤喪,故失牛。震爲駊䮮,爲奔走,爲鶬。坤爲魚,爲我。

【補校】補,宋本訛捕。依元本、汲古。

大過

雀目燕頷,畏昏無光。思我狡童,不見子充。

通頤。艮爲雀,大離爲目,兑爲燕,艮爲頷,故曰雀目燕頷。坤爲昏,爲畏,艮爲光。坤黑,故無光。坤爲思,爲我,艮爲童,震爲子。狡童,鄭風篇名,淫女見絶於人之詩。故曰思,曰不見。不見

〔一〕“坤”下,稿本有“爲”字。

子充,亦鄭詩語。

坎

入暗出明,動作有光。運轉休息,常樂允康。

　　　伏巽爲入,坎爲暗,震爲出,艮爲光明。震爲動作,爲運轉。艮止,故休息。震爲樂,爲康强。

　　　【補校】暗,汲古作和。依宋、元本。

離

不勝私情,以利自嬰。北室出孤[一],毀其良家。

　　　互巽爲利。伏坎爲室,爲北,爲孤。伏艮爲家;兌毀折,艮伏,故曰毀其良家。嬰,絆也。陸機詩,世網嬰吾身。

咸

稱幸上靈,媚悦於神。受福重重,子孫蕃功。

　　　兌爲媚悦。伏震爲神,爲福。伏坤爲重。震爲子,艮爲孫。蕃,多也。

恒

齊姜叔子,天文在手。實沈參墟,封爲康侯。

　　　巽爲齊,爲姜。伏震爲子。艮爲叔,爲天。坤爲文,艮爲手。齊姜,武王后。叔子,即太叔。左傳昭元年,邑姜妊太叔時,夢天謂己曰,余命爾子曰虞。及生,有文在其手,曰虞。故曰天文在手。實沈參墟,晉分野,皆艮象。震爲諸侯,爲康樂,故封爲康侯。○文,依宋、元本。汲古作命。手,各本皆作位。依睽之坤校[二]。多用伏象。

〔一〕“孤”,刻本誤作“狐”,據稿本改,注倣此。
〔二〕“手,各本”至“坤校”,刻本無,據稿本補。

遯

遨遊無患,出入安全。長受其歡,君子萬年。

　　伏震爲遨遊,坤爲患。震樂,故無患。震出巽入,艮爲安,故出
入安全。巽爲長,震爲歡。艮爲君子,乾爲萬年。

大壯

被服文德,升入大麓。四門雍肅,登受大福。

　　乾爲被服〔一〕。伏坤爲文,故曰文德。艮爲山麓,震爲升。
震卦數四,乾爲門,故曰四門。乾爲福,爲大,震爲登。堯典,賓
于四門,四門穆穆。内于大麓,烈風雷雨弗迷。謂舜也。○汲古
下有慈烏鳴鳩四句〔二〕,與乾之蒙同,顯爲另一林辭。宋、元本無。

　　【補校】汲古下多四句爲:慈烏鳴鳩,執一無尤。寢門内治。
君子悦喜。乾之蒙云:鵻鶋鳲鳩,專一無尤。君子是則,長受嘉福。
二者詞有異,恉趣則略同。

晉

負金懷玉,南歸嘉國。蜂蠆不螫,利入我室。

　　艮爲負,爲金。乾爲玉,乾伏,故曰懷玉。離爲南,艮爲國。坎
爲刺,爲蜂蠆,爲螫,爲室。坤爲我。

明夷

日在阜顚,嚮昧爲昏。小人成羣,君子傷倫。

　　離日,艮阜。艮倒首向下,與日連,故日在阜顚。坎爲昧,爲
昏。言日至是不明也。坤爲小人;坤坎皆爲衆,故曰成羣。艮爲君
子,艮倒,故傷倫。倫,常也。言反常。

〔一〕"被",稿本作"衣",兹依刻本。
〔二〕"鳴",稿本、刻本誤"鳾",據汲古本改。

【補校】嚮,依汲古。宋、元本作鄉。通嚮。

家人

水父火母,先來鳴呴。澤皋之士,從高而處。

伏震爲父,與坎水連,故曰水父。巽爲母,與離火連,故曰火母。左傳,火爲水妃是也。隨震爲鳴呴,爲士。兑爲澤,艮爲皋。澤皋之士,蓋猶山澤之士也。巽爲高。○汲古作水火父母。此妄人不知震巽父母象,故將父火二字顛倒也。宋、元本作水父海母,此音訛也。然由宋、元及汲古三本互證,其爲水父火母無疑。士,從宋本。汲古訛上。皋,汲古訛高。依宋、元本。

【補校】士,宋、元本作土。依臨之節校。

睽

東鄰少女,爲王長婦。柔順利貞,宜夫壽子。

是用隨象。下震爲東鄰,上兑爲少女。震爲王。巽爲長婦,爲柔順,爲利。艮爲貞。故曰柔順利貞。震爲夫,爲子,艮爲壽。

蹇

戴瓶望天,不見星辰。顧小失大,福逃於外。

艮形似戴瓶。艮爲望,爲瓶所障,故不見天。艮爲天,爲星辰,爲顧。兑爲小。○顧,依宋、元本。汲古作願。

【補校】顧,依元本。宋本、汲古作願。惟汲古舊注云,願當作顧。可從。

解

王喬無病,狗頭不痛。亡跛失履,乏我徒從。

震爲王,爲喬木。王子喬,古仙人。坎爲病,震解,故無病。遇卦隨互艮爲狗,爲頭。坎爲痛,震解,故不痛。坎爲蹇,爲跛,震爲

亡。亡,往也。爲履,坎爲失,故往跛失履。震爲從。○亡跛、徒
從,依汲古。宋、元本作三尸,作逆從。

損

使燕築室,身無庇宿。家不容車,後我衣服。

兌爲燕。艮爲室,爲築,爲身。身在外,故無庇宿。艮爲家,坤
爲大輿;燕室狹小,故家不容車。坤爲衣服,爲我,震爲後。○後,
從汲古。宋、元本作微。

益

威權分離,烏夜徘徊。爭蔽月光,大人誅傷。

震爲威,巽爲權。風散,故分離。艮爲烏,坤爲夜。震起艮止,
故徘徊。伏兌爲月,巽爲伏,故光蔽。乾爲大人,坤死乾伏,故誅
傷。又對象恒象大過,亦誅傷象也。○烏,從宋本。汲古、元本作
鳥。非。此似有故實。

夬

辯變黑白,巧言亂國。大人失福,君子迷惑。

此用隨象。兌爲言,震亦爲言,故曰辯,曰巧言。巽爲白。兌
爲昧,故爲黑。艮爲國。乾爲大人,爲福;兌毀折,故失福。艮爲君
子,巽疑,故迷惑。

姤

衣踞甲鎧[一],敝筐受貝。大人不顧,少婦不取,棄捐於道。

此用隨象。震爲衣。艮爲堅,爲鎧甲,爲貝。震爲筐,巽爲敝,
故曰敝筐受貝。乾爲大人。大過巽爲女妻,故巽爲少婦。伏震爲

─────────────

〔一〕"甲鎧"二字,稿本、刻本誤倒,據宋、元、汲古及所見其他各本校正。

大塗,爲道;巽爲隕落,爲棄捐。林義未詳,韻亦不協。○踞,汲古作鋸。受貝,作爲具。均依宋、元本。首句似言鎧甲非常衣,次句言敝筐非盛貝之器。故人皆不顧,而棄捐於道也。

【補校】衣,宋、元本作依。從汲古。

萃〔一〕

燕雀銜茅,以生孚乳。兄弟六人,姣好孝悌,得心歡欣,和悅相樂。

詳小畜之兌。○茅、姣,依宋、元本。汲古作泥,作交。

【補校】姣,宋、元本訛妓。依小畜之巽校。孝悌,從汲古。宋、元作悌孝。欣,元本作忻。依宋本、汲古。

升

登几上輿,駕駟南遊。合從散橫,燕齊以強。

詳屯之否〔二〕。○齊,依屯之否。各本皆作秦,非〔三〕。

困

黷黷許許,仇偶相得。冰入炭室,消亡不息。

黷黷,闇昧也。兌爲闇昧。坎爲衆,故曰許許。許許,同力合作之貌。詩,伐木許許是也。坎離爲夫婦,故曰仇偶。仇,匹也。坎爲冰,爲室。離火,故曰炭室。兌毀折,故不息。○偶,從宋、元本。汲古作禍。非。

井

鷗鵃破斧,邦人危殆。賴其忠德,轉禍爲福,傾亡復立。

〔一〕"萃",刻本誤"升",據稿本改。
〔二〕"詳屯之否",稿本、刻本誤作"詳乾之泰",據諸本林辭校改。下文倣此。
〔三〕"秦"下,刻本脫"非"字,據稿本補。

伏艮爲鴟鴞。兑爲斧,兑毁,故曰破斧。伏艮爲邦,震爲人。坎險,故危殆。坎爲忠,伏震爲福。鴟鴞、破斧,皆豳風篇名。皆詠周公,言三監叛,國勢危殆,周公復轉危爲安也。○傾亡,依宋、元本。汲古作傾危。○兑爲斧,可解易斧象。

革

載金販狗,利棄我走。藏匿淵底,悔折爲咎。

通蒙。艮爲金,爲狗。震爲載,爲販,爲走。巽爲利。坎爲藏匿。坤爲淵,爲悔。兑爲折。○底,依震之復校。各本皆作渠。○坤爲淵證。

鼎

淵坑復平,宇室安寧。憂患解除,賴福長生。

通屯。坤爲淵,坎爲坑,爲平。艮爲宇室,爲安寧。坎爲憂患,震樂,故解。震爲福,爲長生。○淵,依汲古。宋、元本皆作泉。宇室,依宋、元本。汲古作宇穴。

震

驪姬讒喜,與二嬖謀。譖我恭子,賊害忠孝。申生以縊,重耳奔逃。

詳比之履。震爲馬,爲周,爲姬。初四正反震,故曰讒,曰譖。震爲生。伏巽爲繩,故曰縊。坎爲耳。○喜、嬖,從宋、元本比之履校。各本皆作嬉、作孽[一]。又各本五六句皆作駕出嘉門,商伯有害。亦依比之履校。

【補校】五六句,宋本作駕出喜門,商伯有喜。元本喜門作嘉門。汲古有喜作有害。

[一]"嬉",刻本訛"喜",據稿本改。

艮

刲羊不當,血少無羹。女執空筐,不得採桑。

> 互震爲羊,艮爲刲。互坎爲血。震爲筐,爲桑。艮手爲執,爲
> 采。全取歸妹上六爻詞。○刲,宋、元本作剌。非。
>
> 【補校】刲,依汲古。

漸

牧羊稻園,聞虎喧譁。畏懼悚息,終無禍患。

> 詳否之節〔一〕。

歸妹

明德隱伏,麟鳳遠匿。周室傾側,不知所息。

> 離爲明,坎隱伏。離爲文,爲麟鳳;坎匿,故麟鳳遠匿。震爲
> 周,艮爲室〔二〕;艮覆,故曰周室傾仄。艮止爲息,艮覆,故不知
> 所息。
>
> 【補校】鳳,汲古作得。依宋、元本。

豐

鄰不我顧〔三〕,而求玉女。身多禿癩,誰肯媚者。

> 離爲東鄰,爲顧。互大坎,坎隱伏,故不顧。震爲玉,兌爲女。
> 伏艮爲求,爲身。艮多節,故曰禿癩。兌爲媚。林辭大意,言不自
> 知而妄求,必不得也。○玉女,汲古作寶玉。依宋、元本。

旅

初雖無輿,後得戰車。賴幸逢福,得離兵革。

〔一〕 “否”,稿本、刻本誤“同人”,據諸本林辭改。
〔二〕 “爲”上,刻本脫“艮”字,據稿本補。
〔三〕 “顧”,刻本訛“願”,據稿本改。注倣此。

震爲車,震伏,故無。伏節,中爻正覆震,亦正覆艮,兩車、兩手相對,故曰戰車。震爲福,正覆震,故曰逢福。離爲兵革,在外,故離兵革。○戰車,依宋、元本。汲古作載車。得離,從汲古。宋、元本作不離。

巽

水壞我里,東流爲海。龜鼉懽囂,不睹王母。

　　　詳泰之兑。兑巽象同。

兑

兩心不同,或欲西東。明論終始,莫適所從。

　　　通艮。坎爲心,兑卦數二,故曰兩心。兑西,互震爲東,故或欲西東。震爲始,艮爲終,震爲言論。適,主也。震爲主,爲從。艮三至上正反震,故莫適所從也。

渙

天帝懸車,廢禮不朝。攘服不制,失其寵家。

　　　中爻艮爲天,震爲帝,爲車。三至五震覆,故曰懸車。元刊注,天文有帝車星。故曰天帝懸車。震爲晉,爲朝;三至五震覆,故曰不朝。艮手爲攘,震爲服。艮手爲制,正反艮,故不制。艮爲家,坎失。又攘服者,蓋遠於要服、荒服,必待攘而後服也。○攘服,依汲古。宋、元本作攘福[一]。非。又或謂制當作至,亦非。末句汲古作失寵其家[二]。依宋、元本。

節

交川合浦,遠溼難處。水土不同,思吾皇祖。

〔一〕“攘”,刻本誤“攘”,據稿本改。
〔二〕“末”,刻本誤作“未”,據稿本改。

坤爲水，陽入坤成坎，故曰交川合浦。交川，即交州。皆南越地名。坎爲交，爲合也。坎爲淫，坎險，故難處。震爲皇，艮爲祖，坎爲思。○艮爲祖證。

中孚

勾踐之危，棲於會稽。太宰機言，越國復存。

震爲足，爲踐，爲王，故曰勾踐。兌毀折，故危。艮止，故曰棲。艮山，故曰會稽。震爲主，爲宰，爲言，坎爲機。艮爲國，震爲南，故曰越國。史記，越王兵敗，棲會稽山。賂太宰嚭説吳王，王竟許越平。○機，汲古作譏。依宋、元本。

小過

慈烏鳲鳩，執一無尤。寢門内治，君子悦喜。

詩曹風，鳲鳩在桑，其子七兮。淑人君子，其儀一兮。艮爲烏，兌悦，故曰慈烏。艮爲鳲鳩。爾雅注，布穀也。艮爲執，互大坎數一，故曰執一。艮爲寢，爲門，爲君子。震爲喜。○鳲，宋、元本訛鳴。依汲古。

既濟

富年早寡，獨立孤居。雞鳴犬吠，無敢問諸。我生不遇，獨罹寒苦。

此多取隨象。震爲年，爲早，巽爲寡。艮爲孤，震爲獨，艮爲居。既濟坎亦爲孤。睽九四睽孤是也。巽爲雞，震爲鳴吠，艮爲犬。震爲問，爲生。坎爲寒。○富年，依汲古。宋、元本作當年。獨立孤居，汲古作孤與獨居[一]。諸，作者。均依宋、元本。

〔一〕"孤"、"獨"二字，刻本誤倒，據稿本校正。

未濟

江海變服，淫洄無側。高位顛崩，寵禄反覆。

　　書洪範，無反無側。注，不偏邪也。重坎，故曰江海，曰淫洄。高位顛崩，似仍指隨象。隨艮覆在下，故曰崩。○無側，從宋、元本。汲古作測。義均未協。

　　【補校】海，宋、元本作河。依汲古。

蠱之第十八

蠱

魴生江淮，一轉爲百。周流四海，無有難惡。

巽爲魚，爲魴，互大坎爲江淮，數一，震爲百，故曰一轉爲百。言生殖速也。震爲周，兑爲海。震卦數四，故曰四海。○魴，汲古作紡。依宋、元本。四海，宋、元本作天下。汲古作四浸。依局本。

乾

首澤與目，載受福慶。我有好爵，與汝相迎。

此用蠱象。艮爲首，爲目。震爲福慶，爲爵。三至上正反震，故曰相迎。易中孚九二，我有好爵，與爾靡之。靡，共也。亦以二至五正反震，故曰共。凡林辭用象，多本之易。○汝，從宋、元本。汲古作喜。

【補校】澤，汲古作釋。依宋、元本。

坤

輷輷轠轠，歲暮偏蔽。寵名捐棄，君衰在位。

此用蠱象。震爲輿，爲聲，故曰輷輷轠轠。皆車聲也。坤爲歲，爲莫。艮爲名，兑毁，故曰捐棄。震爲君。○轠，宋、元本作輻。依汲古。偏，依宋、元本。汲古作編。捐棄，汲古作棄捐〔一〕。非。棄、蔽爲韻。輷音田，轠音雷。衰，汲古作襄〔二〕。依宋、元本。

【補校】輷輷，從宋、元本。汲古作軥軥。暮，宋、元本、汲古皆

〔一〕“捐”，刻本訛“損”，據稿本改。
〔二〕“衰”，刻本訛“哀”，據稿本改。

作莫。兹依學津、局本、翟本。莫即暮。

屯

折若蔽日，屏遮王目。司馬無良，平子没傷。

　　楚詞，折若木以拂日兮。注，若，木名。震爲木，坎折。坎蔽離伏，故蔽日，故遮目[一]。震爲王，爲馬。坤惡，故無良。坎爲平，震爲子。左傳，魯伐季平子，平子登臺三請，弗許。叔孫氏之司馬鬷戾言於衆曰，無季氏，是無叔孫氏也。遂救季氏，公徒敗。事在昭二十五年。○若，依宋、元本。汲古作箬。非。

　　【補校】屏遮，從汲古。宋、元本作蘭屏。

蒙

家在海隅，繞旋深流。王孫單行，无妄以趨。

　　艮家，坤海。坎水坤水，故曰深流。震爲王，艮爲孫；坤寡，故曰王孫單行。震爲行。坤喪[二]，坎險，故曰无妄。妄，西漢人多作望。○汲古下多固陰沍寒四句，與上義不屬，顯爲另一林辭。故從宋、元本。

　　【補校】繞旋，宋、元本作撓繞。依汲古。按，汲古下多四句云，固陰沍寒，常冰不温。後入墮胎，大雹爲害。

需

執義秉德，不危不殆。延頸盤桓，安其室垣。屯耗未得，終無大恤。

　　伏晉。坤爲義，乾爲德，艮手爲執，爲秉。坎爲危殆，艮爲安，故不危殆。艮爲頸，艮止，故盤桓。艮爲室垣，爲安。○垣，從汲

〔一〕“蔽日，故遮目”，稿本作“日蔽，故目遮”，兹依刻本。
〔二〕“坤喪”，刻本無，據稿本補。

古。宋、元本作檀。非。

訟

長舌亂家，大斧破車。陰陽不得，姬姜衰憂。

　　通明夷。兌爲舌，震形亦兌而長，故曰長舌。坤爲亂，艮覆，故
曰亂家。兌爲斧，震形長，故曰大斧。坎破，坤車。訟乾上升，水下
降，故陰陽不相得。震姬，巽姜，坎憂。姬姜婚媾，今陰陽既不相
得，故姬姜衰憂也。○得，依宋、元本。汲古作順。

　　【補校】家，汲古作國。依宋、元本。陰陽，宋本作陽陰。依元
本、汲古。

師

二人共路，東趨西步。千里之外，不相知處。

　　震爲人，坤數二，故曰二人。震爲路，爲東，爲趨步；坎爲西，故
東趨西步。坤爲千里。坎爲隱伏，故不相知處。○共，宋、元本作
異。依汲古。

比

視暗不明，雲蔽日光。不見子都，鄭人心傷。

　　離爲視，爲明，爲日光。坎爲雲，爲隱伏。離伏，故曰暗，曰蔽，
曰不見。詩鄭風毛傳，子都，男子之美稱。蓋艮象也。坎爲平，爲
鄭。說文，鄭，地町町然平也。坎爲心，爲憂傷。○不明，依汲古，
與下光韻。宋、元本作不見。非。

　　【補校】暗，元本作闇。依宋本、汲古。暗、闇同。

小畜

初憂後喜，與福爲市。八佾列陳[一]，飲御嘉友。

―――――――――

〔一〕"佾"，稿本、刻本作"胼"，據宋、元、汲古及其他所見本改，注傚此。按尚注
　　坤之小過，作"八佾"，可證此處"胼"字訛。

伏豫。坎爲憂。震爲喜，爲福。巽爲市。坤卦數八，震爲樂，故曰八佾。八佾，樂舞也。震爲陳，爲飲御。陰遇陽爲朋友，謂豫四也。

履

童妾獨宿，長女未室，利無所得。

兑爲妾，爲少女，故曰童妾。巽爲伏，爲寡，故曰獨宿。巽爲長女，艮爲室；艮伏，故未室。巽爲利，兑毀折，故無得。○童，依宋、元本。汲古作僮。伏艮爲僮僕，象亦得。

泰

玄黄四塞，陰雌伏謀。呼我牆屋，爲巫所識。

震爲玄黄，卦數四；坤閉，故曰四塞。坤爲陰，爲雌，爲謀。伏巽爲伏，故曰伏謀。震爲呼，上坤爲牆屋〔一〕。兑爲巫。

否

中歲摧頹，常恐衰微。老復賴慶，五羖爲相。

坤爲歲，巽爲隕落，爲摧頹。坤爲老，爲衰微。乾爲慶，在後，故老復有慶也。巽數五，伏兑爲羊。史記，穆公以五羖羊皮，贖百里奚相秦。○頹，從宋、元本。汲古作隤。

【補校】歲，宋、元本作復。依汲古。

同人

伯氏殺牛，行悖天時。亳社夷燒，朝歌邱墟。

伏師。震爲伯，坤爲牛，爲殺，故曰伯氏殺牛。震爲行，坤爲悖，乾爲天；乾伏，故悖天時。震爲子，商子姓。亳社、朝歌，子姓之

〔一〕“上坤”，稿本作“伏艮”。

社稷、都城也。離爲火，坤爲社，爲墟。又震爲旦，爲歌，故曰朝歌。○殺牛，依汲古。宋、元作羊。既濟云，東鄰殺牛，不如西鄰之禴祭，實受其福。漢儒皆謂東鄰指紂，林辭本此。

【補校】亳，元本訛毫。依宋本、汲古。

大有

日短夜長，禄命不光。早離父母，免見憂傷。

卦旁通比。比上坎，坎爲冬，爲夜；離不見，故日短夜長。乾爲禄，坤黑，故不光。大有、比，坎離皆在外，乾坤在内，故曰早離父母。○不光，宋、元本作分張。依汲古。

【補校】憂傷，汲古作分張。依宋、元本。又，父母，宋、元、汲古及所見其他各本皆作父兄。此作父母，未詳所本，謹記存俟攷。

謙

采唐沫鄉，微期桑中。失期不會，憂思忡忡。

詳師之噬嗑。○微期、忡忡，依汲古。宋、元本作期於，作約帶。失期，依宋、元本。汲古作失心。

豫

昧視無光，夜不見明。冥抵空牀，季葉逃亡。

艮爲視，爲光。坎昧，故無光。坎夜，故不見明。坎爲晦冥。艮爲牀，坤虛，故曰空牀。艮手爲抵。艮爲季，震爲葉，坤爲亡。

隨

舉趾振翼，南至嘉國。見我伯姊，與惠相得。

震爲趾，爲翼，爲舉，爲振，爲南。艮爲國，故南至嘉國。互巽爲長女，故曰伯姊。兌爲見也。

臨

則天順時，周流其墟。與樂並居，无有咎憂。

坤爲順,震爲時,伏乾,故則天順時。震爲周,爲樂。坤水爲流,爲墟,爲憂。震樂,故無憂。○无有,宋本作元有[一]。依元本、汲古。

觀

蠹室蜂户,螫我手足。不可進取,爲吾害咎。

詳履之泰。泰通否,巽坤與觀同象。巽爲蟲,故曰蠹蜂。艮室,坤户。艮爲手,伏震爲足,坤爲毒,故螫我手足。

噬嗑

公孫駕驪,載遊東齊。延陵悦産,遺季紵衣。

詳乾之益。益,震艮巽;噬嗑,震艮伏巽,故語同。

賁

轉作驪山,大失人心。劉季發怒,禽滅子嬰。

艮山,震馬,故曰驪山。震爲人,爲大。坎爲心,爲失。艮爲季,爲嬰。言秦役萬民築驪山,劉季因民怨而滅秦也。震爲怒,爲子,坎滅。○人心,汲古作元心。禽,汲古作命。均依宋、元本。

剝

羊腸九縈,相推稍前。止須王孫,乃能上天。

伏兑爲羊,坤爲囊,爲腸。伏乾數九,故曰九縈。艮手爲推,爲前。艮爲孫,乾爲王,故曰王孫。艮爲天,在上,故曰上天。史記佞幸傳,鄧通,南安人。孝文帝夢欲上天,不能,有一黄頭郎從後推之上天,覺而求得鄧通。○能,汲古作得。從宋、元本。羊腸阪,在蒲

[一]"元有",稿本、刻本誤"无元",據宋本改。

阪,九折。史記魏伐趙,斷羊腸是也。

復

蠕蝀充側,佞人傾惑。女謁橫行,正道壅塞。

  伏巽爲蟲,震玄黃,故曰蠕蝀。蠕蝀,虹也。震爲人,爲言,故曰佞人。坤爲惑,伏巽爲傾。震爲謁,爲行;坤陰,故曰女謁。震爲道,坤閉,故壅塞。○蠕,毛詩作蝀,謂刺淫。林謂刺佞,與毛異。

无妄

福祿不遂,家多怪祟。麋鹿悲鳴,思其大雄。

  乾爲福祿。艮爲家。震爲麋鹿,爲鳴。乾爲大雄。伏坤爲悲,爲思。○鳴,宋、元本作啼。從汲古。

大畜

雲雷因積,大雨重疊。久不見日,使我心悁。

  震爲雷,伏坤爲雲。兌爲雨,乾大,故曰大雨。艮止,故曰因積,曰重疊。又伏坤亦爲水,爲重也。○使我心悁,宋本作使心悁悁。依汲古。

  【補校】使我心悁,宋、元本作使心悁悁。

頤

三河俱合,水怒踴躍。壞我王屋,民困於食。

  震數三,坤爲水,重坤,故曰三河俱合。震爲怒,爲踴躍,爲王;艮爲屋,故曰王屋。坤爲壞,爲民。震口爲食,坤虛,故無食。

  【補校】屋,宋、元本作室。從汲古。困,汲古訛因。依宋、元本。

大過

冒雨夜行,早遍都城。更相覆傾,終無所成。

伏震爲行，艮爲冒，兑爲雨，坤爲夜，故冒雨夜行。坤爲都城。
巽隕落，故曰傾。正反巽，故更相覆傾。艮爲終，爲成；坤亡，故無
成。全用伏象。○都，依汲古。宋、元本作辟。汲古多三頭兩眼，
不見其真二句。宋本無。

【補校】冒，宋、元、汲古各本皆作旦。翟本注云，疑當作冒。
兹從校。又，汲古多三頭兩眼，不見其真二句。宋、元本無。

坎

褒后生蛇，垂老皆微。倒跌衰耄，酉滅黄離。

震爲生，伏巽爲蛇。艮爲老耄，坎寒，故倒跌。説文，酉，就也。
老也。坎爲滅。黄離，火也。離伏，故曰滅。周以火德王，言褒姒
滅周也。褒后生蛇者，言后生於龍漦也。餘似有故事，而注家皆不
詳。○垂，依元本。汲古作經。皆，依大壯之大有校。汲古作盲。
倒，宋本、汲古作側。依元本。衰耄二字，亦依大壯之大有校。汲
古作哀公，元本作衰公。酉，汲古作酒。依元本。滅，汲古作減。
依宋、元本〔一〕。

【補校】垂，依宋、元本。皆，宋、元本作盲。汲古作育。依大
壯之大有宋本校。衰耄二字，宋、元、汲古諸本皆作哀公。依大壯
之大有汲古本校。酉，從宋、元本。

離

鴻雁南飛，隨陽休息。轉逐天和，千里不衰。

伏坎互艮爲鴻雁，震爲南，爲飛。離日爲陽，艮爲休息。震爲
轉逐，艮陽在上爲天，坎爲和。震爲千，艮爲里。○陽，宋、元本作
時。依汲古。逐，汲古作送。依宋、元本。里，宋、元本作歲。依汲
古。衰，汲古作哀。依宋、元本。

〔一〕“依宋、元本”，稿本作“依元本”，刻本作“依宋本”，據宋、元本校改。

咸

後時失利，不得所欲。

　　艮爲時，巽爲利。兌折，故失利。風散，故不得所欲。○汲古祇上二句。宋、元本多莫亨偕結，自逐自逐八字。

恒

心多恨悔，出言爲怪。梟鳴室北，聲醜可惡，請謁不得。

　　伏坤爲心，爲恨悔。震爲言，爲鳴。伏艮爲梟，爲室。坤位北，故鳴室北〔一〕。震爲聲。説苑，齊景公築臺，臺成而不通。問之，曰有梟夜鳴，其聲可惡。○聲醜，元本作醜聲。○坤北證。

　　【補校】聲醜，宋、元本作醜聲。依汲古。

遯

駟馬過隙，時難再得。尼父孔聖，繫而不食。

　　乾爲馬，互巽數四〔二〕，故曰駟馬。史記留侯世家，人生一世間，如白駒過隙。巽爲隙。艮爲時，爲山。乾父，故曰尼父。乾爲聖，伏震爲孔。巽繩爲繫，兌爲食。兌覆，故不食。論語，吾豈匏瓜也哉？焉能繫而不食。○駟馬，宋本、汲古作四。從元本。

大壯

陰變爲陽，女化爲男。治道得通，君臣相承。

　　通觀。坤伏乾出，巽伏震出，故曰陰變陽，女化男。震爲道，爲通。乾爲君，伏艮爲臣。

晉

崑崙源口，流行不止。龍門砥柱，民不安處。母歸扶子，黃

〔一〕“坤位北，故鳴室北”，稿本作“坤位北，爲醜，爲惡”。
〔二〕“互巽”，稿本作“伏震”。

麛悦喜。

  艮山坎水,伏兑口,故曰崐崘源口。坤亦爲水,與坎水合,故曰流行不止。艮爲門,伏乾,故曰龍門。艮爲石,爲木,故曰砥柱。坤爲民,爲安處,爲母。艮爲少男,故曰扶子。艮爲麛,坤爲黄,伏兑爲悦。○扶,依汲古。宋、元本作孩子。

  【補校】龍門,汲古作鯀伊。麛作塵。均依宋、元本。

明夷

葛藟蒙棘,華不得實。讒佞亂政,使恩壅塞。

  詳泰之蒙。蒙,坎震,明夷亦坎震,象同。○藟,汲古作虆。依宋、元本。

  【補校】藟,宋本、汲古作虆。依元本。

家人

公無長驅,大王駿馬〔一〕。非其所當,傷折爲患。

  通解。震爲公,爲長驅,爲王,爲馬。坎爲患,坎蹇,故傷折。○大,汲古作天。依宋、元本。所當、患,依汲古。宋、元本作當所,作害。

  【補校】驅,汲古作詢。駿作駁。均依宋、元本。

睽

大倉充盈〔二〕,庶民蕃盛,年歲熟榮。

  伏艮,故曰大倉。坎爲衆,故曰充盈,曰庶民蕃盛。坎冬,離夏,兑正秋,故曰年歲。離爲火,爲光明,故曰熟榮。○庶民蕃盛,依宋、元本。汲古作萬物蕃成。

〔一〕“大”,稿本、刻本作“太”,據宋、元本改。謹按,“大”音“太”,二者同。

〔二〕“大”,稿本、刻本作“太”,據宋、元、汲古各本改。“大”亦當讀“太”。

蹇

執蕡炤犧，爲風所吹。火滅無光，不見玄黃。

此用蠱象。艮爲執，爲犧，爲火，爲炤。巽爲蕡。蕡，香草也。巽爲風，兌爲吹。艮爲火，爲光；坎黑巽伏，故火滅無光。震爲玄黃，巽伏，故不見。周禮司烜注〔一〕，蕡燭，麻燭也。言執蕡火炤犧，使熟而食也。○蕡，汲古作簀。依宋、元本。

解

鳥反故巢，歸其室家。心平意正，與叔相和。登高隕墜，失其寵貴。

震爲鳥，爲反，爲歸。坎爲巢，爲室，爲心意，爲平正，爲和。震爲登，伏巽爲高，爲隕墜。艮爲貴，艮覆，故失其寵貴。

【補校】相和，汲古作和鳴。依宋、元本。

損

弩弛弓藏，良犬不行。内無怨女，征夫在堂。

通咸。互大坎爲弩，爲弓。艮止，故曰弛。巽伏，故曰藏。艮爲犬，坎蹇，故不行。以上皆用伏象。損内兌女，與上艮爲夫婦。兌悦，故不怨。互震在外，故曰征夫。艮爲堂也。

益

特犧孔博，日新其德。文君燎獵，姜氏受福。

坤爲牛，故曰特犧。震爲孔。艮爲日，爲新。坤爲文，震爲君，故曰文君。艮爲火，震爲獵，故曰燎獵。巽爲姜，震爲福。言文王出獵，遇姜尚，後受封於齊也。○特，依宋、元本。書舜典，格于藝

〔一〕"烜"，稿本、刻本誤"煊"，據阮刻《周禮正義》改。

祖,用特。注,特,一牛也。禮郊特牲注,用一牛,故曰特牲。特犧,
猶特牲也。汲古作牡。非。文君,從汲古。宋、元本作文公。非。
燎,從宋、元本。汲古作出。

夬

季秋孟冬,寒露霜降。大陰在庭,品物不生。雞犬夜鳴,家
擾數驚。

　　　兌爲秋,伏艮,故曰季秋。乾爲冬,當亥,故曰孟冬。兌爲露,
伏坤爲霜,故曰寒露霜降。伏坤爲大陰,爲品物。坤殺,故不生。
艮爲庭,爲犬。坤爲夜,兌爲雞,爲鳴。乾爲惕,爲驚,艮爲家。〇
季秋,汲古作秋季。依宋、元本。品,依宋、元本。汲古作庶。雞犬
夜鳴,依宋本。汲古作雞鳴犬吠。元本作雞矢。非。擾,依宋、元
本。汲古作憂。非。

　　　【補校】孟冬,汲古作冬孟。依宋、元本。

姤

心多恨悔,出門見怪。有蛇三足,醜聲可惡。嫫母爲媒〔一〕,
請求不得。

　　　通復。坤爲心,爲恨悔,爲門户。震爲出。巽爲蛇,震爲足,數
三,故曰有蛇三足。震爲聲,坤爲醜,爲惡,爲嫫母。嫫母,醜
婦也。震爲請,坤喪,故不得。丁云,任昉述異記,江淮中有獸名能,蛇精
化也。爾雅,三足能。〇有,依宋、元本。汲古作反。

萃

虎豹爭强,道閉不通。小人讙訟,貪天之功。

　　　艮爲虎豹。坤爲文,兌剛魯;三至上正反兌,故曰爭强。艮

〔一〕“母”,刻本訛“毋”,據稿本改。注做此。

爲道,坤爲閉,故不通。坤爲小人,三至上正反皆兑口,故曰訟。困有言不信,即如是取象。○第四句依汲古。宋、元本作貪夫受空。

升

雞方啄粟,爲狐所逐。走不得食,惶怖惕息。

巽爲雞,爲粟,兑爲啄。艮爲狐,震爲逐,爲走;艮反向内,故曰爲狐所逐。兑爲食,坤閉,故不得食。坤爲憂,故惶怖惕息。○怖,宋本作懼。依汲古。

【補校】怖,宋、元本作懼。

困

陳嫣敬仲,兆興齊姜。乃適營丘,八世大昌。

詳屯之噬嗑。

井

昊天白日,照臨我國。萬民康寧,咸賴嘉福。

詳比之晉。

革

雲夢大藪,索有所在。虞人共職,驪駒悦喜。

通蒙。坤爲雲,爲夢,爲藪。易震索索,疏,心不安之貌。釋文,懼也。坎坤皆爲憂懼,故曰索。震爲驪虞,爲人,爲驪駒,爲悦喜。○索,依汲古。丁云即八索也。元本作嘉。又按,此二句似指漢高偽遊雲夢事,言其意别有所在,而不在獵也。

【補校】索,宋、元本作嘉。

鼎

獐鹿雉兔,羣聚東國。盧黄白脊,俱往追逐。九齝十得,主君有喜。

　　詳蒙之復。鼎通屯，坤震象與復同。○雉，宋本及汲古皆作雞。非。依元本。

　　【補校】盧黄白脊，宋、元本無。從汲古增。追逐，依汲古。宋、元本作逐追。

震

德惠孔明，主君復章，保其室堂。

　　震爲德，爲孔，艮爲明。震爲主，爲君。艮爲章，爲室堂。

　　【補校】主君，宋、元本作雖衰。依汲古。

艮

天之所壞，不可强支。衆口嘈嘈，雖貴必危。

　　詳蒙之夬。艮爲天，陽在上而窮，故壞。初至五，正反兩震言相背，故曰嘈嘈。艮爲貴，艮窮於上，故雖貴必危也。

漸

天之奥隅，堯舜所居。可以全身，保我邦家。

　　詳否之觀。艮爲天，坎隱故曰奥。伏震爲帝，爲堯舜。

歸妹

下泉苞稂，十年无王。荀伯遇時，憂念周京。

　　坎爲泉〔一〕。稂，蕭蓍之屬。震爲稂，爲年，爲王。兑數十，故曰十年。坎隱伏，故十年无王。震爲伯，爲時，爲周。坎爲憂念。下泉，曹風詩。毛詩序謂刺共公。劉毓崧云，何楷世本古義據易林，謂此詩爲曹人美晉荀躒納敬王於成周而作。其説自昭二十二

────────────

〔一〕"泉"，刻本訛"衆"，據稿本改。

年王子朝作亂，至昭三十二年城成周，爲十年无王。左傳，天王使告於晉曰，天降禍於周，俾我兄弟並有亂心，以爲伯父憂，于今十年。正與易林合。荀，郇國後。稱荀伯，猶稱荀躒爲知伯。荀字不誤也。○稂，元本訛恨。依宋本、汲古。无，依宋、元本。汲古訛九。荀，元本作郇[一]。依宋本、汲古。是焦與毛詩異讀。

【補校】荀，宋、元本、汲古皆同。惟元本舊注云，當作郇。

豐

江淮海隅，衆利聚居。可以遨遊，卒歲無憂。

互大坎，故曰江淮海隅。巽爲利，坎爲聚。震爲遨遊，爲歲。震樂，故無憂。

【補校】淮，宋、元本作河。依汲古。

旅

南山黄竹，三身六目。出入制命，東里宣政。主尊君安，鄭國無患。

丁云，穆天子傳，天子命歌南山。又作詩曰[二]，我徂黄竹。又曰，予歸東土，和治諸夏。又曰，吉日丁亥，天子入於南鄭。易林全用其意。離南艮山，伏震爲竹，爲黄，故曰南山黄竹。艮爲身，納丙，數三。離爲目，納己，數六。故曰三身六目。巽爲命，爲入。伏震爲出，爲東。艮爲里，爲尊，爲安。震爲君主。伏坎爲平，爲鄭，爲患。艮爲國。兑悦，故無患。○東里，從元本。以下三句似指鄭子産事。而宋本、汲古皆作東皇。與穆天子傳，予歸東土，和治諸夏，語偶合。然下曰鄭國，則皇似爲訛字也。觀下離之損詞同，而

〔一〕“郇”，刻本訛“郈”，據稿本改。

〔二〕“作”字，稿本、刻本無，據廣雅書局本《易林釋文》及《漢魏叢書》本《穆天子傳》校補。

黄竹作大木，三作文〔一〕，是其證。丁詁未必然。

巽

重譯貢芝，來除我憂。喜樂俱居，同其福休。

伏震，故曰重譯。巽爲香，故曰芝。坎爲憂，坎伏，故憂除。兑爲喜樂，伏震爲福。○貢芝，依汲古。宋、元本作置之。非。

【補校】貢芝，依局本。宋、元、汲古諸本皆作置之。喜樂，依汲古。宋、元本作與喜。末句，汲古無。從宋、元本。

兑

南山高岡，麟鳳室堂。含和履中，國無災殃。

伏艮爲南山，爲高岡。離爲文，爲麟鳳。艮爲室堂。兑爲和，爲口，爲含。伏震爲履，伏坎爲中。伏艮爲國。

涣

紫芝朱草，生長和氣。公尸侑食，福禄來下。

巽爲芝，爲草。九宮之色，七赤九紫，震納庚，五行數九，故曰紫芝。坎赤，故曰朱草。坎爲和。震爲生，爲公，爲尸。尸，主也。又爲福禄。三四句，鳧鷖詩也。○生長和氣，依汲古。宋、元本作與仙爲侣。神農經，山川雲雨，五行四時，陰陽晝夜之精，生五色神芝，皆爲聖王休瑞。

節

宫成室就，進樂相舞。英俊在堂，福禄光明。

艮爲宮室，坎亦爲室，艮爲成，故曰宮成室就。震爲樂舞，爲英俊，爲禄。艮爲光明。

〔一〕“文”，刻本訛“丈”，據稿本校改。

中孚

商人子孫,資無所有。貪狼逐狐,留連都市。還轅內鄉,嘉喜何咎。

巽爲商旅,震爲人,爲子,艮爲孫。巽爲利,爲資;風散,故無。艮爲狼,爲狐。史記天官書,狼變色,多盜賊。下有四星曰弧。弧矢向狼多盜。然則狼弧二星,皆主盜賊。貪狼逐狐者,言流爲盜賊也。弧亦作狐,秦本紀據狼狐是其證。艮爲流連,爲都市。震爲逐,爲轅,爲嘉喜。〇人、有,依宋本。汲古作之,作食。貪狼,依宋、元本。汲古作貪貝。誤。林意謂商人子孫,流落都市爲盜賊;若回心向善,則无咎也。

【補校】人、有,依宋、元本。

小過

執贄入朝,獻其狐裘。元戎燮安[一],沙漠以懼。

艮手爲執,爲獻,爲贄。巽入震朝,故曰執贄入朝。艮爲狐,震爲裘;爲武人,爲主,故曰元戎。艮爲沙,震爲懼[二]。

【補校】燮,元本作變。依宋本、汲古。

既濟

湧泉汩汩,南流不絕。泙爲淮海,敗壞邑里,家無所處。

重坎,故曰汩汩,曰不絕。離爲南,故曰南流。重坎,故曰淮海。坎折,故敗壞。艮爲邑里,爲家。〇汩汩,元本作滑滑。從宋本、汲古。元本無第三句。非。

【補校】第三句,宋、元本無。敗壞,作壞敗。均依汲古。

〔一〕"燮",刻本作"變",據稿本改。
〔二〕"震"下,刻本無"爲"字,茲依稿本。

未濟

固陰沍寒，常冰不温。凌人惰怠，大雹爲災。

詳泰之噬嗑。

【補校】惰怠，宋、元本作情怠。汲古作怠惰。依學津、局本、翟本及泰之噬嗑校。

臨之第十九

臨

弱水之西，有西王母。生不知老，與天相保。行者危殆，利居善喜。

> 坤爲水，坤柔，故曰弱水。坤爲母，震爲王，兌西，故曰有西王母。震爲生，坤爲老，震樂而健，故不知老。伏乾爲天，艮爲保。震爲行，坤喪，故危殆，故不行，而居則利也。伏艮爲居。○之西，依汲古。宋、元本作之上。

乾

黃獹生子，以戌爲母。晉師在郊，虞公出走。

> 初學記，獹，韓良犬也。臨坤爲黃，伏艮爲獹，震爲子。坤爲母，候卦居戌，戌狗，故曰以戌爲母。震爲晉，坤爲師，爲郊。震爲公，爲出走，爲歡虞。全用遇卦象。○以戌，各本皆作白戌。依坤之震，需之訟校改〔一〕。又，生子，依汲古。宋、元本作生馬。非。虞滅，見僖二年左傳。

坤

倉唐奉使，中山以孝。文侯悅喜，擊子徵召。

> 詳豫之豐。此仍用遇卦臨象。○倉唐，依宋、元本。汲古訛倉皇。擊訛繫。

【補校】倉唐，汲古訛倉黃。局本訛倉皇。

〔一〕"需"，稿本、刻本誤"蒙"，據諸本林辭改。

屯

機關不便，不能出言。精誠不通，爲人所冤。

坎爲機關，坎陷，故不便。坤閉，故不能出言。震爲言，爲出，爲精，爲通，爲人。坤閉，故不通。坎爲冤。

蒙

白茅醴酒，靈巫拜禱。神嗜飲食，使君壽考。

詳小畜之坎。

需

重瞳四乳，耳聰目明。普仁表聖，爲作元輔。

淮南子，舜重瞳，文四乳。需通晉。坤爲重，離爲目，故曰重瞳。艮爲乳，兑納丁，數四，故曰四乳。坎爲耳，離爲目，爲聰明。乾爲仁聖，爲元。〇三四句依汲古。宋、元本作普爲仁表，聖作元輔。

訟

水長無船，破城壞堤。大夫從役，一朝亡殞，不見少妻。

通明夷。坎爲水，坤水，震爲長，爲船；坎伏，故無船。艮爲城，爲堤；艮覆，故壞。震爲夫，坤爲役，故大夫從役。震爲朝，坎數一，故曰一朝。巽爲少妻，坤亡，故不見。〇長，依宋、元本。汲古作漲。宋、元本從役下，多困於泥塗四字。

【補校】亡，宋、元本作喪。汲古作無。兹依何本、局本。

師

二人俱行，各遺其囊。鴻鵠失珠，無以爲明。

震爲人，坤數二，故曰二人。坤爲囊，爲亡，故各遺其囊。震爲鴻鵠，爲珠，坤爲失，故曰失珠。離爲明，離伏，故無明。他林屢有鶴盜我珠,鵲怒追求等繇辭。然則鴻鵠失珠,必有故實,今不能攷。○二人,依宋、元本。汲古作六。

比

隨時轉行,不失其常。咸樂厥類,身无咎殃。

良爲時。坤爲身,爲咎殃。咸樂厥類者,言九五與羣陰爲類而樂也。○咸樂,依宋本。汲古作各樂。非。

【補校】咸樂,依宋、元本。

小畜

蔡女蕩舟,爲國患憂。褒后在側,屏蔽王目,搔擾六國。

左傳僖三年,齊侯與蔡姬乘舟于囿,蕩公。公懼,變色。怒歸之,未絶之也。蔡人嫁之。明年侵蔡。褒后,幽王后。巽爲蔡,爲女,伏震爲舟。坤爲國,爲憂患,爲后。乾爲王,伏坎爲屏蔽。離爲目。○搔擾六國,依宋、元本。汲古作早衰六畜。非。

履

駕龍騎虎,周遍天下,爲神人使。西見王母,不憂危殆。

伏謙。震爲龍,艮爲虎,故曰駕龍騎虎。震爲周,坤爲天下。震爲神,爲人,爲行,故曰爲神人使。坎位西,震爲王,坤母,故曰王母。坎憂,震樂故不憂。○爲神人使,依汲古。宋本作爲人所使。危殆,元本作不殆。依汲古。此用穆王西巡狩事。

【補校】爲神人使,宋、元本作爲人所使。危殆,作不殆。

泰

員怨之吳,畫策闔閭。鞭平服荊,除大咎殃。威振敵國,還受上卿。

伍子胥,名員。平王既殺其父兄,員犇吳,佐吳王闔閭伐楚,鞭平王之尸。震爲員，員，云也。震爲行，爲南，故之吴。伏艮爲手，爲畫，爲間。伏巽爲鞭，爲荆。坤爲殃咎；在外，故曰除。坤爲國，震爲威；爲公，故曰上卿。〇員怨，從宋本。汲古作胥恐。間、廬通。

【補校】員怨，從宋、元本。

否

唐邑之墟，晉人以居。虞叔受福，實沈是國，世載其樂。

坤爲邑，爲墟，伏震爲唐。玉篇，堯稱唐者，至大之貌。乾大，故曰唐邑之墟。説文，唐，大言也。莊子天下篇，荒唐之言是也。震爲晉，爲人，艮爲居，故曰晉人以居。艮爲叔，乾爲福。實沈，星次，晉分。左傳，參爲晉星。實沈，參神也。艮爲星，坤國，故曰實沈是國。坤爲世，爲載，伏震爲樂。史記晉世家，唐叔虞者，成王弟。封於唐。至子燮徙居晉水，是爲晉侯。〇墟，依宋本。汲古作廬。非。以，依汲古。宋本作之。

【補校】墟，依宋、元本。以，宋、元本作之。

同人

管鮑相知，至德不離。三言相桓，齊國以安。

史記，管仲少與鮑叔牙遊，鮑叔知其賢，薦於桓公。管子曰，倉廩實而知禮節，衣食足而知榮辱，上服度則六親固。三言，蓋指此。韓詩外傳，君子有三言，可貫而佩之是也。同人通師。震爲管，坤爲魚，爲鮑。震爲言，爲桓；數三，故曰三言。坤爲國，爲安，巽爲齊。〇相桓，依宋、元本。汲古作於桓[一]。非。

大有

三十無室，長女獨宿。心勞未得，憂在胸臆。

[一] "桓"字，稿本、刻本無，蓋省文，兹據汲古本增。

離卦數三,兌數十;坎爲室,坎伏,故曰三十無室。兌爲老婦,故爲長女。坎爲宿,爲孤,故曰獨宿。坎爲心,爲勞,爲憂。伏坤爲胸臆。按大過九五云老婦,指兌也。

謙

散渙水長,風吹我鄉。火滅無光,隳敗桓公。

坎水,坤水,故曰水長。伏巽風,故曰散渙,曰風吹。坤爲我,爲鄉。艮爲火,爲光;上臨坎水坤水,故火滅無光。震爲桓,爲公;坤喪,故曰隳敗。言桓公死,齊亂,如火滅也。

【補校】公,汲古作功。依宋、元本。

豫

蜎飛蠕動,各有配偶。小大相保,咸得其所。

蜎、蠕,皆蟲行貌。伏巽爲蟲,故曰蜎飛蠕動。巽震爲夫婦,故曰各有配偶。坤爲小,伏乾爲大;艮止,故曰相保。○蜎飛,從汲古。宋、元本作飛蜎。詩,蜎蜎者蠋。

隨

安樂几筵,未出王門。

艮安震樂,艮几震筵。震爲王,艮爲門;艮止,故未出。

【補校】王門,汲古作玉門。依宋、元本。

蠱

火生月窟,下土恩塞,觚亂我國。

巽先天位西南,爲月窟。兌爲月,艮爲火,故曰火生月窟。下互大坎,坎爲土,爲塞。兌爲恩澤;爲羊,故曰觚。艮爲國,兌毀,故曰觚亂我國。○艮爲火,巽爲西南,坎爲土之確證。

【補校】首句,汲古作大生災禍。依宋、元本。下土,宋、元本作上下。依汲古。

觀

長生無極,子孫千億。柏柱載梁,堅固不傾。

> 巽爲長。伏震爲生,爲子。艮爲孫。坤爲千億。巽爲柏,爲梁柱。艮爲堅固,巽爲傾。○梁,從汲古。元本作青。非。

【補校】梁,宋、元本作青。

噬嗑

欽敬昊天,歷象星辰。宣授民時,陰陽和調。

> 離爲夏,故曰昊天。艮爲星辰,爲時。坎爲衆,爲民。離坎爲夫婦,故曰陰陽和調。○宣,從宋本。汲古作宜。非。

【補校】宣,從宋、元本。

賁

三河俱合,水怒踴躍。壞我王屋,民困於食。

> 坎爲河,震數三,故曰三河。坎爲合,爲水。震爲怒,爲踴躍,爲王。艮爲屋,伏巽爲壞。坎爲民,兌爲食。又河東、河南、河內,亦曰三河。○屋,汲古作室。依宋本。

【補校】屋,依宋、元本。

剝

壽如松喬,與日月俱。常安康樂,不離禍憂。

> 艮爲壽,爲木,爲仙,故曰松喬。赤松、王喬,古之仙人。與日月俱,言壽永也。伏兌爲月,艮爲日。兌爲悅,故曰康樂。坤爲禍憂,一陽在上,故不罹禍憂。○離同罹。依汲古。宋本作不見。非。

【補校】不離,宋、元本作不見。

復

天之所予[一],福禄常在,不憂危殆。

伏乾爲天,爲福禄。坤爲憂,爲殆;震樂,故不憂。

无妄

受讖六符,招摇室虚。雖跌無憂,保我命財。

讖,説文,驗也。漢書東方朔傳,願陳泰階六府。藝文志,泰階六符一卷。李奇注,三台謂之泰階,兩兩成體,三台故六[二],觀色以知吉凶,故曰六符。招摇、室虚,皆星宿名。乾數六,艮爲星。巽爲跌,震樂,故無憂。巽爲命,乾爲財,互艮爲安,故命與資財可保也。○室,依汲古。宋本訛空。六符,三台星名。三台共六星,故曰六符。雖跌無憂者,艮爲星,艮覆爲震,故無憂。又末二字汲古作命則,宋、元本作全財。兹命字依汲古,財依宋、元本。

【補校】室,宋、元本訛空。

大畜

齎金買車,失道後時,勞罷爲憂。

乾爲金,艮手爲齎,震爲車,爲後。艮爲道,爲時;在外,故[三]失道後時。伏大坎爲勞,爲憂。○宋、元本多我心則休四字。汲

[一] "予",稿本、刻本作"與",據宋、元、汲古及所見其他各本改。又,小畜之遯亦作"予",可參校。

[二] "台",稿本、刻本誤"合",疑形近偶訛,據《漢書・藝文志》諸本顏注引李奇語改。按,三台,星名,亦作三能,又稱天階、泰階等。《史記・天官書》:"魁下六星,兩兩相比者,名曰三能。"裴駰《集解》:"蘇林曰,能,音台。"又《晉書・天文志》:"三台六星,兩兩而居","在人曰三公,在天曰三台,主開德宣符也"。故又喻"三公"。唐高適《奉酬睢陽李太守》詩:"三台冀入夢,四嶽尚分憂。"

[三] "在外,故",稿本作"在上,故曰"。

古無。

頤

華首山頭，仙道所遊。利以居止，長無咎憂。

　　艮爲山，爲首，伏兌爲華。艮爲壽，爲仙道，爲居止。坤爲憂，
震樂，故無憂。○利以，依宋、元本。汲古作利於。咎憂，依汲古。
宋、元本作憂咎。華、首，皆山名。

大過

采唐沐鄉，要期桑中。失信不會，憂思約帶。

　　詳師之噬嗑。詩，我心蘊結。又曰，心如結兮。即約帶之義。
楊慎謂即衣帶日以緩之意。非。

　　【補校】要，汲古作徼。依宋、元本。

坎

人面鬼口，長舌爲斧。斲破瑚璉，殷商絶後。

　　詳否之謙。○人面，依汲古。宋、元本作八面。非。鬼，各本
皆作九。依否之謙校改。實鬼與九古通用[二]。紂臣鬼侯，亦作
九侯，是其證。

離

臨溪橋疢，雖恐不危，樂以笑歌。

　　兌爲溪，伏艮爲橋。伏坎爲恐，爲危。震爲樂，爲笑歌。○橋
疢，宋、元本作蟠枝。汲古作橋疢。疢，疑爲仄，故雖恐不危。蟠，
當爲播。播，種也。播枝，言種樹也。

〔二〕"古"，刻本作"皆"，從稿本改。

咸

洋洋沸溢[一],水泉爲害,使我無賴。

　　互大坎,故曰洋溢,曰水泉爲害。兌毁爲害,伏坤爲我。

恒

蝗螟爲賊,害我稼穡。秋飢於年,農夫鮮食。

　　巽爲蝗蟲,爲稼穡。巽爲賊,爲害;兌毁,亦爲害。兌爲秋,乾
爲年,伏坤爲飢。震爲農夫,兌爲食;兌毁巽落,故鮮食。○害我、
秋飢,依汲古。宋本作傷害,作愁飢。

遯

八百諸侯,不期同時。慕西文德,興我宗族,家門雍睦。

　　巽納辛[二],數八,艮後天數亦八;乾爲百,伏震爲諸侯,故曰
八百諸侯。艮爲時,伏兌爲西。坤爲文,爲門,爲族。乾爲宗,艮爲
家。○雍睦,依汲古。宋本作雍雍。八,汲古訛六。族訛旅。依
宋、元本。史記,武王觀兵孟津,諸侯不期而會者八百。

　　【補校】雍睦,宋、元本作雍雍。

大壯

長男少女,相向笑語。來歡致福,和悦樂喜。

　　震爲長男,兌爲少女。震爲笑語,爲歡,爲和樂,爲喜。乾爲福。

晉

平國不君,夏氏作亂。烏號竊發,靈公殞命。

[一]"洋洋",稿本、刻本作"洋洋",據宋、元、汲古及所見其他各本改。按,作
　　"洋洋"者,於義亦通。惟未詳所本,謹録存備攷。
[二]"納",刻本作"爲",據稿本改。

坤爲國,坎爲平。震爲君,震覆,故不君。平國,陳靈公名。離爲夏,爲亂。夏氏,徵舒也。離爲烏,坎爲弓,爲竊。烏號,弓名。坤爲殞。言徵舒恥靈公與其母夏姬亂,射殺靈公也。事在左傳宣十年。

明夷

春多膏澤,夏潤優渥。稼穡成熟,畝獲百斛。

　　震爲春,坎爲膏澤。離爲夏,坎爲潤渥。震爲稼穡,離火,故曰熟。坤爲畝,爲百,震爲斛。○成熟,依汲古。元本作熟成。

　　【補校】成熟,宋、元本作熟成。

家人

客宿臥寒,席蓐不安。行危爲害,留止得歡。

　　此用臨象。震爲客,坤爲宿,伏乾爲寒。巽爲伏,故曰臥寒。巽爲蓐;爲進退,故不安。○行危爲害,留止得歡,汲古作行爲危害,留不得歡。依宋、元本。左傳,不行之謂臨,故三四句云云。

睽

乘桴浮海,雖懼不殆。母載其子,終焉何咎。

　　此用臨象。臨震爲桴,爲乘。坤水兌澤,故曰海。坤爲懼,爲母。震爲子,故母載其子。伏艮爲終。○桴,依宋本。汲古作槎。浮,依汲古。宋本作於[一]。桴,編竹木代舟也。大曰筏,小曰桴。論語,乘桴浮於海。

　　【補校】桴,依宋、元本。浮,宋、元本作於。

蹇

手拙不便,不能伐檀。車無軸轅,行者苦難。

〔一〕“浮,依汲古,宋本作於”,刻本誤作“浮,依宋本,汲古作於”,據稿本改。

艮爲手，坎陷，故不便。艮爲伐，爲檀。檀，堅木也。艮止，故不能。坎爲車，多眚，故無軸轅。震爲行，震反爲艮，故難行。詩，檀車煌煌。古嘗以檀造車。今不能伐檀，故無軸轅。

解

唐虞相輔，鳥獸率舞。民安無事，國家富有。

震爲帝，故曰唐虞。爲鳥，爲舞。坎爲衆，爲民。臨，坤爲國家，爲富有。

【補校】率，宋、元本作喜。依汲古。

損

秋蛇向穴，不失其節。夫人姜氏，自齊復入。

兌爲秋，坤爲蛇，艮爲穴。震爲夫，爲人。伏巽爲姜，爲齊，爲入。

益

病篤難醫，和不能治。命終永訖，下即蒿廬。

伏恒。坎爲病，互大坎，故曰病篤。坎爲和，坤死，故曰難醫，曰和不能治，曰命終永訖。巽爲命，艮爲終。巽爲蒿，艮爲廬，故曰蒿廬。蒿廬，即蒿里。左傳，晉景公疾，秦伯使醫緩爲之。緩曰，是在肓之上，膏之下。攻之不可，達之不及，無能爲也。既而公果卒。〇永訖，依汲古。元本作斯訖。

【補校】永訖，宋、元本作斯訖。

夬

青蛉如雲，城邑閉門。國君衛守，民困於患。

青蛉，即蜻蛉。漢志，越巂有青蛉縣。水經注引作蜻蛉。坤雅，蜻蜓，一名蜻蛉。吕氏春秋，海上有人，好蜻蛉，每至海上，蜻蛉從遊者數萬。夬通剥。坤爲雲，爲城邑，爲閉，爲國，爲民，爲患。
艮爲守。蜻蛉，大首薄翼。艮一陽在上，疑即剥艮象也。○閉，依
元本。汲古本、宋本作閑〔一〕。

姤

牙蘗生達，室堂啓户。出入利貞，鼓翼起舞。

此亦全用臨象。震爲牙蘗，爲生。坤爲堂户。震爲出，巽入，
故曰出入利貞。震爲鼓，爲翼，爲起舞。○出入，依汲古。宋、元本
作幽人。貞，依宋、元本。汲古訛真。首句各本作牙蘗生齒。依小
畜之睽校。

萃

鴟遊江海，没行千里。以爲死亡，復見空桑，長生樂鄉。

艮爲鴟，坤爲江海，爲千里。坤爲死亡。巽爲桑，坤虚，故曰空
桑。伏震爲生，兑悦，故曰樂鄉。坤爲鄉。林意謂鴟没江海不見，
以爲死亡矣。後復見于空桑，不惟未死，且甚安樂也。○海、没，依
宋、元本。汲古作湖、役。

【補校】海，依宋、元、汲古本。局本作湖。

升

黄帝出遊，駕龍乘馬。東上泰山，南遊齊魯，邦國咸喜。

震爲黄，爲帝，爲遊，爲龍，爲馬，爲東。伏艮爲山，故東上泰
山。震又爲南，巽齊兑魯，故南遊齊魯。坤爲邦國，震爲喜。○馬，
依宋本。汲古作鳳。非。

【補校】馬，依宋、元本。

────────────

〔一〕“閑”，稿本、刻本誤“關”，據宋本、汲古改。

困

履危不止，與鬼相視。驚恐失氣，如騎虎尾。

　　通賁。坎爲危，在震下，故曰履危。坎爲鬼，離爲視；離坎連
體，故曰相視。震爲驚，爲騎。艮爲虎尾。謂遇鬼驚恐，如履虎
尾也。

井

秋南春北，不失消息。涉和履中，時無隱匿。

　　通噬嗑。兌秋離南，震春坎北。雁秋南嚮，春北歸，故不失消
息。又消息卦起坎離，亦不失也。坎爲和，爲中；震爲涉，爲履。艮
爲時，坎爲隱匿。四時畢見，故無隱匿。○隱，汲古作陰。依元本。
　　【補校】隱，依宋、元本。匿，宋、元本作慝。依汲古。匿即慝
之古字。

革

龍門砥柱，通利水道。百川順流，民安其居。

　　通蒙。震爲龍，艮爲門，爲柱，爲石，故曰龍門砥柱。震爲通，
巽爲利，坎水艮道。禹貢，道河積石，至於龍門，東至砥柱是也。震
爲百。坎爲川，爲流，爲民。艮爲安，爲居，故曰民安其居。

鼎

千歲廟堂，棟橈傾僵。天厭周德，失其寵光。

　　通屯。坤爲千歲，艮爲廟堂。巽爲棟，爲隕落，故曰橈，曰傾
僵。震爲周，艮爲天。爲光，坎失，故曰失其寵光。○橈，依宋本。
汲古、元本作撓[一]。非。

〔一〕“古”下，刻本脱“元”字，據稿本校補。

震

折若蔽目，不見稚叔。三足孤鳥，遠離室家。

　　坎爲折，震爲若。若，木也。離爲目，離伏坎隱，故曰蔽目，曰不見稚叔。艮爲叔，爲少男，故曰稚叔。震爲足，數三；艮爲鳥，坎孤，故曰三足孤鳥。艮爲室家。

　　【補校】第三句，汲古作五足孤鳥。依宋、元本。

艮

望叔山北，陵隔我目。不見所得，使我心惑。

　　艮爲望，爲叔。互坎爲北，故曰山北。坎爲隱，離伏，故曰陵隔我目，曰不見所得。坎爲心，爲憂，故曰心惑。○心，依汲古。元本作憂。

　　【補校】心，宋、元本作憂。

漸

匏瓟之息，一畝千室。萬國都邑，北門有福。

　　艮爲果，爲匏瓟。息者，生也，子也。艮爲室。説文，室，實也。言匏瓟之實，一畝得千也。伏震爲千，坎數一，故一畝千室。艮爲國，爲都邑；爲門，坎北，故曰北門。○息，依汲古。宋、元本作恩。非。千，依宋、元本。汲古訛十。

歸妹

域域牧牧，憂禍相伴。隔以巖山，室家分散。

　　通漸。坎爲憂，離爲禍。坎離連體，故曰相伴。艮爲山，爲室家。艮止，故曰隔。上巽[一]，故曰分散。○以，依宋、元本。汲古

────────

〔一〕“上巽”，刻本作“伏巽”，兹依稿本。按稿本作“上巽”，蓋從旁通卦漸取象。刻本作“伏巽”，似仍依歸妹爲説。

作我。

【補校】禍，汲古作和。依宋、元本。伴，宋、元本作半。從汲古。

豐

騏驥騄耳，遊食萍草。逍遙石門，循山上下，不失其所。

通渙。震爲馬，故曰騏驥騄耳。震爲食，爲草。草在坎水上，故曰萍草。震爲逍遙，爲食。艮爲石〔一〕，爲門；爲山，中爻正反震艮，故曰循山上下。○所，依宋本。汲古作子。

【補校】末句，汲古無。從宋、元本增。所，依宋、元本。局本作子。又，騏驥，汲古作麒麟。依宋、元本。

旅

天所祚昌，文以爲良。篤生武王，姬受其福。

艮爲天，伏震爲祚，爲昌。離爲文。伏震爲生，爲武，爲王，爲姬，爲福。

巽

羊腸九縈，相推稍前。止須王孫，乃能上天。

詳蠱之剥。此皆用伏震象。以互艮爲天。

兌

貧鬼守門，日破我盆。孤牝不駒，雞不成雛。

通艮。互坎爲鬼，艮爲守，爲門。震爲盆，坎爲破。兌爲牝〔二〕，震爲駒；震伏，故不駒。巽爲雞，艮爲雛；艮伏，故不雛。

〔一〕“艮”下，刻本無“爲石”二字，茲從稿本增。
〔二〕“兌爲牝”，稿本此下多“卦無陽象，故曰孤牝”二句。似宜據補。

渙

飽食從容，入門上堂。不失其常，家無咎殃。

　　坎爲飲食，震樂，故從容。艮爲門，爲堂，巽爲入。艮爲家，坎爲殃；震解〔一〕，故無。○入門，依汲古。宋、元本作出門。非。

　　【補校】咎，宋、元本作凶。依汲古。

節

陰淫不止，白馬爲海。皋澤之子，就高而處。

　　坎爲水，故曰陰淫。震爲白，爲馬，兌爲海。白馬，津名，在大伾山南。言水多，津變爲海也。震爲子，艮爲皋，兌爲澤。言皋澤之人，因水多，皆就高而處也。○海，依汲古。宋、元本作洶。皋澤，依宋、元本。汲古作澤皋。非。皋澤，猶山澤也。

中孚

執戈俱立，以備暴急。千人守門，因以益卑，終安何畏。

　　艮爲戈，爲執。震爲立，爲暴急，爲千人。艮爲守，爲門。兌爲澤，爲下，故曰卑。艮爲終，爲安。震樂，故無畏。○守門、因以益卑，依宋、元本。汲古作舉龍，作困危得海。

小過

夾河爲婚，水長無船。槌心失望，不見所歡。

　　互大坎，故曰夾河，曰水長。震爲船，兌毀，故無。艮爲槌，坎爲心。艮爲望，坎失，故曰失望。震爲歡。○水長，依宋、元本。汲古作漲。槌心，依釋文。汲古作追。元本作遙。皆非。

　　【補校】所歡，宋、元、汲古諸本皆作歡君。非。依屯之小畜

〔一〕"解"，稿本作"樂"。

校。

既濟

陰陽變化,各得其宜。上下順通,奏爲膚功。

言陰陽六爻各當位。

未濟

任劣德薄,失其臣妾。田不見禽,犬無所得。

臣妾與犬,皆用臨伏象艮。

【補校】得,宋、元本作斷。依汲古。

觀之第二十

觀

歷山之下,虞舜所處。躬耕致孝[一],名聞四海。爲堯所薦,纘位天子。

> 艮爲山,爲時,故曰歷山。坤爲下。伏震爲帝,故曰虞舜,曰堯。艮爲躬,巽順爲孝。艮爲名;坤爲海,巽數四,故曰四海。伏震爲子,艮爲天,故曰天子。○虞舜、孝,依宋、元本。汲古作虞唐,作教。纘位,依宋、元本。汲古作禪。纘者,繼也。

乾

蜎飛蠕動,各有所配。歡悦相迎,咸得其處。

> 詳臨之豫。此用觀象。巽蟲,故曰蜎,曰蠕。
>
> 【補校】迎,宋、元本作逢。依汲古。

坤

繼祀宗邑,追明成康。光照萬國,享世久長。

> 坤爲邑,爲萬國。觀艮爲光明,爲照,爲久。
>
> 【補校】宋、元、汲古各本下多二句,曰疾病不醫,下即蒿蘆。惟汲古本疾病作病疾,並注二句疑衍。兹依删。馬生新欽謂似從臨之益衍入,可資參攷。

屯

秋冬探巢,不得鵲雛。銜指北去,媿我少姬。

[一]“致”,刻本訛“至”,據稿本改。

伏兑爲秋,坎爲冬。艮爲穴,爲巢,艮手爲探。兑爲鵲雛,兑伏,故不得。艮爲指,坎爲北。伏巽爲少姬,坤爲媿。巽少姬,本大過。

蒙

僮妾獨宿,長女未室,利無所得。

艮爲僮妾,爲獨,坎爲宿。艮爲室,巽爲長女,爲利。巽伏,故無得。

【補校】僮,宋、元本作童。依汲古。

需

洪波逆流,至人潛處。蓬蒿代柱,大屋顛仆。

通晉。坎爲水,坤水,故曰洪波。洪波,大波也。伏坤爲逆。坎爲聖,故曰至人。坎爲潛。坤爲薪,在艮屋下,故曰蓬蒿代柱。艮爲屋柱〔一〕,坤柔,故顛仆。○洪,宋、元本作鴻。從汲古。波,汲古作魚。依宋、元本。至人,宋、元本作主人。依汲古。處,皆作去。依同人之屯校。

【補校】蓬蒿,宋、元、汲古皆作蒿蓬。從同人之屯校。

訟

日闇不明,讒夫在堂。右臂疾痹,君失其光。

離爲日,爲明;坎隱,故闇。坎爲夫,坎上下兑口相背,故曰讒夫。觀艮爲堂,爲臂。坎爲疾。乾爲君,離爲光;坎隱〔二〕,故失光。○臂、痹,依汲古。宋、元本訛辟,訛瘁。

【補校】右,從汲古。宋、元本作左。

〔一〕"在艮"至"屋柱",稿本作"爲蓬蒿,伏艮爲屋柱"。

〔二〕"坎隱",稿本作"坎黑"。按坎後天居北,水五色屬黑,依"坎黑"象於"失光"義似尤勝。

師

王孫季子,相與孝友。明允篤誠,升擢薦舉,爲國幹輔。

此用遇卦觀象。觀艮爲孫,爲季子。伏震爲王,故曰王孫季子。坤順,故曰孝友。艮爲明允,爲篤誠。伏震爲薦舉,爲幹。坤爲國。○輔,依宋本。汲古作柱。

【補校】輔,依宋、元本。

比

麟趾龍身,口馭二千。南上蒼梧,與福爲婚。道里夷易,安全無患。

此亦用觀象。坤爲麟,爲身。伏乾爲龍,爲日,爲千。艮納丙,數三,故曰三千。伏震爲南,爲蒼梧。乾爲福,與坤配,故曰與福爲婚。艮爲道里。坎爲平,故曰夷易。艮爲安,坎爲患,安故無患。○馭,依汲古。宋、元本作取。非。

小畜

三子成駒,破其堅車。輪載空輿,後時失期。

伏震爲子,數三,故曰三子。震爲駒,爲車;坎爲破[一],伏艮爲堅,故曰破其堅車。坎爲輪。艮爲時,震爲後,故曰後時失期。全用伏。○破其堅車,依宋、元本。汲古作折損轅軸[二]。不協。

履

逐禍除患,道德神仙。過惡萬里,常歡以安。

坎爲禍患,坎伏,故曰逐禍除患。伏艮爲道,震爲神,艮爲仙。坤爲萬里,爲惡;坤陰,故曰過惡。兌爲歡。○禍,汲古作福。依

[一]“坎”,稿本作“兌”。
[二]“折損”二字,稿本、刻本誤倒,據汲古本改。

宋、元本。

【補校】遇,汲古作避。依宋、元本。

泰

黃池之盟,吳晉爭強。勾踐爲患,夷國不安。

兌爲池,震黃,故曰黃池。震爲南,故曰吳。爲進,故曰晉。震爲健,乾亦爲健,故曰爭強。震爲足,故曰踐。坤爲夷,爲國;坤喪,故不安。○國,依宋、元本。汲古作門。非。汲古多二句,爲下復林辭。宋、元本皆無。

【補校】晉,汲古作楚。非。此言哀公十三年晉侯、吳子會黃池事。從宋、元本。又,汲古下多二句云,探轂得冬,所願不喜。

否

青牛白咽,招我于田。歷山之下,可以多耕。歲藏時節,人民安寧。

坤爲牛,巽爲白,伏兌爲咽。坤爲我,爲田。艮爲山,爲時,故曰歷山。舜耕處也。坤爲下,伏震爲耕。坤爲歲,艮爲時。坤爲民人,爲安寧。○歲藏,依汲古。宋、元本作歲露。人民,依宋、元本。汲古作人保。歲藏時節者,言秋收冬藏之時也。

【補校】第二句,宋、元、汲古諸本皆作呼我俱田。惟宋本、汲古舊注云,一作招我于田。茲依校。又,人民,汲古作人不。局本作人保。

同人

有頭無目,不見菽粟。消耗爲疾,三年不復。

乾爲頭,離目。目應在頭上,今在下,故曰無目,故不見菽粟。巽爲菽粟也。伏坤爲消,坎爲疾。坤爲年,震數三,故曰三年。○不見菽粟,依宋本。汲古作赫赫粟粟。非。

【補校】不見菽粟，依宋、元本。

大有

山沒邱浮，陸爲水魚。燕雀無巢，民無室廬。

　　通比。艮爲山邱，在坎水、坤水上，故曰山沒邱浮。坤爲陸，爲水，爲魚。兌爲燕雀，艮爲巢，爲室廬，坤爲民。坎陷，故曰無巢，無室廬也。

謙

高岡鳳凰，朝陽梧桐。雍雍喈喈，萋萋萋萋。陳辭不多，以告孔嘉。

　　詩卷阿篇，鳳凰鳴矣，于彼高岡。梧桐生矣，于彼朝陽。萋萋萋萋，雝雝喈喈。又曰，矢詩不多，維以遂歌。林全用詩語。艮爲高岡，坤文爲鳳。震爲朝，伏離爲日。震爲鳴，故曰雍喈。爲茂盛，故曰萋萋。震爲言，故曰辭，曰告。爲孔，故曰孔嘉。○雍雍，與毛詩異文。宋、元本作嗺。

　　【補校】雍雍，依汲古。萋萋，汲古作奉奉。依宋、元本。

豫

鰥寡獨宿，憂動胸臆，莫與宿食。

　　艮爲鰥，坎爲宿，坤爲寡，故曰鰥寡獨宿。坎爲憂，坤爲腹，爲胸臆。震口爲食。○宿食，汲古作笑食。依宋、元本。

隨

馬蹄躓車，婦惡破家。青蠅汙白，恭子離居。

　　震爲馬，爲蹄。蹄音弟，與踶同，蹋也。馬踶，故車躓。震爲車，二至四震覆，故曰躓車。巽爲婦，坤爲惡；艮爲家，兌毀，故曰破家。巽爲蠅，震爲青，故曰青蠅。巽爲白。震爲子，巽順，故曰恭子。謂申生也。艮爲居。○馬蹄躓車,依革之解校。各本皆作躓馬破車,與下句不對。青蠅,小雅篇名,傷讒而作。

【補校】馬蹄躓車,宋、元本作馬躓破車。汲古作躓馬破車。

蠱

長女三嫁,進退無羞。逐狐作妖,行者離憂。

巽爲長女,震爲嫁,數三,故曰三嫁。巽爲進退。艮爲狐,震爲逐,爲行。互坎爲憂,爲妖。

【補校】三,汲古作二。從宋、元本。

臨

人無足,法緩除。牛出雄,走羊驚。陽不制陰,男失其家。

震爲人,伏巽下斷,故無足。除,授官也。坤柔,故緩。言人有疾不能授官也。坤爲牛,震爲雄;坤在上,故曰出雄。兌爲羊,震爲走,爲驚,故曰走羊驚。陽少陰多,故曰不制。震爲男,艮爲家;艮伏,故失。○前四爲三字句。各本皆作人無定法,緩除才出,地雄走歸。汲古除才出又作行長姦。大都皆作四字句。茲依既濟之屯校。

【補校】前四句,依既濟之屯宋、元本校。唯牛字從汲古。

噬嗑

茹芝餌黃,飲食玉英。與神流通,長無憂凶。

伏巽爲芝,伏兌爲茹,爲餌。震爲黃,爲玉,爲英。坎爲飲食。震爲神,爲通。坎憂,震樂,故無憂。芝,靈芝。黃,黃精。服之延年益壽。

賁

東行無門,西出華山。道塞畏難,遊子爲患。

震爲東,爲行。艮爲門,坎隱,故無門。艮山,伏兌爲西,爲華,故曰華山。艮爲道,坎爲塞,爲畏,爲患。震爲遊子。

　　【補校】畏,汲古作於。依宋、元本。

剥

壽如松喬,與日月俱。常安康樂,不罹禍憂。

　　詳臨之剥。

復

探觳得螽,所願不喜。道宜小人〔一〕,君子咎塞。

　　震爲觳,伏巽爲螽。坤憂,故不喜。坤爲小人。震爲大塗,爲
道,爲君,爲子。坤爲咎。○下二句依宋、元本。汲古將前泰林羼
入此處。非。

　　【補校】下二句,汲古將觀之泰四句羼入,云黄池之盟,吳楚争
强。句踐爲患,夷門不安。

无妄

螺蠃生子,深目黑醜。雖飾相就,衆人莫取。

　　詳需之恒。螺,即蜾字。蠃,音騾。説卦,離爲蠃是也。

　　【補校】螺,宋、元本作蝸。汲古作富。依局本。

大畜

喜怒不時,霜雪爲災。稼穡無功,后稷飢寒。

　　震爲喜,爲威,故爲怒。艮爲時,三至上正覆震艮,故曰不時。
乾爲冰,爲霜雪;兑毁,故災。震爲稼穡,爲稷。乾爲后,爲寒。○
飢寒,依汲古。元本作飢憂。

　　【補校】飢寒,依宋本、汲古。霜雪,宋、元本作雪霜。依汲古。

────────────────

〔一〕“宜”,稿本、刻本作“值”,據宋、元等本改。按,作“值”字於義亦通,惟未
　　審所本,疑爲“宜”之形誤。

頤

烏升鵲舉，照臨東海。尨降庭堅，爲陶叔後。封圻蓼六，履
禄綏厚。

　　　　詳需之大畜。

　　　　【補校】烏、圻，汲古作鳥，作爲。依宋、元本。尨，宋、元本作
　　尨。照臨，宋本作照流。元本作炤流。均依汲古。

大過

黃離白日，照我四國。元首昭明，民賴其福。

　　　　伏頤爲大離。離六二曰，黃離，元吉。故離爲黃，爲日，爲照。
　　下震爲白，故曰白日。坤爲國，震卦數四，故曰四國。乾爲元首，爲
　　福。坤爲民。

　　　　【補校】照，元本訛招。依宋本、汲古。

坎

黍稷醇釀，敬奉山宗。神嗜飲食，甘雨嘉降。獨蒙福力，時
災不至。

　　　　詳比之需。

　　　　【補校】釀，元本作釀。依宋本、汲古。

離

福過我里，入門笑喜，與吾利市。

　　　　通坎。震爲福，爲里。艮爲門[一]，震爲笑喜。巽爲利市。○
　　汲古首句多禍不更生四字。依宋、元本。

咸

晝卧里門，悚惕不安。目不得闔，鬼搔我足。

―――――――

〔一〕"爲里。艮爲門"，稿本作"艮爲里，爲門"，兹依刻本。

艮爲里門，爲卧。乾爲日，爲晝，爲悚惕。伏大離，故目不得
闔。闔，閉也。伏坤爲鬼，震爲足；艮手，故曰搔足。○闔，宋、元本
作閡。依汲古。

恒

春草榮華，長女宜夫。受福多年，世有封禄。

震爲春，爲草，爲榮華。巽爲長女，震爲夫，爲福。乾爲多，爲
年，爲禄。伏坤爲世。長女宜夫者，以震巽爲配偶，故能受福也。

遯

雍門内崩，賊賢傷仁。暴亂狂悖，簡公失位。

艮爲門，伏兑悦，故曰雍門。巽爲隕，爲崩；在内卦，故曰内
崩。乾爲仁賢，陰消陽，故曰賊賢傷仁。巽爲賊也。遯弒君父，
故曰亂悖。震爲竹，爲簡，爲公；震伏，故曰失位。論語，陳成子
殺簡公，事在左傳哀十四年。陳成子既殺闞止，大陸子方亡出雍
門。注，雍門，齊城門也。内崩，蓋言内亂。○仁，依汲古。宋、
元本作人。

大壯

心志無良，昌披妄行。觸牆抵壁〔一〕，不見户房。

伏坤爲心志，坤惡，故無良。震爲昌，爲行，爲觸。伏艮爲牆
壁，爲户房。坤黑，故不見。○心志、昌披，依宋、元本。汲古作心
壯，作猖獗。

【補校】第三句，宋、元、汲古諸本皆作觸抵牆壁。依翟本及大
畜之暌校。

〔一〕“觸牆抵壁”，稿本、刻本作“觸壁抵牆”。蓋手稿勾改偶誤。據宋、元、汲古
諸本大畜之暌校。

晉

膠車木馬，不利遠賈。出門爲患，安止得全。

> 互坎爲膠，坤爲車，故曰膠車。坤爲馬，坎艮皆爲木，故曰木馬。膠車不堅，木馬不動，故不利遠賈。艮爲門，坎爲患。艮爲安止。○木馬，從宋、元本。汲古作秝，與下句不接。得全，汲古作不危。依宋、元本。

明夷

家在海隅，橈短流深。企立望宋，無木以趨。

> 坤爲海，坎爲室，故曰家在海隅。坎爲橈，爲流；坤坎皆爲水，故曰流深。震爲行，故曰企立。離爲望。說文，以木架屋曰宋。故艮爲宋。三至五互艮覆，故曰無木以趨。

家人

冬葉枯槁，當風失道。蒙被塵埃，左右勞苦。

> 坎爲冬，巽爲葉，離爲枯槁。巽爲風，坎爲失。言葉埋道上，而失道也。坎爲勞。○冬葉，依宋本。汲古作冬桑。失，依汲古。宋、元本作於。

睽

過時不行，妄逐王公。老女無夫，不安其居。

> 通蹇。艮爲時，爲反震，故不行，故妄逐。兌爲老女，本大過也。艮爲兌夫，艮伏，故曰無夫。坎險，故不安。○無夫，依汲古。宋、元本作失度。非。

蹇

履泥汙足，名困身辱。兩仇相當，自爲痛疾。

> 坎爲泥，爲汙。履足，似用半震象。艮爲名，爲身。坎爲困辱，

爲仇；重坎，故曰兩仇，曰痛疾。○自爲痛疾，依汲古。宋、元本作身爲疾病。

解

精華墮落，形體醜惡。齟齬挫頓，枯槁腐蠹。

震爲精華，伏巽，故墮落。離正反兑口相對，故曰齟齬。巽蟲，故腐蠹。離火，故枯槁。○形體，依元本。汲古作形容。

【補校】形體，依宋、元本。

損

長生無極，子孫千億。松柏爲梁，堅固不傾。

詳臨之觀。

【補校】第三句，宋、元本作栢柱載青。依汲古。

益

去辛就蓼，毒愈酷毒。避穽入坑，憂患日生。

説文，蓼，辛菜。巽納辛，震爲蓼。坤爲毒，爲憂患，震爲生。詩周頌云，莫予荓蜂，自求辛螫。未堪家多難，予又集于蓼。○毒、穽、坑，依元本。汲古作甚，作井，作坎。又，元本多不思我家一句。

【補校】毒、穽、坑，依宋、元本。又，元本毒愈酷毒下，多不思我家一句。

夬

行堯欽德，養賢致福。衆英積聚，國無寇賊。

夬，乾爲帝王，爲德，故曰行堯欽德。乾爲賢，爲福；兑食，故曰養賢致福。伏艮爲君子。坤爲衆，爲聚，爲國，故曰積聚[一]。巽爲寇賊，巽覆，故無。

───────────────

〔一〕“故曰積聚”，稿本作“故衆英積聚”。

【補校】福,汲古作禮。依宋、元本。

姤

狗逐兔走,俱入谷口。與虎逢晤,迫不得去。

象多未詳,疑用遇卦觀象。

【補校】晤,汲古作之。依宋、元本。

萃

望尚阿衡,太宰周公。藩屏湯武,立爲侯王。

詳同人之師〔一〕。

【補校】藩,元本作蕃。依宋、元本。

升

清人高子,久屯外野。逍遥不歸,思我慈母。

詳師之睽。

【補校】外野,宋、元本作野外。依汲古。

困

三虫作蠱,削迹無與。勝母盜泉,居不安處。

巽爲虫。左傳,三虫爲蠱。伏震爲迹,艮手艮刀,故曰削迹。巽爲母,兑剛,故曰勝母。坎爲水,爲盜,故曰盜泉。艮爲居,爲安,艮伏兑折,故不安。○虫,依宋、元本。汲古作蠱。尸子,孔子至勝母縣,暮矣而不宿。遇盜泉〔二〕,渴矣而不飲〔三〕。

〔一〕“師”,稿本、刻本誤“訟”,據諸本林辭改。

〔二〕“遇”,稿本作“過”。

〔三〕“尸子”至“而不飲”,此據清孫星衍校輯《尸子》卷上。按元本《易林》舊注云:“《史記》鄒陽書,里名勝母,曾子不入。盜泉,水名,孔子不漱。”以不入勝母屬曾子,不漱盜泉屬孔子。今檢司馬貞《史記索隱》云:“《淮南子》及《鹽鐵論》並云里名勝母,曾子不入,蓋以名不順故也。《尸子》以爲孔子至勝母縣,暮而不宿。則不同也。”據此,則勝母、盜泉之典,自來即有異説。

【補校】居,宋、元本作君。依汲古。

井

獵牝龍身,進無所前。三日五夜,得其所歡。

通噬嗑。震爲龍,艮爲狗。獵,良犬也。艮犬止震龍上,故曰獵牝龍身。艮爲身,艮止,故不進。離爲日,震數三,故曰三日。坎爲夜,納戊,數五,故曰五夜。震爲歡。○獵,宋、元本作玁。今依汲古。牝,宋本、汲古作作。今依元本。歡,宋、元本作欽。依汲古。

【補校】無所,宋、元本作所無。依汲古。歡,宋、元、汲古諸本皆作欽。翟本注云,當作歡。兹依校。

革

黄裏緑衣,君服不宜。淫涸毀常,失其寵光。

詩衛風,緑兮衣兮,緑衣黄裏。傳謂衛莊公惑於嬖,妾衣上僭也。革通蒙。震爲衣,爲黄,爲君。箋謂緑衣當爲素裏,今黄裏逾制,故曰不宜。坎爲淫涸,爲失。離爲光。○毛傳謂姬妾衣服逾制,此則謂刺衛君。蓋以黄爲正色,反以爲裏而不宜也。與毛異。

鼎

天所顧祐,禍災不到,安吉無懼。

互乾爲天,離爲顧。坤爲禍災,坤伏,故不到而安吉也。○到,宋、元本作至。無,作不。依汲古。

震

盤紆九回,行道留難。止須于邱,乃睹所歡。

艮止,故盤紆。震數九,爲歸,故曰九回。震爲行,艮爲道,艮止,故留難。艮爲邱,爲須。震爲歡。艮爲觀,故曰睹。○于,宋、元本作子。今依汲古。

艮

暴虐失國,爲下所逐。北奔陰胡,主君旄頭。

　　互震爲暴虐。坎爲失,艮爲國,故曰失國。坎爲下,震爲逐,爲奔。坎爲北,爲陰胡。震爲主君,爲毛羽;坎爲首,故曰旄頭。旄頭,被髮也。漢官儀,選羽林爲旄頭,被髮先驅是也。樂彥括地志,夏桀死,其子葷粥北奔,逐水草而居,號曰匈奴。林辭全用其事。○胡,元本作月。依汲古。

　　【補校】胡,宋、元本作月。主作王。均依汲古。

漸

御駬從龍,至霍華東。與禹相逢,送致于邦。

　　駬,赤馬。坎爲馬,爲赤,故曰御駬。伏震爲從,爲龍,故曰御駬從龍。艮爲山,坎西,故曰霍華。霍華,西方大山也。離爲東。伏震爲王,故曰禹。艮爲邦。○霍、禹,依汲古。宋、元本作于,作離。于,汲古作子。依宋、元本。

　　【補校】致,汲古作至。依宋、元本。

歸妹

銅人鐵距,雨露勞苦。終日卒歲,無有休息。

　　伏艮爲銅鐵,震爲人,爲距,故曰銅人鐵距。坎爲雨露,爲勞苦。互離爲日,伏艮爲終,震爲歲,故終日卒歲。艮止,爲休息。艮伏,故不息。○鐵,宋、元本作鑯。依汲古。

　　【補校】鐵,元本作鑯。依宋本、汲古。

豐

大人失宜，盈滿復虧。長成之木[一]，盛者復衰。

> 震爲大人。巽爲虧。震爲成長，爲木，爲盛。巽爲隕落，爲衰。蓋震巽相往來反復，故林辭云爾。○長成，宋、元本作長冬。依汲古。木，元本作禾。依宋本、汲古。

> 【補校】大人，汲古作大夫。依宋、元本。又，長成，汲古作成長。翟本注云，當作長成。兹從校。

旅

梅李冬實，國多盜賊。亂擾並作，王不能制。

> 詳屯之師。此以巽爲盜賊。

巽

澤枯無魚，山童無株。長女嫉妬，使身空虛。

> 兌爲澤，離枯，巽爲魚。枯，故無魚。伏艮爲山，兌上缺爲童。莊子徐无鬼，堯聞舜賢，舉之童土之地。注，童，無草木也。巽爲株，爲長女，伏坎爲嫉妬。艮爲身，離爲空虛。○無株，汲古作難株。從宋、元本。

> 【補校】空虛，汲古作虛空。依宋、元本。

兌

天門冬虛，既盡爲災。腌膜黯蒼，秦伯受殃。

> 通艮。艮居戌亥，故曰天門。坎爲冬，陽窮在上，故曰既盡。廣韻，腌，肥也。膜，醜也。腌膜黯蒼，言戌亥空亡，渺冥無有也。兌爲西，故曰秦。伏震爲伯，坎爲殃。○既盡，汲古作晉季。今依

〔一〕“長成”，稿本作“成長”，兹依刻本。

宋、元本。黯蒼,依宋、元本。汲古作默蒼。

　　【補校】冬,宋、元本作東。依汲古。睽,汲古訛暌。受訛舜。均從宋、元本。

渙

牽衣涉河,水深漬罷。幸賴舟子,濟脱無他。

　　○罷,依訟之萃校。各本皆訛衣。罷音婆。

　　【補校】幸賴,宋、元本作賴幸。依汲古。

節

推車上山,高仰重難。終日至暮,不見卓顛[一]。

　　震爲車,艮手爲推,爲山,故曰推車上山。艮爲高仰。坎爲暮。伏離爲日。艮爲終[二],爲卓顛。坎隱伏,故不見。○不見,宋本作惟見[三]。元本作唯見。皆非。依汲古本。

中孚

鼎煬其耳,熱不可舉。大路壅塞,旅人心苦。

　　通小過。震爲鼎,兑爲耳;艮火在下,故煬其耳,故熱不可舉。震爲大塗,互坎,故壅塞。震爲旅,爲人,坎爲心。鼎九三云,鼎耳革,其行塞。兹與睽之比皆作大塗壅塞,是以行爲道,與常解異。○煬,從局本睽之比校改。宋、元本、汲古本皆作易。非。兑亦形坎,故易林往往以兑爲耳。

小過

四亂不安,東西爲患。退身止足,無出邦域。乃得完全,賴

[一]　"顛",稿本、刻本作"巔",據宋、元、汲古及所見其他各本改。注文倣此。按,顛義通巔。
[二]　"終",刻本誤"重",據稿本改。
[三]　"惟見",稿本、刻本誤"不惟",據宋本改。

其生福。

震卦數四,兌毀,故曰四亂不安。震東兌西,互坎爲患。艮爲身,在下,故曰退身。震足,艮止,故曰止足。艮爲邦域,震爲生,爲福;艮止巽伏,故無出邦域。

既濟

班馬還師,以息勞罷。役夫嘉喜,入户見妻。

坎爲馬,重坎,故曰班馬。坎爲衆,故曰師。坎爲勞疲,艮止,故曰以息勞罷。坎爲役,爲夫,震爲喜。艮爲户,離爲坎妻。既、未濟用半象,易通例也。

未濟

積德不怠,遇主逢時。載喜渭陽,身受榮光。

坎爲積。震主艮時,故曰遇主逢時。震車爲載,爲喜。坎水,故曰渭。艮爲身,離爲光榮。多用半象。林意謂姜太公垂釣,遇文王於渭水,後受封也。○喜,依宋、元本。汲古作善,爲喜之訛。

【補校】汲古善下注云,一作喜。

焦氏易林注卷六

噬嗑之第二十一

噬嗑

麒麟鳳凰，善政得祥。陰陽和調，國無災殃。

　　離爲文，下互大離，故曰麒麟鳳凰。卦水火俱備，故曰陰陽和
調。艮爲國，坎爲災；震樂，故無災殃。

　　【補校】得，宋、元本作德。依汲古。德、得古通。

乾

北風相牽，提笑語言。伯歌叔舞，燕樂以喜。

　　詳否之損。此全用遇卦噬嗑象，不及之卦。

　　【補校】汲古下多北風牽手四字。與首句複，依宋、元本删。

坤

甲戊己庚，隨時運行。不失常節，咸逢出生。各樂其類，達
性任情。

　　此亦全用噬嗑象。坎納戊，離己，震庚，震東方木，故曰甲戊己
庚。艮爲時。震爲運行，爲出生，爲樂。蓋噬嗑震春，離夏，坎冬，

伏兌爲秋,四時俱備,故林云爾。○五六句,宋、元本倒置。今依
汲古。

　　【補校】第四句,宋、元本無。依汲古本增。

屯

破亡之虚,神祇哀憂。進往無光,留止有慶。

　　坎爲破,坤爲亡,爲虚。虚、墟同。震爲神,坤爲地,故曰神祇。
祇,地神也。坎爲憂,震爲進。坎隱,故無光。艮止,故有慶。○神
祇哀憂,汲古作神所憂衰。依宋、元本。

蒙

注斯膏澤,扞衞百毒。防以江南,虺不能螫。

　　坎爲膏澤,爲注。艮守爲扞衞。坤坎皆爲毒,故曰百毒。艮爲
防,坤爲江河,震爲南。坎爲虺,爲螫。○扞,汲古作祈。依宋、元
本。

需

日月相望,光明盛昌。三聖茂功,仁德大隆。

　　坎月離日,坎西離東,故曰相望。離爲光明。坎爲聖,離卦數
三,故曰三聖。謂文、武、周公也。乾爲功,爲仁德[一],爲大,爲
隆。○隆,汲古訛降。茂作成。依宋、元本。

　　【補校】光明,宋、元、汲古諸本作光輝。依師之節校。

訟

大蛇巨魚,戰於國郊。上下隔塞,衞侯盧漕。

　　左傳莊十四年,内蛇與外蛇鬬於鄭南門中[二]。互巽爲蛇,爲

〔一〕“爲”下,刻本脱“仁”字,據稿本改。
〔二〕“鬬”,稿本作“戰”。兹依刻本。

魚,乾爲大。伏坤爲郊,爲國,故曰國郊。伏震爲戰,乾上坎下。伏
震爲衛,坎爲室,爲廬;坎水,故曰廬漕。衛侯[一],戴公也。時狄
滅衛,故暫居漕。漕,左傳作曹,毛詩序作漕[二]。

　　【補校】隔,汲古作濟。依宋、元本。漕,宋、元本作曹。依汲
古。

師

龍入天關,經歷九山。登高上下,道里險難。日晏不食,絕
無甘酸。

　　此用噬嗑象。震爲龍,艮爲天,爲關,故曰龍入天關。艮爲山,
震數九,故曰九山。震爲登,艮爲高,爲上,坎爲下,故曰登高上下。
艮爲道里,坎陷,故曰道里險難。離爲日,坎爲暮,故曰日晏。震爲
口,爲食,坎憂,故不食。巽爲臭,巽伏不見,故絕無甘酸。

比

沙漠北塞,絕無水泉。君子征凶,役夫力殫。

　　互艮爲小石,爲沙,爲塞;坎北,故曰北塞。坎爲水泉,艮火在
下,故無水泉。艮爲君子,震爲征;震覆,故征凶。坤爲役,震爲夫;
震覆,故力殫。○絕無,汲古作純無。依宋、元本。力殫,宋、元本
作苦艱。依汲古。

小畜

關折門啓,衿帶解墮。福與善生,憂不爲禍。

　　伏坎爲關。關,門牡也。兌爲折[三],乾爲門。巽爲帶,爲解

〔一〕　"衛"下,刻本衍一"衛"字,據稿本删。
〔二〕　"序"字,稿本、刻本脱,據阮刻《毛詩正義》補。按《衛風·木瓜》小序"衛
　　　　國有狄人之敗,出處于漕"云云,即尚注所本。
〔三〕　"兌",稿本無。

墮。乾爲福，爲善，故曰福與善生。坤爲憂，爲禍；坤伏，故不禍。○生〔一〕，宋、元本作坐。從汲古。折，汲古作柝。從宋、元本。

履

狼虎所嗥，患害必遭。不利有爲，宜以遁逃。

乾爲虎狼，兌爲嗥。伏坎爲患害。巽爲利，兌折，故不利。巽爲伏，故曰遁逃。言遭遇危險，不利於進，利退也。

泰

金精耀怒，帶劍過午。兩虎相距，弓弩滿野，雖憂無苦。

乾爲金，震爲耀怒。金精，虎也。河圖帝覽嬉，月者金之精。虎，西方宿，故亦爲金精。噬嗑離爲午。艮爲劍，爲虎；正反艮，故曰兩虎相距。艮爲野，坎爲憂，爲弓弩。○苦，汲古作咎。依宋、元本。〔按震之豫與此林辭類同，惟過午下多徘徊高庫，宿於木下八字。末句雖憂無苦則無。故此林五句，彼林凡六句。高庫之義，詳震之豫。〕〔二〕

否

朽根枯樹，華葉落去。卒逢火焱，相隨傴仆。

巽爲樹，爲隕落，故曰朽根枯樹，華葉落去。艮爲火焱，巽隕爲傴仆。○華葉落去，依汲古本。宋、元本作葉落花去〔三〕。○艮爲火證。

〔一〕“生”，稿本無。
〔二〕“按震之豫”至“詳震之豫”一節，刻本無。檢稿本此頁夾一小字條，云“泰注增”。又注文末附書“高庫詳震之豫”六字。蓋書刊行後，作者復加審校，遂有字條及附語。今謹依意增補數語。並藉括號標別，示不敢羼亂原文也。
〔三〕“花”，刻本訛“死”，據稿本改。

同人

入暗出明，動作有光。轉運休息，常樂永康。

　　　　通師。坎爲暗，震爲出，巽爲入，離爲明，爲光。坎隱伏，故轉
運休息。震爲樂。○入暗出明，宋、元本作入和出明[一]。汲古本
作入和出暗。永，汲古作允。依宋、元本。

　　【補校】入暗出明，依局本、翟本。

大有

國多忌諱，大人恒畏。結口無患，可以長存。

　　　　通比。坤爲國，坎爲忌。乾爲大人，乾惕，故曰大人恒畏。坎
爲患，兌爲口。坤閉，故曰結口。言當忌諱之時，宜括囊自守，免於
患害也。

謙

天地淳厚，六合光明。陰陽順序，厥功以成。

　　　　艮爲天，爲光明。坤地爲厚。坎爲合，數六，故曰六合。坤爲
順，九三陽遇陰[二]，通行無阻，故曰順序。震爲功，艮爲成。○
厚、陰陽順序，依宋、元本。汲古作亨，作陰序陽順。

豫

裸裎逐狐，爲人觀笑。牝雞雄晨，主作亂妖。

　　　　詳大有之咸。○雄晨，依宋、元本。汲古作鳴晨。

　　【補校】裸，宋、元本作羸。依汲古。羸、裸同。

────────────

〔一〕“宋、元本”下，稿本缺“作入和出明”五字。蓋因刪修甚多，偶遺落未校竟。
　　遂致刻本又誤改作“從宋、元”。兹據諸本重爲訂正。餘詳“補校”。
〔二〕“九”，稿本無。

隨

陰升陽伏，桀失其室，相餒不食。

　　　　上下卦皆陰在上，陽居下，故曰陰升陽伏。艮爲室。兌剛魯，
　　故曰桀。下卦艮覆，故曰桀失其室。震爲食，初至四正反震，故曰
　　相餒。艮止，故不食。○首句從宋、元本。汲古作陰失陽復。非。

蠱

蜎飛蠕動，各有配偶。大小相保，咸得其所。

　　　　詳臨之豫。

　　　　【補校】蠕，宋、元、汲古諸本皆作蠢。依臨之豫及翟本校。

臨

鬼守我廬，欲呼伯去。曾孫壽考，司命不許，與生相保。

　　　　坤爲鬼，爲我；伏艮爲守，爲廬。震爲呼，爲伯；震往，故曰欲呼
　　伯去。伏艮爲曾孫，爲壽。伏巽爲命，震爲生，故不許也。言鬼雖
　　呼伯去，無如命本壽考，司命不許其去也。

觀

禍走患伏，喜爲我福。凶惡消亡，蓄害不作。

　　　　伏大壯。坤爲禍患，震爲走。言陽長陰消也[一]。震爲喜，乾
　　爲福。坤爲凶惡，爲蓄害；陰消，故曰不作。

賁

智不別揚，張狂妄行。蹈淵仆顛，傷殺伯身。

　　　　坎水爲智。震爲張狂，爲行，爲蹈。坎爲淵，震在上，故曰蹈
　　淵。伏巽，故仆顛。震爲伯，艮爲身；伏兌爲毀折，故傷殺伯身。○

_____

〔一〕"消"下，刻本無"也"字，茲依稿本增。

狂、蹈，汲古作誑，作陷。依宋、元本。

剥

凶憂災殃，日益明章。禍不可救，三郤夷傷。

　　　坤爲凶災，艮爲明，爲日。坤爲禍，爲死，故曰夷傷，曰不可救。
郤者，退也。坤消，故退。正互三坤，故曰三郤。左傳成十七年，晉
厲公殺郤至、郤錡、郤犨。○明章，依汲古。宋、元本作章明。按，
明與殃亦韻。救，宋、元本作休。依汲古。郤，汲古訛都。依宋、元
本。

復

長尾蝹蛇，畫地爲河。深不可涉，絕無以北，悵然噴息。

　　　詳師之咸。○蝹，同蝸。管子水地篇，蝸一頭而兩身，其形若
蛇，其長八尺。然則蝹、蛇，二蟲名也[一]，故曰長尾。師之咸作委
蛇。咸互異，巽爲蟲，亦宜作蝹，故依此校改。第四句，依汲古。
宋、元本作阻絕以無。噴，汲古作憤。依宋、元本。

　　　【補校】蝹，宋本訛踠。依元本、汲古。悵，宋、元本作惆。依
汲古。噴，宋、元、汲古諸本皆作憤。依師之咸汲古本校。

无妄

愛我嬰女，牽引不與。冀幸高貴，反得賤下。

　　　通升。坤爲我，兌爲嬰女。艮手爲牽引。巽爲高，乾爲貴，坤
爲賤。无妄皆事出意外，非所期望之事，故林辭如此。○愛，汲古
訛受。反得賤下，汲古作反曰下賤。均依宋、元本。

大畜

梟游江湖，甘樂其餌。既不近人，雖驚不駭。

————————————————

〔一〕“二”，稿本無。

艮爲鼀,兌爲江湖;鼀在兌水上,故曰鼀游江湖。震爲餌,爲甘樂,爲人。艮鼀在上,故不近人。震爲驚。

【補校】游,元本、汲古作遊。依宋本。

頤

明滅光息,不能復食。精魄既喪,以夜爲室。

艮爲光明,坤黑,故息滅。震爲食,坤死,故不食,故曰喪。震爲精坤,爲魄,爲夜,艮爲室。

大過

奇適無偶,習靜獨處。所願不從,心思勞苦。

奇,隻也。禮,投壺一算爲奇。適,往也。奇適無偶,言獨往也。巽爲寡,正覆巽相背,又陽陷陰中,故所願不從。伏坤爲心,爲思;坤萬物致役,故爲勞苦。○偶,依宋本、汲古,元本作耦[一]。靜,宋、元本作靖。依汲古。

坎

葛藟蒙棘,華不得實。讒佞亂政,使忠壅塞。

詳師之中孚。説詩異毛。

離

鵲笑鳩舞,來遺我酒。大喜在後,授我龜紐。龍喜張口,超拜福祉。

離爲鳩,伏震爲鵲,爲笑舞,故鵲笑鳩舞。伏坎爲酒,震爲喜,爲後,故曰大喜在後。艮爲遺,爲授,爲龜。震爲龍,爲口。龜紐、

[一]"偶,依宋本、汲古,元本作耦",稿本原即如此。惟稿中改動頗多,辨識易淆,刻本遂誤作:"偶,依元本、宋本、汲古作耦。"今從稿本,並參核宋、元、汲古諸本校正。

龍口，皆印飾。後漢輿服志，諸王金印龜紐。注引漢舊儀，傳國璽，
槃五龍。龜紐、龍口，言得印綬也。震爲福祉，艮手爲拜。全用伏
象。○超，依汲古本。宋、元本作起。

【補校】我，宋、元本作吾。依汲古。

咸

搖尾逐災，雲沈孽除。洿泥生粱，下爲田主。

　　艮爲尾，伏坤爲災，震爲搖，爲逐。坤爲雲，爲孽，爲水，爲洿
泥。震爲粱，爲主。坤爲田，爲下。多用伏象。○第二句，汲古作
雲夔辟除〔一〕。依宋、元本。

恒

白鶴銜珠，夜食爲明。膏潤優渥，國歲年豐。

　　震爲鶴，爲珠；兌口爲銜，爲食。兌昧爲夜，乾爲光明，兌水〔二〕，
故曰膏潤優渥。乾爲年歲。按搜神記，有鶴爲弋人射傷，噲參爲療
養之，創愈放之。後鶴夜銜珠〔三〕，雌雄各一，到門外爲報。

遯

內執柔德，止訟以默〔四〕。宗邑賴德，禍災不作。

　　陰柔在下，故曰內執柔德。乾爲言，兌爲言，而兌反與乾言相
背，故曰訟。下卦艮止，故嘿爾不訟。艮爲邑，乾爲宗，爲德。坤爲
災禍，坤伏，故不災。○默，元本作嘿。依宋本、汲古。

大壯

犬吠驚駭，公拔戈起。玄冥厭火，消散瓦解。

〔一〕“汲古作雲夔辟除”，稿本“夔”作“孽”。據汲古本校改。按，“夔”同“孽”。
〔二〕“兌昧”至“兌水”，稿本作“伏坤爲夜，艮爲光明，互大坎”。
〔三〕“後鶴夜銜珠”，刻本“鶴”下無“夜”字。據稿本校增。
〔四〕“止訟以默”，刻本“止”訛“上”。據稿本校改。

伏艮爲犬。震爲吠,爲驚,爲公,爲起。艮爲戈,爲拔,故曰公拔戈起。玄冥,水神。月令,孟冬之月,其神玄冥。水尅火,故曰厭火。伏坤爲水,艮爲火;火在水上,當然消散。震爲瓦,爲解。玄冥,北方水神。伏坤位北,而地黑,故曰玄冥。

晉

公悦嫗喜,子孫俱在。榮譽日登,福禄來處。

象多未詳。或用遇卦象。

明夷

鳥鳴哺鷇,長欲飛去。循枝上下,適與風遇。顛隕樹根,命不可救。

離爲鳥。震爲鳴,爲子,爲食,故曰哺鷇[一]。鷇,小鳥也。震爲長,爲飛,爲枝,爲上。坤爲下。伏巽爲風,爲顛隕,爲樹,爲命。坤死,故不可救。○哺,汲古訛捕。依宋、元本。

家人

析薪熾酒,使媒求婦。和合齊宋,姜子悦喜。

巽木爲薪,坎爲破,故析薪。坎爲酒,火在下,故曰熾酒。坎爲通,故曰媒。巽爲婦,爲齊。説文,以木架屋曰宋。故艮爲宋。遇卦噬嗑,互艮姜,齊姓;子,宋姓。伏震爲喜。詩齊風,析薪如之何,匪斧不克。娶妻如之何,匪媒不得。毛謂文姜歸魯,齊襄思之。兹曰齊宋,是齊詩不指文姜[二]。

睽

鄰不我顧,而望玉女。身多疣癩,誰當媚者。

〔一〕"鷇",刻本脱,據稿本補。
〔二〕"是",稿本作"似"。

詳師之小過。○我，依汲古。宋、元本作可。非。而望玉女，汲古作而望至女。依宋、元。

【補校】而望玉女，宋、元本望作求。汲古玉作至。依師之小過校。疚，宋、元本作疾。依汲古。

蹇

遠視無光，不知青黃。黈纊塞耳，使君闇聾。

此用噬嗑象。艮爲觀，爲光。坎隱，故無光。離爲黃，震爲青，爲黃。漢書東方朔傳，黈纊垂耳，所以塞聰。注，以黃綿爲圈，懸於冕之兩旁，示耳不外聽。坎爲耳，爲塞，故耳塞〔一〕。伏巽爲綿。纊黈，黃色，亦震象。震爲君，耳塞，故闇聾。

【補校】光，宋、元本作明。依汲古。

解

尅身整己，逢禹巡狩。賜我玄圭，蒙受福祐〔二〕。

艮爲身，艮覆，故曰尅身。震爲王，爲禹，爲巡狩；爲玉，爲玄黃，故曰玄圭。又爲福祉。○整己，依汲古。宋、元本作己整。祐，依汲古。宋、元本作祉，上聲，與狩不協。

【補校】圭，宋、元本作珪。從汲古。圭、珪同。

損

遠望千里，不見黑子。離婁之明，無益於光〔三〕。

坤爲千里，艮爲望。震爲子，坤黑，故曰黑子。坤閉，故不見。離爲光明，互大離，故曰離婁。離婁，古明目人，見孟子。

〔一〕“故耳塞”，稿本作“震爲君”。
〔二〕“蒙受福祐”，稿本、刻本誤作“蒙福受祐”，據宋、元、汲古及所見其他各本改。
〔三〕“益”，刻本訛“盈”，據稿本改。

益

斧斤所斫,瘡痏不息。鍼石不施,下即空室。

　　　伏兌爲斧。艮手爲斫,爲節,爲瘡痏,爲石,爲室。坤死,故曰
下即空室。

　　　【補校】斫,宋本訛砟。依元本、汲古。石,汲古訛口。依宋、
元本。

夬

南國少子,才略美好。求我長女,賤薄不與。反得醜陋,後
乃大悔。

　　　詳比之漸。〇南國,依校改。各本作齊侯。非。〇此以乾爲
南之證。

姤

失儷後旅,天門地户。不知所在,安止無咎。

　　　巽與震爲儷偶,爲伴旅。巽寡,故失儷後旅。内經,乾居西北爲天
門,巽居東南爲地户。巽進退,故不知所在。懼陰消陽,故安止無咎。

萃

烏孫氏女,深目黑醜。嗜欲不同,過時無偶。

　　　艮爲孫,爲黔,故曰烏孫。兌爲女,伏大離,故曰深目。坤爲
黑,爲醜。艮爲時,巽寡,故無偶。

　　　【補校】偶,汲古作咎。依宋、元本。

升

伯駕純騮,南至東萊。求索車馬,道關中止。

　　　震爲伯,爲駕,爲馬。純,黑也。坤爲黑,故曰純騮。震爲南;
又爲東,爲草莽,故曰東萊。山名。坤爲車,爲馬。伏艮爲求,爲

道，爲止。〇伯，宋、元本作叔。闋，作悦。依汲古。萊，汲古作華。
依宋、元本。車，宋、元本作駒。依汲古。

困

二女寶珠，誤鄭大夫。交父無禮，自爲作笑。

　　丁云，初學記引韓詩，鄭交甫過漢皋，遇二女佩兩珠，交甫索其
珠，二女與之，去十步亡矣。故曰誤。兑爲女，卦數二，故曰二女。
伏震爲珠，爲夫。坎爲鄭，震爲父，爲笑。言交甫無禮於二女，致招
笑侮，由自取也。〇交，宋、元、汲古皆作君。依王先謙校。

井

陽城太室，神明所息。仁智之居，獨無兵革。

　　詳需之蒙。伏震爲仁，坎爲智。〇仁智之居，依宋、元本。汲
古作仁者之君。非。

革

大蛇爲殃，使道不通。歲收尠少，年穀敗傷。

　　巽爲蛇，乾大，故曰大蛇。伏震爲道路，坤閉，故不通。史記，
高祖夜徑澤中，有大蛇當徑是也。乾爲歲，巽隕落，故歲收尠少，故
年穀傷。巽爲穀也。〇歲收，依汲古。宋、元本作歲露。尠，依宋、
元本。舊注云，音鮮。汲古作甚。非。

　　【補校】大，從宋、元本。汲古作反。又注云，一作大。

鼎

三足孤烏，靈明爲御。司過罰惡，自殘其家，毀敗爲憂。

　　詳坎之渙[一]。此以離爲烏，伏震爲足。

―――――――――

〔一〕“渙”，刻本訛“焕”，據稿本改。

震

車雖駕，兩靷絕。馬欲步，雙輪脫。行不至，道遇害。

　　震爲車，爲駕。伏巽爲靷，巽隕，故絕。震爲馬，爲步。互坎爲輪，伏兌卦數二，故曰兩靷，曰雙輪。震爲行，爲道，坎爲害。○無論明刊清刊，各本皆删去雖字、不字，作爲四字句。而汲古本下注一本作云云，仍按原文改竄成四字句，尤爲妄謬。兹依宋、元本。

　　【補校】汲古注曰：一本云膠車乃駕，兩引如繩。馬絕靷走，雙輪脫去。

艮

鬱映不明，爲陰所傷。衆霧集聚，共奪日光。

　　艮爲明，坎黑，三上皆乘重陰，故曰鬱映不明。映，日食色也。坎爲衆，爲雲霧，爲積。離日伏，故奪日光。○映，依汲古。宋、元本作怏。集聚，依宋、元。汲古作麗集。映，音決。

漸

鷦鳩鴟鴞，治成遇災。周公勤勞，綏德安家。

　　艮爲鳥，故曰鷦鳩。鴟鴞，豳風，周公貽成王詩也。坎爲災，伏震爲周，爲公。坎爲勞，艮爲家。按毛傳，鴟鴞，鷦鳩也，以喻管蔡。此作鴟鴞，鴞、鴞同。鴞長大食母，故曰治成遇災。言其母養成而遇害也。此與韓詩説合。韓詩，鴟鴞，所以愛其子者，適以病之。正以喻成王也。疑較毛傳訓切。○鷦，依宋本。汲古作鸋。非。治成，元本、汲古皆作治城。依宋本。遇災，宋、元本、汲古皆作禦災。依局本。

　　【補校】鷦，依宋、元本。治成，汲古作治城。依宋、元本。又，鴞，依汲古。宋、元本作鴞。按，鴞、鴞一物而異名。

歸妹

名成德就，項領不試。景公耄老，尼父逝去。

詳履之剥。

豐

一夫兩心，歧刺不深。所爲無功〔一〕，求事不成。

詳豫之臨。○歧，宋、元本作岐。依汲古。歧，尖也。後漢張堪傳，麥秀兩歧，是其證。又隴上記，狄梁公墓棘直而不歧，言不尖也。

【補校】歧，宋、元本、汲古皆作岐。學津、局本作拔。依豫之臨校。

旅

羿張烏號，榖射天狼。柱國雄勇，敗於滎陽。

羿，古之善射者。論語曰，羿善射是也。烏號，弓名。天狼，星名。淮南子，堯時十日並出，命羿射之落其九。此云射天狼，與淮南子異。史記陳涉世家，以房君蔡賜爲柱國，後戰死，而不著其處。柱，各本皆作趙。惟翟氏校略作柱〔二〕。恐趙國是人名。今姑依翟本。兌剛魯，故曰羿。離爲烏，兌爲號。艮爲天，爲狼，爲星，爲柱，爲國。兌爲雄勇，爲毀折，故敗。滎，水名。伏坎爲水。○柱，宋、元、汲古作趙。依翟本。滎，元本訛滎。依宋、汲古本。

巽

東家殺牛，污穢腥臊。神背西顧，命衰絶周。

〔一〕“爲”，刻本訛“以”，據稿本改。
〔二〕“惟翟氏校略作柱”，稿本、刻本皆作“惟丁晏釋文作柱”。按丁氏《易林釋文》未及此林，檢翟云升《焦氏易林校略》作“柱”字。此蓋偶將翟書誤作丁書，今謹爲校訂。下文“翟本”倣此。

互離爲東，爲牛，伏艮爲家。兑毁折，故曰殺。巽爲臭，故曰腥臊。伏震爲神，艮爲背，互兑爲西，離爲顧。巽爲命，爲衰絶，伏震爲周。神背西顧者，言神背東鄰衶，西顧于周。命衰絶周者，言殷命衰歇，而絶于周也。義本既濟九五爻辭。蓋漢儒説多如此，然實非也。○穢，汲古作臭。背，作皆。依宋、元。衰絶，宋、元本作絶衰。依汲古。

【補校】穢，宋、元、汲古及所見其他各本皆作臭。此作穢，疑誤，抑别有所據。謹紀以備考。

兑

火起吾後，喜炙我廡。蒼龍衝水，泉嘿屋柱，雖憂無咎。

通艮。艮爲火，震爲起，爲後，故曰火起吾後[一]。震爲喜，爲口，爲蒼龍，爲衝。坎爲水泉[二]。艮爲屋，爲柱。坎爲憂。言火雖近，以龍衝水嘿洒屋柱，而無咎也。○吾後，汲古作我後。憂作難。均依宋、元本。我廡，宋、元本訛我鹿。汲古作吾廬。依既濟之恒校。屋柱，宋、元作柱屋。期與鹿韻。尤非。依汲古。

涣

桃雀竊脂，巢於小枝。摇動不安，爲風所吹。寒心慄慄，常憂殆危。

詳謙之遯。○慄慄，汲古作飄摇。依宋、元本。殆危，宋、元本作不殆。依汲古。桃雀，即桃蟲。毛詩注，鷦鷯也。

節

徙足去域，飛入東國。有所畏避，深藏遠匿。

震爲足，爲去，爲飛，爲東。艮爲域，爲國。坎爲畏避，爲藏

〔一〕"吾"，刻本作"我"，據稿本改。

〔二〕"水"下，刻本衍一"水"字，據稿本删。

匱。○徙，汲古作徒。依宋、元本。遠，宋、元作隱。依汲古。

中孚

瓊英朱草，仁政得道。鳬鷖在渚，福禄來下。

　　齊詩，尚之以瓊英乎而。箋，瓊英，猶瓊華也。元本注，朱草，百草之精，王者德盛則生。互震爲英，爲草，爲玉。艮納丙，色赤，故曰朱草。艮爲道，震爲仁，爲福禄。艮爲鳥，爲鳬鷖。三四句，小雅詩語。○瓊，依宋、元本。汲古作璚。

小過

陳蔡之厄，從者飢罷。明德上通，憂不爲凶。

　　震爲陳，爲蔡，爲從。互大坎爲厄，爲勞，故曰飢罷。艮爲明，震爲通。坎爲憂凶，震出，故不憂凶。○罷，音婆，依宋、元本。汲古作瘦。厄，依汲古。宋、元本作危。亦非。論語，子厄於陳蔡，從者病，莫能興。

既濟

春桃生華，季女宜家。受福多年，男爲邦君。

　　詳師之坤。

未濟

徑邪賊田，政惡傷民。夫婦呪詛，泰山覆顛。

　　艮爲徑，爲田。坎爲邪，爲賊。徑邪則侵田，故曰賊田。坎爲傷，爲衆，爲民，爲惡。政惡虐民，故曰傷民。坎夫離婦，離兩兑口相對，故曰呪詛。艮爲山，巽下斷，故覆顛。多取半象。○泰山，依汲古。宋、元本作太山。似非。

　　【補校】泰山，宋本作太上。元本作太山。詛，汲古作咀。依宋、元本。詛、咀通。

賁之第二十二

賁

仁政不暴,鳳凰來舍。四時順節,民安其居。

震仁坎和,故曰不暴。離爲鳳凰,艮爲舍。震春,離夏,坎冬,伏兌爲秋,故曰四時順節。艮爲節。坎爲民,艮爲安,爲居。○首句依汲古。宋、元作政不暴虐。

乾

八口九頭,長舌破家。帝辛沈湎,商滅其墟。

此用賁卦象[一]。震爲口,艮數八,故曰八口。乾爲首,數九,故曰九頭。帝辛,紂也。震爲帝,伏兌爲秋。月令,秋,其味辛,其音商。故曰帝辛。互坎,故曰沈湎。艮爲虛,坎伏,故曰滅。長舌,指賁互震[二]。兌爲舌,震形長於兌,故曰長舌。謂妲己也。艮爲家,坎爲破,故曰破家。

坤

鬼守我門,呼伯入山。去其室家,舍其兆墓。

此亦用賁象。坎爲鬼,艮爲門。震爲伯,爲呼。艮爲山,爲墓,爲舍。坎爲室。○舍,依宋、元本。汲古作捨。坤爲兆。孝經,卜其宅兆而安厝之。注,塋墓界域曰兆。舍,居也。

屯

日出阜東,山蔽其明。章甫薦屨,箕子佯狂。

[一]“此”下,稿本有“似”字。

[二]“互”,刻本誤“下”,按賁下卦爲離,上互爲震。謹依校。又,注文“長舌”至“破家”稿本無。

艮爲山阜,震爲東。離伏,故明蔽。艮爲冠,爲章甫;震爲屨,爲草。薦,草也。震爲箕,爲子,爲狂。上朝服,下草屨,不類,故曰狂。○屨,依宋、元本。汲古作履。

蒙

戴盆望天,不見星辰。顧小失大,福逃牆外。

震爲盆。艮爲戴,爲天,爲望,爲星辰。坎隱,故不見。艮爲小,震爲大;坎失,故曰失大。震爲福,艮爲牆。

需

兩輪並轉,南上大阪[一]。四馬共轅,無有重難,與語笑言。

坎爲輪,兑卦數二,故曰兩輪。離爲南。乾爲山,爲阪,爲馬[二]。兑數四,故曰四馬。兑爲笑言。轅象似指坎。坎爲棟,故爲轅。古牛車兩轅,馬車一轅。轅左右各兩馬,轅居正中,正坎象也。○並轉,汲古作曰轉。依宋、元本。

訟

羊驚狼虎,聳耳羣聚。行旅稽難,流連愁苦。

此用賁象。震爲羊,艮爲狼虎,震爲驚,故曰羊驚狼虎。坎爲耳,爲衆,故曰羣聚。震爲行旅,艮止,故曰稽難。坎陷,故曰流連,曰愁苦。全用遇卦象。

【補校】聳,宋、元本作悚。依汲古。

師

梗生荆山,命制輪班[三]。袍衣剥脱,夏熱冬寒。飢餓枯槁,

〔一〕“上”,刻本訛“山”,據稿本改。
〔二〕“乾爲山,爲阪,爲馬”,稿本作“伏艮爲阪,乾爲馬”。
〔三〕“輪”,稿本、刻本作“輪”。按乾之既濟、大有之未濟,尚注皆訂爲“輪”。兹從校。

衆人莫憐。

　　詳大有之未濟。○梗，汲古作梗。非。

　　【補校】梗，依宋、元本。輸，汲古訛輪。從宋、元本。飢，宋、元本作立。依汲古。

比

鳥飛無翼，兔走折足。不常其德，自爲羞辱。

　　艮爲鳥，震爲兔，爲翼，爲足。震覆，故無翼，故折足。又震爲德，震覆，故曰不常其德。坤爲羞辱。

小畜

條風制氣，萬物出生。明庶長養，花葉茂榮。

　　巽爲風，爲氣；巽木，故曰條風。乾爲生，伏坤爲萬物。兌爲花。史記律書，條風居東北，主生萬物。故曰長養。○出生，依汲古。宋、元本作生出。茂榮，宋、元本、汲古皆作壯茂。依局本。

　　【補校】茂榮，汲古作壯茂。依宋、元本、局本。

履

坤厚地德，庶物蕃息。平康正直，以綏大福。

　　通謙。坤爲厚，爲庶物。震爲蕃息。坎爲平正。乾爲直，爲大福。○庶，汲古作萬。依宋、元本。

泰

昴畢附耳，將軍乘怒。徑路隔塞，燕雀驚駭。

　　伏艮爲星，故曰昴畢附耳。皆星名也。震爲武人，故爲將軍；爲怒，爲徑路。坤閉，故曰隔塞。兌爲燕雀〔一〕，震爲驚駭。翟云

〔一〕“兌”下，刻本脱“爲”字。又下文“附耳動搖”，“動”上脱“附耳”二字。均依稿本校補。

升云,天官書,昴主旄頭,畢主邊兵。其大星旁有小星,曰附耳。附耳動搖,主有讒亂臣在側。○乘,依汲古。宋、元本作求怒。非。

否

東風啓户,黔啄翻舞。各樂其類,咸得生處。

　　巽風艮户,艮爲黔啄,爲翻舞。六爻皆有應與,故曰各樂其類。○啄,無論何本皆同。是焦讀黔喙爲黔啄,專主鳥象。

同人

兩足四翼,飛入家國。寧我伯姊,與母相得。

　　通師。震爲足,坤數二,故曰兩足。震爲翼,卦數四,故曰四翼。坤爲我,爲國。震爲伯,巽爲姊,故曰伯姊。坤爲母。

大有

歲暮花落,陽入陰室。萬物伏匿,藏不可得。

　　通比。坤爲歲,爲暮。兌爲花,兌毀,故落。坎爲室,九五居羣陰之中,故曰陽入陰室。坤爲萬物,坎爲伏,故曰匿,曰藏。○藏,依宋、元本。汲古作歲。

謙

釋然遠咎,避患高阜。田獲三狐,以貝爲寶。

　　坤爲咎,在外,故曰遠。坤爲患害,在外,故曰避。艮山,故曰高阜。震爲田,艮爲狐;震數三,故曰三狐。艮爲貝,震爲寶。○高阜,依汲古。宋、元本作害早,係形訛。汲古寶下多君子所在,安寧不殆二句。宋、元本無。

豫

遷延卻縮,不見頭目。日以困急,不能自復。

　　艮止,故遷延卻縮。乾爲頭,離爲目;乾離皆伏,故不見。坎爲困急。地雷復，今雷在上，故不能復。○遷，宋、元本作鵲。依汲古。不能自復，汲古無。依宋、元本添。目、復爲韻，故知汲古非。

隨

秋隼冬翔，數被嚴霜。雞犬夜鳴，家擾不寧。

兌秋，艮隼。互大坎，故曰冬，曰霜。巽爲雞，艮爲犬，震爲鳴，兌爲夜，故曰雞犬夜鳴。艮爲家，震爲驚擾。○雞，依宋、元本。汲古作雄。非。

蠱

班馬還師，以息勞疲。役夫嘉喜，入戶見妻。

此用賁象。震爲馬，爲反，故曰班馬，曰還師。坎爲勞，艮止，故曰以息勞疲。震爲夫，爲喜。艮爲戶，巽爲入。震巽爲夫婦，故入戶見妻。○戶，依宋、元本。汲古作室。亦可從。

臨

老楊日衰，條多枯枝。爵級不進，逐下摧隤。

震爲楊，坤敝，故曰老楊。伏巽，故曰枯。震爲爵。左傳，不行之謂臨，故曰不進。坤喪兌毀，故曰摧隤。震爲逐，坤爲下。逐下者，言漸流而下也。○逐下，依宋、元本。汲古作遂至。

觀[一]

順風吹火，牽騎驥尾。易爲功力，因懼受福。

噬嗑

六人俱行，各遺其囊。黃鵠失珠，無以爲明。

詳臨之師。○鵠，宋、元本作鶴。

〔一〕觀林之辭，稿本、刻本原脫，今據宋、元、汲古本補。惟注暫付闕如。

剥

依叔牆隅，志下心勞。楚亭晨食，韓子低頭。

　　詳同人之震。○第二三句，依汲古。宋、元本作志下勞苦，楚
　　相辰食。非。此用韓信寄食亭長事。勞與頭，古協。

　　【補校】第三句，汲古亭作王。依同人之震校。

復

三牛生狗〔一〕，以戌爲母。荆夷上侵，姬伯出走。

　　詳坤之震。

无妄

鶴盜我珠，逃於東都。鵠怒追求，郭氏之墟。不見蹤跡，反
爲禍災。

　　詳豫之明夷。○怒，依宋、元本。汲古作起。元本此林及大畜
　　皆列恒下。非。此以巽爲盜。

大畜

升輿中退，舉事不遂。餔糜毀齒，失其道理。

　　震爲車，爲升。上艮爲反震，故曰中退，曰舉事不遂。兌口爲
　　餔，爲齒，震爲糜。糜，至爛之食，乃餔之而齒毀，故曰失道。艮爲
　　道，兌毀。○升輿，從局本。宋、元本、汲古本皆作外與〔二〕。餔，
　　宋、元本作哺。義同。糜，從汲古。宋、元本作麋。

〔一〕 "三牛生狗"，稿本"牛"作"年"。並注云："年，依坤之震校。各本皆作牛。
　　坤爲牛，共三坤，故曰三牛。然牛無生狗之理。恐震數三，坤爲年歲，故曰
　　三年。狗似用覆艮象。坤候卦居戌，故以戌爲母。"此段注文刻本已删。
　　今謹録存，以備參覽。
〔二〕 "與"，刻本誤"輿"，據稿本改。

【補校】升輿,從宋、元本、局本。汲古作外輿。

頤

鴻鵠高飛,鳴求其雌。雌來在户,雄哺嘻嘻。甚獨勞苦,
鱉膾鯉。

　　艮爲鴻鵠,爲高飛。震爲鳴,艮爲求。坤爲雌,爲户。震爲雄,
爲哺,爲嘻嘻。坤役萬物,故曰勞苦。艮爲鱉,坤爲鯉。○
作焦。從宋本、汲古。

大過

褰衣涉河,水深漬罷。幸賴舟子,濟脱無他。

　　詳剝之貫。罷音婆,同疲。○漬罷,宋本、汲古作漬衣。依
元本。

　　【補校】幸賴,元本作賴幸。依宋本、汲古。

坎

虎齧龍指,泰山之崖。天命不佑,不見其雌。

　　互艮爲虎,震爲龍,爲齧。艮爲指,故曰虎齧龍指。艮爲山崖,
爲天。巽爲命,巽伏,故曰天命不佑,故曰不見其雌。

離

明不處暗,智不履危。終日卒歲,樂以笑歌。

　　離爲明智,伏坎爲暗,爲危。離爲日,伏震爲歲,艮爲卒。震爲
笑樂。○日,依宋、元本。汲古作年。

咸

三足俱行,傾危善僵。六指不便,恩累弟兄。樹柱閡車,失
其正當。

　　通損。震爲足,爲行,數三,故曰三足。兑爲傾危,艮止爲僵,

爲指。乾後天數六,故曰六指。足、指,原恃以行動[一]。乃三足,
行宜速而善僵;六指,宜便利而爲累,皆以有餘而不利。坤爲車,艮
木在上而止,故曰樹柱閡車。坤爲失,爲恩累。左傳昭六年,生不
恩賓。注,恩,猶患也。〇坤爲憂患,亦失傳象。〇車,依宋、元本。
汲古訛居。

恒

舍車而徒,亡其駁牛。雖喪白頭,酒以療憂。

　　震爲徒行,爲駁。坤爲車,爲牛。坤伏,故曰舍車,曰亡牛。乾
　　爲頭,巽白,故曰白頭。互大坎爲酒,爲憂。

　　【補校】駁,從汲古。宋、元本作駮。同駁。

遯

析薪熾酒,使媒求婦。和合齊宋,姜子悅喜。

　　詳噬嗑之家人。

大壯

夜視無明,不利賈商。子反笑歡,與市爲仇。

　　通觀。坤爲夜,艮爲視;坤黑,故無明。震爲商賈,兌折,故
　　不利。震爲子,爲歸,故曰子反。震爲笑歡,伏巽爲市。〇不利,
　　汲古作不離。依宋、元本。賈商,元本、汲古作商賈。從宋本,與
　　明韻。

晉

徒行離車,冒厭泥塗,利以休居。

　　震爲車,爲行。震覆,故曰徒行,曰離車。震爲冒。上坎,故曰

―――――――――――――――――――――――

〔一〕"足、指,原恃以行動",稿本作"震兄艮弟"。又下文"坤爲車",稿本作"震坤皆
　　爲車"。

泥塗。艮止，故休。〇冒厭，宋、元本作不冒。依汲古。厭，當也。
史記高祖紀，因東游以厭之是也。

明夷

作室山根，人以爲安。一夕崩顛，破我壺殞。

　　坎爲室，艮爲山；艮覆，故曰崩。震爲人，坎爲夕；數一，故曰一
夕。坎爲破，震爲壺。〇夕，依汲古。元本作昔。〇按，此亦或取
賁象〔一〕。

家人

東山西山，各自言安。雖相登望，竟未同堂。

　　此似用賁象。艮山，震東坎西。三至上正反震艮，故曰相登
望。震爲登，艮爲望，爲堂。正反艮相背，故未同堂。〇首句，依汲
古。宋、元本作山東山西。

　　【補校】竟，宋本作意。依元本、汲古。

睽

君子在朝，凶言去消。驚駭逐狼，不見雄英。

　　此亦用遇卦賁象。艮爲君子，爲朝。震爲言，坎險，故曰凶言。
左傳，艮爲壞言，故曰凶言去消。震爲驚駭。艮爲狼，震爲行，故曰
逐狼。〇雄英，依汲古。宋、元本作英雄。

　　【補校】去消，汲古作消去。從宋、元本。

蹇

轞轞填填，火燒山根。不潤我鄰，獨不蒙恩。

　　轞轞，車聲。填填，厚重貌。莊子馬蹄篇，至德之世，其行填

〔一〕“取”，刻本誤“作”，據稿本改。

填是也。此亦用遇卦賁象。火在山下，故曰火燒山根。震爲鄰，
火在坎下，水涸，故不潤我鄰。○轊，依宋、元本。汲古訛轒。
填，宋、元本作壙，存左半。汲古作慎，存右半。依兩本證之，的
是填字。

【補校】轊，依元本。宋本、汲古訛轒。

解

南山之蹊，真人所在。德配唐虞，天命爲子。保佑歆享，身
受大慶。

詳否之豫。○在，汲古作遊。依宋、元本。

損

龍蛇所聚，大水來處。泱泱霈霈，淡淡礚礚[一]，使我無賴。

詳泰之豐。○霈，宋、元本作濡。依汲古。第四句，汲古作淡
淡礚礚。依宋、元本[二]。

益

旄裘苦蓋，慕德獻服。邊鄙不聳，以安王國。

坤爲裘，爲服，爲邊鄙，爲國。震爲毛羽，爲旄，爲草，爲苦。艮
爲蓋，爲獻。不聳者，言夷狄來服，而邊鄙不震聳也。○苦蓋，汲古
作若闔。聳作悚。均依宋、元本。

夬

光祀春成，陳寶雞鳴。陽明失道，不能自守，消亡爲咎。

[一] “礚礚”，稿本、刻本作“濫濫”，據宋、元本改。按“礚”音科，“礚礚”象水擊
　　石之聲。《楚辭·九章·悲回風》“憚涌湍之礚礚兮”是也。又，“濫”音
　　蘫，此訂爲“濫濫”，似欲與“賴”韻。然未審所本。疑“礚”爲“濫”之形訛。
[二] “依宋、元本”，刻本脫“宋”字，據稿本補。

詳大有之井。〇光祀,依大有之井校。宋、元、汲古本皆作
光體。

【補校】寶,宋、元、汲古諸本皆作倉。依翟本及大有之井元本
校。

姤

下泉苞稂[一],十年無王。荀伯遇時,憂念周京。

詳蠱之歸妹。〇荀,依汲古。元本作郇。

【補校】荀,宋、元本、汲古皆同。唯元本注云,當作郇。

萃

仁德不暴,五精就舍。四序允釐,民安其居。

序,宋、元作牧。依汲古。

升

隋和重寶,眾所貪有。相如睨柱,趙王危殆。

震爲珠玉,故曰隋和重寶。隋珠、和璧也。坤爲眾,爲多。震
爲柱,爲王。坤爲危殆。〇所,宋、元本作多。依汲古。史記藺相
如傳,相如以璧至秦,察秦人無意與城,乃持璧睨柱而言曰,臣頭將
與璧俱碎。

困

鳳生五雛,長於南郭[二]。君子康寧,悅樂身榮。

互離爲鳳,巽卦數五,故曰五雛。兌爲雛。伏震爲長[三],爲

〔一〕"稂",刻本誤"狼",據稿本改。
〔二〕"郭",刻本作"城",據稿本改。
〔三〕"兌爲雛。伏震爲長",稿本作"伏震爲雛,爲長"。

南。艮爲郭,爲君子,爲身〔一〕。震爲康樂。

井

二人爲旅,俱歸北海。入門上堂,拜謁王母。勞賜我酒,女功悦喜。

> 通噬嗑。震爲人;正覆艮,故曰二人。坎爲北,爲海,震爲歸,故俱歸北海。艮爲門,爲堂,巽人。震爲王,巽爲母,艮爲拜,故曰拜謁王母。坎爲酒。兑爲女,爲悦喜。○旅,宋、元本作侣。依汲古。悦喜,汲古作不喜。非。依宋、元本。

革

逐憂去殃,洿泥生梁〔二〕,下田爲王。

> 通蒙。震爲逐,坤爲憂,爲殃。坤坎皆爲水,故曰洿泥。震爲生,爲梁。坤爲下,爲田,震爲王。○去,汲古作除。兹依宋、元本。

鼎

東門之壇,茹蘆在阪。禮義不行,與我心反。

> 通屯。震東,互艮爲門,爲壇。震爲茹蘆。毛傳,茹蘆,茅也。艮爲阪。坤爲禮義,坤閉,故不行。坤爲我,爲心。鼎巽爲心,初至五正反巽,故曰心反。黄丕烈云,正義云,徧檢諸本皆作壇,今定本作墠。釋文云,壇音善,依字當作墠云云。今易林正作壇,可見作易林時仍是壇字,與孔疏合。今作墠,似是實非。是易林可證經誤字。○壇,汲古作墠。依宋、元本。○按此詩毛以爲刺淫奔。焦以爲賢人居鄭東門,君若臣不以禮致之,室近人遠也。義較毛長。

〔一〕“爲身”,刻本無,據稿本補。
〔二〕“梁”,刻本訛“梁”,據稿本改。

震

鼻遇稻蘆,甘樂虌鰌,雖驅不去。

> 艮爲鼻,震爲蘆稻,爲虌。虌,廣韻、集韻皆音礦。玉篇,大麥也。
> 伏巽爲魚,爲鰌。震歸,故不去。○蘆,宋、元本作廬。今依汲古。

艮

清人高子,久屯外野。逍遥不歸,思我慈母。

> 詳師之睽。○依師之睽校作慈母。各本皆作君母。又各本多
> 公子奉請,王孫嘉許二句,與上文語意不合,亦依師之睽校删。
>
> 【補校】宋、元本下多公子奉請,王孫嘉許二句。汲古奉作
> 謁。

漸

讒佞所言,語不成全。虎狼之患,不爲我殘。

> 伏震爲言,伏兑亦爲言,故曰讒佞。坎破,故語不成全。艮爲
> 虎狼。坎爲患,爲殘;巽順,故不殘。○佞,汲古作人。依宋、元本。
>
> 【補校】佞,宋、元本作人。依汲古。

歸妹

張羅捕鳩,兔麗其災。雌雄俱得,爲網所賊。

> 互離爲羅網,爲鳩。震爲兔,坎爲災。麗,左傳宣十二年,射麋
> 麗龜。注,麗,著也。言張羅本以捕鳩,不意兔當其災,而被捕也。
> 卦震兔居離網中,而兑爲毀折,故有此象。坎雄離雌。坎爲賊。○
> 兔,各本皆作鳥。依歸妹之節校改。

豐

安仁尚德,東鄰慕義,來安吾國。

> 震爲仁德。離爲東鄰。伏艮爲國,爲安。

旅

猾醜假誠,前後相違。言如鱉咳,語不可知。

　　艮爲鱉。兌爲言,爲咳,爲語。巽伏,故不可知[一]。又離爲惡人,爲猾醜。坎爲信,爲誠。假誠者,言心本猾,而託爲誠實,故前後相違。因二至五,正反兌相背,故語不信實。困有言不信,義同也。○假,宋、元本作如。依汲古。又按,前後相違,亦謂二至五正反兌相背。

巽

懷璧越鄉,不可遠行。蔡侯兩裘,久苦流離。

　　伏震爲璧,艮爲鄉。震爲行,爲蔡,爲諸侯,爲裘。重震,故曰兩裘。左傳定三年[二],蔡侯如楚,有兩裘,一獻楚王,一自御。子常求之,不與,留之三年。

　　【補校】可,從宋、元本。汲古作如。

兌

伯氏歸國,多所恨惑。車傾蓋亡,身常驚惶。乃得其願,雌雄相從。

　　詳乾之屯。伏震爲伯。

　　【補校】傾,汲古作頓。亡作傾。均依宋、元本。

渙

火石相得,乾無潤澤。利少囊縮,祇益促迫。

　　互艮爲火,爲石,皆乾燥無潤澤,故曰相得。巽爲利,坤爲囊;中祇二陰爻,故曰囊縮,曰促迫。○汲古無第四句。非。依宋、

────────────

〔一〕“不”下,刻本脱“可”字,據稿本補。

〔二〕“三”,稿本、刻本誤“二”,據阮刻《左傳正義》改。

元本。

　　【補校】祇,依學津、翟本。宋本作秖。元本作祇。按,祇、秖、祗,三字通同。

節

君明聖哲,嗚呼其友。顯德之徒,可以禮仕。

　　震爲君,艮爲明,坎爲聖哲。震爲嗚,艮爲友,爲顯,爲仕。○明,宋、元本作知。依汲古。

　　【補校】顯,宋、元本作鎮。依汲古。

中孚

騎豚逐羊,不見所望。徑涉虎廬,亡豚失羊。

　　詳乾之蹇。○亡豚,宋、元本作亡羝。從汲古。此以巽爲豚。

小過

玄黃瘣隤,行者勞疲。役夫憔悴,處子畏哀。

　　震爲玄黃,爲行。兑折,故曰瘣隤。瘣隤,病也。互大坎爲勞,爲役。震爲夫,巽爲震妻而伏,故曰處子。坎爲畏哀也。○瘣隤,依宋、元本。説文,瘣,病也。音回。汲古作尯隤,與今本詩合。尯、瘣音同。又釋文云,説文作痿隤,爾雅同。痿亦音回,訓病。然則瘣、痿、尯三字音義皆同。特焦作瘣,與毛、許異耳。畏哀。汲古作猥衰。依元本。

　　【補校】疲,宋、元、汲古諸本皆作罷。依乾之革校。罷即疲。畏哀,依宋、元本。

既濟

右手掩目,不見長叔。失其所得,悔吝相仍。

　　此用賁象。艮手離目。震長艮叔,坎隱,故不見。

未濟

免冠進賢，步出朝門。儀體不正，賊孽爲患。

詳否之兑。

【補校】冠，宋本作過。依元本、汲古。

剥之第二十三

剥

行觸大譴，與司命忤。執囚束縛，拘制於吏，幽人有喜。

坤死，故曰大譴。坤惡，故曰忤。艮爲官，故曰司命。天文志，斗魁六星，五曰司命，主壽。艮爲吏，爲手，故曰執。爲拘囚，爲束縛。爲高尚，故曰幽人。○幽，汲古作憂。依宋、元本。

【補校】譴，宋、元本作忌。忤作牾。均依汲古。

乾

穿胸狗邦，僵離旁春。天地易紀，日月更始。

詳師之謙。

坤

從風縱火，荻芝俱死。三害集房，十子中傷。

剥艮爲火。坤爲荻芝，爲死，爲害。艮數三，故曰三害。艮爲房，坤爲集。數十，故曰十子。左傳昭十四年，三言而除三惡。注，三惡〔一〕，暴、虐、頗也。三惡，即三害。論衡，進用也而蒙三害。書胤征，辰弗集于房。

屯

北山有棗，橘柚所聚。荷囊載擔，香盈筐筥。

坎北。艮爲山，爲棗，爲橘柚。坤爲聚。艮爲負荷，爲擔。坤爲囊，爲載。震爲筐筥，伏巽爲香。○所，宋、元本作於。載擔、香

〔一〕"注，三惡"三字，刻本脱，據稿本補。

盈，宋、元本作載香、盈我。今依汲古本。

蒙

齎貝贖狸，不聽我辭。繫於虎須，牽不得來。

　　詳否之革。○艮爲貝證。

　　【補校】須，宋、元、汲古諸本皆作鬚。依翟本。按，須即鬚之
本字。

需

上下惟邪，寡婦無夫。歡心隔塞，君子離居。

　　惟邪，嘆息聲也。坎上下皆兌口，二至四互兌，故曰上下惟邪。
離爲夫，伏坤爲寡，故曰寡婦。坎隱伏，故無夫。坎爲塞，爲心；爲
憂，故不歡。伏艮爲君子。○惟，元本作唯。依宋本、汲古。寡婦
無夫，宋、元本作戾其元夫〔一〕。依汲古。

訟

二人輦車，徙去其家。井沸釜鳴，不可安居。

　　伏明夷。震爲人，坤數二，坎爲車，故曰二人輦車。坎爲室家，
震出，故徙去其家。坎爲井，坤水在井上，故曰井沸。坤爲釜，震
鳴，故釜鳴〔二〕。坎險，故不安。水經注，曲阿季子廟前井及潭常
沸〔三〕。楚辭，瓦釜雷鳴。然此似另有故實，爲今所不解。

────────────

〔一〕“元”，稿本、刻本誤“無”，據宋、元本改。
〔二〕“伏明夷”至“故釜鳴”，稿本作：“乾爲人，兌卦數二，坎爲車，故二人輦車。
　　　坎爲室家，在外，故徙去其家。兌爲井，水在井上，故曰井沸。伏坤爲釜，
　　　兌口，故釜鳴。”又，稿本此處眉批曰：“此全用明夷象，注誤。”蓋付刻時依
　　　眉批修訂，取伏象明夷爲説。原稿則徑用訟象，兹録存以備參閲。
〔三〕“常”，刻本作“皆”，據稿本改。

師

蹇驢不才[一]，俊驥失時。筋力勞盡，疲於沙邱。

　　詳履之巽。○俊，汲古作駿。筋作劬。依宋、元本。宋、元本三四句倒置，依汲古。

　　【補校】筋，宋、元、汲古諸本皆同。茲云作劬者，未審所本。疑劬通筋。王充論衡物勢，物之相勝，或以劬力是也。疲，宋、元、汲古本作罷。依履之巽校。罷即疲。邱，宋、元、汲古本作丘。依學津、局本。丘、邱同。

比

明夷兆初，爲穆出郊。以讒復歸，名曰豎牛。剝亂叔孫，餒於虛邱。

　　坎隱伏，故曰明夷。初動，故曰兆初。坤爲傷，坎上下兌口相背，故曰讒。艮爲豎，坤爲牛，爲餒。艮爲叔孫，爲沙邱。左傳昭四年，叔孫穆子出亡，至庚宗，遇婦人，宿焉，生豎牛。及自齊歸，遂使爲豎。後叔孫田于丘猶，遇疾。豎牛遂爲亂，穆子餒死。又五年云，初叔孫穆子之生，莊叔筮之，遇明夷之謙。故曰明夷兆初。林全用此事。惟虛邱[二]，傳作丘猶。而李善文選運命論注引，作蒲丘。據此則虛丘應作蒲丘。○郊，元本作交。依宋本、汲古。夷兆，各本作傷之。依大壯之比校。大壯之比，第二句作三旦爲災。餒，汲古作飫。宋、元本作餧。亦依大壯之比校。

　　【補校】郊，宋、元本作交。依汲古。虛，宋、元、汲古諸本皆作空。依大壯之比校。

〔一〕"才"，刻本作"材"，據稿本改。
〔二〕"虛"，稿本、刻本作"沙"，依上下文意改。

小畜

天火大起,飛鳥驚駭。作事不時,自爲身咎。

　　乾天離火。伏艮爲鳥,震爲驚駭。艮爲時,艮伏,故不時。伏
坤爲自,爲身。○身,汲古作多。依宋、元本。

履

土與山連,共保歲寒。終無災患,萬世長安。

　　通謙。坤土,艮山,故曰土與山連。坤爲歲,坎爲寒,爲災患。
坤爲萬,爲世,艮爲安。

泰

日出阜東,山蔽其明。章甫薦履,箕子佯狂。

　　詳賁之屯。

否

龍馬上山,絕無水泉。喉焦脣乾,口不能言。

　　詳乾之訟。

同人

雄處弱水,雌在海濱。將別持食,悲哀於心。

　　通師。坤爲水,爲柔,故曰弱水。九二居坤中,故曰雄處弱水。
同人乾爲海,六二居海中,故曰雌在海濱。坎爲心,爲悲哀。○將
別,宋、元本作別將。依汲古。

大有

庭燎夜明,追古傷今。陽弱不制,陰雄坐戾[一]。

―――――――――――

〔一〕“坐”,刻本作“生”,兹依稿本改。

通比。艮爲庭，爲燎，爲明。坎爲夜。比袛九五一陽，故曰陽弱，曰陰雄。陳樸園云，宣王中年怠政，而庭燎詩作。后脫簪珥諫曰，妾不才，使君王宴朝，請待罪永巷。宣王悟。林曰追古傷今，指其事也。義與毛異。○第二三兩句，依頤之損校。宋、元、汲古本皆作追嗣日光，陽軟不至。

【補校】第二三兩句，宋、元本作追嗣日光，陽軟不制。汲古制作至。坐，從宋、元本。汲古作生。

謙

三婦同夫，忽不相思。志恒悲愁，顏色不怡。

震爲夫，數三，坤爲婦；坤震連，故三婦同夫。坎爲思，爲志，爲悲愁。艮爲顏色，坤爲惡，故相惡而不相思〔一〕。○悲愁，依宋、元本。汲古作不愁。非。

豫

鶴盜我珠，逃於東都。鴞怒追求，郭氏之墟。不見武跡，反爲患災。

詳豫之明夷。

隨

獼猴冠帶，盜載非位。衆犬共吠，狂走蹶足。

艮爲獼猴，爲冠。巽爲帶，爲盜。震爲載，艮爲位。冠帶者，有位之服，今獼猴冠帶，乃盜用耳，故曰非位。艮犬震吠，正反艮，故曰衆。震爲狂，爲走，爲足。兌折，故蹶足。○獼猴，汲古作沐猴。史記項羽本紀，如沐猴而冠耳。今依宋、元本。又，載，汲古作在。亦依宋、元本。狂走，宋、元本作麾走。汲古作倉狂。今

〔一〕"不"下，刻本脫"相"字，據稿本補。

依大壯之屯校。

蠱

黍稷禾稻,垂畝方好。中旱不雨,傷風病槁。

　　　詳需之艮〔一〕。

　　　【補校】槁,宋、元本作燥。依汲古。

臨

雄聖伏,名人匿。麟遠走,鳳飛北。亂禍未息。

　　　詳否之大過。○前四句,句二字;第五句,句四字。漢魏叢書
本皆按四字斷句,非。

觀

王母多福,天禄所伏。居之寵光,君子有福。

　　　坤爲母,伏乾,故曰王母,曰福,曰天禄。巽爲伏。艮爲居,爲
光,爲君子。

　　　【補校】王,汲古作三。依宋、元本。

噬嗑

被服文德,升入大麓。四門雍肅,登受大福。

　　　詳隨之大壯。離爲文。互艮爲山麓,爲門;震卦數四,故曰四
門。震爲登,爲福。○宋本作復林。

　　　【補校】宋、元本作復林。兹依汲古。

賁

褰衣涉河,水深漬罷。幸賴舟子,濟脱無他。

　　　○依訟之萃校。震爲舟證。衣,宋、元本、汲古皆作裳。水,

―――――――――――

〔一〕"需之艮",稿本、刻本誤作"乾之蹇",據諸本林辭改。

宋、元本作流。罷,宋、元本、汲古作衣。

【補校】水深,宋、元本作流深。汲古作水流。

復

班馬還師,以息勞疲。役夫嘉喜,入户見妻。

詳觀之既濟。○宋本作噬嗑林。

【補校】宋、元本作噬嗑林。兹依汲古。疲,元本作罷。從宋本、汲古。嘉,宋、元本作忻。從汲古。

无妄

東鄰嫁女,爲王妃后。莊公築館,以尊王母。歸于京師,季姜悦喜。

詳屯之觀。莊當爲桓。

大畜

百足俱行,相輔爲强。三聖翼事,王室寵光。

詳屯之履。

頤

危坐至暮,請求不得。膏澤不降,政戾民忒。

詳泰之離。

大過

百川朝海,泛流不止。路雖遼遠,無不到者。

兑爲海,乾亦爲河海;重乾,故曰百川。而海爲水王,故曰朝海,故曰泛流。伏震爲路,坤爲遠。艮止,故曰到。○泛流,宋、元作流行。依汲古。

坎

乘騮駕驪,東至於齊。遭遇仁友,送我以資,厚得利歸。

互震爲馬，爲乘，爲駕，爲柬。伏巽爲齊，爲利，爲資。艮爲友。○齊，汲古作濟。依宋、元本。

離

禮壞樂崩，成子傲慢。欲求致理，力疲心爛。陰請不當，爲簡生殃。

通坎。坤爲禮，坎陽居坤中，故禮壞。震爲樂，三至五震覆，故樂崩。艮爲成，震爲子，爲傲。艮爲求。理，法也。欲求致理，言欲致之於法也。坎爲法。爲勞，故曰力疲。坎爲心，離中虛，故曰心爛。震爲請，爲簡。坎爲殃。論語，陳成子弒簡公，孔子沐浴而朝，請討之。林辭全指此事。○汲古第五句在第二句，六句在第四句。兹依元本，音皆諧。宋本第五句作陰陽不調，多成子驕傲句。非。又，陰字必有誤。

【補校】汲古作禮壞樂崩，陰請不當。成子傲慢，爲簡生殃。欲求致理，力疲心爛。兹依宋、元本。唯宋、元第五句作陰陽不調，又多成子驕傲作第六句，則從汲古校。

咸

三人輦車，乘入虎家。王母貪叨，盜我犁牛。

通損。震爲人，數三，故曰三人。坤爲車，故曰輦車。輦車，以人力行也。艮爲虎，爲家；艮在上，故入虎家。坤爲母，對乾，故曰王母。兑食，故曰貪叨。坤爲牛，震爲耕，故曰犁牛。犁，耕也。咸互巽爲盜。○三，汲古作一。依宋、元本。叨，汲古作饕。依元本。義同。

【補校】叨，依宋、元本。

恒

羊頭兔足，少肉不飽。漏囊敗粟，利無所得。

乾首兌羊,故曰羊頭。震爲兔,爲足,故曰兔足。坎爲肉,伏坤中虛,故曰少肉,曰不飽。坤爲囊,巽下斷,故曰漏囊。震爲粟,兌毀,故敗。巽爲利,兌折,故無得。

遯

新田宜粟,上農得穀。君子唯好,以紆百福。

通臨。坤爲田。爾雅,二歲曰新田。震爲粟,爲農人,爲穀。本卦艮爲君子。乾爲百,爲福。○唯好,汲古作懷德。紆作干[一]。依宋、元本。

大壯

夷羿所射,發輒有獲。雙鳧俱得,利以伐國。

夷羿,即后羿。左傳襄四年,寒浞,伯明氏之讒子弟也。伯明氏棄之,夷羿收之。夷羿善射,篡夏,故云發輒有獲。震爲射,兌爲剛鹵,故曰夷羿。震爲發,爲鳧。兌卦數二,故曰雙鳧。震爲征伐,坤爲國。卦陽長陰消,故曰利以伐國。○以伐,汲古作伐王。茲依宋、元本。

晉

鳧舞鼓翼,嘉樂堯德。虞夏美功,要荒賓服。

象多未詳。

明夷

登邱上山,對酒道歡。終年卒歲,優福無患。

震爲登,爲上;爲陵,故曰邱山。坎爲酒。震樂震言,故曰道歡。坤爲年歲,坎爲冬,故曰終年卒歲。坎爲患,震爲福,故無

〔一〕"干",刻本訛"于",據稿本改。

患。○道，汲古作遇。依宋、元本。歡，依汲古。宋、元作觀。

家人

歲暮花落〔一〕，陽入陰室。萬物伏匿，藏不可得。

　　詳賁之大有。惟此辭兼用對象解。

睽

螟虫爲賊，害我禾穀。簞瓶空虛〔二〕，飢無所食。

　　詳同人之節。

蹇

陽虎脅主，使德不通。炎離爲殃，年穀病傷。

　　艮爲虎，納丙，故曰陽虎。震爲主，震覆，故曰脅主。坎塞，故
　　不通。離火，故曰炎，曰殃。震爲年穀，震覆，故傷。丁云，定二年，
　　雉門及兩觀災，正陽虎脅主之時。○使德，宋、元本作使得。炎作
　　火。茲依汲古。病，汲古作患。依宋、元。

解

四馬共轅，東上泰山。駢驪同力，無有重難，與君笑言。

　　震爲馬，卦數四，坎爲轅，故曰四馬共轅。震爲東；爲馬，故曰
　　駢驪。震爲君，爲笑言。○驪，宋、元本作驤。依汲古。

損

牧羊稻園，聞虎喧譁。畏懼悚息，終無禍患。

　　詳隨之漸。

　　【補校】譁，宋、元本作嘩。畏懼作懼畏。均依汲古。嘩、譁

〔一〕“暮”，刻本訛“慕”，據稿本改。
〔二〕“簞”，稿本、刻本誤“篳”，據宋、元、汲古及所見其他各本改。

同。

益

揚華不時,冬實生危。憂多橫賊,生不能服。崑崙之玉,所求不得。

> 震爲華,艮爲時;坤履霜爲冬,故不時。艮爲果實,坤爲危爲憂[一]。巽爲盜賊,故曰憂多橫賊。艮爲山,震爲玉,故曰崑崙之玉。互艮爲求,坤喪,故所求不得。○所求不得,汲古作取求必得。非。依宋、元本。

> 【補校】揚華,宋本作揚花。汲古作陽花。茲依元本。所求不得,從元本。宋本作所求必得。

夬

高阜所在,陰氣不臨。洪水不處,爲家利寶。

> 通剝。艮爲山,故曰高阜。坤爲陰,一陽居衆陰之上,故曰陰氣不臨。坤爲水,山高,故曰洪水不處。艮爲家;爲貝,爲金,故曰寶。○臨,汲古作淋。依宋本。

> 【補校】臨,依宋、元本。

姤

釋然遠咎,避患高阜。田獲三狐,以貝爲寶。君子所在,安寧不殆。

> 詳賁之謙。○高阜,汲古作革害。依賁之謙校。

> 【補校】高阜,宋、元本作害早。依賁之謙汲古本校。又,避,從汲古。宋、元本作辟。義通。

〔一〕 “危”下,刻本脱“爲”字,據稿本補。

萃

兩目失明，日奪無光。脛足跛曳，不可以行。頓於邱旁，亡妾莫逐，塊然獨宿。

　　　兌半離，數二，故曰兩目失明。離為日，半離，故曰無光。震為脛足，兌半震，故跛不能行。履象云，眇能視，不足以有明；跛能履，不足以有行，林所本也。艮為邱，艮止，故曰頓於邱旁。兌為妾，在外，故曰亡妾。震為逐，震覆，故曰莫逐。坤為宿，巽為寡，故曰塊然獨宿。

升

鴻飛遵陸，公歸不復，伯氏客宿。

　　　震為鴻，坤為陸，在上，故曰鴻飛遵陸。震為公，為歸；坤亡，故曰不復。震為伯，為客，坤為宿。首二句豳風詩。

　　　【補校】歸，宋、元、汲古各本皆作出，師之震、中孚之同人並同。茲依翟本。按林意，疑作出是也。

困

佩玉纍蘂，無以繫之。孤怨獨處，愁哀相憂。

　　　伏震為玉。纍蘂，垂貌。巽為繩，為繫。巽為寡，故曰孤獨。坎為憂愁。○纍蘂，宋本作纍蕊。元本作累蘂。今依汲古。左傳哀十三年，佩玉蘂兮，余無所繫之。

　　　【補校】纍蘂，依宋本、汲古。怨，宋、元本作悲。依汲古。又，宋、元本作震林。茲從汲古。

井

載船渡海，雖深何咎。孫子俱在，不失其所。

　　　伏震為船，兌為海，坎為深。艮為孫，震為子。○何，宋、元本作難。依汲古。

革

鵲求魚食[一]，道遇射弋。繒加我頸，繳縛兩翼。欲飛不能，
爲羿所得。

> 通蒙。震爲鵲，坤爲魚，艮爲求。震口，故曰食。艮爲道路，震
> 爲射，巽爲弋。弋，繫矢射也。爲繒繳。艮爲頸，震爲翼，爲飛。艮
> 止，故不能飛。坤爲惡，故曰羿。○第二句，元本作道過射矢[二]。
> 今依宋本、汲古。兩翼，宋、元本作羽翼。依汲古。

鼎

泥面亂頭，忍恥少羞，日以削消。

> 通屯。坤爲泥，艮爲面，坤爲亂，坎爲首，故曰泥面亂頭。坤爲
> 羞恥；坤亡，故曰削消。○宋、元本下多凶其自掊四字。依汲古。
> 頭、消，古音亦協。

震

桑之將落，隕其黃葉。失勢傾倒，如無所立。

> 詳履之噬嗑。○桑之，元本作葉芳。宋本、汲古本作桑方。今
> 依宋本履之噬嗑校。

> 【補校】桑之，宋本作桑芳。汲古作桑方。又，傾倒，宋、元本
> 作傾側。汲古作顛倒。從何本。立，宋、元本作得。依汲古。又，
> 宋、元本作困林。茲從汲古。

艮

巨蛇大鯖，戰於國郊。上下隔塞，主君走逃。

〔一〕"魚食"二字，稿本、刻本誤倒，據宋、元、汲古及所見其他各本校正。
〔二〕"矢"，刻本訛"失"，據稿本改。

詳噬嗑之訟。○主君,宋、元本作逐君。依汲古。

【補校】郊,汲古作邦。依宋、元本。

漸

已動死,連商子。揚砂石,狐狢擾。軍鼓振,吏士苦。

艮者,震之反,故曰已動。互坎爲棺槨,爲死。巽爲商賈,伏震爲子。艮爲砂石,巽風,故揚。艮爲狐狢。伏震爲軍鼓。爲士,坎爲恐。○狐狢擾,軍鼓振[一],吏士苦,宋、元本作石流狐狢,擾軍鼓振,吏士恐落。增流字、落字,足成四字句。豈知盡爲三字句,惟汲古尚存其真。狐字作胡。

【補校】此林依汲古本校。唯狐字從宋、元。汲古作胡。

歸妹

張羅搏鳩,兔麗其災。雌雄俱得,爲網所賊。

詳賁之歸妹。○兔,汲古作烏。賊作滅。依宋、元本。

【補校】兔、賊,均依歸妹之節校。按,此林宋、元本作二人俱行,別離特食。一身五心,亂無所得。茲從汲古本。惟汲古舊注謂一本作云云,乃與宋、元本同。然俱、特,汲古或本乃作同,作持。是又微異。

豐

三聖相輔,鳥獸喜舞,安樂富有。

通渙[二]。坎爲聖,震數三,故曰三聖。艮爲鳥,爲獸。震爲喜舞。巽利三倍,故曰富有。○汲古下多二人諧偶四字[三]。宋本無。元本爲又一林。

〔一〕"軍鼓振",稿本、刻本無,據上下文意增。
〔二〕"渙",刻本訛"焕",據稿本改。
〔三〕"二",稿本、刻本誤"三",據汲古本改。

【補校】此依元本。宋本下多三人偕偶四字。汲古作二人諧偶。
又,元本謂一云三人偕偶,則所見或本同宋本。

旅

三奇六耦,相隨俱市。王孫善賈,先得利寶。居止不安,大
盜爲咎。

三奇,乾也;六耦,坤也。旅三陽三陰,而一陰隨一陽,二陰隨
二陽,故曰相隨。巽爲市。艮爲王孫,爲貝。巽爲利,故曰利寶。
艮爲居止,兌折,故不安。巽伏爲盜。○安,汲古作移。依宋、元
本。大盜,宋、元本作洪水。依汲古。

【補校】耦,汲古作偶。依宋、元本。偶、耦同。

巽

三人俱行,一人言北。伯仲欲南,少叔不得。中路分道,爭
鬬相賊。

通震爲人,爲行。上下震,二至四覆震,故曰三人。震爲南,震
覆即北,故曰言北。震爲伯,互坎爲仲,艮爲少叔。不得者,言不隨
伯仲,獨北行也。震爲道路,爲爭鬬。坎爲賊。全用對象。○一
人,宋、元本作二人。道、爭,作爭、道。均依汲古。

兌

播天舞,光地乳。神所守,樂無咎。言不信誤。

通艮爲天。天舞者,天之樂舞也。史記趙世家,簡子寤,曰余
之帝所甚樂,與百神遊於鈞天,廣樂九奏萬舞,不類三代之樂,其聲
動人心。林辭似指其事。艮爲乳。地乳,山也。洛書甄耀度,政
山,在崑崙東南,爲地乳。王勃九成宮頌,峰橫地乳。艮爲光,互震
爲舞。易林既以陽在上爲天,陽在下必爲地也,謂震也。震爲神,
爲樂,艮爲守。信者,宿也。左傳莊三年,一宿爲舍,再宿爲信。詩

豳風,於女信宿。周頌,有客信信。注,四宿也。言不信誤,即言不遲悞也。艮三至上正反震言,下言如何,上即如言而反,故不宿誤也。○此前四句三字句,第五句四字句。漢魏叢書及俗本皆作四字句,非。光地乳,汲古作地擾亂。守作居。今依宋、元本。惟元本無誤字。

渙

坐爭立訟,紛紛洶洶。卒成禍亂,災及家公。

艮坐震立,三至上正反震言,故曰爭訟。坎爲禍災,艮爲家,震爲公。○洶洶,宋、元本作匆匆。依汲古。卒,汲古訛幸。家作我。均依宋、元本。

節

蛇行蜿蜒,不能上阪。履節安居,可以無憂。

伏巽爲蛇,艮爲阪。震爲履,艮爲安,爲居。坎爲憂,震樂,故無憂。上坎爲陷,故不能上阪。

中孚

隙大牆壞,蠹衆木折。虎狼爲政,天降罪罰。高殺望夷,胡亥以斃。

詳乾之大壯。○罰,依乾之大壯校。各本多作伐。又,宋、元本無末二句。依汲古。

【補校】隙,從汲古。宋、元本作郤。義同。虎狼,宋、元、汲古諸本皆作狼虎。依乾之大壯校。

小過

陽不違德,高山多澤。顔子逐兔,未有所得。

艮爲高山,互兌爲澤。艮爲顔,震爲子;爲兔,爲逐。在外,故無得。

既濟

心多畏惡，時愁日懼。雖有小咎，終無大悔。

　　坎爲心，爲畏，爲愁，爲懼。離爲日。○日，宋、元本作自。依
汲古。

未濟

衆神集聚，相與議語。南國虐亂，百姓愁苦。興師征伐，更
立賢主。

　　半震爲神，坎爲衆，故曰衆神。坎爲集聚，離正反兌口相對，故
曰議語。離爲南，爲虐亂。坎爲衆，爲憂，故曰百姓愁苦。震爲征
伐，爲主。除坎離外，皆用半象。○興，汲古作舉。更作別。均依
宋、元本。

　　【補校】主，宋本訛生。依元本、汲古。

復之第二十四

復

周師伐紂，尅於牧野。甲子平旦，天下悦喜。

　　震爲周，爲伐。坤爲師；爲惡，故爲紂。坤爲野，爲養，故曰牧
野。牧者，養也。乾初爻正値甲子[一]，震爲晨，故曰甲子平旦。
坤爲天下，震爲悦喜。

乾

任武負力，東征不伏。蹈泥履塗，雄師敗覆。

　　此用遇卦復象。震爲武，爲東征，爲蹈履。坤爲水，爲泥塗，爲
師。坤喪，故敗覆。○第三句，汲古作陷履泥塗。宋本作陷泥履
塗。兹依元本。

　　【補校】武，宋、元本作重。依汲古。

坤

義不勝情，以欲自營。覦利危躬，折角摧頸。

　　坤爲義，爲情欲，爲躬。坤死，故危躬。艮爲角，爲頸。復下
震爲覆艮，艮覆，故曰折角摧頸。此亦全用遇卦象。○覦，元本
作覬[二]。依宋本、汲古。躬，宋、元本作寵。從汲古。

屯

懸貆素飱，食非其任。失輿剥廬，休坐徙居，室家何憂。

〔一〕“値”，刻本作“植”，兹依稿本。
〔二〕“覦”，稿本、刻本誤“爲”，據元本改。

艮爲狟,艮陽在上,故曰懸狟。震爲口,爲白,故曰素飡。詩魏風,胡瞻爾庭有懸狟兮,彼君子兮,不素餐兮。飡即餐也。震爲食,爲興;坤喪,故失興。艮爲廬,坎破,故剥廬。艮爲坐,爲居;震行,故徙居。艮爲室家,坎爲憂;震樂,故無憂。○狟,宋、元本、汲古本作狟。依湖北局本,與詩合。飡,元本作殄。依宋本、汲古。按,説文,狟,犬行也。廣韻,狟與狟通。然三本皆作狟,是焦詩本作狟。

蒙

鷉鴲娶婦[一],深目窈身。折腰不媚,與伯相背。

艮爲鷉鴲,震爲娶,坤爲婦。互大離,故曰深目。坤爲身,爲黑,故曰窈身。坎爲腰,爲折。震爲武,爲健,故曰不媚。震爲伯,艮爲背。○鷉,鶄鷉,亦鴲屬。宋、元作鷉。依汲古。

需

東風解凍,河川流通。西門子産,陞擢有功。

坎爲凍,離爲東,故曰東風解凍。坎爲河川;位西,乾爲門户[二],故曰西門。魏西門豹、鄭子産,皆循吏。乾爲貴,故曰陞擢有功。

訟

三足俱行,傾危善僵。六指不便,愿累弟兄。樹柱閡車,失其正當。

詳賁之咸。○愿累,汲古作累愿。宋、元作愿累。兹依賁之咸校。

【補校】閡車,宋、元本作關中。依汲古。

〔一〕"鷉",刻本作"鶹",依稿本改。注文首句倣此。按,稿本林辭首字,作者偶誤書作"鶹",蓋即察之,隨於字上端標二細點,示此字左右偏旁互乙。惟寫版鈔工似未之審,遂致誤鈔誤刻。兹事雖微,然細辨之,或亦有益焉。
〔二〕"門"下,刻本無"户"字,據稿本增。

師

京庾積倉，黍稷以興。極行疾至，以饜飽食。

坤爲倉庾，爲積。震爲黍稷，爲行，爲亟，爲疾，爲食。坎爲
飽。○宋、元本極上多已字，飽下無食字。非。依汲古。惟汲古行
作其，亦非。詩小雅甫田篇，曾孫之庾，如坻如京。乃求千斯倉，黍
稷稻粱。極，當爲亟。

比

南山之蹊，真人所在。德配唐虞，天命爲子。保佑歆享，身
受大慶。

詳賁之解。

【補校】蹊，宋、元本作跡。遊作在。均依汲古。

小畜

車馳人趨，卷甲相仇。齊魯寇戰，敗於犬邱。

詳坤之兌。

履

十五許室，柔順有德。霜降既嫁，文以爲合。先王日至，不
利出域。

兌數十，巽卦數五，故曰十五。伏坎爲室，震爲言，故曰許室。
言以女字人也。坤爲柔順。坎爲霜，震爲嫁。坤爲文，坎爲合。
詩，文定厥祥是也。震爲王。謙三至上復，爲日至。丁晏云，周禮
媒氏疏，王肅引韓詩傳，古者霜降逆女，冰泮殺止。荀子大略篇說
同。又引家語云，霜降而婦功成，嫁娶者行焉。冰泮而農業起，昏
禮殺於此。茲云霜降既嫁，是焦氏說與荀子、韓詩說合。由是證詩
迨冰未泮，言及冰未泮而歸妻，若已泮則殺止。鄭箋謂，正月中冰

未泮,至二月可以昏者,非也。○既,汲古作歸。文作夫。均依宋、元本。復象云,先王以至日閉關,商旅不行,后不省方。故云不利出域。

泰

任力劣薄,遠託邦國。輔車不彊,爲癰所傷。

震健,故曰任力。坤爲邦國[一],爲車;坤柔,故曰不彊。伏艮爲節,爲癰,兌爲傷。○託,汲古作托。彊作僵。依宋、元本。

【補校】輔,宋、元本作轉。依汲古。

否

千歲舊室,將有困急。荷糧負囊,出門直北。

坤爲千歲,乾爲舊,艮爲室。巽爲隕落,故曰困急。艮爲荷,爲負,巽爲糧。坤爲囊;艮爲門,爲北,故曰出門直北。

【補校】歲,汲古作載。依宋、元本。

同人

凶憂災殃,日益章明。禍不可救,三邰夷傷。

詳噬嗑之剝。○首句依噬嗑之剝校改。各本皆作惡災殆盈。惟三邰,彼取象於退,此以巽隙取象。離數三,故曰三邰。

大有

冠危戴患,身驚不安。與福馳逐,凶來入門。

通比。坎爲危患。艮爲冠戴,爲身。坎陷[二],故不安。艮爲門,坤爲凶。○戴,汲古作載。依宋、元本。

〔一〕"坤"下,稿本有"爲薄"二字。
〔二〕"陷",稿本作"險",兹依刻本。

謙

虎狼並處，不可以仕。忠謀輔政，禍必及己。退隱深山，身乃不殆。

　　艮爲虎狼，正覆艮，故曰並處。艮爲仕，坎險，故不可仕。坎爲忠，爲謀。坤爲禍，爲己。艮爲山，坎爲隱。坤爲身，爲殆。震樂，故不殆。○仕、輔政，汲古作事，作轉改。皆非。今依宋、元本。殆，音以。言與宵小並仕，雖忠必獲禍，退隱則免也。

　　【補校】輔政，宋本作轉政。依元本。

豫

卵與石鬭，糜碎無處。挈瓶之使，不爲憂懼。

　　震爲卵，艮爲石；震艮相反，故曰鬭。坤爲漿，爲糜。震爲瓶，艮手爲挈。坎爲憂懼。左傳，雖有挈瓶之知。注，汲者，喻小知。按，古汲用瓶。

　　【補校】糜，宋、元本作麋。依汲古。

隨

五心六意，歧道多怪。非君本志，生我恨悔。

　　巽卦數五，互大坎爲心意，數六。震爲道路，爲君。

蠱

雨雪載塗，東行破車，旅人無家。

　　震爲大塗，爲東，爲車。互大坎爲雨雪。兌折，故曰破車。震爲商旅，爲人。艮爲家，在外，故曰無家。○宋、元本多利益咨嗟四字。依汲古。家與塗、車韻。

臨

尚利壞義，月出平地。國亂天常，咎徵滅亡。

伏巽爲利，坤爲義。兑毁，故曰壞義。兑爲月。坤爲平地，爲
國，爲滅亡。月出平地，用象神妙。○首句，宋、元本作尚刑懷義。
依汲古。

觀

東行破車，步入危家。衡門穿射，無以爲主。賣袍續食，糟
糠不飽。

此用復象。震爲東，爲車；坤喪，故曰破車。震爲步，爲射，爲
主，爲袍，爲糟糠。坤爲門，坤虚，故無以爲主，故不飽。○危，汲古
作范。從宋、元本。

噬嗑

逐禽出門，并失玉丸。往來井上〔一〕，破甋缺盆。

震爲逐，爲出；艮爲禽，爲門。坎爲失，爲彈丸。震爲玉，故曰
玉丸。兑爲井，初四伏正反兑，故曰往來井上。震爲甋，爲盆；坎爲
破，爲缺。○破甋，元本作破甕。汲古作甋破。依宋本。

【補校】禽，汲古作金。丸作几。均依宋、元本。破甋，元本作
破甕。汲古作甋破。依宋本。

賁

孟春醴酒，使君壽考。南山多福，宜行賈市。稻粱雌雉，所
至利喜。

震爲春，爲長，故曰孟春。坎爲酒，震爲君，艮爲壽考，爲南山。
伏巽爲賈市，爲稻粱，離爲雉。○孟春，汲古作春孟。依宋、元本。
稻粱，汲古作秋粱。依宋、元本。

〔一〕“井上”，刻本作“井井”，據稿本改。注倣此。

剝

持刃操肉,對酒不食。夫亡從軍,少子入獄,抱膝獨宿。

　　艮手爲持,爲操,爲刃。坤爲軍,艮爲夫;在上,故曰夫亡從軍。亡,往也。艮爲少子,坤爲宿。酒肉象,均不詳。獄象,膝象,疑皆指艮。

　　【補校】少,汲古作長。從宋、元本。

无妄

踦牛傷暑,不能成畝。草萊不闢,年歲無有。

　　京房以无妄爲大旱之卦。艮爲火,故曰暑;爲牛,巽下斷,故曰踦牛。坤爲畝,二陰,故不成畝。巽爲草萊,乾爲年歲。巽隕落,故無年。

　　【補校】闢,宋、元、汲古諸本皆作墾。依歸妹之坤校。

大畜

南邦大國,鬼魅滿室。讙聲相逐,爲我行賊。

　　乾爲南,艮爲邦國。伏巽爲鬼魅,艮爲室。震爲樂,爲聲,爲逐。伏巽爲賊。雜卦,巽,伏也。伏,故爲鬼,爲盜賊。○國,汲古作域。依宋、元本。

頤

噂噂所言,莫如我垣。歡樂堅固,可以長安。

　　毛傳,噂,對語也。震爲言,正覆震相對,故曰噂噂。艮爲垣,正覆艮相對,而艮爲止,故曰莫如。如,往也。震爲歡喜,艮爲堅固,爲安。○垣,宋、元本訛恒。依汲古。

大過

堯舜禹湯,四聖敦仁。允施德音,民安無窮。旅人相望,未同朝鄉。

乾爲帝王，爲聖，爲仁。巽數四，故曰四聖。乾爲德，兑爲口，故曰德音。伏坤爲民，艮爲安，爲望。震爲商旅，爲向；正反震相對，故曰旅人相望，曰未同朝鄉。鄉，向也。○鄉，汲古、宋本皆訛卿。依元本。下二句與上四句意不屬，疑爲衍文。

坎

桎梏拘獲，身入牢獄。髡刑受法，終不得釋。耳閉道塞，求事不得。

坎爲桎梏，爲牢獄。伏巽爲髡。坎陷，故不得釋。坎爲耳，爲閉塞。艮爲道路，爲求。

離

桀跖並處，民困愁苦。行旅遲遲，留連齊魯。

離爲惡人，故曰桀。巽爲盜，故曰跖。伏坎爲衆，爲民，爲愁苦。伏震爲行旅，艮止，故曰遲，曰留連。巽爲齊，兑爲魯。○首句，元本作桀蹠並處〔一〕。汲古作跖並桀處。今依宋本。

咸

求雞獲雉，買鱉失魚。出入鈞敵，利得無餘。齊姜宋子，婚姻孔喜。

艮爲求，巽爲雞，爲魚。伏坤爲文，爲雉，艮爲鱉。雞雉、魚鱉相等，故曰鈞敵。巽爲利，爲齊姜。艮爲宋。少男少女相遇，故曰婚姻。兑爲悦，故曰孔喜。○敵，汲古作貨。依宋、元本。餘，宋、元作饒。依汲古。雉，宋、元本作雛。

【補校】雉，依汲古。鈞，汲古作均。依宋、元本。喜，宋、元本

〔一〕"桀蹠"二字，稿本、刻本誤倒，據元本校正。

作嘉。從汲古。

恒

雨師駕駟，風伯吹雲。秦楚争彊，施不得行。

　　互兑爲雨，伏坤爲師，震爲馬，故曰雨師駕駟。巽爲風，震爲
伯。伏坤爲雲，兑口，故曰吹雲。兑爲秦，震爲楚，爲争；乾健，故曰
争彊。獨斷云，雨師，畢星；風伯，箕星也。

遯

仲冬無秋，烏鵲飢憂。困於米食，數驚鷼鵰。

　　通臨。復居子，故曰仲冬。兑爲秋，坤虛，故無秋。言仲冬之
時，百物凋落也。艮爲烏鵲，坤爲飢，爲憂困。震爲米，兑爲食。艮
爲鷼鵰。〇無，汲古訛兼。烏鵲飢憂，汲古作鳥散飲憂。依宋、元
本。

大壯

三羝上山，俱至陰安。遂到南陽，見其芝香。兩崖相望，未
同枕牀。

　　兑爲羊，震數三，故曰三羝。艮爲山，艮反，故曰陰。言至山北
也。乾爲南，爲陽。兑爲見，伏巽爲芝，爲香。伏艮爲崖，兑卦數
二，故曰兩崖。大壯上形似之。艮爲枕，爲牀；艮伏，故曰未同枕
牀。〇見，汲古作完。同，作有。均依宋、元本。

晉

飛之日南，還歸遼東。雌雄相從，和鳴雍雍，解我胸春。

　　離爲日，爲南，爲飛。艮東北，故曰遼東。坎雄離雌，坎爲和。
艮爲胸，艮手爲春。胸春者，言胸臆上下不定，如春米於胸中也。〇
之，宋、元本作至。胸春，宋本作逈春。元本作逈春。均依汲古。

明夷

堯飲舜舞，禹拜上酒。禮樂所豐，可以安處，保我淑女。

> 震爲帝，故曰堯舜禹。震爲飲，爲舞，坎爲酒。坤爲禮，震[一]爲樂。

家人

大一置酒，樂正起舞。萬福攸同，可以安處，綏我齯齒。

> 大一，即北辰。史記天官書，中宮天極星，其一明者，大一常居也。注，天神之最尊貴者也[二]。離爲星，故曰大一。坎爲酒。伏震爲樂，爲舞，爲萬福。兌爲齒，卦有兩半兌形，故曰齯齒。爾雅，黃髮齯齒。注，齒墮更生細者[三]。古單作兒。按今詩正作兒齒。○大一，宋本、汲古俱作大乙。依元本。齯，汲古作兒。依宋、元本。

> 【補校】齯齒，汲古作齒兒。依宋、元本。

睽

白馬騙騮，生乳不休。富我商人，得利饒優。

> 坎爲馬，兌西方，色白，故曰白馬。伏艮爲乳。馬乳可爲酒。漢書禮樂志注[四]，以馬乳爲酒，撞捅乃成。卦有兩半艮，故曰生乳不休。三四句，疑亦用半象。○騙，汲古作驛，從宋、元本。

[一]"震"，稿本無，兹依刻本。
[二]"之"、"也"二字，稿本、刻本無，據《史記·天官書》張守節《正義》增，爰足文意。
[三]"墮"，刻本誤"隤"，據稿本改。
[四]"注"字，稿本、刻本無，據下引文增。按《漢書·禮樂志》"給大官捅馬酒"，顏師古注引李奇曰："以馬乳爲酒，撞捅乃成也。"

蹇

宛馬疾步，盲師坐御。目不見路，中止不到。

宛，踠之省。後漢書班固傳，馬踠餘足。注，踠，屈也。又説文，宛，屈草自覆也。是宛亦有屈意。宛馬疾步者，言馬足既屈，而使之速行也。互坎爲馬，坎爲屈，故曰踠馬。坎爲衆，爲師；艮離目不全，故曰盲師。艮爲坐御本立，爲今以盲師而坐御，故不見路而不到也。艮爲路，爲止。

【補校】宛，汲古作踠。依宋、元本。踠、宛通。

解

春桃萌生，萬物華榮。邦君所居，國樂無憂。

震爲桃，爲春，爲萌，爲生；爲華榮，爲君，爲樂。

損

把珠入口，蓄爲玉寶。得吾所有，欣然嘉喜。

震爲珠玉，兑爲口。坤爲吾，震爲喜。艮手，爲把。

【補校】欣，從宋本。元本作忻。汲古作歡。

益

襦燒袴燔，羸剥飢寒，病虐凍攣。

震爲襦，巽爲袴；艮爲火，故曰燒燔。坤爲羸，艮手爲剥。坤爲飢寒，爲病虐，爲凍。攣，係也。説文，凡拘牽連繫者，皆曰攣。○第三句病虐，汲古作病症。依宋、元。攣，宋本作孿。依汲古。孿，説文，雙生也。宋本非。

【補校】攣，依元本、汲古。羸，宋、元本作贏。依汲古。

夬

水沫沈浮，沮濕不居，爲心疾憂。

通剝。坤爲水，一陽在上，故曰水沫沉浮，曰沮濕。坤爲心，爲疾憂。

姤

行如桀紂，雖禱不祐。命衰絕周[一]，文君乏祀。

通復。坤爲惡，故曰桀紂。震爲行；爲言，故曰禱。震爲周，爲君。巽爲命，坤喪，故命絕。坤爲文，故曰文君。謂文王也。○祐，宋、元本作祥。君作王。均依汲古。

萃

蜱蜉戴盆，不能上山。腳摧跛蹶，損傷其顔。

巽爲虫，故曰蜱蜉。艮形似覆盆，故曰戴盆。艮爲山。震爲足，震覆，故曰腳摧，曰跛蹶。兌爲損，艮爲顔。○蜱蜉，汲古作蜉蝣。顔作頭。均依宋本。摧、損，宋、元本作推、頓，均依汲古。元本注云，虸蜉有翼者曰蜱蜉[二]。

升

長子入獄，婦饋母哭。霜降愈甚，嚮晦伏法。

震爲長子，互大坎爲獄。巽爲婦，坤爲母，兌口爲哭。坤爲霜，爲晦。坤死，故曰伏法。○愈，汲古作旬。依宋、元。疑旬字音訛爲甚字。周禮小司寇，至于旬乃弊之。而宋本作愈，疑原文爲霜降逾旬。

〔一〕"衰絕"二字，稿本、刻本倒，據宋、元、汲古各本改。按，檢覽諸本，唯翟本作"絕衰"，今謹紀以備考。

〔二〕"虸蜉有翼者曰蜱蜉"，按元本此林注云："虸蜉，蠱有翼者。蜱蜉戴盆，即虸蜉撼大樹之義，量小而望大也。"審其義，似謂蜱蜉即虸蜉，蜱、虸，一聲之轉也。然則與尚注所解或異，謹錄此存考。

困

求犬得兔，請新遇故。雖不當路，踰吾舊舍。

> 通賁。艮爲犬，爲求，震爲兔。離爲新，坎爲故。艮爲路，爲舍。

井

鳥鳴葭端，一呼三顚。動搖東西，危而不安。靈祝禱祉，疾病無患。

> 對噬嗑。震爲葭，爲鳴呼。艮爲鳥。坎數一，震數三。離爲東，坎爲西。坎險，故危。震爲言，故曰祝禱。坎爲疾病，震喜，故無患。全用對象。祇顚字用本卦巽。○動搖，宋、元本作搖動。依汲古。祝，汲古作祝。依宋、元本。

革

天厭禹德，命興湯國。祓社礜鼓，以除民疾。

> 通蒙。艮爲天。震爲王，故曰禹。坤爲國，爲水，故曰湯國。坤爲社，震爲鼓。坤爲民，坎爲疾。震樂，故除疾。○第三句，元本作祅社礜鼓[一]。依宋本、汲古。

鼎

陰霧作匿，不見白日。邪徑迷道，使君亂惑。

> 通屯。坤爲霧，爲陰。坎爲匿，故不見。離日，震爲白，故曰白日。艮爲徑，爲道。坤爲迷，爲亂。震爲君。○迷道，汲古作迷通。依宋、元本。

震

猿墮高木，不踒手足。握珠懷玉，還歸我室。

〔一〕“礜”，刻本誤“礜”，據稿本改。

艮爲猿。震爲木,爲足。艮爲手。蹳,折也。艮在震上,故猿墮高木。震爲珠玉,爲歸。艮爲握,爲室。○蹳,汲古作跋。依宋、元本。

【補校】高,汲古作喬。依宋、元本。

艮

三驪負衡,南取芝香。秋蘭芬馥,盈滿篋筐,利我少姜。

互震爲馬,數三。艮爲負,爲衡。震爲南。伏巽爲芝,爲香,爲蘭,爲芬馥。伏兌爲秋。震爲筐篋[一]。巽爲利,爲姜。○第四句,宋、元本作盛滿匪匱。汲古作盈滿匪匱。依局本。

漸

春生夏乳,羽毛成就。舉不失宜,君臣相好。盜走奔北,終無有悔。

離爲夏,艮爲乳。伏震爲春,爲生,爲羽毛,爲君。艮爲臣。坎爲盜,爲北。艮爲終。○夏,汲古作孚。依宋、元本。有悔,宋本作有晦。汲古作所悔。依元本。

歸妹

東行破車,遠反失家。天命訖終,無所禱凶。

震爲東,爲行,爲車;兌毀,故破車。震爲反,艮爲家;艮伏,故失家。伏巽爲命,艮爲天,爲終。兌口爲禱。○遠反失家,言反自遠處而無家也。與上句對文。汲古作還反室家,宋本作遠反室家,皆非。今依元本。

豐

九雁列陣,雌獨不羣。爲矰所牽,死於庖人。

〔一〕"筐"下,刻本無"篋"字,據稿本補。

震爲雁，數九，故曰九雁。震爲陣。巽爲雌，在後，故曰不羣。
離爲嘗。兑折，故死。震爲人。

【補校】陣，宋、元本作陳。依汲古。陳、陣通。

旅

二人輂車，徙去其家。井沸釜鳴，不可以居。

詳剥之訟。○徙，汲古訛從。下有艮火，故井沸。

【補校】徙，依宋、元本。

巽

閉塞復通，與善相逢。甘棠之人，解我憂凶。

通震。互坎爲閉塞。震爲通，爲棠，爲人。坎爲憂，震通，故
解。詩召南甘棠篇，魯、韓詩説皆謂召公聽訟棠下，兹曰解我憂凶。
是齊説謂召公平反冤獄於其下也。

兑

賦斂重數，政爲民賊。杼柚空虛，去其家室。

詳否之豐。第四句，汲古作家去其室。依宋、元本。

渙

怒非其怨[一]，貪妬腐鼠。而呼鵲鴟，自令失餌，致被殃患。

震爲怒，坎爲妬。艮爲鼠，巽腐，故曰腐鼠。震爲呼，艮爲鵲
鴟。坎爲失，爲殃患，震爲餌。○貪妬，宋本作貪垢。元本作含垢。
兹依汲古。致被殃患，汲古作倒被災患。兹依宋、元本。莊子，鴟
得腐鼠，鵷鶵過之，仰而視之，曰，嚇。林用其意。

【補校】令，宋、元本作分。依汲古。

――――――――――

[一]“怨”，稿本、刻本誤“顧”，據宋、元、汲古及所見其他各本改。

節

簪短帶長，幽思苦窮。瘠蠡小疧，以病之癃。

> 艮爲簪，兌折，故簪短。伏巽爲帶，爲長。坎爲幽思，爲瘠疧。疧音陶，病也。○短，各本皆作趺。蠡作貌。依恒之咸校改。蠡音裸。左傳桓六年，謂其不疾瘯蠡也。注，疥病。小疧，宋本作小瘦。汲古作少疧〔一〕。依元本。又，苦窮，各本皆作窮苦。病之癃〔二〕，各本皆作疾病降。均依恒之咸校。

> 【補校】小疧，宋、元本皆作小瘦。謹按，檢此林及恒之咸各本，未有作瘦者。疑尚注所據本瘦字漫漶致誤。瘠，汲古訛瘠。依宋、元本。又，苦窮，宋、元本作窮苦。汲古作最苦。病之癃，宋、元本作病疾降。汲古作疾病降。

中孚

三人俱行，各別採桑。蘊其筐筥，留我嘉旅。得歸無咎，四月來處。

> 震爲人，爲行，數三，故曰三人俱行。艮手爲採，巽爲桑。震爲筐筥，爲行旅，爲歸。兌爲月，數四，故曰四月。艮爲處。○旅，汲古作侶。非。依宋、元本。

小過

逐鳩南飛，與喜相隨。并獲鹿子，多得利歸，雖憂不危。

> 震爲逐，艮爲鳩。震爲南，爲飛，爲喜，爲子，爲鹿，爲歸。巽爲利〔三〕。

〔一〕“少”，刻本訛“小”，據稿本改。
〔二〕“癃”，稿本、刻本誤“隆”，據宋、元、汲古本恒之咸改。
〔三〕“巽”字，刻本脱，據稿本補。

【補校】不，汲古作無。依宋、元本。

既濟

驅羊南行，與禍相逢。狼驚吾馬，虎盜我子，悲恨自咎。

此用復象。震爲羊，爲驅，爲南，爲行。坤爲禍，爲狼虎。震爲馬，爲驚，爲子。伏巽爲盜。坤爲悲恨。

未濟

東鄰西國，福喜同樂。出得隋珠，留獲和玉，俱利有息。

離爲東鄰，坎爲西國。既濟九五爻辭正如此也。徒以先天象失傳，致解者皆誤。復震爲福喜，爲樂，爲珠玉，爲出。坤閉，故曰留。〇有息，宋、元作有喜。失韻。依汲古。

焦氏易林注卷七

无妄之第二十五

无妄

夏臺羑里，湯文厄處。皋陶聽理，岐人悦喜。西望華首，東歸无咎。

　　艮爲臺，納丙，故曰夏臺。艮爲里，爲道，故曰羑里。羑，道也。乾爲王，故曰湯文。艮爲拘，巽爲繫，故曰厄處。昔桀囚成湯於夏臺，紂囚文王於羑里也。艮爲皋，爲岐山。震爲樂，爲陶，爲人，故曰岐人悦喜。伏兑爲西，艮爲望，爲華岳。乾爲首。震爲東，爲歸。○理，汲古作斷。依宋、元本。首，宋、元本作夏。依汲古。首與咎韻。

　　【補校】羑，元本作牖。依宋本、汲古。

乾

儋耳穿胸，僵離旁春。天地易紀，日月更始。蝮螫我手，痛爲吾毒。

　　詳師之謙。○第二句，依師之謙校改。各本皆作纏離勞春，非。漢書武帝紀,定越地曰珠崖儋耳。

【補校】第二句,依宋、元本。汲古作纏離勞春。

坤

慈母之恩,長大無孫。消息襁褓,害不入門。

此用无妄象。乾爲恩。巽爲母,爲長。乾爲大。艮爲孫,巽隕落,故曰無孫。巽爲襁褓,爲入。乾爲門。

屯

譌言妄語,轉相詿誤。道左失跡,不知狼處。

震爲言,初至五正覆震相背,故曰譌妄,曰詿誤。震爲道,爲左,爲跡。坎伏,故失跡,故不知狼處。艮爲狼也。○狼,宋、元本作鄉。依汲古。

【補校】狼,汲古作郎。依局本。又,譌,宋、元本作僞。依汲古。轉,宋、元本、汲古皆作傳。從學津、局本、翟本。

蒙

鬱映不明,陰積無光。日在北陸,萬物彫藏。

艮爲光明,坤坎皆黑,故曰鬱映,曰無光。坤爲陰,爲積。艮爲日。坤爲陸,位北,故曰北陸。坤爲萬物,坤死,故彫藏。左傳,日在北陸而藏冰,言冬日也。○映,宋、元本作快。依汲古。映音決,日食色。鬱映,言黑暗也。

【補校】日,元本訛曰。依宋本、汲古。

需

王母多福,天祿所伏。君之寵光,君子有昌。

乾爲王,伏坤爲母,故曰王母。王母,大母也。乾爲福,爲天祿。坎爲伏。乾爲君,爲寵。離爲光。乾爲君子。○君,汲古作居。光作昌。昌作光。今依宋、元本。

【補校】君，宋本、汲古作居。依元本。王，汲古作主。從宋、元本。

訟

不耕而穫，家食不給。中女無良，長子跛足。疏齒善市，商人有喜。

震爲耕，爲穫。震伏，故曰不耕。伏坤爲飢，故曰不給。離爲中女，離惡，故曰無良。震爲長子，爲足，坎蹇，故曰跛足。兌爲齒，震比兌形長，故曰疏齒。巽爲市。震爲商人，爲喜。○跛，宋、元本作徒。依汲古。按，此多用伏象。

【補校】疏，宋、元、汲古本皆作疎。依學津、翟本。疎、疏通。喜，宋、元本作息。從汲古。

師

火起上門，不爲我殘。跳脫東西，獨得生完。不利出鄰，病疾憂患[一]。

伏離爲火，乾爲門户，故曰上門。震爲跳脫，爲東，爲生。坎爲西，坎險，故不利，故病憂。震爲鄰。

比

持刀操肉，對酒不食。夫亡從軍，少子入獄，抱膝獨宿。

詳復之剥。○少，宋、元本作長。非。依汲古。

小畜

鰌鰕去海[二]，遊於枯里。街巷迫狹，不得自在。南北四極，

〔一〕"病疾"，稿本、刻本二字倒，據宋、元、汲古及所見其他各本校正。
〔二〕"鰕"，刻本訛"鰕"。據稿本改。

渴餒成疾。

巽爲魚，乾爲海；巽在外，故曰去海。離爲枯，伏坤爲里。離中虛，故爲街巷，爲迫狹。離爲南，伏坎爲北。坤爲餒，爲疾。易睽九二云，遇主于巷，即以上離爲巷。

履

啞啞笑語，與歡飲酒。長樂行觴，千秋起舞，拜受大福。

通謙。震爲啞啞，爲笑語，爲歡。坎爲酒。震爲觴，爲長樂，爲起舞。兌爲秋，乾爲千，故曰千秋。艮手爲拜，震爲福。○笑語，宋、元本作笑喜[一]。今依汲古。

泰

登高上山，賓于四門。士伍得懽，福爲我根。

震爲登，伏巽爲高。艮爲山，爲門。震爲賓。坤爲師，爲士伍。震爲懽，爲福。坤爲我。○士伍，宋、元本作吾士。茲依汲古。

否

天厭周德，命我南國。以禮靜民，兵革休息。

厭，滿足也。乾爲天，爲周。天厭周德，即天與周德。巽爲命，坤爲我，爲國。乾南，故曰南國。坤爲禮，爲民。艮爲兵革，艮止，故休息。○命我，汲古作命與。依宋、元本。詩周頌，有厭其傑。傳，厭，足也。又前漢王莽傳，克厭上帝之心。注，厭，滿也。天厭周德，與克厭上帝之心同也[二]。

〔一〕"笑喜"二字，稿本、刻本誤倒，據宋、元本校正。
〔二〕"詩周頌"至"同也"，刻本無。稿本此節在"依宋、元本"下，似爲後增文字。今據補，以與前注互參。

同人

雍遏隄防,水不得行。火光盛陽,陰蜺伏藏,走歸其鄉。

通師。坤閉,故爲雍遏,爲隄防。下與坎遇,故曰水不得行。
離爲火,爲光。坎爲陰蜺,爲伏。震爲走,爲歸。坤爲鄉。○蜺,汲
古作魄。依宋、元本。

【補校】藏,宋、元、汲古諸本皆作匿。依姤之謙及翟本校。

大有

河海都市,國之奧府。商人受福,少子玉食。

通比。坤爲河海,爲都市,爲國,爲奧府。艮爲少子,兌爲食;
乾爲玉,故曰玉食。

【補校】河海,宋、元本作海河。依汲古。食,汲古作石。依
宋、元本。

謙

東行避兵,南去不祥。西逐凶惡,北迎福生,與喜相逢。

震爲東行,艮爲刀兵,坎爲避,故曰東行避兵。震爲南,在外,
故去不祥。坎爲西,震爲逐,坤爲凶惡,故曰西逐凶惡。言坎遇坤
也。坎爲北,震爲福喜。○迎,汲古作逃。非。依宋、元本。

豫

東家中女,嫫母最醜。三十無室,媒伯勞苦。

震爲東,艮爲家。伏離爲中女。坤爲母,爲醜,故曰嫫母。嫫
母,黃帝妃,貌醜。震數三,坤數十;艮爲室,坤寡,故曰三十無室。
坎爲和,爲媒。震爲伯,坎爲勞苦。

隨

破亡之國,天所不福,難以止息。

兌毀折，故曰破亡。艮爲國，爲天，爲止息。

蠱

駢駕蹇驢，日暮失時。居者無憂，保我樂娛。

　　震爲駢駕，爲馬。艮小〔一〕，故曰驢。兌折，故曰蹇驢。艮爲日，兌爲昧，爲暮。艮爲時，兌折，故曰失時。艮爲居，爲保，震爲樂。

臨

蟠蝀充側〔二〕，佞倖傾惑。女謁橫行，正道壅塞。

　　詳蠱之復。○充，汲古作之。正道壅塞，汲古作王道充塞。非。今依宋、元本。

　　【補校】蟠，宋、元、汲古諸本皆作蝃。依蠱之復及翟本校。按，蝃、蟠同。毛詩作蝃，似宋、元各本可從。

觀

三羖五牂，相隨並行，迷入空澤，循谷直北。徑涉六駁，爲所傷賊。

　　通大壯。兌爲羊，故曰羖，曰牂。艮數三，巽卦數五，故曰三羖五牂。震爲行，坤爲迷。兌爲澤，坤虛，故曰空澤。艮爲谷，坤爲北。艮爲駁，伏乾數六，故曰六駁。詩秦風，隰有六駁。疏，陸機云，駁馬，梓榆也。其樹皮青白駁犖〔三〕，遙視似駁馬。據是，是六駁爲木。徑涉六駁者，言循谷走，經歷林木，爲雜樹所傷也。若作

〔一〕"小"，稿本作"少"，茲依刻本。
〔二〕"蟠"，稿本、刻本作"蝃"，茲據蠱之復尚注改。按，蝃、蟠、蝀三字蓋古皆通用。
〔三〕"其樹皮青白駁犖"，刻本作"其樹青白皮駁犖"，據稿本改，庶與《毛詩》疏合。

獸詰，則徑涉不合矣。然則焦詰六駮，正與陸合，與毛、鄭異也。巽伏爲賊。○徑，汲古作經。依宋、元本。

【補校】徑，宋、元本作經。並作俱。均依汲古。駮，汲古作駁。從宋、元本。駁、駮同。

噬嗑

戴喜抱子，與利爲友。天之所命，不憂危殆。荀伯勞苦，西來王母。

震爲喜，爲子。艮爲戴，爲抱，爲友。伏巽爲利，震巽同聲，故曰與利爲友。艮爲天，巽爲命。坎爲憂，爲危殆。震喜，故不憂殆。荀伯，晉荀躒也，城成周定王室，故詩美之曰，郇伯勞之。荀，即郇國後也。與毛鄭説異。震爲伯。坎爲勞，爲西。震爲王，伏巽爲母。○戴，宋、元作載。荀，宋、元本作郇。均依汲古。殆音以。

【補校】戴，元本作載。依宋本、汲古。西，宋、元本作未。依汲古。又，荀，宋、元、汲古各本皆同。此云作郇者，疑沿蠱之歸妹、賁之姤校語致誤，姑紀以待考。

賁

織縷未就，針折不復。女工多能，亂我政事。

伏巽爲縷，艮手爲織。坎爲針，爲折。巽爲女工，離爲亂。○第二句，宋、元本作勝折無後。依汲古。能，汲古作態，依宋、元本。

剝

行露之訟，貞女不行。君子無食，使道壅塞。

行露，召南篇名。美女能以禮自守也。坤爲霜，爲露。震爲言，艮爲反。震，左傳謂爲敗言，故曰訟。艮爲貞，坤女；艮止，故不行。艮爲君子，坤飢，故無食。艮爲道。坤爲積聚，故曰壅塞。○

元本作復林。

【補校】貞，汲古訛真。從宋、元本。

復

羿張烏號，彀射天狼。鐘鼓不鳴，將軍振旅。趙國雄勇，鬬死滎陽。

> 詳噬嗑之旅。此多二三兩句。震爲鐘鼓，爲鳴。坤閉，故不鳴。坤爲師，爲軍，震爲振。○旅，汲古作攘。依宋、元本。趙國或爲人名，未必爲訛字。噬嗑之旅同。他林有作柱者，亦未必是。

大畜

延頸望酒，不入我口。商人勞苦，利得無有。夏臺羑里，雖危復喜。

> 艮爲頸，爲望。坎爲酒，此無坎象，疑以兌澤爲酒也。兌爲口，震爲商人。伏巽爲利。艮爲臺，納丙，故曰夏臺。艮爲里。兌折爲危，震爲喜。湯囚夏臺，文囚羑里。○雖危，汲古作難爲。依宋、元本。

頤

冠帶南遊，與喜相期。邀於嘉國，拜位逢時。

> 艮爲冠，伏巽爲帶。震爲南，爲遊，爲喜，爲嘉。坤爲國。艮爲拜，爲位，爲時。○邀於嘉國，元本作傲於家國。依宋本、汲古。位，元本作爲。依汲古。

【補校】位，宋、元本作爲。

大過

東西觸垣，不利出門。魚藏深水，無以樂賓。爵級摧頹，光威減衰。

伏震爲東,兑西。艮爲垣,震爲觸。頤正反艮,故曰東西觸垣。
巽爲利,艮爲門。巽爲魚,坤爲深水。震爲賓,爲樂。言魚藏水底
難得,不能饗賓,故曰無以樂賓。震爲爵。坤喪,故曰摧頹,曰減
衰。艮爲光,震爲威,故曰光威減衰。○減,汲古作咸。依宋、元
本。

坎

兩母十子,轉息無已。五乳百雛,驊駁驪駒。

涌離。互巽爲母,兑數二,故曰兩母。震爲子,兑數十,故曰十
子。震爲生,正反震,故曰轉息無已。艮爲乳,坎數五,故曰五乳。
震爲百,爲雛;爲馬,故曰驪駒。震爲玄黄,故曰驊駁。驊,馬色赤
黄。駁,馬色不純也。○駁,宋、元作駮。依汲古。

【補校】十子,汲古作千子。驪作驢。均依汲古。駁,宋、元本
作駮。依汲古。駁、駮同。

離

重黎祖後,司馬太史。陽氏之災,雕宮悲苦。

丁云,太史公自序,昔在顓頊,命南正重以司天,北正黎以司
地。當周宣王時,失其守而爲司馬氏。首二句,言重祖黎祖之後,
爲司馬氏,爲太史公也。離南坎北,故曰重黎。伏艮爲祖。震爲
馬,爲言,爲太史。太史,紀言之官也。○陽,宋、元本作陸。依汲
古。春秋時晉殺陽處父,故曰災。林或指此。宮,宋、元本作害。
依汲古。

咸

内執柔德,止訟以嘿。宗邑賴福,禍災不作。

通損。伏坤爲柔。二至上正覆震,故曰訟。艮止,故嘿。乾爲
宗。坤爲邑,爲禍災。震福,故不災。

【補校】嘿，從元本。宋本、汲古作默。音義同。

恒

采唐沬鄉，邀期桑中。失信不會，憂思約帶。

詳師之噬嗑。

【補校】邀，宋、元本作要。依汲古。要通邀。

遯

官成立政，衣就缺袂。恭儉爲衛，終無禍尤。

艮爲官，爲成。乾爲衣。震爲袂，震伏，故缺。艮爲恭儉，爲終。坤爲禍尤，坤伏，故無。○官，宋、元本作宮。依汲古。

【補校】儉，宋、元、汲古諸本作謙，晉之咸各本同。然作儉者義勝，疑別有所據。謹紀俟考。

大壯

麒麟鳳凰，子孫盛昌。少齊在門，利以合婚。振衣彈冠，貴人大歡。

對觀。坤爲文，故曰麒麟鳳凰。艮爲子孫，震爲盛昌。巽爲齊，艮少，故曰少齊。左傳昭二年，韓須如齊，逆女少姜。少姜寵，晉人謂之少齊是也。艮爲門。巽爲利。坤爲衣。艮爲冠，爲振，爲彈，爲貴人。震爲歡。○第五句，依宋、元本補。汲古無。大，宋、元本作所。依汲古。

【補校】振，宋、元、汲古各本皆作招。翟本注云，當作振。茲依校。

晉

亂危之國，不可涉域。機發身頓，遂至僵覆。

離爲亂，坎爲危，坤爲國，爲域。震爲涉，震覆艮止，故不可涉。

坎爲機。坤爲身，爲死，故曰頓。釋名，頓，僵也。○下二句，汲古
作機機發發，身頓僵覆。今依宋、元本。

明夷

千雀萬鳩，與鷂爲仇。威勢不敵，雖衆無益，爲鷹所擊。

坤爲千萬，離爲雀鳩。反艮爲鷹鷂，坎爲仇。震爲威，坎爲衆。
反艮首向下，故曰爲鷹所擊。○勢，宋、元本訛挈。兹依汲古。汲
古下多萬事皆失四字。依宋本删。

家人

衆神集聚，相與議語。南國虐亂，百姓愁苦。興師征討，更
立聖主。

詳屯之節。○聖，汲古作賢。依宋、元本。坎爲聖也。

睽〔一〕

顏淵閔騫，以禮自閑。君子所居，禍災不存。

通塞。艮爲顏，坎爲淵，爲悲閔。艮手爲騫，故曰顏淵閔騫。
艮爲閑，爲君子，爲居。坎爲禍，在外，故曰不存。

【補校】閔，汲古作問。依宋、元本。

蹇

三桓子孫，世秉國權。爵世上卿，富於周公。

桓，木名。艮爲木，離卦數三，故曰三桓。艮爲子孫，艮手爲
秉。秉，持也。艮爲國，爲爵，爲上卿。遇卦无妄震爲周，爲公；乾
爲富。魯季孫、孟孫、叔孫，皆桓公後，故曰三桓，與魯相終始
也。○爵世，汲古作爵勢。依元本。論語，季氏富於周公。

〔一〕卦名"睽"字，刻本訛"睽"，據稿本改。

【補校】爵世,依宋、元本。

解

鶴鳴九皋,處子失時。載土販鹽,難爲功巧。

　　震爲鶴,爲鳴。數九,故曰九皋。鶴鳴,小雅篇名。毛謂教宣
王求賢。茲曰處子失時,義與毛異。巽爲伏,故爲處子。震爲載,
爲商販。坎爲土。坎土象,後只邵子與易林同,他未見也。鹽象,
説文,古宿沙煮海水爲鹽。鹽,鹹也。又按,洪範,水潤下作鹹。疑
仍坎水象。卦有重坎,故既曰土,又曰鹽。○巧,汲古作力。依宋、
元本。子爲土之訛。

損

**方軸圓輪,車行不前。組囊以錐,失其事便。還師振旅,兵
革休止。**

　　坤爲方,爲軸。伏乾爲圓,故曰方軸圓輪。震爲車,爲行;艮
止,故不前。坤爲帛,爲囊,故曰組囊。艮爲刀刃,爲錐。軸方車不
行,以囊盛錐必脱穎,二者皆不便也。坤爲師旅,震爲反,故曰還
師。艮爲兵革,艮止,故休。○車,宋、元本訛東。依汲古。

　　【補校】末二句,從元本。宋本、汲古皆注云,疑衍文。

益

魚擾水濁,桀亂我國。駕龍出遊,東之樂邑[一]**。天賜我禄,
與生爲福。**

　　坤爲魚,爲水,爲濁。震爲擾,故曰魚擾水濁。坤爲惡,故曰
桀。坤爲亂,爲國。震爲龍,爲出遊;爲東,爲樂。坤爲邑,故曰樂
邑。伏乾爲天,爲禄,爲福。○天賜我禄,汲古作尺賜我樂。今依

〔一〕"邑",刻本作"土",茲依稿本改。

宋、元本。

夬

白虎黑狼,伏伺山陽。遮遏牛羊,病我商人。

　　　伏艮爲虎狼。兌西方金,故曰白虎。坤色黑,故曰黑狼。艮
止,故曰伏伺,曰遮遏。艮爲山陽。坤爲牛,兌爲羊。坤爲病,爲
我。巽爲商旅。〇伏伺山陽,宋、元本作伏司亦長。依汲古。

姤

履危不安,跌頓我顏,傷腫爲瘢。

　　　伏震爲履。巽殞落,故曰不安,曰跌頓。我顏、腫、瘢,疑用无
妄艮象。〇瘢,宋、元本作癩。依汲古。

　　　【補校】跌頓,宋本作趺頓。汲古作疎顛。從元本。腫,宋、元
本作踵。依汲古。

萃

三人輦車,東入旁家。王母貪叨,盜我資財,亡失犗牛。

　　　對大畜。震爲人,爲車。震數三,故曰三人輦車。震爲東,艮
爲家,巽爲入。坤爲母,對乾,故曰王母。兌食,故曰貪叨。互巽爲
盜。坤爲資財,爲亡失,爲牛。〇東,宋、元本作乘。依汲古。

　　　【補校】王,汲古作主。依宋、元本。

升

三雁南飛,俱就塘池。鰕鰌饒有,利得過倍。

　　　震爲雁,爲南,數三,故曰三雁南飛。兌爲塘池。坤巽皆爲魚,
故曰鰕鰌饒有。巽爲倍利。〇塘池,宋、元本作井地。兹依汲古。
雁,汲古作鶴。依宋、元本。

困

鷹棲茂樹,候雀來往。一擊獲兩,利在枝柯。

對賁。艮爲鷹，震爲茂樹，艮在震上，故曰鷹棲茂樹。離爲雀，巽爲進退，爲往來。艮爲擊，坎數一，故曰一擊。坎爲獲，兌卦數二，故曰獲兩。巽爲利，爲枝柯。利在枝柯，言以枝柯爲隱蔽也。○第四句，宋、元本作伏不枝梧。候作猴。茲依汲古。

井

堯舜欽明，禹稷股肱。伊尹往來，進履登堂。顯德之徒，可以輔王。

對噬嗑。震爲帝，故曰堯舜。離爲明。艮爲臣，故曰禹稷，曰伊尹。巽爲往來，爲股肱。震爲履，爲進，爲登，艮爲堂，故進履登堂。艮貴爲顯，震爲王。○履，宋、元本作禮。依汲古。

革

枯旱三年，草萊不生。粢盛空乏，無以供靈。

詳需林。○乏，元本訛之。依宋本、汲古。萊，宋、元本作葉。依汲古。

鼎

方口緩唇，爲知樞門。解釋鉤帶，商旅以歡。

兌爲口，伏坤，故曰方口。兌又爲唇，坤柔，故曰緩唇。伏坎爲樞，爲智，坤爲門。言口舌爲智慧之樞機也。震爲解釋。巽爲帶，爲商旅。兌悅，故歡。坎爲矯輮，或爲鉤。○首句，宋本作口方緩唇。汲古作方口圓舌。依元本。知，宋、元本作和。依汲古。

震

鼇池水溢，高陸爲海。江河橫流，魚鱉成市。千里無牆，鴛鳳遊行。

震爲鼇，坎爲池，爲水。艮爲陸，四爻艮覆成坎，故高陸爲海。

又,四爻上下皆重陰,而坤爲河海,故曰橫流。伏巽爲魚,爲市。艮爲鱉,爲牆。震爲千里,艮覆,故無牆。伏離爲鴛鳳,震爲遊行。○首句,宋、元本作鳧鷖池水。依汲古。

【補校】遊,汲古作游。依宋、元本。游、遊通。

艮

烹魚失刀,駕車馬亡。錫刃不入,魴鯉腥臊。

伏巽爲魚。艮爲刀,坎爲失,故曰失刀。震爲車,爲馬;坎隱,故馬亡。艮爲刃,下柔,故曰錫刃。伏巽爲魴鯉,爲臭,故曰腥臊。又巽爲入,巽伏,故不入。○車馬,宋、元作馬車。入,宋、元作及。錫刃,宋元作鉛刀。均作汲古。

漸

戎狄蹲踞,無禮貪叨。非吾族類,君子攸去。

此用遇卦象无妄。伏坤爲戎狄,震爲箕,故曰蹲踞。蹲踞,即箕踞也。伏震兌皆爲口,故曰貪叨。坤爲禮,爲族類。坤伏,故曰無禮,曰非吾族類。艮爲君子。

【補校】叨,依宋、元本。汲古作饕。音義同。

歸妹

渡河踰水,狐濡其尾,不爲禍憂。捕魚遇蟹,利得無幾。

坎爲河,爲水,爲狐,爲濡。伏艮爲尾。坎爲禍憂,震樂,故不憂。伏巽爲魚,爲利。艮爲蟹。言占得此者,雖無憂患,而利得甚少也。○狐濡,宋、元本作濡泞。今依汲古。

豐

河出小魚,不宜勞煩。苛政害民,君受其患。

伏坎爲河。巽爲魚,兌小,故曰小魚。坎爲勞,爲民,爲患。震爲君。言政苛害民，而卒受患者仍在君也。○出，宋、元本作水。
害作苦。依汲古。

旅

偃武修文，兵革休安。清人遙逍，未歸空閑。

> 震爲武，震伏，故曰偃武。離在上，故曰修文。艮爲兵，爲革；
> 艮止，故休。○未歸，汲古作來歸。依宋、元本。清人，詩鄭風篇
> 名，河上乎逍遙。

> 【補校】閑，從宋、元本。汲古作閒。

巽

九疑鬱林，沮濕不中。鶯鳥所去，君子不安。

> 伏震數九，坎爲疑，震爲叢木，故曰九疑鬱林。皆南方郡，震爲
> 南也。互坎，故沮濕。震爲鶯鳥，震往，故曰去。艮爲君子，爲安。
> 坎險，故不安。○所，汲古作易[一]。茲從宋、元本。

兌

搏猬逢虎，患厭不起。遂至懽國，與福笑語，君子樂喜。

> 通艮爲虎，爲搏。互坎爲猬，爲患。猬能伏虎，故患厭不起。
> 艮爲國，互震爲懽，爲笑語。艮爲君子。○君子，宋、元本作君王。
> 依汲古。

> 【補校】搏，宋、元本作持。依汲古。

渙

狗生龍馬，公勞嫗苦。家無善駒，折悔爲吝。

> 艮爲狗，震爲龍馬，爲生。震爲公，巽爲嫗，坎爲勞苦，故曰公

〔一〕"作"下，刻本脱"易"字，據稿本補。按稿本原有"易"字，因修訂誤勾，刻
　　本遂沿而脱也。

勞嫗苦。艮爲家,震爲駒。坎爲折。○善駒,汲古作筐筥。從宋、元本。因震在艮下,故曰狗生龍馬。

節

嬰孩求乳,慈母歸子。黃麚悦喜,得其甘餌。

　　震爲嬰孩,艮爲乳,爲求,故曰嬰孩求乳。伏巽爲慈母,震爲子,爲歸,故曰慈母歸子。震爲玄黃,爲鹿,故曰黃麚。又爲喜,爲餌。

中孚

有兩赤鷂,從五隼噪。操矢無筈,趣釋爾射。扶伏聽命,不敢動搖。

　　艮爲鷂,爲隼。正覆艮,兌卦數二,故曰兩鷂。巽卦數五,故曰五隼。兌納丁,故曰赤。艮爲矢,爲操。筈,箭末受弦處也[一],兌象也。艮矢在上卦,上卦兌覆,故無筈。震爲射,矢無筈則不能射,故釋不射也。艮爲扶,巽爲伏,爲命。扶伏,即匍匐,伏地以手行也。艮震象也。動搖,應作搖動,與命協。○筈,宋、元本作括。射作財。兹從汲古。

　　【補校】噪,依宋、元本。汲古訛操。疑因下句首字致訛。

小過

伊尹智士,去桀耕野。執順以强,天祐无咎。

　　震爲士,爲耕。兌剛鲁,故曰桀。艮手爲執,巽順,故曰執順。震爲强健,艮爲天。○天祐,宋、元本作文和。兹依汲古。

既濟

逐鹿西山,利入我門。陰陽和調,國無災殃。

―――――――――
〔一〕"末",刻本誤"未",依稿本改。

无妄艮爲鹿,爲山,爲門。震爲逐。巽爲利,爲入。既濟陰陽平均,六爻當位,故曰陰陽調和。○各本下多長子東遊,須其三仇八字。與上文義不協。汲古注曰,疑衍文。故不録。

【補校】西山,汲古作山西。從宋、元本。各本下多八字,宋本、汲古皆注曰,疑衍文。

未濟

龍興之德,周武受福。長女宜家,與君相保。長股遠行,狸且善藏。

无妄震爲龍,爲德,爲周,爲武,爲君。巽爲長女,爲長股,爲藏。艮爲家,爲狸。○受,汲古作成。保作德。均依宋、元本。

大畜之第二十六

大畜

朝鮮之地，箕伯所保。宜人宜家，業處子孫，求事大吉。

震爲朝，艮在東北，故曰朝鮮。伏坤爲地。震爲箕，爲伯，爲人。艮爲家，爲子孫，爲求。後漢書，箕子封朝鮮，教以禮義，其人終不相盜，無門户之閉。○箕伯，汲古作姬伯。依宋、元本。

【補校】吉，依元本。宋本、汲古作喜。

乾

金柱鐵關，堅固衞災。君子居之，安無憂危。

此全用大畜象。艮爲金鐵，震爲柱。艮爲關，爲堅固，爲君子，爲居。○堅，汲古作膠。危作疑。茲依宋、元本。

坤

轉禍爲福，喜來入屋。春城夏國，可以飲食，保全家室。

大畜震喜，艮屋，兑悦，故喜來入屋。艮爲城，爲國。震爲春，故曰春城。艮納丙[一]，故曰夏國。兑爲飲食。艮爲室家，艮爲守，故室家可保。

【補校】第三句，宋、元本作春成夏囬。茲從汲古。

屯

水暴橫行，浮屋壞牆。泱泱溢溢，市師驚惶。居止不殆，與母相保。

〔一〕"丙"，刻本訛"内"，依稿本改。

坎坤皆爲水，故曰橫行。艮爲屋，爲牆。艮在上，故曰浮屋。坎破，故曰壞牆。坤爲師，震爲驚惶，伏巽爲市。艮爲居止，坤爲母。

【補校】浮，宋、元本作緣。依汲古。

蒙

虎豹熊羆，遊戲山隅。得其所欲，君子無憂。

艮爲虎豹熊羆。震爲遊戲，在艮下，故曰山隅。艮爲君子，坎爲憂；震解，故無憂。○各本下有旅人失利，市空無人二句。與上吉凶不類，斷爲衍文。删。

需

躬禮履仁，尚德止訟。宗邑以安，三百無患。

乾爲仁，伏坤爲躬，爲禮。天水訟。需坎水下降，乾陽上升，陰陽交，故止訟。乾爲百，離卦數三，故曰三百。坎爲患。丁云，齊管仲奪伯氏駢邑三百，没齒無怨。林或指此。○禮，宋、元本作體。依汲古。以，汲古作已。百作伯。兹依宋、元本。

訟

江淮易服，玄黄朱飾。靈公夏徵，衷祒無極。高位崩顚，失其寵室。

對明夷。坤坎皆爲水，故曰江淮。震爲玄黄，坎爲赤，故曰朱飾。震爲公，爲神，故曰靈公。離爲夏。震爲衣，坎伏，故曰衷祒。祒，褻衣。衷，懷也。艮爲位，爲室；艮覆，故曰崩，曰失。○衷祒，宋、元本作哀相。汲古作哀禍。顧千里曰，哀相，乃衷祒之訛。左傳宣九年，陳靈公與孔寧、儀行父通夏姬，皆衷其祒。徵舒恥之，射殺靈公。祒音日。

師

不虞之患，禍至無門。奄忽暴卒，痛傷我心。

　　詳蒙之明夷。

比

三塗五岳，去危入室。凶禍不作，桀盜堯服。失其寵福，貴人有疾。

　　艮山，故曰三塗五岳。艮數三，坎數五也。坎危在外，故曰去危。艮爲室。坤爲凶禍；爲惡，故曰桀。坎爲盜；爲聖，故曰堯。坤爲服也。乾爲寵福，乾伏，故失。艮爲貴，坎爲疾，故曰貴人有疾。

小畜

配合相迎，利之四鄉。昏以爲期，明星煌煌。欣喜奭懌，所言得當。

　　巽爲利，正反巽相合，故曰相迎。巽數四，故曰四鄉。伏坤爲鄉，爲昏，艮爲時，故曰昏以爲期。離爲星，爲明，故曰明星煌煌。兌悅，故欣喜。奭，盛也。懌，悅也。奭懌，猶大悅也。兌口爲言，正反兌，故曰得當。○煌煌，宋、元本作熠熠。不協。奭懌，宋、元作君奭。均依汲古。當，汲古作償。依宋、元本。

　　【補校】奭懌，汲古作奭澤。依局本、翟本。又，利之，宋、元本作利心。依汲古。

履

三手六身，莫適所閑。更相搖動，失事便安。箕子佯狂，國乃不昌。

　　伏謙。艮爲手，數三，故曰三手。坤爲身，坎數六，故曰六身。艮爲閑，正反艮，故曰莫適所閑。正反震，故曰，更相搖動。坤爲事，坎爲失。失事便安者，言事不得安也。震爲箕子，爲狂。坤爲國，坤喪，故不昌。全用旁通。○第四句，汲古作動失事宜。依宋、元本。

【補校】手，汲古作首。相作伏。閑作閒。均依宋、元本。

泰

虎臥山隅，鹿過後朐。弓矢設張，彙爲功曹。伏不敢起，遂全其軀，得我美草。

詳大有之訟。○彙，宋本作會。會爲音訛字。元本、汲古作猬。彙，即猬，見爾雅。

【補校】彙，宋、元本作會。汲古作猬。朐，依宋本、汲古。元本訛昫。

否

麟鳳執獲，英雄失職。自衛反魯，猥昧不起，禄福訖已。

坤爲文，故曰麟鳳。艮爲拘，故曰執獲。乾爲英雄，巽隕落，故失職。伏震爲衛，爲反[一]。兌爲魯，又爲昧[二]。猥，曲也。坤死，故曰不起，曰訖已。乾爲禄福。公羊傳哀十四年，獲麟，孔子觀之，反袂掩泣，自傷將死。○英，宋、元本作陰。依汲古。猥，汲古作畏。禄福作福禄。均依宋、元。

【補校】反，元本作返。依宋本、汲古。反即返。

同人

欒子作殃，伯氏誅傷。州犁奔楚，失其寵光。

左傳成十五年，晉三郤害伯宗，譖而殺之，及欒弗忌，伯州犁奔

〔一〕“反”，刻本訛“及”，據稿本改。
〔二〕“又”，稿本作“坤”，兹依刻本。

楚。卦通師。震爲木，爲子，故曰樂子。爲伯，爲楚，爲奔。坤死，故曰殃，曰誅，曰失。

大有

黃帝出遊，駕龍乘馬。東至泰山，南過齊魯。王良御右，文武何咎？不利市賈。

此用大畜象。震爲黃，乾爲帝；爲行，故曰出遊。乾爲龍馬。震爲東，艮爲山，故東至泰山。乾爲南，兌爲魯，伏巽爲齊，故南過齊魯。乾爲王，兌爲右。伏坤爲文。巽爲市賈，巽伏，故不利。○乘，宋、元本作騎。右作左。今依汲古。

【補校】泰山，宋、元本作太山。依汲古。

謙

齊魯爭言，戰於龍門。遘怨致禍，三世不安。

詳坤之離。齊魯用伏象。

豫

道禮和德，仁不相賊。君子往之，樂有其利。

震爲道，坤爲禮。坎爲和，爲賊。震爲仁，故不相賊。震爲樂，艮爲君子。○禮，元本作理。茲依宋本、汲古。

隨

嫗姁公妮，毀益亂類。使我家憒，利得不遂。

巽爲嫗，震爲公。兌爲毀。艮爲家，巽爲利。妮者，泥也，滯也。論語，致遠恐泥。公泥者，公怠於事也。有此二因，致家事毀亂，利得不遂也。○妮，從元本。疑爲泥訛〔一〕。宋本、汲古作姥。

───────────────

〔一〕“泥”，刻本誤“伲”，據稿本改。

類，宋、元本作賴。依汲古。利得不遂，汲古作利不得遂。依宋、元本。憒，汲古作憒。依宋、元本。

蠱

一巢九子，同公共母。柔順利貞，出入不殆，福祿所在。

> 艮爲巢，坎數一，故曰一巢。震爲子，數九，故曰九子。震爲公，巽爲母；爲柔順，爲利，爲入。震爲福祿，爲出。○出入，汲古作君子。依宋、元本。

臨

崔嵬北岳，天神貴客。温仁正直，主布恩德。閔哀不已，蒙受大福。

> 詳師之豐。

觀

三蛆逐蠅，陷墮釜中。灌沸潏殰，與母長訣。

> 巽爲蛆蠅，艮數三，故曰三蛆。巽爲墮。坤爲釜，爲母；爲死，故潏殰。○蛆，宋、元本作睢。依汲古。
>
> 【補校】訣，依汲古。宋、元本作决。

噬嗑

東山西陵，高峻難升。滅夷掘壘，使道不通。商旅無功，復反其邦。

> 艮爲山陵，離東坎西，故曰東山西陵。艮爲高峻[一]，坎險，故難升。坎爲平，故曰滅夷。艮爲壘，艮手爲掘；爲道，爲邦。震爲商旅，爲反。坎陷，坎險，居中爻，故道不通而商旅困也。○掘壘，元

〔一〕"峻"，刻本訛"陵"，據稿本改。

本作握爨,依宋、汲古本。

賁

常德自如,不逢禍災。樂只君子,福禄自來。

> 坎爲禍災,震出,故不逢。艮爲君子,震爲樂,爲福禄。
>
> 【補校】樂只君子,宋本、汲古無此句。從元本增。

剥

范子妙材,戮辱傷膚。後相秦國,封爲應侯。

> 詳帥之井。
>
> 【補校】第三句,依汲古。宋、元本作然後相國。

復

虎狼結集,相聚爲保。伺噬牛羊,道絶不通,病我商人。

> 此用大畜象。艮爲虎狼,正反艮,艮止,故曰虎狼結集,相聚爲
> 保。伏坤爲牛,兑爲羊,爲口,艮止,故曰伺噬牛羊。艮爲道,震爲
> 商人,艮止,故道不通而商旅困也。○集,汲古作謀。保作儔。伺
> 訛同。均依宋、元本。

无妄

不直杜公,與我爭訟。媒伯無禮,自令塞壅〔一〕。

> 震爲杜,爲公。杜公,未詳所指。初至四正反震,故曰爭訟。
> 震爲伯。○直,汲古作宜。從宋、元本。杜公,疑即杜伯,周宣王殺
> 之,非其罪。即爲人見王,訴其無罪。後射死宣王于鎬。事見周
> 語,及周春秋。媒伯無禮者,言王妾以無禮之事媒孽杜伯,而王不
> 知也〔二〕。

〔一〕"塞壅"二字,稿本、刻本誤倒,據宋、元、汲古及所見其他各本改。
〔二〕"及周春秋"至"不知也"廿六字,稿本無。

頤

上天樓臺，登拜受福，喜慶大來。

　　艮爲天，坤爲樓臺。艮爲拜。震爲登，爲喜。○拜，宋、元本作降。大作自。茲依汲古。

大過

三羊上山，東至平原。黃龍服箱，南至魯陽。完其珮囊，執綏車中，行人有慶。

　　伏頤。震爲羊，艮爲山，數三，故曰三羊上山。震爲東，坤爲平原。震爲黃龍，爲箱，爲南。兌爲魯。魯陽，在南陽郡。坤爲囊，爲車，巽爲綏。震爲行人。○原，汲古作康。依宋、元本。宋、元本完作貌。珮作佩。綏訛綏。有慶作無功。均依汲古。

坎

天地閉塞，仁智隱伏。商旅不行，利深難得。

　　艮爲天，坎爲閉塞。震爲仁，坎爲智，爲隱伏，故曰仁智隱伏。震爲商旅，爲行。巽爲利，巽伏，故曰難得。

離

延陵適魯，觀樂太史。車轔白顚，知秦興起。卒兼其國，一統爲主。

　　兼用對象。坎艮爲少男，故曰延陵。延陵，季子也。兌爲魯。震爲樂，離爲觀。太史者，掌樂之官。觀樂太史，言觀樂於太史也。震爲車；爲的顙，故曰白顚。兌爲秦，震爲興起。艮爲國，正覆艮，故兼其國。震爲主，坎數一。言秦兼併六國，一統天下也。轔與毛詩異。全用吳季札在魯觀樂事。〇其爲六之形訛字[一]。

【補校】車轔，汲古訛東鄰。依宋、元本。

咸

橐戢甲兵，歸放馬牛。徑路開通，國無凶憂。

> 艮爲甲兵，艮止，故曰橐戢。互乾爲馬。艮爲牛，爲徑路。艮
> 爲國，震樂，故無憂。

【補校】宋、元本下多朽墙不鑿，疾病難治二句。似與前文不
類。兹從汲古。

恒

牛驪同槽，郭氏以亡。國破爲墟，主君走逃。

> 兑爲羊，象形，故亦爲牛。震爲馬，故曰牛驪同槽。槽亦震象。
> 震爲主君，在外，故曰走逃。〇槽，各本作堂。依小畜之晉校。主
> 君，各本作君奔。依豫之姤校。

【補校】逃，汲古作趨。依宋、元本。

遯

大尾小腰，重不可搖。棟橈榱壞，臣爲君憂。湯火之言，消
不爲患，使我復安。

> 乾爲大。艮爲尾，爲棟榱。巽隕，故橈壞。艮爲臣，乾爲君。
> 遯陽消卦，故臣爲君憂。乾爲言，艮火在下，故曰湯火之言。湯者，
> 九家、荀爽皆以乾爲河，疑乾有水象。有水，故不畏火，故曰消不爲
> 患。艮止，故安。〇湯火，元本作陽火。兹依汲古。

【補校】橈，宋、元、汲古諸本作撓。兹依翟本。橈通撓。棟，
汲古作揀。榱作挺。均依宋、元本。

〔一〕"其爲六之形訛字"，刻本無，據稿本補。

大壯

太一置酒，樂正起舞。萬福攸同，可以安處，綏我齯齒。

> 詳復之家人。
>
> 【補校】宋、元本下多指空無餌，不利爲旅二句。義與前文不屬。依汲古刪。

晉

飲酒醉酗，跳起爭鬭。伯傷叔僵，東家治喪。

> 坎爲酒，坤迷，故醉。大畜正反艮震，故曰爭鬭。震爲伯，兌傷，故曰伯傷。艮爲叔，艮止，故曰叔僵。震東，艮家。皆用遇卦象。

明夷

山險難登，澗中多石。車馳轊擊，重載傷軸。擔負善躓，跌躞右足。

> 詳乾之謙。○澗，宋、元本作渭。轊作轙。均依汲古。
>
> 【補校】轊，元本作轙。依宋本、汲古。山，汲古作陵。依宋、元本。擔負，宋、元本作載擔。依汲古。

家人

爭訟不已，更相擊訽。張季弱口，被髮北走。

> 詳訟之損。顧千里云，明夷之臨作擊訽，與下走韻，當從。各本皆作咨訽。訽即訽之訛字。按顧説是也，今從之。○宋、元本下多耳順從心，躬行至仁，不須以兵，天下太平四句。依汲古。
>
> 【補校】季，宋、元本作事。依汲古。

睽

心志無良，傷破妄行。觸牆舭壁，不見户房。先王閉關，商旅委棄。

坎爲心志，兑爲傷破。伏艮爲牆壁户房。坎隱，故不見。艮爲關，坎閉。

【補校】觝，依宋、元本。汲古作抵。同觝。

蹇

鸋鴂鴟鴞，治成遇災。綏德安家，周公勤勞。

詳噬嗑之漸。○鴂，宋、元本作夬。依汲古。遇，汲古作御。依宋、元本。

【補校】鸋鴂，依汲古。宋、元本作寧夬。疑省形通借。

解

清人高子，久屯外野。逍遥不歸，思我慈母。

詳賁之艮。

【補校】屯，從汲古。宋、元本作在。

損

兩虎争鬬，股創無處。不成仇讐，行解卻去。

艮爲虎，正反艮，故曰兩虎争鬬。伏巽爲股，兑爲創。巽伏，故曰無處。○股，元本譌服。依汲古。

【補校】股，宋、元本譌服。

益

天女踞床，不成文章。南箕無舌，飯多沙糠。虐衆盜名，雄雞折頸。

巽爲女，艮爲天。天女，織女星也。艮爲床，坤爲文章。震爲南，爲箕，艮爲星。箕，二十八宿星名。艮爲沙，巽爲糠。詩小雅，跂彼織女，終日七襄。雖則七襄，不成報章。又，維南有箕，不可以

簸揚。不簸揚,故飯多沙糠。坤爲衆。巽爲盜,爲雞。震爲雄。艮
爲頸,巽隕,故折。○踞,多作推〔一〕。依小過之比改。虐衆,宋本
作虛象。非。依元本、汲古。

【補校】虐衆,宋、元本作虛象。依汲古。糠,宋、元、汲古諸本
皆訛糖。依局本、翟本及小過之比汲古本校。

夬

太子扶蘇,出於遠郊。佞幸成邪,改命生憂。慈母之恩,無
路致之。

通剝。艮在上,故曰太子。艮手爲扶,坤爲薪蘇,爲郊。乾爲
言,兌口亦爲言,故曰佞。巽爲命,兌爲反巽,故曰改命。言太子扶
蘇遠出備邊,李斯、趙高竟改始皇璽書,殺扶蘇也。革九四云改命
吉,即謂巽覆也。坤爲憂,爲母。○出於,元本作走出。依汲古。

【補校】出於,宋、元本作走出。

姤

寒暑相推,一明一微。赫赫宗周,光榮滅衰。

姤夏至一陰生,消陽,故曰寒暑相推。乾爲宗,震爲周。震伏,
故光滅。

【補校】光榮,汲古作榮光。依宋、元本。

萃

雞狗相望,仁道篤行。不吠昏明,各安其鄉。周鼎和餌,國
富民有,八極蒙祐。

巽雞,艮狗,艮望。兌爲吠。坤爲鄉,爲安。○後三句與前四
句不類,象亦不合,疑衍。

〔一〕"推",刻本訛"摧",據稿本改。

升

窗牖戶房，通利明光。賢知輔聖，仁施大行。家給人足，海
內殷昌。

伏无妄。艮爲窗牖戶房，震爲通利，艮爲明光。乾爲聖，爲仁。
艮爲家，坤爲海。

【補校】房，宋、元本作旁。知作智。均依汲古。知即智。

困

雨雪三日，鳥獸飢乏。旅人失宜，利不可得。幾言解患，以
療紛難，危者復安。

坎爲雨雪，離卦數三，故曰三日。伏艮爲鳥獸，離虛，故飢。巽
爲旅人，爲利。伏震爲言，爲解。坎爲患，爲危，艮爲安。多用伏
象。○日，汲古作月。幾作機。紛作篤。者作身。均依宋、元本。

井

白鵠銜珠，夜食爲明。膏潤優渥〔一〕，國歲年豐。中子來同，
見惡不凶。

伏震爲白鵠，爲珠，兌爲銜，故曰白鵠銜珠。坎爲夜，離爲明。
坎爲膏潤。艮爲國，震爲年歲。坎爲中男，故曰仲子。○歲，疑富
之譌。

【補校】優渥，宋、元本作渥優。依汲古。

革

從豕牽羊，與虎相逢，雖驚不凶。

兌爲羊，巽爲豕，互乾爲虎。言有羊豕，虎即不咥人。

〔一〕“渥”，稿本、刻本作“沃”，據宋、元、汲古本及噬嗑之恒改。

鼎

鳧雁啞啞，以水爲宅。雌雄相和[一]，心志娛樂，得其所欲。

　　詳大有之歸妹。○宋、元本下多絕其患惡四字。依汲古。

震

逐狐平原，水遏我前。深不可涉，暮無所得。

　　艮爲狐，爲震，爲逐。坎水，艮止，故曰水遏我前。坎爲暮，爲失，故無得。

艮

窟室蓬戶，寒賤所處。千里望烟，散渙四方，形體滅亡。下入深淵，終不見君。

　　艮爲窟室，爲戶；互震，故曰蓬戶。坎爲寒，爲煙。震爲千里。坎爲深淵。震爲君，坎隱，故不見。

　　【補校】千里，宋、元本作十里。依汲古。體，汲古作休。依宋、元本。

漸

桀紂之主[二]，悖不堪輔。貪榮爲人，必定其咎。聚斂積實，野在鄙邑，未得入室。

　　離爲惡人，故曰桀紂。伏震爲主，坎爲悖。艮爲榮，爲邑，爲室。坎爲聚斂。巽爲入。○斂，宋、元本作銳。依汲古。鄙，汲古作都。得入，作來我。兹依宋、元本。

　　【補校】堪，依汲古。宋、元本作可。

〔一〕"和"，刻本誤"合"，據稿本改。
〔二〕"紂"，刻本訛"討"，依稿本改。

歸妹

倉庫盈億，年歲有息。商人留連，雖久有得。陰多陽少，因
地就力。

伏艮爲倉庫，坎衆，故盈億。震爲年歲，爲生，爲息，爲商人。
坎陷，故留連。

豐

火山不然，釣鯉失綸。魚不可得，利去我北。

離火，伏艮，故曰火山。兑水在上，故曰不然。巽爲係，故爲
釣；爲魚，爲綸。兑折，故失綸。巽隕落，故魚不得而失利也。〇
火，汲古作泰。依宋、元本。神異經，南荒外有火山。

【補校】宋本下多三人同福，以興周國，君子安息三句。元本
同，唯人作仁。並注云，三仁，大王、王季、文王。義與前文不類，兹
從汲古删。

旅

童女無媒，不宜動摇。安其室廬，傅母何憂？

兑少，故曰童女。坎爲媒，坎伏，故無媒。無媒，故不宜動。艮
爲安，爲室。巽爲母。〇宜，汲古作利。依宋、元本。室，宋、元本
作居。依汲古。

【補校】室，宋、元本作居。依汲古。末句，汲古作待母動憂。
依宋、元本。

巽

載風雲母，遊觀東海。鼓翼千里，見吾愛子。

巽爲風，爲母。此句疑有訛字，或爲載風乘雲也。兑爲海，伏
震，故曰遊觀東海。離爲觀也。震爲翼，爲鼓，爲千里。兑悦，震

子,故曰愛子。

兑

鴻盜我襦[一],逃於山隅。不見武迹,使伯心憂。

> 伏艮。互震爲鴻,爲衣。坎爲盜,艮爲山,故逃於山隅。震爲
> 武迹。詩大雅,履帝武敏歆。傳,武,迹也。震爲伯,坎爲心,爲憂。
> 坎爲隱伏,故不見武迹。○武,汲古作其。依宋、元本。

涣

夜視無明,不利遠鄉。閉門塞牖,福爲我母。

> 坎爲夜,故不明。艮爲視,爲鄉,爲門户。坎爲閉塞。震爲福,
> 巽爲母。言夜黯不明,不宜遠行,杜門不出,或致福也。○無,汲古
> 作失。依宋、元本。

【補校】夜視,宋、元本作視夜。從汲古。

節

三狗逐兔,于東北路。利以進取,商人有得。

> 艮爲狗,數三,故曰三狗。震爲兔,爲逐。艮居東北,爲路,故
> 曰于東北路。震爲進,爲商人。○于,宋、元本作子。依汲古。北,
> 汲古作門。依宋、元本。

中孚

武王不豫,周公禱謝。載璧秉圭,安寧如故。

> 書金縢,武王不豫,周公册祝,植璧秉圭,請以身代,翊日王瘳。
> 震爲武,爲王;爲周,爲公。爲言,故曰禱;爲玉,故爲圭璧。艮手爲

〔一〕 "鴻",稿本、刻本作"鶴",據宋、元、汲古及所見其他各本改。又注"互震爲
　　 鴻"亦依校。謹按,震有鴻象,見卷首《易林逸象原本攷》。

秉〔一〕。○載，今書作植，史記作戴，未知孰是。

【補校】圭，依汲古。宋、元本作珪。同圭。

小過

同載共車，中道別去。爵級不進，君子下輿。

震爲車，爲載。艮爲道，爲反震，故曰別去。言背震別行也。震爲樽爵，艮爲君子。艮止，故不進。古君子方得乘輿，下輿言不仕也。○下輿，宋、元本作不輿〔二〕。依汲古。

既濟

六雁俱飛，遊戲稻池。大飲多食，食飽無患。

坎數六，震爲雁，爲飛。卦有三半震，故曰俱飛。震爲遊，爲稻。坎爲池。兌爲飲食。

【補校】宋、元本下多舉事不遂，商旅作憒二句。依汲古刪。

未濟

符左契右，相與合齒。乾坤利貞，出生六子。長大成就，風言如母。

卦一陰一陽相間皆相交，故曰符契，曰合齒。震左，兌右。兌齒，坎爲合也。卦氣至亥，陰凝於陽，故曰利貞。未濟，亥月之卦也。至子則震出矣，故出生六子。○依兌之大過校刪末句不利爲咎四字。合齒，宋、元本作虐亂。出生，元本作幸生。汲古作季生。風言，宋、元本作颯然。皆非。

【補校】出生，宋、元本作幸生。

〔一〕“艮”下，刻本脫“手”字，據稿本補。
〔二〕“不”下，刻本脫“輿”字，據稿本補。惟稿本“輿”誤“與”，則依宋、元本校改。

頤之第二十七

頤

家給人足,頌聲並作。四夷賓服,干戈卷閣。

　　艮爲家,震爲人;坤多,故給足。震爲聲。坤陰,故爲夷狄。震
卦數四,故曰四夷。震爲賓,艮爲干戈。艮止,故卷閣。

乾

思初道古,哀吟無輔。陽明不制,上失其所。

　　乾爲初,爲古。頤互坤爲思,爲哀。震爲道,爲吟。一陽在上,
故曰失所。陽明不制者,言陽不能制陰也。全用遇卦象。○道,元
本作悼。依宋本、汲古。

坤

江河淮海,天之奧府。衆利所聚,可以饒有,樂我君子。

　　詳乾之觀。

　　【補校】可以,宋、元本作賓服。從汲古。

屯

三雁俱行,避暑就涼。適與矰遇,爲繳所傷。

　　震爲雁,數三,故曰三雁。坎爲寒,離伏,故曰避暑就涼。伏巽
爲矰繳,兌爲傷。○矰,元本作繒。依宋本、汲古。行,汲古作飛。
依宋、元本。

蒙

秋南春北,隨時休息。處和履中,安無憂凶。

伏兑爲秋,艮納丙,故曰秋南。震爲春,坤爲北,故曰春北。艮爲鴻雁,雁隨陽轉,故曰隨時。艮爲時,爲休息。坎爲中和,震爲履。艮爲安。

需

履危無患,跳脱獨全。不利出門,傷我左膝。疾病不食,鬼哭其室。

坎爲危,爲患;跳脱在外,故無患。乾爲門户,出門遇險,故不利。兑爲傷。膝象疑爲坎。股之屈信,全在膝,而坎爲矯輮,又爲美脊,以義以形,皆有膝象。互離爲東,故曰傷我左膝。坎爲疾病[一],兑爲食;坎憂,故云不食。坎爲鬼,爲室;兑爲口,故曰鬼哭其室也。○跳,汲古作逃。依宋、元本。膝,宋、元本作踝。今依汲古。

訟

東家凶婦,怨其公姥。毁柈破盆,棄其飯飧,使吾困貧。

巽爲婦,坎凶。伏震爲東,爲公,巽爲姥。姥,母也。伏震爲柈,爲盆,坎爲破。巽爲飯飧,風散,故曰棄。伏坤爲吾,爲貧。○怨,元本作怒。姥作姑。依宋本、汲古。柈,汲古作盤。依宋、元本。

【補校】飧,依宋、元本。汲古作食。

師

泥滓汙辱,棄捐溝瀆。衆所笑哭,終不顯録。

坤土,坎水,故曰泥,曰汙。坎爲溝瀆,爲衆。震爲笑哭。坤賤,坎隱,故曰,終不顯録。○汙,宋、元本作洿。依汲古。

〔一〕“爲”下,刻本無“疾”字,據稿本補。

【補校】捐,汲古作損。依宋、元本。録,宋、元本作禄。依汲古。

比

旦往暮還,各與相存,身無凶患。

　　頤震爲旦,爲往。坤爲暮。艮者,震之反,故曰暮還。坤爲身,坎爲患。○凶患,汲古作患凶。依宋、元本。

　　【補校】各,汲古作吝。依宋、元本。

小畜

六翮長翼,夜過射國。高飛冥冥,羿氏無得。

　　伏豫。震爲翮,爲翼,坎數六,故曰六翮長翼。坤爲夜,爲國,震爲射,故曰射國。震爲飛。坤惡,故曰羿;坤虛,故無得。

　　【補校】高飛冥冥,汲古無。依宋、元本增。

履

蜂蠆之門,難以止息。嘉媚之士,爲王所食,從去其室。

　　巽爲蟲,伏坎爲毒,故曰蜂蠆。乾爲門。風散,故難以止息。兌爲媚,爲食。乾爲王,伏坎爲室。言王食養嘉士,士皆歸王室也。伏震爲士。○門,汲古作國。今依宋、元本。

泰

被狐乘龍,爲王道東。過時不返,使我憂聾。

　　伏艮爲狐,震爲龍。言被狐裘,乘龍馬也。震爲道,爲東,乾爲王。震往,故不返。坤爲憂,坤迷,故聾。○被,宋、元本作放。依汲古。

　　【補校】返,依汲古。宋、元本作及。疑反字形訛。

否

黿梅零墜,心思憒憒,亂我魂氣。

乾、艮皆爲果,而乾爲冰,故曰雹梅。方言,大袴謂之倒頓。郭
注,即今之雹袴。雹袴、雹梅,皆象形語。巽隕落[一],故曰墜。坤
爲心,坤迷,故曰憒憒。○汲古多懷憂少愧四字,在第三句。依宋、
元本。按,乾爲魂,坤爲亂,故曰亂我魂氣。

【補校】憒憒,宋、元本作憒憒。汲古作憒憒。兹依局本、翟
本。

同人

長女三嫁,進退無羞。牝狐作妖,夜行離憂。

巽爲長女;伏震爲嫁,數三,故曰三嫁。巽爲進退;坤爲羞,坤
伏,故無羞。伏坎爲狐,爲妖,爲夜,爲憂。巽爲牝。○無羞,各本
皆作多態。依觀之蠱校。

大有

轟轟輷輷,馳東逐西。盛盈必毀,高位崩顛。

此用遇卦象。震爲車,爲聲,故曰轟輷。震爲東,爲馳逐,兌爲
西。乾爲盛盈,兌爲毀,故曰盛盈必毀。艮爲高位,艮覆爲震,故曰
崩顛。○第二句,宋、元本作驅車東西。兹依汲古。

【補校】輷輷,汲古作輷輷。依宋、元本。

謙

乘船涉濟,載水逢火。賴得無患,蒙我生全。

震爲船。坎爲水,爲濟,艮爲火,故曰載水逢火。坎爲患,震爲
樂,故曰無患。○生全,汲古作全生。依宋、元本。

【補校】涉,依汲古。宋、元本作道。

〔一〕“隕”下,刻本無“落”字,據稿本增。

豫

至德之君，政仁且溫。伊呂股肱，國富民安。

震爲君，爲仁。坤爲政，艮爲火，故曰政仁且溫。伏巽爲股肱。伊吾，語聲；呂，從口，皆震象也。又艮爲臣，亦或爲艮象。坤爲國，爲民。○至德，汲古作德至。依宋、元本。

隨

生不逢時，困且多憂。無有冬夏，心常悲愁。

震爲生，艮爲時；兌向晦，故生不逢時。艮爲困，巽爲憂；正反巽，故多憂。震春，兌秋，故曰無有冬夏。言無時不悲愁也。

蠱

南歷玉山，東入生門。登福上堂，飲萬歲漿。

震爲南，爲玉，艮山，故曰南歷玉山。艮門，震東，巽入，故東入生門。震爲登，爲福，艮爲堂，故曰登福上堂。兌口，爲飲。兌澤，故曰漿。震爲萬歲。

臨

大斧斫木，讒人敗國。東關二五，禍及三子。晉人亂危，懷公出走。

兌爲斧，震爲木。兌震爲口，爲言，故曰讒人。坤爲國，爲關。兌數十，故曰二五。左傳僖二十八年，姬賂外嬖梁五，與東關嬖五是也。震數三，故曰三子。申生、夷吾、重耳也。震爲晉，爲人，爲公。坤爲禍亂；爲心，故曰懷公。○斫，宋、元本作破。依汲古。

觀

一室百孫，公悅嫗歡。相與笑言，家樂以安。

艮爲室，爲孫，坤爲百，故曰一室百孫。巽爲嫗，伏震爲公，爲歡笑。艮爲家。

【補校】嫗，宋、元本作婦。依汲古。

噬嗑

隨陽轉行，不失其常。君安於鄉，國無咎殃。

離爲日。震爲隨，爲行，爲轉運；而離上震下，故曰隨陽轉行。
震爲君，艮爲鄉，爲國。艮止，故君安而國無殃咎也。

賁

羣虎入邑，求索肉食。大人禦守，君不失國。

艮爲虎，爲邑；正覆艮，故曰羣虎。艮爲求，坎爲肉，故求索肉
食。震爲大人，爲君。艮爲守，爲國；能守，故不失也。

剥

弱足刖跟，不利出門。商賈無贏，折崩爲患。湯火之憂，轉
解喜來。

此用頤象。震爲足，爲跟。艮刀，故曰刖。坤柔，故曰弱，故出
不利。坤爲門也。震爲商賈，上震覆，故無贏，故崩折。坤爲患；爲
水，艮火，故曰湯火。○商，宋、元本作市。崩作明〔一〕。皆非。依
汲古。

【補校】商，元本作市。依宋本、汲古。

復

夏臺羑里，湯文厄處。鬼侯飲食，岐人悦喜。

此用遇卦頤象，義詳前无妄林。史記，西伯九侯，爲紂三公。
紂烹九侯。徐廣曰，九，一作鬼。○首二句，依无妄校。羑里，各本

〔一〕“明”，刻本訛“朋”，據稿本改。

皆作幽户。湯文作文君。

　　【補校】岐,元本訛歧。從宋本、汲古。

无妄

棟橈槤壞,廊屋大敗。宮闕空廓,如冬枯樹。

　　　震爲槤棟,巽隕落,故橈壞。艮爲廊屋,爲宮闕。巽隕,故大
敗。震虚,故空廓。乾爲冬,震爲樹,巽爲枯。○空廓,宋、元本作
空廊。茲依汲古。

　　【補校】橈,元本、汲古作撓。依宋本。槤,宋本作擩。汲古作
攘。從元本。

大畜

讒以内安,不利其國。室家大懼,幽囚重閉。疾病多求,罪
亂憒憒。

　　　三至上正反震,故曰讒。艮爲國,爲室家。伏坤爲懼,爲幽閉,
爲重,爲疾病,爲罪亂。言内有讒人,羣臣被讒,幽囚重閉,不利其
國也。坤迷,故曰憒憒。○讒,宋、元本作説。利作離。大懼作相
懼。均依汲古。

　　【補校】憒憒,汲古作憒憒。依宋、元本。

大過

六龍俱怒,戰於坂下。蒼黄不勝,旅人艱苦。

　　　乾數六,故曰六龍。震爲怒。頤正反震,故曰戰。艮爲坂,坤
爲下。震爲蒼黄,爲旅人。皆用伏象。○坂,汲古作陂。蒼作倉。
均依宋、元本。

　　【補校】蒼,宋、元本作倉。依汲古。

坎

天下雷行,塵起不明。市空無羊,疾人憂凶。三木不辜,脱

歸家邦。

　　艮爲天，震爲雷。艮上震下，故曰天下雷行。艮爲塵，坎黑，故不明。兑爲羊，巽爲市，兑巽皆伏，故曰市空無羊。坎爲疾，爲憂。震爲木，數三，故曰三木。三木奉桎梏，亦坎象也。艮爲家邦，震爲脱。三木不辜，言雖被三木之刑，而非其罪也。

　　【補校】辜，汲古作喜。依宋、元本。

離

一指食肉，口無所得。染其鼎蒲，舌饞於腹。

　　伏坎。艮爲指，坎爲肉，兑爲口。震爲鼎蒲，兑爲舌，離爲腹。左傳，子公染指於鼎，嘗之而出。林似指其事。一，當作以。

咸

喜笑不常，失其福慶。口辟言疥，行者畏忌。

　　兑爲喜笑，正反兑，故曰不常。乾爲福慶，巽隕落，故曰失。兑爲口，乾爲言。辟，邪也。疥，瘡也。言口邪言穢也。伏坤爲畏忌。艮爲節，故曰疥。○辟，汲古作辨。依宋、元本。疥，宋、元本作疕。依汲古〔一〕。

恒

毛生豪背，國樂民富，侯王有德。

　　山海經，竹山有獸，狀如豚，白毛，名曰豪彘。注，夾髀有麤毫，能以脊上毫射物。故曰毛生豪背。震爲毛。伏艮爲背，爲國。坤爲民，爲富。乾爲侯王。○豪，汲古作毫。依宋、元本。

　　【補校】豪，宋本、汲古作毫。依元本。

―――――――――

〔一〕“汲”上，刻本脱“依”字，據稿本補。

遯

獷豕童牛，害傷不來。三女同堂，生我福仁。

> 巽爲豕，艮爲牛；艮少，故曰獷豕童牛。象本大畜也。互巽爲女，艮數三；艮爲堂，故曰三女同堂。乾爲福仁，伏震爲生。○害，宋、元本作童。依汲古。女，汲古作光。依宋、元本。
>
> 【補校】仁，依汲古。宋、元本作人。

大壯

江海淮濟，盈溢爲害。邑被其瀨，年困無歲。

> 乾爲河，爲盈。兌毀，故曰害。伏坤爲邑。乾爲年歲。○濟，宋、元本作海。依汲古。
>
> 【補校】瀨，汲古作癩。依宋、元本。

晉

兩虎爭鬪，股創無處。不成仇讐，行解卻去。

> 詳大畜之損。
>
> 【補校】卻，依汲古。宋、元本作欲。創，宋、元、汲古諸本皆作瘡。依大畜之頤及翟本校。

明夷

五嶽四瀆，潤洽爲德。行不失理，民賴恩福。

> 震爲山，坎爲五，故曰五岳。震卦數四，坤坎皆爲水，故曰四瀆，曰潤洽。淮南子，河潤百里。坤爲理，爲民。○潤，元本作澗。依宋本、汲古。

家人

載車乘馬，南逢君子。與我嘉福，雖憂无咎。

> 此用頤象。震爲車，爲馬，爲載，爲乘，爲南。艮爲君子，故曰

南逢君子。震爲嘉福,坤爲憂。○福,宋、元本作喜。依汲古。

【補校】雖,汲古作離。依宋、元本。

睽

缺囊破筐,空無黍粱。不媚如公,棄於糞牆。

此用頤象。坤爲囊,震爲筐。伏兑毀,故曰缺,曰破。震爲稻粱,爲黍稷。坤虚,故曰空。震爲公,兑爲媚。兑伏,故曰不媚。艮爲牆,坤柔,故曰糞牆。○粱,元本作稷。依汲古。

【補校】粱,宋、元本作稷。如、牆,汲古作始,作塲。均依宋、元本。

蹇

殺行桃園,見虎東還。螳螂之敵,使我無患。

此用頤象。震爲行,爲桃。艮爲園,爲虎。震爲東,爲反,故曰東還。螳螂,疑伏兑象。左傳宣二年,趙穿攻靈公於桃園,弑之〔一〕。淮南子,齊莊公出行,有螳螂奮臂當車,迴車避之。○還,元本作西。使作仁。均依汲古。

解

箕仁入室,政衰弊極。抱其彝器,奔於他國,因禍受福。

此用頤象。震爲箕,爲仁,艮爲室。入室,謂箕子囚於圜室也。坤爲政,爲弊。艮爲抱。震爲彝器,爲奔,坤爲國。抱其彝器,周本紀,少師彊抱其祭器以犇周。宋世家又云,微子持祭器造於軍門是也。○箕仁,元本作飢人。依宋本、汲古。黄丕烈從元本,非。因不知入室之義,而據殷本紀西伯伐飢國爲説。然於下文義愈不協。

〔一〕"左傳宣二年"至"弑之",稿本作:"左傳宣二年,乙丑,趙穿攻靈公於桃園。宣子未出山而復。兹曰見虎東還,或宣子在山遇虎歟? 古籍散佚,已不能考。"似付刻時作删節。今依原稿姑録存,以資參考。

【補校】箕仁,宋、元本作飢人。依汲古。

損

庭燎夜明,追古傷今。陽弱不制,陰雄坐戾。

詳剝之大有。

益

懸貆素飧,食非其任。失輿剝廬,休坐徙居。

詳乾之震。○貆,宋、元本作狟。徙作從。茲依汲古。

【補校】貆,宋、元、汲古諸本皆作狟。依學津、局本、翟本及乾之震宋本、汲古本校。又,飧,從元本。宋本、汲古作飱。音義同。

夬

嘉門福喜,繒帛盛熾。日就爲得,財寶敵國。

乾爲門,爲福。兌悅,故喜。伏坤爲繒帛。乾爲盛,爲日,爲財寶。伏坤爲多,故曰敵國。言富可敵國也[一]。○喜,宋、元本作善。依汲古。

【補校】嘉,宋、元本作喜。依汲古。門,汲古作聞。從宋、元本。又,汲古無第四句。依宋、元本。

姤

執綏登車,驂乘東遊。説齊解燕,霸國以安。

史記蘇秦傳,臣居燕不能使燕重,而在齊則燕重。林用其事。巽爲綏。伏震爲車,爲東,爲燕,爲解。巽爲齊。伏坤爲國,乾健,故曰霸國[二]。

〔一〕"國"下,刻本脱"也"字,據稿本補。
〔二〕"曰",刻本訛"目",據稿本改。

萃

水深無桴，蹇難何游。商伯失利，庶人愁憂。

坤爲水，震爲桴。震伏，故無桴。艮止，故蹇。巽爲利，坤喪，
故失利。坤爲庶人，爲憂。

【補校】游，元本、汲古作遊。依宋本。

升

三鳥鴛鴦，相隨俱行。南到饒澤，食魚與粱。君子長樂，見
惡不傷。

震爲鳥，數三，故曰三鳥。坤文，故曰鴛鴦。震爲隨，爲行，爲
南。兌爲澤，坤多，故曰饒澤。坤爲魚，震爲粱，互兌，故曰食魚與
粱。伏艮爲君子。坤爲惡，震樂，故見惡不傷。〇長樂，宋、元本作
樂長。依汲古。

困〔一〕

遠視目盻，臨深苦眩。不離越都，旅人留難。

互離爲目，爲視。盻，黑白分明也。兌澤，故臨深。眩，惑亂
也。坎疑，故苦眩。巽東南，故曰越。正反巽，故曰不離。伏震爲
旅人。〇難，宋、元本作連。依汲古。

井〔二〕

終風東西，渙散四方。終日至暮，不見子懽。

正反巽，故曰終風。離東，兌西。巽隕，故曰渙散；兌數四，故
曰四方。離日，坎暮。坎隱，故不見。詩邶風，終風且暴。傳，終日
風爲終風。〇渙散，宋、元本作散渙。依汲古。

〔一〕困林原辭及注文，刻本皆脱落。依稿本補録。
〔二〕井林原辭及注文，刻本亦皆脱落。據稿本補録。

革

言無要約，不成券契。殷叔季姬，公孫爭之。彊入委禽，不悦於心。

正反兑相背，故曰言無要約，不成券契。左傳昭元年，鄭徐吾犯之妹美，公孫楚聘之矣，公孫黑彊委禽焉。伏震爲姬，爲公。艮爲季、孫。正反艮，故曰爭。艮爲禽。兑悦，伏坎爲心。〇殷叔，未詳。或徐吾犯出自殷。

【補校】禽，汲古作命。於作我。均依宋、元本。

鼎

牛馬聾瞶，不知聲味。遠賢賤仁，自令亂憒。

伏屯。坤牛，震馬。坎耳坤迷，故聾瞶。震爲聲，本卦巽爲味。震爲賢仁，在下，故曰遠賢賤仁。坤爲賤，爲亂。〇各本下有疾病無患，生福在門八字。語意與上文不協，斷爲衍文，依小過之謙删。瞶，汲古作憒。依宋、元本。令，宋、元本作合。依汲古。

震

從商近遊[一]，飽食無憂。囹圄之困，中子見囚。

震爲商，爲遊，爲食。坎中滿，故飽食。坎爲憂，震樂，故無。坎爲囹圄，爲中男。艮止，故見囚。〇飽食，汲古作食飽。依宋、元本。

艮

据斗運樞，順天無憂，與樂並居。

艮爲星，卦數七，故曰斗。互坎爲樞。艮爲天，坤順；卦二陰承

〔一〕"近"，刻本訛"進"，據稿本改。

一陽,故曰順天。坎憂,震樂,故曰並居。

【補校】据,宋、元作據。依汲古。据、據同。

漸

姬奭姜望,爲武守邦。屏藩燕齊,周室以彊,子孫億昌。

伏震爲姬,爲奭,巽爲姜,離爲望,故曰姬奭姜望。震爲武。艮爲守,爲邦,爲屏藩。艮爲燕,巽齊。言姬奭封燕,姜望封齊,屏藩周室,爲武王守土也[一]。震周,坎室。震子,艮孫。億,大也。

歸妹

亡羊東澤,循隉直北。子思其母,復返其所。

兌爲羊,爲澤。震東,故曰東澤。震往,故曰亡羊。坎爲北,震爲阪,故曰循隉直北。震爲子,坎爲思,巽爲母。巽伏,故思母。震爲歸,故復返其所。○復,汲古作隨。依宋、元本。

豐

張目關口,舌直距齒。然諾不行,政亂無緒。

離爲目,震爲張。兌口,伏艮,故曰關口。兌爲舌,爲齒。二至五,正反兌相背,故曰距。距,抗也。相背,故然諾不行。巽爲緒。二至五正反巽,故亂而無緒。此皆用覆象。自覆象失傳,困有言不信等辭皆失解。○關,汲古作開。依宋、元本。

【補校】目,宋、元、汲古諸本皆作鳥。翟本作頜。按,此作張目,於義宜勝。馬生新欽云,疑依升之蠱宋、元本肓者張目,及歸妹之履目張耳鳴校。

旅

載船逢火,憂不爲禍。家在山東,入門見公。

〔一〕“土”,刻本訛“上”,據稿本改。

通節。震爲船，艮爲火，故曰載船逢火。坎爲憂，爲禍。船近水，故雖逢火不爲禍患。艮爲家，爲山，震爲東，故曰家在山東。震爲公，艮爲門，巽入，故曰入門見公。

巽

絕國異路，心不相慕。蛇子兩角，使我相惡。

通震。艮爲國，爲路。坎爲心，爲慕。二至上兩震相反，故不相慕。巽爲蛇，伏艮爲角。兌卦數二，故曰兩角。新序，孫叔敖爲兒時，出遊見兩頭蛇，殺而埋之，歸而泣。林似指其事。○國，宋、元本作言。依汲古。

兌

鼻頂移徙，居不安坐。枯竹復生，失其寵榮。

伏艮爲鼻，爲頂。互震，故曰移徙。艮爲居，爲坐；震動，故不安坐。震爲竹，離科上槁，故曰枯竹。震爲復，爲生。艮陽在上，爲寵榮；互坎，故失其寵榮。坎爲失也。○頂，汲古作項。復作後。依宋、元本。居，宋、元本作君。依汲古。

渙

火息無光，年歲不長，殷商以亡。

艮火在坎水上，故無光。震爲年歲；爲子，故曰殷商。子，殷姓也。坎失，故曰亡。○殷商以亡，汲古作殷湯遠明。元本作殷湯光明，而首句多殷商以亡一句。按，殷商以亡[一]，即殷湯遠明，元本誤爲上句耳。宋本與汲古皆作三句，可證。又年字，汲古作千。依宋、元本。

【補校】殷商以亡，宋、元本皆誤爲上句，末句皆作殷湯光明，

〔一〕"商"，稿本、刻本作"湯"，茲依上下文意及宋、元本校。

爲四句。茲從汲古作三句,末句依宋、元首句校。

節

文王四乳,仁愛篤厚。子畜十男,夭折無有。

　　震爲王,伏離,故曰文王。艮爲乳,震卦數四,故曰四乳。震爲
仁愛,艮爲篤厚。震爲子,兌數十,故曰十男。兌爲折,震生,故不
折。帝王世紀,文王身長十尺,有四乳。詩,太姒嗣徽音,則百斯
男。傳,太姒十子。據史記索隱注,十子,伯邑考、武王、管、蔡、霍、
魯、衛、毛、𣅀、曹是也。○夭,元本作犮,音跋。周禮有赤犮氏。
注,赤犮,猶拔除。除去之也。亦可通。茲依宋本、汲古。惟各本
皆作無有夭折,依鼎之蒙校。有、厚爲韻。

　　【補校】獐,依宋、元本。汲古作麈。蓋麞之形訛。

中孚

熊羆豺狼,在山陰陽。伺鹿取獐,道候畏難。

　　二至五正反艮,故曰熊羆豺狼。艮納丙,故曰山陽。艮反則山
陰矣,故曰山陰。易中孚,鳴鶴在陰,亦山陰也。解者皆誤。艮止,
故曰伺。艮手,故曰取。震鹿,艮麞。候,斥候也。掌檢行道路[一],
伺候盜賊。○候,汲古作伏。非。依宋、元本。

小過

凋葉被霜,獨蔽不傷。駕入喜門,與福爲婚。

　　震爲葉,巽落,故曰凋葉。艮爲門,震爲喜福。霜,或用兌澤
象,抑或取大坎。○凋,宋本、汲古作彫。依元本。

既濟

黃離白日,照我四國。元首昭明,民賴恩福。

────────────

〔一〕"掌",稿本作"謂",茲依刻本。

離九二曰黄離。離爲日,爲照。艮爲國。震卦數四,故曰四國。艮爲首,坤爲民。頤本大離,林辭全取頤象。○恩,從宋、元本。汲古作爲。

【補校】宋、元本下多漢有游女,人不可得二句。與前文不屬。依汲古。

未濟

順風直北,與歡相得。歲熟年豐,邑無盜賊。

似亦取頤象^{〔一〕}。

【補校】盜,宋、元本作寇。依汲古。又,宋、元本下多長女行嫁,子孫不昌,係疾爲殃三句。與前文不類,從汲古删。按,汲古舊注亦云一本下多三句,與宋、元同,唯係作棄。

〔一〕"似"上,稿本多"此"字。

大過之第二十八

大過

典册法書,藏在蘭臺。雖遭亂潰,獨不遇災。

> 詳坤之大畜。〇在,元本作閣。依汲古。
>
> 【補校】在,宋、元本作閣。

乾

日在北陸,陰蔽陽目。萬物空虛,不見長育。

> 此用大過象。乾爲日,爲寒,故曰日在北陸。大過本末陰,故曰陰蔽陽目。伏坤爲萬物,爲空虛。坤死,故不長。

坤

鬼泣哭社,悲商無後。甲子昧爽,殷人絶祀。

> 坤爲鬼,爲社,大過兌爲哭泣。坤爲傷,爲悲。伏震爲子,位東,故曰甲子。震爲晨,兌爲昧,故曰昧爽。震爲子,殷子姓。坤殺,故曰絶祀。〇商,從宋、元本。汲古作傷。鬼哭社[一],按墨子非攻篇,至商王紂,婦妖宵出,有鬼宵吟。又論衡云,紂之時,夜郊鬼哭。又云,紂郊鬼哭。惟虞初志亡,不能得其詳耳。
>
> 【補校】商,從宋、元、汲古本。學津、局本作傷。

屯

涉塗履危,不利有爲。安坐垂裳,乃無災殃。門户自開,君憂不昌。

〔一〕"傷"、"鬼"二字,刻本誤倒置,據稿本正。

震爲塗,爲涉,爲履,坎爲危,故涉塗履危。險在前,故不利
有爲。艮止,故宜安坐。坤爲裳,爲災殃。安坐垂裳,高拱無爲,
故無災殃。坤爲門户,震爲君,坎爲憂。○裳,汲古作堂。依宋、
元本。

蒙

陽失其紀,枯木復起。秋華冬實,君不得息。

上陽在上,二陽陷陰中,皆不當位,故曰失紀。震爲木,爲起;
坤虚,故曰枯木。震爲華,艮爲實,伏兑爲秋,坎爲冬,故曰秋華冬
實。震爲君。○秋華冬實,宋、元本作秋葉冬華。依汲古。息,汲
古作失。依宋、元本。

【補校】秋華冬實,宋本作秋葉冬華。依元本、汲古。

需

**大樹之子,百條共母。當夏六月,枝葉盛茂。鸞鳳以庇,召
伯避暑。翩翩偃仰,各得其所。**

此用大過象。巽爲大樹,伏震爲子,故曰大樹之子。巽爲條,
爲母,乾爲百,故曰百條共母。兑爲月,乾數六,故曰六月。伏坤爲
文,爲鸞鳳。巽爲枝葉,乾爲盛茂。鸞鳳居枝葉之中,故曰鸞鳳以
庇。伏震爲召伯。坤爲暑,一陽潛坤下,故曰避暑。正反震,故曰
翩翩偃仰。用遇卦象,兼及遇卦伏象。易林象學之難窺如此。○
鳳,宋、元本作鳥。翩作偏。各作甚。均依汲古。

【補校】翩翩,元本作偏偏。依宋本、汲古。

訟

秉鉞執殳,挑戰先驅。不從元帥,敗破爲憂。

詩,伯也執殳,爲王前驅。左傳邲之戰,晉軍不用命,遂敗。

言先縠不從元帥荀林父命而挑戰也〔一〕。離爲戈兵，故曰鉞、殳。伏震爲戰，爲驅。坎爲破敗，爲憂。○從，汲古訛役。依宋、元本。

師

啓室開關，巡狩釋冤。夏臺羑里，湯文悅喜。

坎爲室，震爲啓，爲開，坤爲關，故曰啓户開關。震爲巡狩，爲釋，坎爲冤。坤爲臺，爲里。伏離，故曰夏臺。震爲大塗，故曰羑里。羑，亦道路也。震爲王，坤爲文，故曰湯文。震爲喜〔二〕。○巡狩，宋、元本作逃得。非。羑作牖。均依汲古。

【補校】羑，元本作牖。依宋本、汲古。關，汲古作門。依宋、元本。

比

衰滅無成，淵溺在傾。狗吠夜驚，家乃不寧。

坤死，故衰滅。坤爲淵，坎陷，故曰溺傾。艮爲狗，伏兌爲吠，坤爲夜，故曰狗吠夜驚。艮爲家，坎險，故不寧。○成，汲古作幾。傾作項〔三〕。狗吠作吠狗。均依宋、元本。

【補校】宋、元本下多枯者復華，幽人無憂二句。與前文詞義不類。茲依汲古。

小畜

西鄰少女，未有所許。志如委衣，不出房户。心無所處〔四〕，傅母何咎。

兌爲西，爲少女。伏坎爲志。坤爲衣裳，坤柔，故曰委衣。未

〔一〕“帥”，刻本訛“師”，據稿本改。
〔二〕“喜”，稿本作“樂”，茲依刻本。
〔三〕“項”，稿本、刻本誤“頃”，據汲古本改。
〔四〕“處”，稿本、刻本作“得”，疑誤。據宋、元、汲古及所見其他各本改。

有所許，謂未字人也。志如委衣，言柔順也。艮爲戶房，艮止，故不出。坎爲心。坤爲母。全用伏象。

履

狗吠夜驚，履鬼頭頸。危者弗傾，患者不成。

伏謙。艮爲狗，震爲吠，爲驚。坎爲夜，爲鬼。震在坎上，故曰履鬼頭頸。坎爲大首，故曰頭也。坎爲危患，震解，故危患皆免也。○患者，宋、元本作患滅。依汲古。

泰

當年少寡，獨與孤處。雞鳴犬吠，無敢難者。我生不辰。獨嬰寒苦。

通否。乾爲年，巽爲寡。艮少，故曰少寡。坤亦爲寡，故曰獨與孤處。巽爲雞，艮爲犬。震爲鳴吠，爲辰，爲生。坤喪，故曰不辰。乾爲寒，坤爲獨。

【補校】難，宋、元本作誰。依汲古。

否

無道之君，鬼哭其門。命與下國，絕不得食。

乾爲君，坤惡，故曰無道。坤爲鬼，爲門，艮爲哭。巽爲命，坤爲國。兌口爲食，兌覆，故不得食。論衡，紂之時，鬼泣哭社。

【補校】不得，宋、元本作得不。依汲古。

同人

乘龍南遊，夜過糟邱，脫厄無憂。

伏師。震爲龍，爲南遊，爲糟。爲陵，故爲邱。坤爲夜。坎爲厄，震出，故脫厄。

【補校】邱，從汲古。宋、元本作丘。丘、邱同。無憂，汲古作魯憂。

依宋、元。又，宋、元本下多矕絶弩傷，羿不得羹二句。依汲古删。

大有

馬躓車傷，長舌破家。東關二五，晉君出走。

> 事詳頤之臨。

謙

瓜葩瓠實，百女同室。醯苦不熟，未有妃合。

> 艮爲果蓏，故曰瓜，曰瓠。震爲葩。艮爲實，爲室。坤爲百，爲
> 女，故曰百女同室。坎爲醯，爲合。妃，匹也。醯苦不熟，言或酸或
> 苦，尚未成熟，故未有所遇，猶室女之未有妃合也。○妃，汲古作
> 配。依宋、元本。
>
> 【補校】葩，汲古作花。依宋、元本。瓠，宋、元本作匏。醯苦
> 作苦醯。均依汲古。

豫

晨風文翰，大舉就温。昧過我邑，羿無所得。

> 震爲晨，坤爲風。晨風，隼也。艮爲隼。震爲翰，坤文，故曰文
> 翰。逸周書王會篇，蜀人以文翰，文翰若皋雞。而説文翰下，引逸
> 周書曰，大翰若翬雉，一名鷐風〔一〕。然則晨風、文翰爲一物。不
> 有説文，焉知易林以晨風與文翰連文之故哉！坎爲昧，坤爲邑。爲
> 惡，故曰羿。坤喪，故無得。詩秦風，鴥彼晨風，鬱彼北林。鬱，齊
> 詩蓋作温。詳小畜之革。○昧，汲古作時。依宋、元本。按，説文
> 作大翰，大爲文之譌〔二〕。

〔一〕“鷐”，稿本、刻本作“鴟”。兹依《四部叢刊》本《説文解字》校。
〔二〕“按，説文作大翰，大爲文之譌”，稿本無。蓋付刻時增。今檢《説文解字
　　注》，段氏云：“文，或作大，誤。”則段氏所見《説文》本，或作“文”，或作
　　“大”。段以“文”爲是。

【補校】大,汲古作火。依宋、元本。

隨

瀺瀺泜泜,塗泥至轂。馬濘不進,虎囓我足。

兌澤,互大坎,故曰瀺泜。瀺,水聲。泜,濡也。坎爲轂,爲泥濘。震爲馬,艮止,故不進。艮爲虎,兌口爲囓,震爲足。○泜,依宋、元本[一]。汲古作促。

【補校】馬,汲古作雨。我足,作不得。均依宋、元本。

蠱

膠車駕東,與雨相逢。五楘解墮,頓軷獨坐,憂爲身禍。

震爲車,爲東。兌爲雨,故曰膠車,故曰與雨相逢。言膠車遇水即解,故五楘解墮也。詩秦風,五楘梁輈。毛傳,五,五束也。楘,歷録也。言以皮五處束輈上,其文歷録章美也。巽數五,故曰五楘。巽隕落,故曰解墮。艮止,故曰頓,曰坐。○五楘解墮,宋、元本作故革懈惰。汲古作放革懈惰。頓軷,宋、元本作頹輪[二]。汲古作頓禹。爲身,各本皆作不爲。均依遜之益校改。

臨

六家作權,公室剖分。陰制其陽,唐叔失明。

晉六卿擅權,剖分公室。唐叔,晉始封之君。伏乾數六,艮爲家,爲室。震爲公,兌折,故剖分。臨陰多陽少,陽又在下,故爲陰制。艮爲叔,爲明;艮伏,故失明。言失其明祀也。

觀

去室離家,來奔大都。火息復明,姬伯以昌,商人失功。

〔一〕“依”下,刻本脱“宋”字,據稿本改。
〔二〕“頹”,稿本、刻本誤“頓”,據宋、元本改。

艮爲室家，風散，故曰去、離。坤爲大都，伏震，故曰來奔大都。艮爲火，爲明。伏震爲姬，爲伯，爲昌，爲商人。

噬嗑

牧羊稻園，聞虎喧讙。危懼喘息，終无禍患。

詳否之節。

【補校】聞，汲古作逢。依宋、元本。讙，依宋本、汲古。元本作嚄。同讙。

賁

嬰兒求乳，母歸其子，黃麊悦喜。

詳无妄之節。○汲古多乃得甘飽四字。依宋、元本删。兒，宋、元本作孩。依汲古。

【補校】悦，依汲古。宋、元本作懽。

剥

廓落失業，跨禍度福，利無所得。

坤虚，故曰廓落。坤喪，故失業。

【補校】度，汲古作變。依宋、元本。

復

出入無時，憂患爲災。行人失牛，利去不來。老馬遺駒，勿與久居。

冬至震出，夏至巽入，震巽相往來，故曰出入無時。坤爲災，爲憂患，爲牛，爲失。震爲行人，故曰行人失牛。巽爲利，巽伏，故曰利去不來。坤爲馬，爲老。震子爲駒。坤上震下〔一〕，故曰遺駒。

〔一〕“下”，刻本訛“不”，據稿本改。

震出,故不居。○無,元本作不。從宋本、汲古。患,宋、元本作禍。
遺作少。均依汲古。老,汲古訛若。依宋、元本。

无妄

風怒漂木,女惑生疾。陽失其服,陰孽爲賊。

　　巽風,震巽皆爲木,故曰漂木。巽爲女,爲進退,爲疾病,故曰女
惑生疾。左傳昭元年,女,陽物而晦時,淫則生内熱惑蠱之疾。乾爲
陽卦,二至上遜陰銷陽,故曰陽失其服。服,職也。巽爲賊。○木,
宋、元本作水。依汲古。惑,汲古作感。服作時。依宋、元本。

大畜

車馬病傷,不利越鄉。幽人元亨,去晦就明。

　　震爲車馬,兌毀,故傷。艮爲鄉,艮止,故不利。艮爲幽人,兌
嚮晦[一];艮在上,故曰元亨,故曰去晦就明。○病,汲古作疾。元
亨作無貪。均依宋、元本。

頤

**三奇六耦,各有所主。周南召南,聖人所在。德義流行,民
悦以喜。**

　　震數三,伏乾數六。乾奇,坤耦。震爲主。言陰陽各有所主
也。震爲周,爲召,爲南,故曰周南召南。伏乾爲聖人。坤爲民,震
悦喜。

　　【補校】耦,元本作偶。依宋本、汲古。耦、偶同。

坎

坐爭立訟,紛紛謅謅。卒成禍亂,災及家公。

〔一〕"嚮",刻本作"鄉",據稿本改。

中爻，正反艮震，故曰争訟。艮坐，震立。艮家，震公。坎爲禍災。○謞謞，宋、元本作怱怱。非。依汲古。

【補校】謞謞，汲古作詢詢。茲依何本。

離

凶憂爲殘，使我不安。從之南國，以除心疾。

兌折，故曰凶殘[一]，曰不安。離爲南，伏艮爲國，震爲從，爲之。言從往南國也。坎爲心，爲疾[二]；坎伏，故曰除。

【補校】凶憂，依汲古。宋、元本作憂凶。

咸

愛我嬰女，牽衣不與。冀幸高貴，反得賤下。

詳屯之未濟。○第二句，各本皆作牽引不得。第四句，宋、元本作反得不興。汲古作反目下賤。均依屯之未濟校。

【補校】第二句，宋、元本作牽引不與。汲古作牽引不得。第四句，依噬嗑之无妄校。

恒

宜行賈市，所聚必倍。載喜抱子，與利爲友。

巽爲賈市，爲近市利三倍。上震爲喜，爲子。爲車，故曰載喜。伏艮手，故曰抱子。巽爲利。震巽同聲，又互兌，故曰友。○聚，汲古作取。依宋、元本。友，宋、元本作市。依汲古。

遯

坐席未溫，憂來扣門。踰牆北走，兵交我後，脱於虎口。

艮爲坐，爲火；風散，故未溫。巽爲憂，乾爲門；艮手，故曰扣門。

〔一〕“凶”，刻本誤“心”，據稿本改。

〔二〕“疾”，稿本作“憂”，茲依刻本。

艮爲牆,爲兵戈,爲虎。伏震爲踰,爲走,爲脱,爲後。兑爲口。

大壯

赤帝懸車,廢職不朝。叔帶之災,居於氾廬。

　　乾爲赤,爲帝。震爲車,伏巽爲係。車在上,故曰懸車。伏艮
爲叔,巽爲帶。艮爲廬。氾,水名。左傳僖二十四年〔一〕,天王出
居于鄭。來告難曰,不穀得罪于母弟之寵子帶,鄙在鄭地氾。首二
句義未詳。

晉

子畏於匡,厄困陳蔡。明德不危,竟自免害。

　　詳師之鼎。○免,宋、元本作克〔二〕。依汲古。

　　【補校】免,元本作克。依宋本、汲古。

明夷

逐雁南飛,馬疾牛罷〔三〕。不見漁池,失利憂危。牢戶之冤,
脱免無患。

　　震爲雁,爲南,爲飛,故曰逐雁南飛。震爲馬,坤爲牛;震健坤
柔,故馬疾牛罷。坎爲池,坤爲漁;坎隱,故不見。坤爲户,坎爲獄,
故曰牢户。坎爲憂患,震出,故脱免無患。

家人

推輦上山,高仰重難。終日至暮,不見阜顛。

　　此用大過伏象。坤爲輦。艮爲推,爲山,爲高,爲終,爲日,爲

〔一〕 “二”,刻本誤“三”,據稿本改。又下文引《左傳》語,兩“于”字,稿本、刻本
　　皆作“於”。又“母”下脱“弟”字。均依阮刻《左傳正義》校正。

〔二〕 “本”下,刻本脱“作”字,據稿本改。

〔三〕 “馬疾牛罷”,刻本誤作“馬牛疾罷”,據稿本改。

阜顛。坤爲暮也。

【補校】顛，宋、元、汲古諸本皆作巔。依學津、翟本及觀之節校。

睽

憂不爲患，福在堂門，使吾偃安。

坎爲憂患，兌悦，故不患。伏艮爲門堂，爲安，爲吾。

蹇

春桃生華，季女宜家。受福多年，男爲邦君。

詳師之坤。

【補校】生，依汲古。宋、元本作始。

解

高山之巔，去地億千。雖有兵寇，足以自守。

此仍用大過對象頤。頤上艮爲高山，爲巔。坤爲地，爲億千；爲師旅，故爲兵寇。艮爲守。○地，元本作谷〔一〕。依汲古。

【補校】地，宋、元本作谷。

損

過時歷月，役夫鰥領。處子嘆室，思我伯叔。

艮時，兌月，故曰過時歷月。震夫，坤役，兌折，故役夫鰥領。兌爲處子，爲口，故爲嘆息。東山詩，婦歎于室是也。艮爲室，爲叔。震爲伯。坤爲我，爲思，故曰思我伯叔。

【補校】鰥領，依宋本。元本領訛頰。汲古作憔悴。與鰥領同。

益

太微復明，説升傅巖，乃稱高宗。

〔一〕“谷”，稿本、刻本誤“俗”，據元刊本改。

艮爲星，爲明，故曰太微復明。艮爲巖，震爲説；又爲主，故曰高宗。史記，殷武丁求得傅説於傅險中，殷道復興。晉書天文志，太微，天子庭也，五帝之坐也。喻殷道復興。○元本下有疾在頭頸，和不能生，滅其令名三句。與上文義戾。宋本無。汲古作一作云云，以三句爲另一林辭，尚可。均依宋本删。

【補校】宋、元本下均多三句。此蓋依汲古、學津等本删。又，宗，宋、元本作室。從汲古。

夬

旁多小星，三五在東。早夜晨行[一]，勞苦無功。

通剥。艮爲星，艮少，故曰小星。詩召南毛傳云，三，心星。五，噣星。噣，即柳也。以下用大過象。大過伏震爲早，爲晨。坤爲夜，爲勞苦。

【補校】小，元本訛水。依宋本、汲古。

姤

東鄉煩煩，相與笑言。子般鞭搴，圉人作患。

通復。震爲東，爲笑言。巽爲鞭，坤牛，故曰鞭搴。搴，駁牛也。坤爲圉，震爲人，故曰圉人。周禮夏官，圉人掌牧馬芻秣之事。坤爲患。左傳莊三十二年，雩，講于梁氏，女公子觀之。圉人搴自牆外與之戲。子般怒，使鞭之。後圉人搴賊子般于黨氏。○搴，汲古訛革。依宋、元本。

萃

鼻移在頭，枯葦復生。下朽上榮，家乃不寧，其舍不成。

[一]"行"，稿本、刻本作"興"，據宋、元、汲古及所見其他各本改。謹按，未濟之屯尚注云依此林作"興"，似別有所本，今謹紀備考。

艮爲鼻,又爲頭,在一處,故曰鼻移在頭。伏震爲葦,爲生。巽下斷,故曰下朽。兌爲華,在上,故曰上榮。艮爲家舍,巽隕,故不寧不成。

【補校】舍,宋、元本作金。依汲古。

升

蝦蟆羣聚,從天請雨。雲雷集聚,應時輒與,得其願所。

巽爲蝦蟆,坤爲羣聚。伏乾爲天,兌爲雨。坤爲雲,震爲雷。元本注云,續漢書禮儀志,春旱求雨,取蝦蟆置社中。○與,宋、元本作下。依汲古。願所,汲古作所願。依宋、元本。

【補校】蝦蟆,從汲古。宋、元本作蝦蟆。蓋同一物也。

困

大步上車,南到喜家。送我貂裘,與福載來。

伏震,故曰步,曰車,曰南,曰喜。艮爲家,爲貂。震爲裘,爲福。全用伏象。

井

賊仁傷德,天怒不福。斬刈宗社,失其土宇。

通噬嗑。坎爲賊。震爲仁,爲怒,爲福。坎破,故不福。艮爲天,爲宗社,爲土宇。艮爲刀兵,故曰斬刈。○土宇[一],宋、元本作宇守。依汲古。

革

從猏見虎,雖危不殆,終已无咎。

史記龜策傳注,猏能伏虎。故不危殆。乾爲虎。伏坎爲猏,爲

〔一〕“土”,刻本訛“上”,據稿本改。

危殆。○无咎,汲古作不處。從宋、元本。殆音以。

鼎

履素行德,卒蒙祐福。與堯侑食〔一〕,君子有息。

通屯。震爲履,爲白,故曰履素。震爲福祐;爲帝,故曰堯。兌爲口,故曰食。艮爲君子。○素行,汲古作行素。依宋、元本。

震

利在北陸,寒苦難得。憂危之患,福爲道門,商叔生存。

坎爲北陸,爲寒;震生於子,故曰利在北陸。坎爲憂危〔二〕,震爲福。艮爲道,爲門,爲叔。震爲商,爲生,故曰商叔生存。

艮

四蹇六盲,足痛難行。終日至暮,不離其鄉。

坎爲蹇,震卦數四,故曰四蹇。互大離爲盲,坎數六,故曰六盲。震爲足,爲行;坎痛,故難行。艮爲終日,爲鄉。坎爲暮。坎陷,艮止,故不離其鄉。○鄉,與行韻,依宋、元本。汲古作鄰。按,震爲鄰,三至上正反震,故曰不離其鄰。鄰、行古亦協。

漸

臺駘昧子,明知地理。障澤宣流,封居河涘。

艮爲臺,坎爲昧。左傳昭元年,昔金天氏有子曰昧,爲玄冥。是生臺駘,能業其官。宣汾、洮,障大澤。帝用嘉之,封諸汾水。臺駘昧子,言昧子臺駘能治水,障澤宣流也。坎爲澤。艮止,爲障。坎爲流,爲河也。○流,汲古訛德。依宋、元。居、涘,宋、元本作君,作水。依汲古。

〔一〕"侑",稿本、刻本作"佑",據宋、元、汲古及所見其他各本改。
〔二〕"爲"下,刻本脫"憂"字,據稿本補。

歸妹

畜水待時[一]，以備火災。柱車絆馬，郊行出旅，可以无咎。

　　通漸。坎水，艮止，故曰蓄。艮爲時，爲待，故蓄水待時。互離爲火，艮亦爲火，故曰火災。震爲車馬，坎陷，故曰柱，曰絆。○待，宋、元本作得。非。依汲古。

豐

歲暮花落，君衰於德。榮寵隕墜，陰奪其室。

　　互兌爲秋，故曰歲暮。兌爲華，巽隕落，故曰花落。震爲君，爲榮寵，巽爲隕墜。○第三句，宋本作勞寵損墜。元本作勞寵損墮。今依汲古。奪，汲古作弃。茲依宋、元本。

旅

夏敗蔡悲，千里爲市。黃落澄鬱，利得無有。

　　未詳。○敗、落，宋、元本作販，作葉。

　　【補校】敗、落，從汲古。澄，宋、元本作殢。依汲古。

巽

仲春巡狩，東見羣后。昭德允明，不失其所。

　　震爲春，爲巡狩，坎爲仲，故曰仲春巡狩。震爲東，爲后。重震，故曰羣后。震爲昭明。全用伏象[二]。虞書，歲二月，東巡狩至于岱宗，肆覲東后。

兌

捖絜堁堁，締結難解。嫫母銜嫁，媒不得坐，自爲身禍。

〔一〕“畜”，稿本、刻本作“蓄”，據宋、元、汲古及所見其他各本改。按，“畜”義通“蓄”。
〔二〕“伏”，稿本作“對”，茲依刻本。

詳坤之晉,比之大有。

【補校】首句,宋、元本作栵潔縲縲。汲古栵作冽。締結,宋、元本作結締。汲古作締構。嫫,宋、元本同。汲古作蟆。均依坤之晉、比之大有校。

渙

鳥鳴庭中,以戒災凶[一]。重門擊柝,備憂暴客。

艮爲鳥,震爲鳴,艮爲庭,故曰鳥鳴庭中。坎爲災。左傳襄三十年,或叫于宋太廟,曰譆譆出出。未幾,果災。艮爲門,正反艮,故曰重門。震爲鳴,爲柝,艮手爲擊。震爲客,震躁而武,故曰暴客。坎爲憂。○鳴,汲古作嚕。庭作夜。茲依宋、元本。

【補校】鳥,宋、元本作烏。依汲古。暴,汲古作外。依宋、元本。

節

朝霽暮露,瀸我衣襦,道無行牛。

震爲朝,坎爲暮,爲露。震爲衣襦。瀸,濡也[二]。艮爲道,爲牛;坎伏,故無。○露,宋、元本作霞。依汲古。瀸,汲古作纖。襦作濡。依宋、元本。第三句,依汲古。宋、元本作退無得牛。

中孚

抱璞懷玉,與桀相觸。詘坐不申,道無良人。

震爲玉,上艮爲懷抱。兌剛鹵,故曰桀。正反兌,故曰相觸。艮爲坐,巽伏,故曰詘坐,曰不申。詘,屈也,折也。申,舒也。震爲道,爲人,艮爲良。巽伏,故曰無良人。○申,宋、元本訛中。從汲古。

[一]“災凶”二字,稿本、刻本誤倒,據宋、元、汲古及所見其他各本改。
[二]“濡”,稿本作“濕”,茲依刻本。

【補校】相觸,汲古作跙觸。依宋、元本。

小過

兩心相悦,共其茅蘆。夙夜在公,不離房中,得君子意。

　　巽爲心,正反巽,故曰兩心。兑爲悦,正反兑,故曰相悦。互巽
爲茅茹,故曰茅蘆。艮手爲共,故曰共其茅蘆。按,鄭風,東門之
壇,茹蘆在阪。傳,茹蘆,茅蒐也。疏,蒨也,可染赤色。又云,出其
東門,縞衣茹蘆,聊可與娛。箋,茹蘆,茅蒐,染巾也。聊可與娛者,
且可留與我爲樂。兹云兩心相悦,正詩所謂聊可與娛也。云共其
茅蘆,正箋所謂留與我爲樂也。茹與茅義通。然林讀爲茅蘆,是齊
詩與毛異讀也。夙,早也。震爲旦,坎爲夜。艮爲房,爲君子。○
茅蘆,宋本作柔筋。汲古作弗蘧。依元本。蘆與下意韻,又與首句
意合。此明用東門詩意。劉毓崧以柔筋、弗蘧不合,云宜作薇蕨。
豈知薇蕨與相悦何涉? 且與下意韻不協。而丁宴等仍采之。古書
之難校若是。

　　【補校】茅蘆,宋、元本作柔筋。按汲古舊注云,一作茅蘆。兹
依校。

既濟

載餽如田,破鉏失餐。苗穢不闢,獨飢於年。

　　○餐,依汲古。宋、元本作食。穢,依宋、元本。汲古作稼。

　　【補校】如,汲古作茹。依宋、元本。闢,依宋本、汲古。元本
作辟。音義通。

未濟

甘露醴泉,太平機關。仁德咸應,歲樂民安。

　　○咸,汲古作感。依宋、元本。

　　【補校】咸,元本、汲古作感。依宋本。

焦氏易林注卷八

坎之第二十九

坎

有鳥黃足,歸呼季玉。從我睢陽,可避刀兵。與福俱行,有命久長。

> 互艮爲鳥。震爲足,爲黃,故曰黃足。震爲歸,爲呼,爲玉。艮爲季,故曰季玉。震爲從,艮爲我。納丙,又爲視,故曰睢陽。艮爲刀兵,坎隱,故可避刀兵。○鳥黃,宋、元本作黃鳥。從汲古。此似有故事。

> 【補校】避,宋、元本作辟。依汲古。辟、避通。

乾

太王爲父,季歷孝友。文武聖明,仁德興起。孔張四國,載福綏厚。

> 乾爲王,爲父,爲始,故曰太王。下兼用遇卦坎象。互艮爲季,爲時,爲友,故曰季歷孝友。季歷,文王父也。伏離爲文,震爲武,坎爲聖,艮爲明,故曰文武聖明。震爲仁德,爲興起,爲孔,爲張。

艮爲國,震卦數四,故曰四國。震爲福,爲車,故曰載福也。○孔,宋、元本作弘。依汲古。

坤

猿墮高木,不踦手足。保我金玉,還歸其室。

> 詳否之臨。惟此全用坎象。艮猿震木,艮手震足,艮金震玉,艮室震歸。○金玉,汲古訛全生[一]。依宋、元本。

屯

重耳恭敏,遇讒出處。北奔戎狄,經涉齊楚。以秦伐懷,誅殺子圉,身爲伯主。

> 坎爲耳,坤爲重,故曰重耳。初至五正覆震,故曰讒。震爲出奔,坤爲北,爲戎狄,故曰北奔戎狄。伏巽爲齊,震爲楚,爲伐,爲伯主。坤爲誅殺,爲圉,爲身。○伐,汲古作代[二]。從宋、元本。

> 【補校】戎狄,宋、元本作狄戎。伯作霸。均依汲古。伯、霸通。又,伐,宋、元、汲古各本皆作代。翟本注謂當作伐。兹依校。

蒙

倚鋒據戟,傷我胸臆,耗折不息。

> 艮爲鋒、戟。坤爲胸臆,爲傷,爲耗。震爲息,坤死,故不息。○耗,宋、元本作拜。依汲古。

需

狗冠雞步,君失其所。出門抵山,行者憂難。水灌我園,高陸爲泉。

〔一〕"全生",刻本誤作"金生",據稿本改。
〔二〕"代",刻本訛"伐",據稿本改。

伏晉。艮爲狗，爲冠。雞步，猶雞禍。凡裁害之神皆曰步。乾爲君，坎爲失。坤爲門，坤上艮，故曰出門抵山。震爲行，震覆，故難。艮爲園，坎水坤水，故曰水灌我園。高陸爲泉，高陸，艮也。狗冠，五行志，昌邑王見大白狗冠方山冠而無尾，未幾廢。周禮夏官校人，冬祭馬步。注，馬步謂神，爲馬災害者。又，地官注，凡人物裁害之神皆曰步。雞步即五行志所謂雞禍。〇雞，宋、元本訛雛[一]。依汲古。兌爲雞。

【補校】所，依汲古。宋、元本作居。

訟

衆鳥所翔，中有大怪。丈身長頭，爲我驚憂。

坎衆離鳥，故曰衆鳥。坎爲中，爲怪，乾爲大。伏坤爲身，坎爲憂。〇丈身，宋、元本作爪牙。依汲古。頭，汲古作頸。依宋、元本。乾首，互巽爲長，故曰長頭。

【補校】怪，宋、元本作壯。依汲古。

師

雷行相逐，未有休息。戰於平陸，爲夷所覆。

詳坤之泰。〇雷，依宋、元本。汲古作虎。

【補校】未，依汲古。宋、元本作無。

比

禹鑿龍門，通利水泉。同注滄海，民得安土。

艮爲門，爲鑿。伏乾爲王，故曰禹；爲龍，故曰龍門。坎水坤水，故曰通利水泉。坤爲海，爲民，爲安，爲土。〇土，汲古作然。依宋、元本。

〔一〕“宋”上，稿本、刻本無“雞”字。蓋省文。茲據語意補，使易讀也。

小畜

堯舜仁德,養賢致福。衆英積聚,國無寇賊。

　　乾爲帝,故曰堯、舜。乾爲仁,爲賢,爲福。兌爲食,故曰養賢。伏坤爲積聚,爲國。坎爲賊,坎伏,故無。〇元本下多商人失利,來爭寶貨二句。與上文不協。依宋本、汲古删。

　　【補校】宋、元本下多商人失利,來爭寶貨二句。依汲古删。

履

陸居少泉,山高無雲。車行千里,塗不污輪,渴爲我怨。

　　伏艮爲陸[一],爲居,爲山。坤爲雲,坎爲泉。坤、坎皆伏,故曰少泉,曰無雲。震爲車,爲行,坤爲千里。坎爲泥塗,爲輪,爲污。坎下震上,故輪不污。坎爲怨,艮火故渴。全用伏象。

　　【補校】宋、元本下多佳思廣得四字。與上文不協。依汲古删。

泰

朝視不明,夜不見光。暝抵空床,季女奔亡,愴然心傷。

　　震爲朝,坤黑,故不明。坤爲夜,爲暝,故不見光。伏艮爲床,兌爲季女。震往,故曰奔。坤爲亡,爲心,爲憂。〇首二句,汲古作朝不見光,夜不見明[二]。兹依宋、元本。暝,宋本作皆。元本作沓。兹依汲古。

　　【補校】暝,宋、元本均作皆。然,宋、元本作焉。依汲古。

否

齊魯永國,仁聖輔德。進禮雅言,定公以安。

〔一〕"艮",刻本訛"震",據稿本改。
〔二〕"夜",稿本、刻本誤"暮",據汲古本改。

巽齊,伏兑爲魯,坤爲國,乾爲永,故曰齊魯永國。乾爲仁聖。坤爲禮,乾爲言。艮爲定,爲安,乾爲公,故曰定公以安。○永,宋、元本作求。依汲古。進,汲古作造。依宋、元本。左傳定十年,會齊侯於夾谷,孔子相。齊人鼓譟以進,孔子歷階數之,齊人服罪。

同人

束帛玄圭,君以布德。伊吕百里,應聘輔國。

互巽爲帛,乾爲玉,爲圭,爲玄,故曰束帛玄圭。乾爲君。伏震爲音,故曰伊。吾伊,讀書聲也。爲樂,故曰吕。伏坤爲百里,爲國。言湯、文、秦穆以璧帛聘伊尹、吕望、百里奚爲輔也。

【補校】圭,元本作珪。依宋本、汲古。圭、珪同。

大有

棘鉤我襦,爲絆所拘。靈巫拜祝,禍不成災。東山之邑,中有土服,可以饒飽。

伏比。坎爲棘,坤爲襦。艮止,故曰絆,曰拘。本卦兑爲口,故曰巫祝。坤爲禍災。艮爲山,爲邑;離位東,故曰東山。艮爲果蓏,爲土服。服、菔同。詩小雅,象弭魚服。周禮素服。箋與注皆作菔,是其證。土服即蘆菔。爾雅釋草,葖,蘆萉〔一〕。注,萉,宜爲菔,蘆菔,蕪菁屬。今俗所謂蔓菁,可食。故下云可以饒飽。坎爲飽。○祝,宋本、元本作禱。依汲古。土服,汲古作肥土。依宋、元本。

謙

門燒屋燔,爲下所殘。西行出户,順其道里。虎卧不起,牛羊歡喜。

〔一〕"蘆萉",按同治四年郝氏家刻本《爾雅義疏》"萉"作"菔"。注倣此。

艮爲門屋,爲火,故燔燒。坤爲下,爲殘,爲户。震爲行,坎西,故曰西行。艮爲道里,爲虎。艮止,故不起。坤爲牛,伏兑爲羊,震爲喜。○里,汲古作理。依宋、元本。

【補校】里,宋本、汲古作理。依元本。

豫

牆高蔽目,崑崙翳日。遠行無明,不見懽叔。

艮爲牆,爲山。離爲目,爲日。離伏,故曰翳蔽,故曰無明。震爲行,爲懽。艮爲叔。○目〔一〕,宋、元本作日。日作月。今依汲古。

【補校】懽,依宋本、汲古。元本作歡。同懽。

隨

天地際會,不見内外。祖辭遣送,與世長訣。

艮陽在上爲天,震陽在下爲地。艮震相對,故曰際會,曰内外。震爲祖。道祭也。兑毁折,巽隕落,故曰與世長訣。

【補校】訣,宋、元本作决。從汲古。

蠱

深水難涉,泥塗至轂。牛罷不進,濘陷爲疾。

互大坎,故曰深水,曰泥塗。坎爲轂。艮爲牛,艮止,故不進。坎陷,坎疾。○泥塗,宋、元本作塗難。爲作我。今依汲古。

【補校】濘,汲古作浮。依宋、元本。

臨

羊驚虎狼,聳耳羣聚。無益於僵,爲齒所傷。

兑爲羊,震爲驚,伏艮爲虎狼。兑爲耳,坤爲羣,爲聚。兑爲

〔一〕“目”,刻本訛“自”,據稿本改。

齒,爲傷。○虎狼,宋、元本作狼虎。兹依汲古。第二句,各本作獼
猴羣走。依既濟之巽校。

觀

履蛇躡虺,與鬼相視。驚恐失氣,如騎虎尾。

　　巽爲蛇,虺,伏震在上,故曰履蛇躡虺。坤爲鬼,艮爲視。震爲
驚恐。巽爲臭,故曰氣。巽隕,故失氣。震爲騎,艮爲虎,爲尾。○
恐,宋、元本作哭。依汲古。

　　【補校】蛇,依汲古。宋、元本作虵。虵即蛇。

噬嗑

車驚人墮,兩輪脫去。行者不至,主人憂懼。結締復解〔一〕,
夜明爲喜。

　　震爲車,爲驚,爲人。在下,故曰人墮。坎爲輪,伏兌數二,故
曰兩輪。坎破〔二〕,故脫去。震爲行,坎隱伏,故不至。震爲主人。
坎爲憂,爲夜。離爲明,故曰夜明。禮記,夜明,祭月也。左傳,恒
星不見,夜明也。又拾遺記,炎帝時,有石磷之玉,號曰夜明,以闇
投水,浮而不滅。○墮,汲古作傾。至作止。主人作人生。均依
宋、元本。

賁

南販北賈,與怨爲市,利得百倍。

　　震爲商賈,爲南,坎爲北,故曰南販北賈。坎爲怨。論語,放於
利而行多怨。伏巽爲市,爲利。震爲百,巽爲倍。○怨,汲古作喜。
依宋、元本。百倍,宋、元本作自治。依汲古。

〔一〕"結締"二字,稿本、刻本誤倒,據宋、元、汲古及所見其他各本正。
〔二〕"坎破",稿本作"兌毁"。

剝

延陵適魯，觀樂太史。車轔白顛，知秦興起。卒兼其國，一統爲主。

> 詳大畜之離。○轔，汲古訛鄰。依宋、元本。
>
> 【補校】車，汲古訛東。從宋、元本。顛，元本作巓。依宋本、汲古。

復

出門逢患，與福爲怨。更相擊刺，傷我手端。

> 此用遇卦坎象。互艮爲門，震爲出，坎爲患，故曰出門逢患。震爲福，坎爲怨。艮爲擊刺，正反艮，故更相擊刺。相擊，故手受傷。○患，汲古作惡。怨、更作患、反。均依宋、元本。福，宋、元本作禍。依汲古。

无妄

獐鹿羣走，自然燕喜。公子好遊，他人多有。

> 艮爲獐鹿，伏坤爲羣。震爲走，爲喜，爲公，爲子。○羣，宋、元本作同。然作燕。燕作嘉。均依汲古。

大畜

恭寬信敏，履福不殆。從其邦域，與喜相得。

> 乾爲福，上震，故曰履福，曰喜。艮爲邦。
>
> 【補校】信敏，宋、元本作相信。依汲古。

頤

欲飛無翼，鼎重折足。失其福利，苟羞爲賊。

> 震爲飛，爲翼，坤亡，故無翼。震爲鼎，爲足。坤爲重，爲敗，故折足。乾爲福，巽爲利。乾巽皆伏，故曰失其福利。坤爲羞，在中，

故曰苞羞。○福，宋、元本作喜。依汲古。苞，汲古作庖。依宋、元本。

【補校】宋、元本下多上妻之家，喜除我憂，解吾思愁三句。文不類。依汲古删。按，汲古注云一本下多四句。第二句作富其冢宰，餘與宋、元本同。

大過

府藏之富，王以賑貸[一]。捕魚河海，罟網多得。

伏頤。坤爲府藏，爲富。震爲王，爲賑。言王以其富賑民也。坤爲魚，爲河海，艮手爲捕。互大離，故曰罟網。坤爲多。

離

陰生麋鹿，鼠舞鬼哭。靈龜陸處，釜甑塵土。仁智盤桓，國亂無緒。

通坎。震爲鹿。艮爲鼠，坎爲鬼。震爲哭，爲釜甑，爲仁。艮爲龜，爲陸[二]，爲塵土，爲盤桓，爲國。○麋，汲古作麓。土作生。均依宋、元本。處，宋、元本作蒙。塵作草。均依汲古。緒，汲古作歡。茲依宋、元本。

咸

風塵暝迷，不見南北。行人失路，復反其室。

伏損。坤爲風，爲迷，艮爲塵。震南坤北，兌昧，故不見。震爲行人，爲道路。坤迷，故失路。艮爲室，震爲反。○暝迷，汲古作坎坷。行人失路，作行迷失利。茲依宋、元本。

〔一〕“貸”，刻本訛“貨”，據稿本改。
〔二〕“陸”，刻本誤“鹿”，據稿本改。

恒

金革白黃，宜利戎市。嫁娶有息，商人悦喜。

　　通益。艮爲金，爲革，巽白震黃，故曰金革白黃。坤爲戎狄，巽爲利市，故曰宜利戎市。震爲嫁，爲商人，爲喜。○戎，元本訛戒。

　　【補校】戎，宋、元本訛戒。依汲古。

遯

匏瓜之德，宜繫不食。君子失輿，官政懷憂。

　　艮爲匏瓜，巽爲繫。兑口爲食，兑覆，故不食。論語，吾豈匏瓜也哉！焉能繫而不食？艮爲君子，震爲輿；震覆，故失輿。艮爲官。○輿，元本訛與。依汲古。政，汲古作正。依宋、元本。

　　【補校】輿，宋、元本訛與。

大壯

乘船渡濟，載水逢火。賴得免患，我有所恃。

　　震爲船，乾爲江河，故曰渡濟。伏坤爲水，艮爲火，故曰載水逢火。坤爲患，爲我。○我有，宋、元本作蒙我。依汲古。

晉

道險多石，傷車折軸。與市爲仇，不利客宿。

　　艮爲道，爲石，坎險，故曰道險多石。坎爲車，爲軸，爲多眚，故傷車折軸。艮爲宿，震爲客；震覆，故不利。○險，宋本作途。元本作塗。依汲古。

明夷

託寄之徒，不利請求。結衿無言，乃有悔患。

　　艮爲請求，艮覆，故不利。震爲襟，坤閉，故曰結衿。震爲言，坤括囊，故無言。坎爲患。結衿乃罪人就刑時結束之狀，坤爲死，坎爲刑,故有此象。

家人

三羊爭雌,相逐犇馳。終日不食,精氣竭罷。

詳乾之大畜。〇首句,汲古作三年爭妻。茲依宋、元本。然卦無羊象。易大壯上六有羊象,上六體震,疑易以震爲羊。茲曰三羊,似亦以伏震爲羊。

【補校】雌,宋、元、汲古諸本皆作妻。依瞿本及乾之大畜校。

睽

退惡防患,見在心苗。日中之恩,解釋倒懸。

〇第二句,汲古無,依宋、元本增。日中之恩,汲古作日之中息。依宋、元本。苗,應爲田,與下懸韻。梁簡文帝大法頌,澤雨無偏,心田受潤。

蹇

兩足四翼,飛入嘉國。寧我伯姊,與母相得。

詳賁之同人。

【補校】嘉,汲古作家。從宋、元本。

解

寒露所凌,漸至堅冰。草木瘑傷,華落葉亡。

坎爲寒,爲露;爲冰,艮爲堅〔一〕,故漸至堅冰。震爲草木,坎爲破,故爲瘑。震爲花葉,伏巽爲落,故葉落花亡。〇所凌,宋、元本作所降。漸作凌。茲依汲古。冰,宋本訛水。

【補校】冰,依元本、汲古。至,宋、元本作制。從汲古。

〔一〕"艮",刻本誤"又",據稿本改。

損

后稷農功，富利我國。南畝治理，一室百子。

　　震爲稷。坤爲富利，爲國，爲畝。震爲南，故曰南畝。艮爲治理，爲室。震爲子，坤爲百，故曰百子。室，實也。言農家治理菓蓏，一實之中有百子也。

益

設網張羅，捕魚園池。網罟自決，雖得復失。危訴之患，受其忻懽。

　　上巽爲繩，坤中虛，艮手，故曰設網張羅。巽爲魚，坤爲園池，艮擊，故捕魚園池。巽爲敝漏，故網決。決，絕也。網決，故得而復失。坤爲失，爲患。末二句有訛字，義未詳。○忻，元本作低。依汲古。訴，汲古作許。依宋、元本。

　　【補校】忻，宋、元本作低。懽，依宋本。元本、汲古作歡。同懽。

夬

路輿縣休，侯伯恣驕。上失其威，周室衰微。

　　夬伏剝。坤爲大輿，故曰路輿。艮一陽止於上，故曰縣休。震爲諸侯，爲威，爲周。震反於上，故曰驕恣。震覆，故失其威，故周室衰微。坤爲失，艮爲室也。○威，宋、元本作盛。依汲古。衰，汲古作相。依宋、元本。輿，多訛爲與。路輿，大車也，見左傳桓二年疏。又周禮春官，王之五路。路車，乃天子之乘，縣休不用，其衰可知。天子之所以衰，以侯伯驕恣，不奉王命也。

姤

逐走追亡，相及扶桑。復見其鄉，使我悔喪。

伏復。震爲逐，爲走，坤爲亡〔一〕。震爲桑，又爲東，故及於扶
桑。坤爲鄉，爲我，爲悔，爲喪。山海經，日浴扶桑。

萃

履禄綏厚，載福受祉。衰微復起，繼世長久〔二〕。疾病獻麥，
晉人赴告。

　　通大畜。震爲履。乾爲禄，爲厚，爲福，爲祉〔三〕。巽隕落，故
曰衰微。震爲起，故曰衰微復起。坤爲世，巽爲長。坤爲疾病。震
爲麥，爲晉，爲人，爲告。左傳成十年，晉侯欲麥，使甸人獻麥。將
食而卒。赴告者，赴君喪於各國也。○禄，元本作福。依宋本、汲
古。福受，汲古作受福。依宋、元本。獻麥，汲古作無危。宋、元本
作獻凌。宋本云，當作麥。從之。

　　【補校】獻麥，元本作獻凌。依宋本。惟元本舊注云，凌當作
麥，則可從。又，赴，汲古作起。從宋、元本。

升

鰥寡孤獨，禄命苦薄。入宮無妻，武子哀悲。

　　坤巽皆爲寡，故曰孤獨。震爲禄，巽爲命；巽寡，故苦薄。伏艮
爲宮，巽爲妻，爲入。坤喪，故曰無妻。震爲武，爲子，坤爲哀悲。
武子，崔杼。杼將娶棠姜，筮得困三爻，曰入其宮，不見其妻。後果
得禍。

困

山没丘浮，陸爲水魚。燕雀無巢，民無室盧。

〔一〕“坤爲亡”，刻本無。據稿本校補。
〔二〕“長久”二字，稿本、刻本誤倒，據宋、元、汲古及所見其他各本改。
〔三〕“祉”，刻本訛“祖”，據稿本改。

詳觀之大有。

井

冠帶南遊,與福喜期。徼於嘉國,拜位逢時。

伏噬嗑。艮爲冠,巽爲帶,離爲南,故冠帶南遊。伏震爲福喜。艮爲國,爲位,爲時。○徼於,汲古作遨遊。依宋、元本。位,宋、元本作爲。非。依汲古。

【補校】徼於,依元本。宋本作徼于。于、於同。

革

東行亡羊,失其羝牂。少女無夫,獨坐空廬。

通蒙。震爲東,兌爲羊;坤喪,故亡羊。兌爲少女,震爲夫;坤喪,故無夫。艮爲坐,爲廬;坤虛,故曰空廬。

【補校】牂,汲古作牶。從宋、元本。女,宋、元本作婦。依汲古。

鼎

探巢捕魚[一],耕田捕鱔。費日無功,右手空虛。

通屯。艮爲巢,艮手,故曰探,曰捕。坤爲魚,爲田,震爲耕。夫探雀得魚,耕田得鱔,二者皆必無之事,故曰無功。艮爲日。兌右坤虛。○空虛,汲古作虛空。依宋、元本。

震

東行飲酒,與喜相抱。福爲吾家,利來從父。水澤之徒,望邑而處。

[一] “巢”,稿本、刻本作“雀”,疑音訛,據宋、元、汲古及所見其他各本改。按“探巢”與“耕田”對。又,注“艮爲巢”亦依校。艮有巢象,見卷首《易林逸象原本攷》。

　　震爲東，坎爲酒；震口，故曰飲酒。震爲喜，艮手爲抱；正反艮，故曰相抱。艮爲家。震爲父，伏巽爲利。坎爲水。艮爲望，爲邑。○父，汲古作母。從宋、元本。

　　【補校】三四句，宋、元本作福吾家利，來從父母。兹依汲古，唯父字汲古作母，從宋、元本校。

艮

妄怒失精，自令畏悔。忪忪之懼，君子无咎。

　　震爲怒。坎爲畏懼。艮爲君子。○第三句，汲古作怡怡之懼。依宋、元本。

漸

白雲如帶，往往來處。飛風送迎，大雹將下。擊我禾稼，僵死不起。

　　巽爲白，爲帶，坎爲雲。巽進退，故曰往來，曰送迎。艮爲雹，爲擊。巽爲禾稼。坎陷，故曰僵。○來，宋、元本作旗。依汲古。

歸妹

南至之日，陽消不息。北風烈寒，萬物藏伏。

　　離爲南，爲日。日南至冬至，純陰極寒，故曰陽消不息。伏巽，互坎，故曰北風。坎爲寒，爲伏。震爲萬物，故曰萬物藏伏。

豐

火中仲夏，鴻雁解舍。體重難移，未能高舉。君子顯名，不失其譽。

　　月令，季夏之月，昏火中。火，心星也。仲當爲季。火謂鶉火，屬南方。離爲星，爲火，爲夏。伏艮爲季，故曰季夏。震爲鴻雁。中互大坎，故曰難移，故不能高舉。伏艮爲君子，爲名譽。解舍，言天暑而棄其巢也。○舉,宋、元本作舞。解作來。均依汲古。季夏,各本皆作仲夏,與月令不合,定爲譌字。

旅

北行出門,履蹈躓顛。踡足據塗,污我襦袴。

> 伏節。坎北,震行,艮門,故曰北行出門。震爲履蹈,坎爲蹇,故曰躓顛,曰踡足。躓踡皆跌也。坎爲污,震爲襦袴。

【補校】蹈,宋、元本作陷。依汲古。

巽

輕車釃祖,疾風暴起。促亂祭器,飛揚鼓舞[一]。明神降佑,道無害寇。

> 兼用震象。詳豫之大畜。○疾,宋、元本作焱。依汲古。佑,元本作祐。鼓舞,宋、元本作錯華。均依汲古。

【補校】佑,依宋本、汲古。

兌

酒爲歡伯,除憂來樂。福喜入門,與君相索,使我有得。

> 伏艮。互坎爲酒,震爲歡,爲伯。酒譜,昔人謂酒爲歡伯。坎爲憂。艮爲門。震爲福喜,爲君。艮爲求,正反艮,故曰相索。艮爲我。○得,宋、元本作德。依汲古。

渙

三足孤烏,靈明督郵。司過罰惡,自賊其家,毀敗爲憂。

> 五行志,日中有三足烏。震爲足,數三,故曰三足。艮爲黔啄,故曰烏。艮爲龜,故曰督郵。詳小畜之未濟。震爲郵。○靈明,汲

〔一〕“揚”,刻本訛“陽”,據稿本改。

古作虚鳴。依宋、元本。督郵，爲郡督察官，自西漢至魏晉皆有之，陶淵明不肯爲督郵折腰者是也。

節

三河俱合，水怒湧躍。壞我王屋，民飢於食。

詳蠱之頤。節中互頤，故詞同。○湧，宋本、汲古作踴。兹依元本。

中孚

南行棗園，惡虎畏班。執火銷金，使我無患。

震爲南。艮爲果，爲園，爲虎，爲班。班亦虎也。楚人謂虎爲班。惡，憎也。艮爲火，爲手，故曰執火。艮爲金，爲我。虎爲金精，以火銷金，故無虎患。○金，汲古作鋒。艮爲刀鋒，亦合。今依宋、元本。

小過

求鹿過山，與利爲怨。闇聾不言，誰知其懽。

艮爲求，爲山。震爲鹿，鹿在山外，故曰過山。巽爲利。兑爲耳，爲昧，故闇聾。震言，艮止，故不言。○聾，汲古訛襲。依宋、元本〔一〕。

【補校】懽，依宋本、汲古。元本作歡。同懽。

既濟

行旅困蹴，失明守宿。囹圄之憂，啓蟄出遊。

此用坎象。震爲行旅，艮止坎陷，故曰困。坎爲宿，爲隱伏，故曰失明守宿。坎爲囹圄，爲憂，爲蟄。震出，故曰啓蟄出遊。○蟄，宋、元本作執。依汲古。

〔一〕"依宋、元本"，稿本、刻本誤作"依汲古"。據宋、元本校改。

未濟

据棘履杞，跌刺爲憂。夫婦不和，亂我良家。

此仍用坎象。坎爲棘，爲杞，爲刺，爲夫。離爲婦，婦前夫後，故曰不和。○杞，宋、元本作危。今依汲古。

【補校】跌，汲古訛趺。依宋、元本。

離之第三十

離

時乘六龍，爲帝使東。達命宣旨，無所不通。

通坎。互艮爲時。震爲龍，坎數六，故曰六龍。震爲帝，爲東。本卦巽爲命，風散，故達命宣旨，無所不通。

乾

執彎四驪，王以爲師。陰陽之明，載受東齊。

遇卦離爲東，互巽爲齊。

坤

春秋禱祝，解禍除憂，君子无咎。

此與上皆兼用離象。離互兌爲秋，兌口，故禱祝[一]。離伏震，故曰春。伏坎，故曰禍憂。伏艮爲君子。〇祝，依宋、元本。汲古作祀。禱，依汲古。宋、元本作過。

屯

坐朝乘軒，据國子民。虞叔受命，六合和親。

坤爲朝，爲軒車。艮爲坐，震爲乘，故曰坐朝乘軒。艮爲據，爲國，震爲子，坤爲民，故据國子民。艮爲叔，震爲懽虞，伏巽爲命，故曰虞叔受命。坎爲和，爲合，數六，故曰六合。〇坐朝，宋、元本作坐車。依汲古。六合和親，宋本、汲古作和合六親。茲依元本。

〔一〕"祝"，稿本、刻本作"祀"。按下文校語謂依宋、元本作祝，不依汲古作祀，故從校改。又稿本林辭原錄作"祀"，後改爲"祝"，唯注文似偶遺未改，今即循作者本意校訂之。

【補校】据,宋、元本作據。兹依汲古。

蒙

開户下堂,與福相迎。禄于公室,曾祖以昌。

坤爲門户,艮爲堂。震爲開〔一〕,坤爲下,故曰開户下堂。震爲福禄,正反震,故曰與福相迎。震爲公,坎爲室。艮爲祖。

【補校】祖,宋、元、汲古及所見其他各本皆作孫。兹作祖,義似勝。疑另有所據,謹紀存備考。

需

高木腐巢,漏溼難居。不去甘棠,使我無憂。

坎爲木,離爲巢。在上,故曰高木。坎水,故曰腐巢,故曰漏溼。下二句言巢雖漏溼,祇不伐甘棠,即無傾覆之憂也。

訟

三女爲姦,俱遊高園。背室夜行,與伯笑言。不忍主母,爲失醴酒,冤尤誰告。

通明夷。坤爲女,震數三,故曰三女。坎爲姦。巽爲高,坤爲園,故俱遊高園。艮爲背,坎爲室,爲夜;艮覆,故曰背室夜行。震爲伯,爲笑言,爲主。坤爲母,故曰主母。坎爲酒,爲冤尤。列女傳,周大夫主父妻淫於鄰人,恐主父覺,置毒酒使婢進之。婢知之,佯僵覆酒,受笞。○忍,汲古訛認。末二句,各本皆作爲設歡酒,冤尤誰禱。依汲古履之既濟校。告,音垢。林意謂女行不端,婢不忍從主母毒主父,佯失酒,反遭笞也。

【補校】忍,依宋、元本。遊,汲古作行。從宋、元本。背,宋、元、汲古諸本皆作倍。依履之既濟校。倍、背通。

〔一〕“開”,刻本訛“門”,據稿本改。

師

漏卮盛酒,無以養老。春貸黍稷,年歲實有。履道坦坦,平安无咎。

> 坎爲酒,震爲卮,伏巽,故曰漏卮。坤爲老,坤喪,故不能養老。震爲黍稷,爲春。坤爲年歲。震爲履,爲大塗,故曰履道坦坦。○无咎,宋、元本作何咎[一]。依汲古。

比

松柏枝葉,常茂不落。君子惟體,口富安樂。

> 艮爲木,爲堅,故曰松柏,曰不落。艮爲君子,爲安。坤爲身,故曰體。○惟體,汲古作懽寧。安作求。均依宋、元本。

小畜

夫婦不諧,爲燕攻齊。良弓不張,騎劫憂亡。

> 互離,下震上巽,震夫巽婦,而正反兩兌口相對,故曰不諧。兌爲燕,巽爲齊。坎爲弓,坎伏,故曰不張。騎劫,燕將,代樂毅。戰死,故曰亡。○第四句,宋、元本作騎馴憂凶。茲依汲古。

履

出令不勝,反爲大災。强不克弱,君受其憂。

> 巽爲令,兌爲反巽,爲毀折,故曰不勝,曰反爲大災。卦以一陰爲主,故强不克弱,言五陽不能勝此一陰也。乾爲君。君受其憂者,言上乾恐被陰消也。

> 【補校】克,依宋本、汲古。元本作尅。義通。

泰

犇牛相錯,敗亂緒業,民不得作。

坤爲牛，震爲奔。坤爲敗亂，伏巽爲緒。坤爲民，坤僵，故不作。○犇牛，汲古作奔走。緒業，作諸緒。依宋、元本。

否

載璧秉圭，請命於河。周公克敏，沖人瘳愈。

乾爲玉，坤爲車，故曰載璧。艮爲手，故曰秉圭。巽爲命，乾爲河。伏震爲周，爲公，爲沖人。艮堅，故曰瘳。沖人者，成王。言成王有疾，周公以圭璧禱於河，使王疾愈也。事見史記魯世家。

【補校】克，從宋本、汲古。元本作剋。義通。

同人

素車僞馬，不任重負。王侯出征，憂危爲咎。

通師。震爲車，爲白，故曰素車。震爲馬，坤虛，故曰僞馬。蓋芻靈之屬。坤柔，故不任重負。震爲王，爲諸侯，爲出征。坎爲憂危。○僞，汲古作爲。依宋、元本。

大有

大樹之子，同條共母。比至火中，枝葉盛茂。

通比。艮坎皆爲木，坤爲母。本卦離爲火。左傳昭三年，火中，寒暑乃退。注，心星。以季夏昏中而暑退。季夏之時，草木長成，故曰枝葉盛茂。○同，汲古作百。至作之。均依宋、元本。

謙

壅遏隄防，水不得行。火盛陽光，陰蜺伏藏，走歸其鄉。

詳比之大畜。○末句，宋、元本作走婦其歸。依汲古。

豫

五岳四瀆，潤洽爲德。行不失理，民賴恩福。

○潤洽，依頤之大畜校。宋、元本作合潤。汲古作含潤。

【補校】潤洽，宋、元、汲古本皆作合潤。局本作含潤。

隨

駕駿南遊，虎驚我牛。陰不奉陽，其光顯揚。言之謙謙，奉
義解患。

　　震爲馬，爲南。艮爲虎，爲牛，震爲驚。上下卦陰皆居上，故曰
陰不奉陽。即不承陽也。艮爲光。初至四正反震，故曰言之謙謙。
震爲解也。○牛，宋、元本作羊。雖合兌象，然與遊不協。依汲古。
艮牛象雖見於易，久失傳。易林屢見，汲古不誤。

　　【補校】顯揚，汲古作滅蹶。言作訔。均依宋、元本。

蠱

早霜晚雪，傷害禾麥。損功棄力，飢無所食。

　　震爲禾麥，兌毀，故曰傷害。巽隕落，故損功棄力。兌爲食，震
爲虛，故曰飢無所食。○震虛象，歸妹上六承虛筐也，即以震爲虛。

臨

岐周海隅，有樂無憂。可以避難，全身保財。

　　震爲周，坤爲海，爲憂。震樂，故無憂。坤爲財。○有，汲古作
獨。依宋、元本。按，孟子，伯夷避紂，居北海之濱。太公避紂，居
東海之濱。聞西伯善養老而歸於周。林似述其事。

　　【補校】岐，元本訛歧。避作辟。均依宋本、汲古。辟通避。

觀

陰蔽其陽，日暗不明。君憂其國，求騂得黃，駒犢從行。

　　卦陰盛陽衰，故曰陰蔽其陽。艮爲日，坤黑，故不明。坤爲國，
爲憂，伏震爲君。坤爲馬，故曰騂、黃。騂，赤色；黃，黃色馬也。乾
爲赤，坤爲黃，乾伏，故不得騂而得黃。艮爲求。爲少，故曰駒。坤

牛,故曰犢。坤母,故駒犢從行。○日,宋本、汲古皆作目。惟元本作日。艮爲日,亦失傳象也。

噬嗑

金城鐵郭,上下同力。政平民歡,寇不敢賊。

艮爲城郭,爲金鐵。正反震,故曰上下同力。坎爲平,爲民,爲寇賊。○鐵,元本作佳。依宋本、汲古。

【補校】平,汲古訛乎。依宋、元本。又,鐵,元本作鑯。同鐵。

賁

平公有疾,迎醫秦國。和不能愈,晉人赴告。

坎爲平,爲疾,震爲公。艮爲國,伏兌,故曰秦國。坎爲和,震爲晉。按左傳成十年,晉景公有疾,秦伯使醫緩爲之醫,言病入膏肓[一],不能爲,公果卒。赴告者,言赴告列國公喪也。○愈,宋、元本作知。汲古作治。皆非。依需之異校。赴告,宋、元本作赴國。汲古作疑惑。皆不合。依坎之萃校。告,音谷,與國協。

剝

戴堯扶禹,松喬彭祖。西遇王母,道路夷易,無敢難者。

乾爲王,一陽在上,羣陰戴之,故曰戴堯扶禹。艮爲壽,故曰松喬彭祖。赤松子、王子喬、彭籛皆仙人而享大年者。伏兌爲西。坤爲母,伏乾,故曰王母。坤爲道路。○戴,汲古作載[二]。非。依宋、元本。松,宋、元本作從。依汲古。

【補校】松,宋、元、汲古諸本皆作從。茲依局本、翟本及訟之家人宋本校。又,遇,宋、元本作過。路作里。均依汲古。

[一]　"言病入膏肓",刻本"人"訛"人","肓"訛"盲",均據稿本改。
[二]　"汲古作載",刻本脱"汲古"二字,據稿本補。

復

羔羊皮革,君子朝服。輔政扶德,以合萬國。

詳謙之離。

【補校】扶,宋、元、汲古各本皆作天。依謙之離及翟本校。

无妄

振鐘鼓樂,將軍受福。安帖之家,虎狼爲憂。履危不殆,師行何咎。

震爲鐘,爲樂。鼓樂,言奏樂也。震爲武人,故曰將軍。艮爲安,爲家,爲虎狼。震爲履,伏坤爲師。〇振鐘鼓樂[一],宋、元本作據鐘鼓翼。爲作與。殆作强。均依汲古。

【補校】鐘,元本作鍾。依宋本、汲古。

大畜

嫡庶不明,孽亂生殃,陳失其邦。

震爲長子,嫡也。乃三至上正反震,故曰嫡庶不明。震爲陳,四至上震覆,故陳失其邦。艮爲邦。

頤

鳥驚狐鳴,國亂不寧。上弱下强,爲陰所刑。

震爲鳥,爲驚,爲鳴,艮爲狐。坤爲國,爲亂。艮孤陽在上,故曰上弱。震爲健,故曰下强。坤爲刑,中四爻重坤,故曰爲陰所刑。〇狐鳴,宋本、汲古作孤鴻。兹依元本。

【補校】狐鳴,宋本作孤鴻。汲古作孤鴻。又,國亂,汲古作亂國。刑作行。均依宋、元本。

〔一〕"振鐘鼓樂",稿本、刻本原省作"振樂"。謹依意補"鐘鼓"二字使足之。

大過

被綉夜行，不見文章。安坐于堂，乃无咎殃。長子帥師，得
其正常。

　　　卦通頤。坤爲夜，震爲行。坤爲綉，爲文章，坤黑，故不見。艮
　　爲坐，爲堂。震爲長子，坤爲師。三四句言艮止義，五六句言震動
　　義也。〇于，宋、元本作玉。兹依汲古。宋本作坎林。
　　【補校】宋、元本作坎林。兹依汲古。又，綉，元本、汲古作繡。
　　從宋本。

坎

六月采芑，征伐無道。張仲方叔，克勝飲酒。

　　　六月、采芑，小雅篇名，頌周宣王也。張仲、方叔，皆宣王臣。
　　詩張仲孝友，方叔召虎是也。坎爲月，數六，故曰六月。互震爲芑，
　　艮手爲采。震爲征伐。坎爲仲，艮爲叔。坎爲酒。〇克，元本作
　　剋。從宋本、汲古。宋本作大過林。
　　【補校】宋、元本作大過林。兹依汲古。

咸

昧暮乘車，東至伯家。踰梁越河，濟脫無他。

　　　伏損。坤爲黑，爲夜，故曰昧暮。震爲車，爲乘，爲東，爲伯。
　　艮爲家，故東至伯家。艮爲梁，坤爲河。震往，故曰踰越，曰濟脫。

恒

東風解凍，和氣兆升，年歲豐登。

　　　震東巽風，乾爲寒[一]，爲凍，震爲解，故曰東風解凍。巽爲

────────────

〔一〕“寒”，稿本作“冰”，兹依刻本。

氣，兑悦，故曰和氣。坤爲年歲。○末句，元本作年豐歲登。依宋本、汲古。

遯

三狸捕鼠，遮遏前後。死於圜城，不得脱走。

　　古貓未爲家畜，故以狸捕鼠。狸，狐屬。艮爲狸，數三，故曰三狸。艮爲鼠。艮止，故曰遮遏前後。伏坤爲死，乾爲圜，艮爲城。艮止，故難脱。○死於圜城，宋本作無於圜域〔一〕。元本作無於還域。兹依汲古。圜城者，獄城也。周禮司圜，鄭司農云，圜土，獄城也。

　　【補校】捕，宋、元、汲古各本皆作搏。依恒之升校。狸，宋本、汲古作貍。兹依元本。

大壯

綏德孔明，履禄久長。貴且有光，疾病憂傷。

　　震爲履。乾爲禄，爲久長，爲貴，爲光。伏坤爲疾病憂傷。

晉

三虎搏狼，力不相當。如摧腐枯，一擊破亡。

　　艮爲虎，數三，故曰三虎。艮爲狼，爲手，故搏狼。離中虛，故曰枯腐。艮爲擊，坎爲破，坤爲亡。○腐枯，宋、元本作壅祐〔二〕。兹依汲古。

明夷

使伯采桑，狼不肯行。與叔争訟，更相毀傷。

　　震爲伯，爲桑。坎爲狼，坎陷，故不肯行。坎上下兑口相背，故

〔一〕“域”，刻本訛“城”，據稿本改。
〔二〕“祐”，刻本訛“祜”，據稿本改。

曰爭訟。坎破，故曰毀傷。○采桑，宋、元本作東乘。狠作恨。茲依汲古。

家人

抱空握虛，鴞驚我雛，利去不來。

此用遇卦象。離中爻伏艮，故曰抱，曰握。離爲空虛。艮爲鴞，震子，故曰雛。震爲驚。巽爲利，風散，故不來。○抱，元本作把。依宋本、汲古。

睽

李華再實，鴻卵降集。仁哲以興，蔭國受福。

詳小畜之離。○第四句，宋、元本作隆國無賊。汲古作不賊。茲依比之訟等林校改。

【補校】華，依元本。宋本、汲古作花。音義同。卵，宋、元本作升。從汲古。

蹇

東山皋洛，勇悍不服。金玦玩好，衣爲身賊。

左傳閔二年，晉侯使太子申生伐東山皋洛氏，佩之金玦。後太子果敗。離東艮山，離爲赤。東山皋洛，赤狄別種，故用以爲象。艮爲金，伏兌爲玦。坎爲賊。○洛，依宋、元本。汲古作落，雖與今左傳同，然易林用經，往往字與今經異，疑宋本是，汲古非也。第二句，元本作一朝隕落。宋本悍作捍。茲依汲古。又，汲古多絲麻不作句。宋、元本均無。依之。

【補校】元本多一朝隕落四字，作第二句。汲古下多絲麻不作四字，爲末句。均依宋本刪。又，玦，汲古作瑛。從宋、元本。悍，依宋本、汲古。

解

飛蚊污身，爲邪所牽。青蠅分白，貞孝放逐。

伏巽爲蚊，震爲飛。坎水，故曰污。震爲青，伏巽爲蠅，爲白。○蚊，宋、元本作文，依汲古。牽，汲古作率。貞作真。均依宋、元本。青蠅，詩篇名，傷讒而作。貞孝放逐，言伯奇、申生爲後母所讒而被放也。

損

南山黃竹，三身六目。出入制命，東里宣政。主尊君安，鄭國無患。

震爲南，爲竹，艮山。數三，坤身，故曰三身。六目，未詳。伏巽爲命令。坤爲里，震東，故曰東里。指子産也。震爲主，艮爲安[一]，爲居。坤爲國，爲鄭。説文，鄭，地町町然平也。象坤形。○黃竹，各本皆作大木。三身六目，宋、元本作文身其目。汲古作丈身六目。第三、四、五句，宋、元本作制命出令[二]，東里田畝，尊主安居。汲古作制命出文，東里宣敷，尊主安居。茲依蠱之旅校改，韻皆協矣。按此皆指子産治鄭事。

益

泉起崑崙，東出玉門。流爲九河，無有憂患。

艮山坤水，故曰泉起崑崙。艮爲門，震爲東，爲玉，故東出玉門。坤爲河，震數九，故曰九河。坤爲憂患，震解，故無。言河出崑崙山，過玉門關，播爲九河也。

【補校】東，汲古作西。依宋、元本。

〔一〕“艮”，刻本作“坤”，茲依稿本。
〔二〕“令”，刻本誤“命”，據稿本改。

夬

命短不長，中年夭傷。思及哭堂，哀其子亡。

巽爲命，爲長，巽覆兌折，故曰命短不長。乾爲年，兌少，伏坤爲死，故曰中年夭傷。坤爲思，伏艮爲堂，兌口爲哭。震爲子，伏艮震覆，故子亡。○思及，宋、元本作鬼泣。依汲古。

姤

君臣不和，上下失宜，宗子哀歌。

通復。坤爲臣，震爲君，臣上君下，故曰不和，曰失宜。震爲宗，爲子，爲歌。坤憂，故曰哀歌。○末句，宋本作宗子哭歌。元本作宋子哭歌。依汲古。

萃

苛政日作，螟食華葉。割下啖上，民被其賊，秋無所得。

坤爲政，艮爲日。巽爲螟，兌爲食，爲華，故曰螟食華葉。坤爲下，艮爲刀，故曰割下。兌口在上，故曰啖上。坤爲民，互巽爲賊，故曰民被其賊[一]。兌爲秋，巽隕落，故無得。

升

南行載鎧，登履九魁。車傷牛罷，日暮嗟咨。

震爲南，伏艮爲鎧。説文，鎧，甲也。坤爲車，爲牛，爲暮。伏艮爲日。坤憂震語，故嗟咨。第二句義未詳。○載，宋、元本作戴。從汲古。履，宋、元作塲。從汲古。罷，音疲。魁，當爲疑。

【補校】暮，依宋、元本。汲古作莫。即暮。

困

春東夏南，隨陽有功，與利相逢。

〔一〕"民被其賊"，刻本誤作"被其民賊"，據稿本改。

伏賁。互震爲春，爲東。離爲夏，爲南，故曰春東夏南。離爲陽，震爲隨。本卦巽爲利。

井

頭尾顛倒，不知緒處，君失其國。

伏噬嗑。艮爲首，爲尾。初至四正反艮，故曰顛倒。巽爲緒。震爲君，艮爲國。互坎，故曰失國。

革

言無要約，不成券契[一]。殷叔季姬，公孫争之。强入委禽，不悦於心。

詳頤之革。○於心，各本皆作子南。依頤之革校。禽，汲古訛命。

鼎

缺破不成，胎卵不生，不見其形。

互兑爲缺破。震爲胎，爲卵。震伏巽隕，故不生。○破，汲古作陷。兹依宋、元本。

震

見蛇交悟，惜蚖畏惡，心乃無悔。

伏巽爲蛇，爲蚖。互坎爲心。義未詳。○悟，汲古作卧。蚖作蜒。依宋、元本。

艮

河水孔穴，壞敗我室。水深無涯，魚鼈傾倒。

〔一〕“券契”二字，稿本、刻本誤倒，據宋、元、汲古及所見其他各本校正。又，檢頤之革亦然，可參校。

　　坎爲河水，震爲孔，艮爲穴，故曰河水孔穴。艮爲室，爲鱉。伏
巽爲魚。○倒，元本作側。依宋本、汲古。

漸

五嶽四瀆，地得以安。高而不危，敬慎避患。

　　艮山，坎數五，故曰五嶽。坎爲瀆，巽數四，故曰四瀆。巽爲
高，艮安，故不危。坎爲患，巽順，故曰敬慎。○敬慎，汲古作驚懼。
茲依宋、元本。

歸妹

南至之日，陽消不息。北風冽寒，萬物藏伏。

　　離日，震南，故曰南至之日。上下卦陰在陽上，故曰陽消不息。
坎爲北，爲寒；伏巽，故曰北風。震爲萬物，坎爲藏伏。○冽，宋、元
本作烈。藏伏作伏藏。茲依汲古。然伏仍不協，疑爲匿字。

豐

五利四福，俱田高邑。黍稷盛茂，多獲高稻。

　　巽爲利，卦數五，故曰五利。震爲福，卦數四，故曰四福。艮爲
邑，巽爲高，震爲耕，故曰俱田高邑。震爲黍稷，爲盛茂，爲稻。○
田，宋、元本作佃。高作居。稻作積。均依汲古。

旅

公孫駕車，載遊東齊。延陵説産，遺季紵衣。

　　詳乾之益。○各本下多疾病哀悲四字[一]。與上文不類，斷
爲衍文。依乾之益校删。

　　【補校】説，宋、元、汲古各本皆作子。依乾之益及翟本校。

―――――――――――

〔一〕"哀悲"二字，刻本誤倒，據稿本校正。

季,汲古作我。從宋、元本。

巽

蛟虬當道,民困愁苦。望羊置羣,長子在門。

巽爲蛇,故曰蛟虬。伏震爲道,故曰蛟虬當道。坎爲民,爲愁苦。坎陷,故曰民困愁苦。互兌爲羊。艮爲門,震爲長子。

【補校】蛟虬,宋、元本作交亂。依汲古。

兌

金玉滿堂,忠直乘危。三老凍餓,鬼奪其室。求魚河海,網舉必得。

伏艮爲金,爲堂,震爲玉,故曰金玉滿堂。坎爲忠直,爲危,爲凍。震數三,艮壽,故曰三老。三老,鄉官也。坎爲鬼,爲河海。艮爲求,互巽爲魚。離爲網。○堂,宋、元本作室。非。兹依汲古。其,汲古作我。兹依宋、元本。按,林辭義吉凶不協,疑中二句爲衍文。

渙

日入明匿,陽晶隱伏。小人勞心,求事不得。

離伏,故曰日入明匿。晶、精通。坎爲隱伏,爲心,爲勞。震爲人,艮爲小,故曰小人勞心。艮爲求,風散,故不得。○明匿,宋、元本作幽慝。晶作明。均依汲古。

節

頻逢社飲,失利後福。不如子息,舊居故處。申請必得,乃無大悔。

艮爲社,兌口爲飲。古社日最重春秋兩社,皆祭後鄉飲,故曰頻逢社飲。巽爲利,巽伏,故失利。震爲後,爲福,故曰後福。震爲子息,爲申請。艮爲居處。○社,依宋、元本。汲古作招。非。必得,宋、元本作必與。依汲古。

【補校】第四句,汲古作舊器故杅。依宋、元本。

中孚

南有嘉魚,駕黄取鰤。魴鰡訕訕,利來無憂。

震爲南,巽爲魚。震福,故曰嘉魚。震爲黄。黄,馬也。正反
巽,故曰鰤,曰魴鰡。巽爲利。○鰤,汲古、宋本皆作遊。兹依元
本。嘉魚,小雅詩篇名。

【補校】鰤,宋、元、汲古各本皆作遊。兹依睽之泰校。

小過

黄裳建元,文德在身。禄祐洋溢,封爲齊君。

震爲衣,爲黄。坤六五黄裳元吉,故曰建元。艮爲身,坤爲文,
卦上下皆坤爻,故曰文德在身。震爲福祐,爲君,巽爲齊。○宋、元
本下多賈市無門,股肱多根二句。根當爲恨。豈有上文如是之吉,
下忽凶乎? 其爲衍文無疑,故從汲古不録。

【補校】祐,從宋、元本。汲古作佑。義同。

既濟

口不從心,欲東反西。與意乖戾,動舉失便。

離東坎西。○舉,元本作步。依宋本、汲古。便,依汲古。宋、
元本皆作使。

未濟

虎狼之鄉,日争凶訟。叨爾爲長,不能定從。

卦有三艮形,故曰虎狼之鄉。離,正覆兑相背,故曰争訟。不
能定從,言不能定從約。虎狼之鄉,謂秦也。○從,汲古訛証。依
宋、元本。

咸之第三十一

咸

雌單獨居，歸其本巢。毛羽憔悴，志如死灰。

　　巽爲雌，爲寡，故曰單獨。艮爲巢。巽寡髮，故曰毛羽憔悴。
伏坤爲志，爲死。

　　【補校】憔悴，依宋木、汲古。元本作顦顇。義同。

乾

小窗多明，道里利通。仁賢君子，國安不僵。

　　此用咸象。咸伏損。艮爲小，爲窗，爲明。坤爲道里。震爲利
通，爲仁賢。艮爲君子，爲國，爲安。○小，宋、元本作十。依汲古。
里，汲古作理。依宋、元本。

　　【補校】賢，宋、元本作智。依汲古。

坤

心惡來怪，衝衝何懼。顏淵子騫，尼父聖誨。

　　咸艮爲顏，兑爲淵，故曰顏淵。艮手爲騫，故曰子騫。乾爲父，
爲聖。艮山，故曰尼父。兑言，故曰聖誨。○淵，宋本作伯。誨作
母〔一〕。依汲古。

　　【補校】淵，宋、元本作伯。誨作母。

屯

鳥鳴呼子，哺以酒脯。高樓水處，來歸其母。

―――――――――
〔一〕“母”，刻本訛“毋”，據稿本改。

艮爲鳥,震爲鳴,爲子,故曰鳥鳴呼子。震爲口,故曰哺。坎爲酒,爲脯。脯,肉也。艮高,故曰高樓。坤水坎水,故曰水處。坤爲母,震爲歸。言鳥聞呼,或高樓,或水處,皆至也。○樓,宋、元本訛樓。依汲古。

蒙

國馬生角,陰孽萌作。變易常服,君失于宅。

坤爲國,爲馬,艮爲角,互震,故曰生角。坤爲陰,爲服,爲失。艮爲宅。震爲萌,爲君。漢書五行志,文帝十二年,有馬生角於吳。劉向以爲吳舉兵向上之萌。又史記,燕太子丹爲質於秦,求歸。秦王曰,待馬生角。既而馬果生角,乃放歸。此皆反常之事,故曰變易常服。

需

入宇多悔,耕石不富。衡門屢空,使士失意。

似多用伏象。○宇,汲古作年。從宋、元本。

訟

諸孺行賈,遠涉山阻。與旅爲市,不危不殆,利得十倍。

伏震爲孺,爲商賈。坤衆,故曰諸孺。乾爲陵,故曰山阻。伏巽爲市,爲利,爲三倍。○諸孺,宋本作情懦。茲依汲古。

【補校】諸孺,宋、元本作情懦。

師

梁破橋壞,水深多畏。陳鄭之間,絕不得前。

艮爲橋梁,艮覆,故曰破壞。坎爲破也。坤水坎水,故曰水深。坎爲畏。震爲陳。坎爲平,爲鄭。坎陷,故不前。

比

雙鳧俱飛,欲歸稻池。經涉崔澤,爲矢所射,傷我胸臆。

此兼咸象。艮爲黿，兑數二，故曰雙黿。兑爲池。巽爲稻，爲
萑。坎爲矢，坤爲胸[一]。〇射、傷，汲古作傷、損。依宋、元本。

【補校】欲，汲古作以。萑作蓷。均依宋、元本。蓷、萑同。

小畜

謾誕不成，倍梁滅文。許人賣牛，三夫爭之。失利後時，公
孫懷憂。

　　未詳。〇倍、賣，汲古作倍，作買。依宋、元本。夫，宋、元本作
失。依汲古。按，伏豫。正反震，故曰謾誕，曰爭，曰三夫。艮爲
牛，爲時。

【補校】成，元本作誠。依宋本、汲古。

履

南國饑凶，民食糟糠[二]。少子困捕，利無所得。

　　乾爲南，伏坤爲國，離爲饑。巽爲糟糠，兑爲食。〇饑凶，宋、
元本作凶饑。依汲古。

【補校】饑，宋、元本作飢。兹依汲古。

泰

狗吠非主，狼虎夜擾[三]。驚我東西，不爲家咎。

　　震爲鳴吠，爲主。伏艮爲狗，爲虎狼。震爲驚，爲東。兑爲西。
艮爲家。狗吠非主，言非其主人而必吠也。

否

望龍無目，不見手足。入水求玉，失其所欲。

〔一〕 “坎爲矢，坤爲胸”，稿本作“艮爲矢，爲胸臆”。
〔二〕 “食”，刻本訛“失”，據稿本改。
〔三〕 “夜”，稿本、刻本作“日”，兹依宋、元、汲古及所見其他各本改。

乾爲龍，艮爲目，巽伏故無。震爲足，震伏故不見。艮爲手，巽伏故亦不見。乾爲玉，坤爲水。巽入艮求，故曰入水求玉。坤爲失，故所欲不得也。

同人

以鹿爲馬，欺誤其主。聞言不信，三日爲咎。黃龍三子，中樂不殆。

伏師。震爲鹿，坤爲馬，故曰以鹿爲馬。震爲主。離上下兌口相背，故曰欺誤，曰聞言不信。與明夷初九之有言義同也。離數三，故曰三日。震爲黃龍，爲子，爲樂。史記秦本紀，趙高獻鹿於二世，曰馬也。

【補校】日，各本皆作口。此作日，於義頗勝，各本似訛。馬生新欽云，疑依周易明夷初九三日不食校改。

大有

養幼新婚，未能出門。登宋望齊，不見太師。

此用咸象。少男少女，故曰養幼。六爻皆交，故曰新婚。乾爲門，巽伏，故曰未能出門。架木爲屋曰宋。艮爲宋，爲望，巽爲齊。乾爲太師，巽伏，故不見。

謙

王孫季子，相與爲友。明允篤誠，升擢薦舉。

艮爲王孫，爲季子。艮爲友，正反艮，故曰相與爲友。艮爲明，爲升擢。〇季，汲古作貴。依宋、元本。

豫

山水暴怒，壞梁折柱。稽難行旅，留連愁苦。

艮爲山，坤水坎水，上震，故曰山水暴怒。艮爲梁柱，坎折，故曰壞梁折柱。坎陷艮止,故曰稽難,曰留連。震爲行旅,坎爲愁苦。

【補校】第三句,汲古作稽旅難行。依宋、元本。

隨

鵻鳩徙巢,西至平州。遭逢雷電,碎我葦蘆。室家飢寒,思吾故初。

艮爲鵻鳩,爲巢。下震,故曰徙巢。兑爲西。震爲雷,爲葦蘆。艮爲室家。○碎,宋、元本作破。依汲古。兑毀折,故碎。

【補校】葦,汲古作苕。依宋、元本。

蠱

登高傷軸,上阪弃粟。販鹽不利,買牛折角。

互震爲軸,爲登。兑爲折,故傷軸。艮爲阪,巽爲粟。在下,故曰弃粟。震爲商販,兑爲鹽鹵。艮爲牛,爲角,兑爲折。○買牛折角,元本買作賣。汲古作市賈折閱。非。茲依宋本。

【補校】買牛折角,依宋、元本。買作賣者,未詳所自,謹存疑俟考。

臨

祝鮀王孫,能事鬼神。節用綏民,衛國以存。饗我旨酒,眉壽多年。

論語,祝鮀治宗廟。故曰能事鬼神。注,祝鮀,衛大夫子魚也。疏,左傳,子行敬子謂靈公曰,會同難,其使祝鮀從。將盟,果長衛侯。故曰衛國以存。坤爲鮀,震言,故曰祝鮀。震爲王,爲神。坤爲鬼,爲民,爲國。○鮀,元本作施。依宋本、汲古。第五句,依宋、元本。汲古無。

觀

九里十山,道卻峻難。牛馬不前,復反來還。

坤數十，互艮，故曰十山。朱震云，坤亦數九，故曰九里。艮爲道。卻，退也。巽爲進退，故曰道卻。坤爲牛，爲馬。艮止，坤下，故不前。

噬嗑

枯樹不花，空淵無魚。舊鳥飛翔，利棄我去。

　　震爲樹，離火，故枯。坎爲淵，巽爲魚，巽伏，故無魚。艮爲鳥，爲飛。○舊，宋、元本作舊。兹依汲古。亦未安，疑爲鷲字。

【補校】花，依宋本、汲古。元本作華。同花。

賁

雄狐綏綏，登上崔嵬。昭告顯功，大福允興。

　　艮爲狐，陽卦，故曰雄狐。震爲登。艮山，故曰崔嵬。震言，故曰告。○綏綏，宋、元本作唯唯。汲古作綏遺。依局本。上，汲古作山。依宋、元本。崔，宋、元本作山。依汲古。詩齊風，南山崔崔，雄狐綏綏。序謂刺襄公禽獸之行。林義似異。

剝

啞啞笑喜，相與飲酒。長樂行觴，千秋起舞，拜受大福。

　　此用咸卦伏象。○笑喜、相與，汲古作笑言、與歡。依宋、元本。

復

大椎破轂，長舌亂國。牀第之言，三世不安。

　　兌爲舌，震形較兌多一陰，故曰長舌。坤爲國，爲亂。伏巽爲牀，震爲言；數三，坤爲世，故曰三世。椎、轂，疑皆爲震象。○椎，汲古訛推。依宋、元本〔一〕。

────────────

〔一〕"依"字，刻本脱，據稿本補。

无妄

男女合室，二姓同食。婚姻孔云，宜我孝孫。

　　艮爲室，震男巽女；俱在艮體中，故曰合室。震爲口，爲食；正反震相對，故曰同食。艮爲孫，巽順，故曰孝孫。〇二，汲古作三。從宋、元本。

大畜

千仞之牆，禍不入門。金籠鐵疏，利以辟兵。欲南上阪，軸方不轉，還車復反。

　　艮爲牆，在上，故曰千仞。乾爲門，坤爲禍；坤伏，故禍不入門。乾爲金，艮亦爲金，故曰金籠鐵疏。疏、梳同。艮爲刀兵，艮止，故辟兵。震爲南，艮爲阪。伏坤爲軸，爲方；艮止，故不轉。震爲車，爲反也。〇禍不，汲古作不得。辟作避。南上作上南。均依宋、元本。軸方，宋、元本作轉萬。今依汲古。

　　【補校】反，依宋本、汲古。元本作返。同反。

頤

華言風語，自相詿誤。終無凶事，安寧如故。

　　震爲軣，故曰華言。伏巽，故曰風語。正反震，故詿誤。坤爲凶，爲事，艮爲終，故終無凶事。艮止，故安寧如故。

大過

汎汎柏舟，流行不休。耿耿寤寐，心懷大憂。仁不遇時，退隱窮居。

　　詳屯之乾。〇心，依校。各本皆作公。

　　【補校】第三句，汲古作耽耽寐寐。依宋、元本。

坎

大尾小頭，重不可搖。上弱下强，陰制其雄。

> 艮爲尾，坎爲頭。陽陷陰中，故曰陰制其雄。

離

一身三口，語無所主。東西南北，迷惑失道。

> 兑爲口，離數三，故曰三口。伏坎數一，伏艮爲身，故曰一身。正反兑，故曰語無所主。兑爲西，伏震爲東，離爲南，伏坎爲北。伏艮爲道，正反艮，故迷惑失道。

恒

南行求福，與喜相得。封受上賞，鼎足輔國。

> 震爲南，爲行，爲喜，爲鼎，爲足。乾爲福。伏坤爲國。

遯

過時不歸，雌雄苦悲。徘徊外國，與母分離。

> 艮爲時，震爲歸。二至四震伏，故曰不歸。互巽爲雌，震爲雄。震伏不見，故曰苦悲。艮爲國，艮止，故徘徊。坤爲母，坤伏不見，故曰與母分離。○第二句，宋本作苦悲雄惟。元本作苦悲雄雌。茲依汲古。

大壯

堯舜在國，陰陽和得。涿聚衣裳，晉人無殃。

> 震爲帝，故曰堯舜。左傳哀二十三年，晉伐齊，智瑤禽顔涿聚。故曰晉人無殃。然語意與上二句不屬。○衣裳，宋、元本作衣常。仍難解。
>
> 【補校】得，汲古作德。依宋、元本。得、德古通。

晉

周成之隆，越裳夷通。疾病多祟，鬼哭其公。狼子野心，宿客不同。

此用咸象。伏震爲周，艮爲成，故曰周成。坤爲裳，震爲南，故曰越裳。坤爲夷，爲疾病，爲鬼。艮爲哭，震爲公。震覆坤死，故曰鬼哭其公。艮爲狼，坤爲野，爲心。巽爲旅客，坤爲夜，故曰宿客。〇首句，宋本作周城之降。汲古成作公。兹依遯之坤。然義皆與下四句不協，闕疑待攷。又，狼子，宋本作鳥子。尤非。

【補校】首句，宋、元本作周城之降。狼，依汲古。宋、元本作鳥。宿客，汲古作客宿。依宋、元本。

明夷

申酉脫服，牛馬休息。君子以安，勞者得懽。

坤居申方，坎先天居酉方。坤爲牛，震爲馬，坎隱伏〔一〕，故曰脫服。服，轅外馬。脫服，即休息也。坎爲勞，震爲懽。言申酉日暮，牛馬與人皆安息也。

【補校】休，汲古作俟。從宋、元本。懽，元本作歡。依宋本、汲古。歡、懽同。

家人

凱風無母，何恃何怙。幼孤弱子，爲人所苦。

巽爲風，爲母；巽隕落，故無母。坎爲孤，爲苦。凱風，邶風篇名。毛謂母不安其室，兹謂无母。義與毛異。〇第二句，宋、元本作何怙何恃。依汲古。

【補校】苦，宋、元本作咎。依汲古。

─────────────

〔一〕"隱"下，刻本無"伏"字，兹依稿本增。

睽

出門上堂，從容牖房，不失其常。天牢地户，勞者憂苦。

伏艮爲門堂、牖房[一]。坎爲牢，艮爲天，故曰天牢。坎爲北，爲勞、憂。晉書天文志，天牢六星在北斗下，貴人之牢也。河圖括地象，西北爲天門，東南爲地户。兑居東南，伏艮爲户也。

【補校】地，宋、元本作北。依汲古。

蹇

天厭周德，命與南國。以禮静民，兵革休息。

艮爲天，震爲周，爲德，故曰天厭周德。艮爲國，離南，故曰南國。離爲兵革，艮止，故休息。厭，足也，滿也。言周德盛，天與以南國也。

解

堂桑折衝，佐鬬者傷。暴臣失國，良臣被殃。

未詳。○堂桑，宋、元本作常葉。姑依汲古。皆未安。衝，汲古作衡。姑依宋、元本。失，汲古作反。亦姑依宋、元本。

【補校】暴臣，元本作暴君。依宋本、汲古。被，宋、元本作破。依汲古。

損

合歡之國，嘉喜我福。東岳西山，朝齊成恩。

震爲歡，坤爲國。正反震相對，故曰合歡之國。震爲喜，爲福。艮爲山岳，震東兑西，故曰東岳西山。震爲朝，爲齊。齊，同隮。詩鄘風，朝隮于西，崇朝其雨。傳，隮，升也。按樂記，地氣上齊。注，

〔一〕“堂”，刻本訛“室”，據稿本改。

齊,躋也。而躋與隮皆訓升。是齊詩本作齊,字與毛異而義同也。言雲升雨降,故曰成恩。

益

耕石不生,弃禮無名。縫衣失針,襦袴不成。

震爲耕,艮爲石。坤死,故曰不生。坤爲禮,爲失。震爲衣,爲襦袴。巽敝,故不成。針爲坎象,四五半坎,故失針。

夬

聾瞽闇盲,跛倚不行。坐尸爭骸,身被火災,困其多憂。

履六三云,眇能視,跛能履。謂兌爲半離、半震也,故茲亦曰盲,曰跛。推之夬亦半坎也,故曰聾。伏艮爲坐,坤爲尸,兌爲骸。坤爲身,艮爲火,故曰身被火災。艮爲困,坤爲憂,故曰困其多憂。爭,廣韻云,諫諍也,止也。坐尸爭骸,言不能行之人,有類於坐尸止骸而不能動,故遇火而困。伏坤爲災憂。〇盲,宋、元本作瞽。依汲古。第三句,宋本、汲古作坐戶孚骸。依元本。火,汲古作大。依宋、元本。困,宋、元本作因。依汲古。

【補校】第三句,汲古作坐戶孚骸。依宋、元本。又,倚,元本作踦。依宋本、汲古。

姤

生長太平,仁政流行。四方歸德,社稷康榮。

此用復象。震爲生,震樂,故曰太平。坤爲政,震爲仁,故曰仁政流行。坤爲四方,爲社稷。震爲德,爲康榮。〇生長,宋、元本作長生。

【補校】生長,依汲古。

萃

桀跖並處,民人愁苦。擁兵荷粮,戰於齊魯。合卺同牢,姬姜並居。

　　坤惡,故曰桀。巽爲盜,故曰跖。坤巽連體,故曰並處。坤爲人民,爲愁苦。艮爲兵,爲荷。巽爲粮,爲齎。兌爲魯。〇五、六句與上意不屬,定爲衍文。同牢,汲古作得牢。非。依宋、元本。昏禮,同牢而食。民人,宋、元本作民之。從汲古。

　　【補校】擁,汲古作捕。依宋、元本。

升

南與凶俱〔一〕,破車失襦。西行無袴,亡其寶賂。

　　震爲南。坤爲凶,爲車。兌毀,故破車。震爲襦,坤亡,故失襦。兌爲西,巽爲袴,震爲玉。坤亡,故曰无袴,曰亡其寶賂。

困

空槽注器,豚彘不至。張弓祝雞,雄父飛去。

　　伏震爲槽,爲器。注,擊也。伏艮爲擊。巽爲豕,故曰豚彘。坎陷,故不至。凡飼豕,擊槽即至。今槽空無食,故雖擊不至。巽爲雞,坎爲弓。兌口,故曰祝雞。祝,呼也。張弓呼,故懼而飛去也。〇父,師之旅汲古作鳩。説文,父,家長率教者。然則,雄父是雞之首領。父同甫。

井

望尚阿衡,太宰周公。藩屏湯武〔二〕,立爲王侯。

　　詳同人之師。

革

朝鮮之地,箕子所保。宜家宜人,業處子孫。

〔一〕“俱”,稿本、刻本作“居”,疑音近致誤,據宋、元、汲古及所見其他各本改。
〔二〕“藩屏”二字,稿本、刻本誤倒,據各本及同人之師校正。

詳大畜林。

【補校】箕子，汲古作姬伯。依宋、元本。

鼎

息憂解笑，故貧今富。載樂履善，與福俱遇。

伏坎爲憂，震爲解，爲笑。伏坤爲貧，乾爲富，故曰故貧今富。伏震爲樂，爲善，爲履；爲車，故曰載樂。震爲福也。○息，宋、元本作昔。依汲古。遇，汲古作憂。依宋、元本。貧，宋、元本作貪；樂作榮。依汲古。

震

叔迎伯兄，遇巷在陽。君子季姬，並坐鼓簧。

震爲伯，爲兄，互艮爲叔。伏離爲巷，爲陽。言遇伯兄於巷之陽也。艮爲君子，爲季。震爲姬，故曰季姬。爲樂，故曰鼓簧。○巷，宋、元本作卷，益難解。姑依汲古。詩秦風，既見君子，並坐鼓簧。

艮

順風縱火，芝艾俱死。三害集房，十子中傷。

詳剝之坤。○俱死，汲古作俱亡。依宋、元本。

【補校】三害，宋、元、汲古各本皆作三官。依翟本及剝之坤校。

漸

駕車入里，求鮮魴鯉。非其肆居，自令失市。君子所在，安無危殆。

坎爲車。艮爲里，爲求。巽爲入，爲魚，故曰求鮮魴鯉。所求非地，故曰非其肆居。巽爲市[一]。艮爲君子，爲安。○其，汲古

〔一〕"市"，刻本誤"室"，據稿本改。

作吾。依宋、元本。殆,宋、元本作咎。依汲古。

【補校】市,汲古作布。依宋、元本。

歸妹

拔劍傷手,見敵不起。良臣無佐,困辱爲咎。

伏艮爲劍,爲手。坎破,故傷手。坎爲隱伏,故不起。艮爲臣,坎爲困辱。○咎,汲古作苦。依宋、元本。

豐

亂君之門,佐鬬傷跟。營私貪禄[一],身爲悔殘。東下泰山,見我所歡。

離爲亂,震爲君,伏艮爲門,故曰亂君之門。伏震爲跟。正反震相對,故曰鬬。兌折,故曰傷。艮爲身,爲山。震東,故曰東下泰山。

【補校】泰山,元本作太山。依宋本、汲古。太山即泰山。

旅

慈母望子,遙思不已。久客外野,使我心苦。

巽爲母,巽順,故曰慈母。離爲望。巽爲旅客,艮爲外野。伏坎爲心。

巽

魴生淮邰[二],一轉爲百。周流四海,無有患惡。

詳蠱林。○淮邰,元本作江淮。依宋本、汲古。邰、隙同。

【補校】淮邰,宋、元、汲古本皆同。惟蠱林作江淮。又,汲古舊注云,一作江雒。

〔一〕“營”,稿本、刻本誤“榮”,據宋、元、汲古及所見其他各本改。
〔二〕“邰”,刻本訛“卻”,據稿本改。注倣此。

兑

甘露醴泉，太平機關。仁德感應，歲樂民安。

詳屯之謙。

涣

采薇出車，魚麗思初。上下役急，君子免憂。

采薇、出車、魚麗，皆小雅詩。詩序，采薇[一]，遣將率戍役也；出車，勞還率也；魚麗，美萬物盛多而備禮也。又云，文武以天保以上治內，采薇以下治外。故林曰思初，言思文武周初之盛美也。震爲薇，艮爲采。震爲出，爲車。巽爲魚。艮爲君子。坎憂震解，故免憂。○采，元本作桴[二]。依宋本、汲古。役，宋、元本作從。依汲古。

節

豕生魚魴，鼠舞庭堂。雄佞施毒，上下昏荒，君失其邦。

詳蒙之比。此以坤爲魚[三]，坎入坤，故曰豕生魚魴。

中孚

三頭六目，道畏難宿。寒苦之國，利不可得。

丁云，山海經，一身三頭。淮南子地形訓，有三頭氏。艮爲頭，數三，故曰三頭。

小過

鷁雀銜茅，以生孚乳。昆弟六人，姣好孝悌。各同心願，和

〔一〕"薇"，刻本訛"薇"，據稿本改。
〔二〕"桴"，稿本、刻本誤"採"，據元刊本改。按，元本作"桴"字，疑爲"採"之形訛。
〔三〕"以"，稿本作"則"。

悅相樂。

　　詳小畜之兑。兑爲燕。○鷰，宋、元本作驚。依汲古。姣，依
宋、元本，汲古作懂。孝悌，宋、元本作悌孝。依汲古。

既濟

文君之德，仁義致福。年無胎夭，國富民實。君子在室，曾
累益息。

　　此用咸象。伏坤爲文。乾爲君，爲仁，爲年。伏震爲胎，震生，
故不夭。艮爲國，爲君子，爲室。乾爲富實。伏坤爲層累。○之
德，汲古作德義。仁義作仁聖。君子在室作臥者在室。均依宋、元
本。惟元本室作堂。息，宋、元本作恩。兹依汲古。曾累益息者，
言生息層累而益勝也。古曾、層同。

未濟

秋梁未成，無以至陳。水深難涉，使我不前。

　　此似用咸象。兑秋艮梁，兑毀，故不成。互大坎，故曰水深。
艮止，故不前。

恒之第三十二

恒

黄帝所生,伏羲之宇。兵刃不至,利以居止。

　　震爲帝,爲玄黄,故曰黄帝。坤爲牛,坤伏,故曰伏羲。羲、犧同,牛牲也。艮爲兵刃,艮覆,故不至[一]。巽爲利。○宇,宋本訛宗。依元本、汲古。刃,宋、元本作刀。依汲古。

　　【補校】宇,宋、元本訛宗。依汲古。

乾

登墀蹉足,南行折角。長夜之室,不逢忠直。

　　此用恒象。震爲足,兑折,故蹉足。震爲南。艮爲角,艮覆,故折角。伏坤,故曰夜[二],曰室。

坤

燕雀衰老,悲鳴入海。憂在不飾,差池其羽。頡頏上下[三],寡位獨處。

　　此仍用恒象。兑爲燕雀。坤爲老,爲海。四、五二句,詩邶風,燕燕文,乃莊姜送戴嬀大歸于陳之詩,故曰寡位獨處。義與毛合。○鳴,宋、元本作鴻。第三句作憂不在鄉。寡作在。均依汲古。

〔一〕“不”,刻本誤“曰”,據稿本改。
〔二〕“夜”,稿本作“長夜”。
〔三〕“頡”,刻本訛“頑”,據稿本改。

屯

開門除憂,伯自外來。㘦㘦無患,我心得歡。

坤爲門,震爲開,爲除。坎爲憂,在外,故開門除憂。震爲伯。伯自外來,言由外來内也。坎爲患,爲心,震樂,故無。○無,汲古作之。依宋、元本。心,宋、元本作之。依汲古。

【補校】開,汲古作關。依宋、元本。㘦㘦,宋、元、汲古諸本皆作切切。惟汲古舊注云,疑當作㘦㘦。兹從校。

蒙

郊耕釋耟,有所疑止,空虛無子。

坤爲郊,震爲耕,爲耟。坎爲疑[一]。釋耟,言輟耕也,故因疑而止。坤爲虛,震爲子。坤亡,故無子。○郊,宋、元本作勬。耟作柜。均依汲古。釋,汲古作擇。依宋本。

【補校】釋,依宋、元本。又,汲古下多蒙昧不知四字。依宋、元本删。

需

張牙切齒,斷怒相視。禍起蕭牆,牽引吾子。患不可解,憂驚吾母。

互兑爲牙齒。兑剛魯,故曰斷怒。離爲視,故曰斷怒相視。離爲禍。伏艮爲牆,爲牽引。坎爲患,爲憂。伏坤爲母。○斷怒相視,宋、元本作斷怒相及。依汲古。斷斷,争辯貌。

【補校】斷怒相視,汲古斷作斷。從局本、翟本。

訟

履不容足,南山多棘。毋出房闥,乃無病疾。

―――――――

〔一〕“疑”下,稿本、刻本衍“坤爲虛”三字,與後文重複。兹依文意校删。

伏明夷。震爲足，爲履，爲南。坎爲棘，爲室，故曰房闥。坎隱
伏，故曰毋出。坎爲病疾，震解，故無。○闥，汲古作闈。依宋、
元本。

【補校】毋，各本多作母。依翟本。

師

牛騂亡子[一]，鳴於大野。申后陰微，還歸其母。

　　騂，玉篇云，馬赤黄也。坤爲牛，爲黄，故曰騂牛。震爲子，坤
　殺，故曰無子[二]。坤爲野，震爲鳴，故曰鳴於大野。坤爲后，爲
　母。震爲歸。周幽王后申國女，幽王寵褒姒，廢申后，故曰還歸其
　母。○三、四句，宋、元本作申後陰徵[三]，罡歸其母。兹依汲古。

比

龍生於淵，因風昇天。章虎炳文，爲禽敗軒。發軔溫谷，暮
宿崑崙。終身無患，光精照耀，不被禍難。

　　首二句兼用恒象。震爲龍，爲生，兌爲淵，故曰龍生於淵。巽
　爲風，乾爲天，龍在天上，故曰因風昇天。比，坤爲文，艮爲虎[四]。
　震爲車，震覆，故曰敗軒。禽者，田獵也。軔，轅端持衡者。坤爲
　車，一陽在坤上，若轅端衡木，蓋艮象也。水經注，渭水右有溫谷。
　然此溫谷即暘谷。書，宅嵎夷曰暘谷。淮南子，日出於暘谷。言發
　軔東海，夕至崙崑也。坤爲暮，艮爲崑崙。坤爲身，艮爲終，爲光
　明。坎爲患難。○昇，宋、元本作身。禽作凶。光作充。均依汲

〔一〕“亡”，稿本、刻本作“無”，據宋、元、汲古及所見其他各本改。亡、無音義
　　同。
〔二〕“曰”下，刻本脫“無”字，據稿本補。
〔三〕“徵”，刻本訛“微”，據稿本改。
〔四〕“艮”，稿本作“章”，屬上讀。

古。照，元本作炤。依宋本及汲古。禍，汲古作患，與上患字複。
依宋、元本。

小畜

既嫁宜吉，出入無咎。三聖並居，國安無災。

　　通豫。震爲嫁，爲出。巽爲入。坎爲聖，震數三，故曰三聖。
坤爲國。震樂，故無咎災。〇咎，宋、元本作憂。依汲古。

履

北陸陽伏，不知白黑。君子傷讒，正害善人。

　　通謙。坎爲北，陽陷陰中，故曰陽伏。左傳，日行北陸而藏冰。
言天寒也。坎爲黑，巽爲白；巽坎皆爲伏，故不知。艮爲君子，正反
震，故曰傷讒。〇白黑，汲古作黑白。依宋本。

　　【補校】白黑，依宋、元本。

泰

一身兩頭，近適二家，亂不可治。

　　坤爲身，乾數一，故曰一身。乾爲頭，坤數二，故曰兩頭。伏艮
爲家，坤爲亂。〇近，汲古作延。依宋、元本。

否

牝馬牡駒，歲字不休。君子衣服，利得有餘。

　　乾坤合體，故曰牝牡，故歲字不休。字，息也。乾爲歲。互艮
爲君子，巽爲利，乾爲衣。〇牡駒，宋、元作牝駒。依汲古。字，汲
古作挈。依宋、元本。

同人

南行懷憂，破其金輿。安坐故廬，乃無灾患。

　　通師。震爲南。坤爲憂患，爲車。乾爲金，故曰金輿。坎爲

破,爲室廬。○灾,依宋、元本。汲古作殃。

大有

憂人之患,履傷浮願,爲身禍殘。篤心自守,與喜相抱。

　　　通比。坤爲憂患。震爲履,震覆,故曰履傷。坤爲身,爲禍。
坎心〔一〕,艮爲抱。○第二句或有訛字。或謂浮願,猶不及料也。
願,汲古作顔。依宋、元本。

謙

咸陽辰巳,長安戌亥〔二〕。丘陵生心,非魚鮪市。可以避水,
終無凶咎。

　　　謙,震、坎、艮三陽俱備,震乾初,坎乾中,艮乾上。三陽成乾,
故曰咸陽。辟卦乾居辰巳,故曰咸陽辰巳。震爲長,坤爲安,故曰
長安。辟卦坤居戌亥,故曰長安戌亥。坎先天位西,坤爲都邑。咸
陽、長安,皆西方都邑也。艮爲丘陵,坤爲魚,爲水。言丘陵可避
水,不可得魚也。○水,宋、元本訛不。依汲古。按,韻補云,亥音
喜,引易林將戌繫亥,陽藏不起爲證。此處亦然。韻補説是也。

　　　【補校】心,宋、元本作上。依汲古。

豫

不知何孫,夜來扣門。我慎外寢,兵戎且來。

　　　艮爲孫。坎爲夜。坤爲門,艮手,故曰扣門。外寢,外室也。
艮爲外,爲寢,爲刀兵。○寢,汲古訛寇。依宋、元本。

隨

昧旦不明,日暗無光。喪滅失常,使我心傷。

〔一〕“坎”,稿本作“爲”,兹依刻本。
〔二〕“咸陽辰巳,長安戌亥”,刻本“巳”訛“己”,“戌”訛“戍”。均據稿本校改。
　　注倣此。

震爲旦,兌爲昧,故曰昧旦不明。艮爲日,爲光,兌嚮晦,故無光。○日暗,依汲古。宋、元本作暗我。我爲夜之形訛字,疑原作暗夜無光。暗夜與昧旦爲對文。今姑從汲古。

蠱

江陰水側,舟楫破乏。狐不得南,豹無以北。雖欲會盟,河水絕梁。

坤爲大川,故曰江水。震爲舟,兌毀,故破乏。艮爲狐,爲豹。震爲南。震反爲艮,則北矣。艮止,故不得南北。艮爲梁,兌折故梁絕。○狐,宋、元本作孤。依汲古。北,元本訛比。依宋本、汲本。絕梁,汲古作梁絕。依宋、元本。梁與盟韵。

臨

神之在丑,破逆爲咎。不利西南,商人休止。

震爲神,先天居丑方。又臨爲丑月卦,故曰神之在丑。兌爲破。易至于八月有凶,言至未遯,丑未衝。故曰破逆爲咎,曰不利西南。西南,遯未也。震爲商人,因破逆故休止[一]。○第四句,宋、元本作人休止後。依汲古。

觀

然諾不行,欺天誤人。使我露宿,夜歸溫室。神怒不直,鬼擊其目。欲求福利,適反自賊。

震爲言,震覆,故曰然諾不行,曰欺天誤人。艮爲天,爲室。坤爲宿,爲夜。艮爲火,故曰溫室。伏震爲神,爲怒。坤爲鬼,艮爲目。艮手,故曰鬼擊其目。艮爲求,巽爲利,爲賊。○天,汲古作訟。露作虛。均依宋、元本。

〔一〕"破逆",刻本作"逆破",據稿本改。

【補校】擊,汲古作繫。依宋、元本。露,宋、元本作靈。汲古作虛。其,宋、元、汲古各本皆作無。均依歸妹之小過校。

噬嗑

攘臂極肘,怒不可止。狼戾愎佷,無與爲市。

　　艮爲臂肘。極,放也。儀禮大射,贊設決,朱極三。注,極,放也。極肘,即放肘也。震爲怒。艮爲狼。巽爲市,巽伏,故曰無與爲市。○極,汲古作拯。依宋、元本。愎,宋本訛復。依元本、汲古。佷,汲古作狼。依宋、元本。

　　【補校】愎,宋、元本訛復。依汲古。

賁

販馬買牛,會值空虛。利得尠少,流連爲憂。

　　離爲牛,震爲馬;爲商旅,故曰販買。離爲空虛。巽爲利,巽伏,故利得鮮少。坎爲憂,艮止,故曰流連。○買,宋、元本作賣。依汲古。

　　【補校】空虛,宋、元本作虛空。依汲古。

剝

高樓陸處,以避風雨。深堂邃宇[一],君安其所。牝雞之晨,爲我利福,請求弗得。

　　此用恒象。伏坤爲重,故爲樓。巽爲高,故曰高樓。坤爲陸,故曰陸處。巽爲風,兌爲水[二],故亦爲雨。巽爲伏,故曰以避風雨。艮爲堂宇,下乘坤,故曰深邃。震爲君,艮爲安,故曰君安其所。震爲晨。巽爲雞,爲利。艮爲請求,坤虛,故弗得。○之晨,元

〔一〕"堂",刻本訛"室",據稿本改。
〔二〕"兌",稿本作"坤"。

本作之息。汲古作司晨。依宋本。福、請求，宋、元本作弗、求得。
兹依汲古。

復

阿衡服箱，太乙載行。逃時歷舍，所之吉昌。

　　商頌，實維阿衡。注，阿，倚；衡，平也[一]。天官書，北斗，帝
車運乎中央。晉書天文志，北斗杓三星爲玉衡。衡，平也，轅端橫
木也。坤爲平，爲方，爲車箱，故曰阿衡服箱。詩，睆彼牽牛，不以
服箱。毛傳，服，牝服也。箱，大車之箱也。疏，牝服，長八尺，謂較
也，今俗爲平較。兩較之内謂之箱。按，大車，牛車。兩轅，今車兩
邊之牆，古謂之較，兩較之中即爲箱。以其中虛，故名牝服。兹曰
阿衡服箱，與太乙並稱，則阿衡指玉衡，服箱指牽牛，言太乙居中，
御斗牛以行也。震爲君，故曰太乙。太乙即北辰，極尊象君。復，
出入无疾，故所之吉昌。○之，汲古作求。非。依宋、元本。逃，疑
爲巡之譌。

　　【補校】太乙，元本作太一。依宋本、汲古。太一即太乙。

无妄

飛來之福，入我嘉室，以安吾國。

　　乾爲福，震爲飛。巽爲入。艮爲室，爲國。○嘉，汲古作居。
依宋本。

　　【補校】嘉，依宋、元本。

大畜

不孝之患，子孫爲殘。老耄莫養，獨坐空垣[二]。

[一] “商頌”至“阿，倚；衡，平也”，刻本無，據稿本增。按稿本此頁夾一小字條，
　　云“恒之復注添”。蓋謂此數語當補入也。
[二] “空”，刻本訛“室”，據稿本改。

巽爲孝,二至四巽覆,故曰不孝。伏坤爲患。震爲子,艮爲孫;皆履乾上,而兌毁折,故曰殘。乾爲老,坤爲養,坤伏,故莫養。艮爲垣,爲坐,爲獨。〇子孫爲殘,宋、元本作子爲母殘。兹依汲古。

頤

南過棘門,鉤裂我冠。斷衣傷襦,使君恨憂。

通大過。乾爲南,爲門;互大坎,故曰棘門。艮爲冠,爲鉤;兌毁,故冠裂。乾爲衣襦,巽下斷,故斷衣傷襦。乾爲君,坤爲恨憂。〇鉤,汲古作駒。依宋本。斷衣,宋、元本作鬬之。兹依汲古。

【補校】鉤,依宋、元本。

大過

重弋射隼,不知所定。質疑蓍龜,孰可避之。明神答報,告以肌如,宜利止居。

以繩繫矢而射,曰弋。正反巽,故曰重弋。伏艮爲隼,震爲射。正反震,故不能定射的在何所也。震爲蓍,艮爲龜,坤爲疑。震言,故曰質疑。震爲往,正反震,故曰孰可避之。震爲神,艮爲明;上艮爲反震,故曰答報。艮爲止,巽爲肌。肌,蟲名。爾雅釋蟲,密肌、繼英,皆蟲名。注云,未詳。兹曰止居,或密肌爲蟄伏之蟲,正巽象也。〇弋,宋、元本作或。汲古作卒。之訛大。均依困之蹇校。肌如,汲古作犧牲。依宋、元本。宋、元本無末句[一],依汲古。

【補校】首句,宋、元本作重或射卒。汲古作重門射平。依中孚之復校。之,宋、元本訛大。汲古訛火。依困之蹇校。又,答報,宋、元本作報答。依汲古。

坎

麟麖鳳雛,安樂無憂。捕魚河海,利踰徙居。

〔一〕“末”,刻本訛作“未”。據稿本改。

伏離爲文，故曰麟鳳。艮亦爲獸，爲鳥。艮少，故曰麑，曰雛。麑，鹿子也。坎爲憂，震樂，故無憂。伏巽爲魚，爲利。艮爲捕，坎爲河海，故曰捕魚河海。艮爲居，震行，故曰徙居。〇雛，宋、元本作稚。徙作從。均依汲古。

離

新田宜粟，上農得穀。君子懷德，以干百禄。

離爲新，伏艮爲田。二歲爲新田。巽爲粟，爲穀。中爻正反巽，故曰宜粟，曰得穀。伏艮爲君子。爲求，故曰干。震爲百，爲禄。〇三、四句〔一〕，宋、元本作君子推德〔二〕，千百以福。茲依汲古。

咸

簪短帶長，幽思苦窮。瘠蠱小瘦，以病之癃。

詳復之節。〇第四句，宋、元本癃作隆。依汲古。蠱，元本作蟲。非。癃，創也，艮象。言小瘦之故，因病癃也。

【補校】蠱，宋、元本作蟲。非。依汲古。幽，汲古作出。依宋、元本。

遯

爭訟之門，不可與鄰。出入有爲，憂生我心。

乾爲言，艮亦爲言，兌爲口；二至四兌反，與乾言相背，故曰爭訟。義本夬九四也。艮爲門。伏震爲出，巽爲入。伏坤爲憂，爲心。〇心，汲古作患。依宋、元本。

【補校】三四句，宋、元本作出入爲憂，生我心患。茲依汲古，唯心字從宋、元本。

〔一〕"三、四句"，稿本、刻本誤作"二、三句"，據本林辭改。

〔二〕"推"，刻本訛"惟"，據稿本改。

大壯

朽根枯株，不生肌膚。病在心腹，日以焦枯。

伏巽爲木，爲隕落，故曰朽根枯株。艮爲肌膚，上卦艮覆，故肌膚不生。伏坤爲心腹，爲病。巽隕，故枯。按，壯者傷也，故林辭如此，而象則用伏。○腹，汲古作腸。焦作燋。均依宋、元本。焦枯，宋、元本作焦勞。依汲古，協。

晉

雨師娶婦，黃巖季子。成禮既婚，相呼南去。潤澤田里，年歲大喜。

此用恒伏象。兌爲雨，坤爲師，巽爲婦。卦六爻皆有應予，易所謂婚媾也，故曰雨師娶婦。震爲黃，艮爲巖，爲季子，故曰黃巖季子。坤爲禮，艮爲成，震巽爲夫婦，故曰成禮既婚。震爲呼，爲南。兌爲潤澤。坤爲田里，爲年歲。震爲喜。言田里得雨澤，年歲豐熟而大喜也。元本舊注，博物志，太公爲灌壇令，武王夢婦人當道夜哭，問之，曰，我是東海神女，嫁於西海神童，我行必有風雨云云。按，此注於林辭不甚合，恐別有故實，爲今所不能攷。○南去、潤澤田里，依井之坤宋、元本校。各本去作上。潤作膏。田里作下土。子，汲古作女。依宋、元本。

【補校】既婚，各本作就婚。潤澤田里，作膏我下土。喜作茂。均依井之坤校。又，年歲，宋、元本作歲年。依汲古。

明夷

冬採薇蘭，地凍堅難。利走室北，暮無所得。

坎爲冬，震爲薇蘭。坤爲地。坎爲凍，爲險難，爲室，爲北。震行，故曰利走室北。坤爲暮，坤虛，故無得。○薇，宋、元本作微。依汲古。室，宋本、汲古作失。依元本。

家人

眛之東域，誤過虎邑。失我熊羆，飢無所食。

此用恒象。震爲東，兌爲眛。伏艮爲虎，爲邑，爲熊。伏坤爲失。爲虛，故爲飢。○熊羆，依宋、元本。汲古作熟羆。非。熊羆，熊肉也。

睽

日暮閉目，隨陽休息。箕子以之，乃受其福。舉首多言，必爲悔殘。

離爲日，爲目。坎爲閉，爲暮，故曰日暮閉目。離爲陽，兌嚮晦宴息，故曰休息。兌爲口舌，故曰箕。坎爲首，坎上下兌口，故曰多言。○首，依宋、元本。汲古作事。箕星，司口舌。

【補校】暮，宋本、汲古作莫。依元本。莫即暮。

蹇

蓼蕭瀼瀼，君子龍光。鳴鸞雍雍，福祿來同。

蓼蕭，小雅篇名，天子燕諸侯之詩。龍，寵也。爲龍爲光，和鸞雝雝，萬福攸同，皆詩語。遇卦恒下巽爲蓼蕭。震爲龍，爲鳴鸞，爲雍雍。乾爲福祿。○雍雍，汲古作噰噰。依宋、元本。字與毛詩異。

解

鳥飛無翼，兔走折足。雖不會同，未得醫工。

震爲鳥，爲兔，爲翼，爲足。坎折，巽寡髮，故無翼。坎蹇，故折足。坎爲醫，巽爲工；巽伏坎隱，故不得。言不得醫折足之患也。○會同，汲古作同會。醫工作利達。均依宋、元本。

【補校】得，汲古作能。依宋、元本。

損

五勝相賊，火得水息。精光消滅，絕不能續。

卦兌金尅震木，震木尅坤土；而兌又爲水，艮又爲火，故火得水而息滅也。元本注，五勝者，言五行相勝之義。伏巽爲賊，卦數五，故曰五勝相賊。艮爲光，坤消兌絕。○能，宋、元本作長。依汲古。

益

東資齊魯，得駵大馬。便辟能言，巧賈善市。八鄰併戶，請火不與。人道閉塞，鬼守其宇。

震爲東，巽爲齊，伏兌爲魯。震爲馬，伏乾爲赤，故曰駵。駵，赤色也。正反震，故曰便辟能言。巽爲賈市。坤爲戶，卦數八，艮亦爲戶，數亦八，故曰八鄰併戶。併、屛同，併戶即閉戶也。艮爲火，下乘坤水，故不得火。坤爲道路，爲閉塞。孟子，請火於鄰，無弗與者。今八鄰閉戶不與，故曰人道閉塞。坤爲鬼，艮爲守，爲宇，故曰鬼守其宇。○巧賈善市，汲古作市人善賈。八鄰作鄰人。守作祟。均依宋、元本。

夬

爭雞失羊，亡其金囊，利不得長。陳蔡之患，賴楚以安。

遇卦互兌爲羊，巽爲雞，而兌巽相反覆，故得雞則失羊，得羊必失雞，不可得兼也。坤爲囊，坤伏，故亡。乾金巽利。震爲陳，爲蔡，爲楚。伏坤爲患。史記孔子世家，陳蔡聞楚聘孔子，懼，發徒役圍，孔子不得行，絕糧。於是使子貢至楚，楚昭王興師迎孔子，然後得免。

姤

九登十陟，馬跌不前。管子佐之，乃能上山。

　　通復。震數九，坤數十。震爲登，爲陟，爲馬。坤失，故曰馬跌不前。震爲竹，故曰管子。乾爲山。言管子佐齊桓，乃能霸天下也。○首句，元本作九登十涉〔一〕。依宋本、汲古。

萃

東鄰愁苦，君亂天紀。日貪禄寵，必受其咎。

　　通大畜。震爲東鄰。坤爲愁苦，爲亂。乾爲君，爲天，爲禄寵。義多未詳，或指紂。○日，宋、元本作甘。依汲古。宋、元本下有意合志同，自外相從〔二〕，見吾伯公三句。與上文義相反，斷爲衍文。否則，只用此三句，象甚合，語亦較有味。惟不能並用。

升

三狸捕鼠，遮遏前後。死於環城，不能脱走。

　　詳離之遯。○環城，宋、元本作壞城。汲古作壞域〔三〕。依明夷之頤校。

　　【補校】能，宋、元本作得。依汲古。

困

狼虎爭强〔四〕，禮義不行。兼吞其國，齊魯無王。

　　上兑爲虎狼，正反兑〔五〕，故曰爭强。兑爲吞，爲魯。巽齊。震爲王，震伏，故曰齊魯無王。言秦併吞六國〔六〕，致列國無主也。

〔一〕"九登十涉"，稿本、刻本誤作"十登九涉"，據元刊本改。

〔二〕"自"，稿本、刻本誤"内"，據宋、元本改。按汲古本舊注云"一本有意合志同，内外相從，見吾伯公"三句。蓋彼所見本"自外"作"内外"。

〔三〕"壞域"，稿本誤"外城"，刻本又訛"外問"，據汲古本改。按局本二字作"外域"，疑稿本緣此致誤。

〔四〕"狼虎"二字，稿本、刻本誤倒，據宋、元、汲古及所見其他各本改。

〔五〕"上兑爲虎狼，正反兑"，稿本作"伏艮爲虎狼，正反艮"。兹依刻本。

〔六〕"吞"，刻本作"合"，據稿本改。

【補校】末句，宋、元本作齊晉無主。依汲古。

井

五岳四瀆，合潤爲德。行不失理，民賴恩福。

> 伏艮爲山岳，巽卦數五，故曰五岳。坎爲江河，巽後天數四，故曰四瀆。坎爲合，爲潤。爲眾，故曰民。伏震爲恩福。○恩，宋、元本作息。依汲古。

革

六月種黍，歲晚無雨。秋不宿酒，神失其所。先困後通，與福相從。

> 通蒙。坎爲月，數六，震爲黍，故曰六月種黍。坎爲雨，爲暮，坤爲歲。坤虛，故無雨。兌爲秋，坎爲酒。宿，肅也。儀禮，宿尸。注，宿，與曲禮主人肅客之肅同。又禮祭統，先期旬有一日，宮宰宿夫人。注，宿讀爲肅，戒也。茲云秋不宿酒，言無黍不能釀，至秋祭，不能先期戒備酒醴也。震爲神，坤失，故曰失所。坎爲困。震爲通，爲後，爲從。震爲福，正反震故曰相從。○從，宋、元本作逢。依汲古。

鼎

騋牝龍身，日馭三千。南上蒼梧，與福爲婚。道里夷易，身安無患。

> 詳觀之比。

> 【補校】馭，宋、元、汲古諸本皆作取。宋本、汲古舊注云，疑當作趣。茲依觀之比校。又，里，汲古作理。從宋、元本。

震

出入休居，安止無憂。上室之懽，虎爲季殘。

震出，伏巽爲入。艮止，故曰休居，曰安止。艮爲室，爲虎，爲季。○無，宋、元本作相。懽作懽。均依汲古。虎，汲古作虐。依宋、元本。第三、四句費解，疑有訛字。

艮

南山昊天，刺政閔身。疾病無辜，背憎爲仇。

詳謙之復。○閔，宋、元本作闕。依汲古。憎，宋本作增。非。依元本、汲古。

【補校】無，依宋本、汲古。元本作毋。義同。

漸

蒼耳東從，道頓跂踦。日辰不良，病爲祟禍。

元本注，蒼耳，馬也。遯之小過曰，騏騄與蒼，蓋即蒼耳。坎爲耳，伏震爲東；爲青，故曰蒼耳。艮爲道，坎塞，故曰跂踦。離爲日，艮爲時，故曰日辰。坎破，故不良。坎爲病。○第一句〔一〕，元本作潼頓東徙。非。依宋本、汲古。

【補校】第一句，汲古作潼頓東徙。頓跂，作路跋。均依宋、元本。

歸妹

兄征東燕，弟伐遼西。大克勝還，封居河間。

震爲東，爲兄，兌爲燕，故曰兄征東燕。兌爲西，坎爲弟，坎水，故曰弟伐遼西。坎爲河。○居，宋、元本作君。依汲古。

【補校】克，依宋本、汲古。元本作剋。義同。

豐

播輪折輻，馬不得行。豎牛之讒，賊其父兄。布衣不傷，終

〔一〕"第一句"，稿本、刻本誤作"第二句"，據此林宋、元、汲古諸本改。詳"補校"。

身無患。

互大坎爲輪輻，兌毀，故曰播輪折輻。震爲馬，坎陷，故馬不行。離爲牛，伏艮爲豎，正反兌口，故曰豎牛之讒。震爲兄，爲父，坎爲賊。○輪，宋、元本訛輸。衣作裘。患作殘。均依汲古。豎牛，事在左傳成十六年，見前。

旅

駕之南海，晨夜不止。君子勞罷，僕夫憔苦。

通節。震爲南，兌爲海，震車，故曰駕之南海。震爲晨，坎爲夜。艮爲君子，爲僕夫。坎爲勞罷，爲苦。○夫憔，宋、元本作使燋。依汲古。

【補校】罷，宋、元本作疲。依汲古。罷、疲音義通。

巽

怨虱燒被，忿怒生禍。褊心作難，意如爲亂。

巽爲蟲，故曰虱。震爲被，離火，震伏不見，故曰燒被。兌爲附決，爲剛鹵，故曰怨，曰忿怒。伏坎爲心，坎陷，故曰褊心。意如，季平子名也。左傳昭二十五年，公伐季氏。褊心，謂昭公也。後公卒爲季氏所逐，故曰意如作亂。○首句汲古作怨重被燒。難作事。均依宋、元本。

【補校】褊，依汲古。宋、元本作偏。義同。

兌

張狂妄行，竊食盜粮。狗吠非主，嚙傷我足。

通艮。互震爲張狂，爲行。坎爲盜竊，震爲粮，故曰竊食盜粮。艮爲狗，兌爲吠，震爲主；震覆，故曰非主。兌爲嚙，震爲足；兌毀，故傷足。○盜粮，汲古作稻梁。茲依宋、元本。

【補校】盜粮，汲古作盜梁。學津、局本作稻粱。

渙

警蹕戒道，先驅除咎。王后親桑，以率羣功，安我祖宗。

首二句皆震象。艮爲道，爲王。巽爲桑。艮爲安，爲祖。○咎，宋、元本作害。依汲古。

【補校】戒，汲古作式。依宋、元本。

節

門戶乏食，困死誰告。對門不通，安所歸急。積藏五穀，一花千葉，市賈有息。

艮爲門戶，坎爲困。互震爲虛〔一〕，故乏食。艮敗言，故困死誰告。二至五正反艮相對，故曰對門。艮止坎陷，故曰不通。不通則緩急難恃，故曰安所歸急。震爲歸也。坎爲積藏，卦數五，震爲穀，故曰積藏五穀。震爲旉，爲華葉，爲商賈。震生，故曰息。○死，宋、元本作無。安作莫。千作百。無第七句。均非。均依汲古。

【補校】積，宋、元本作種。依汲古。

中孚

破敝復完，危者得安。鄉善無患，商人有息，利來入門。

兌爲破敝，爲毀折，故爲危。艮成終，故復完而得安也。震爲商人，巽爲利入，艮爲門。○首句，宋、元本作被蔽復貌。依汲古。患，汲古作損。依宋、元本。鄉同向。

小過

疊疊累累，如岐之室。一息十子，古公治邑。

―――――――――

〔一〕“互震爲虛”，稿本作“伏離中虛”，兹依刻本。

　　艮爲山,爲室。震爲生,爲息,爲子。兑數十,故曰一息十子。震爲公,艮爲邑。按詩大雅云,古公亶父,陶復陶穴,未有家室。言古公初至岐未有家室,暫陶覆陶穴而居。疊疊累累,穴居之狀,故曰如岐之室。○首句,宋、元本作疊疊疊疊。又,岐作其。均依汲古。息,汲古作身。依宋、元本。

　　【補校】首句,宋本作疊疊疊疊。元本作壘壘壘壘。疑壘爲疊之形訛。疊即疊,壘同累。又,息,宋、元本作身。依汲古。

既濟 [一]

三嫗治民,不勝其任。兩馬爭車,敗壞室家。

　　【補校】室家,汲古作家室。依宋、元本。

未濟

蔽鏡無光,不見文章。少女不市,棄於相望。

　　離爲鏡,爲光。坎爲蔽,故無光,故不見文章。離爲文也。○第四句,宋、元本作棄其邵王 [二]。茲依汲古。未知孰是。

〔一〕按此林無注,稿本所録林辭,末句作“敗壞家室”,蓋從汲古本。今謹依宋、元本改訂爲“敗壞室家”,以與“車”韻。

〔二〕“邵”,刻本訛“卲”,據稿本改。